D1713099

Aus Freude am Lesen

btb

Terézia Mora

Alle Tage

Roman

btb

FSC

Mixed Sources

Product group from well-managed
forests and other controlled sources

Cert no. GFA-COC-1223
www.fsc.org
© 1996 Forest Stewardship Council

Verlagsgruppe Random House FSC-DEU-0100
Das FSC-zertifizierte Papier *Munken Print* für Taschenbücher aus
dem btb Verlag liefert Arctic Paper Munkedals AB, Schweden.

3. Auflage
Genehmigte Taschenbuchausgabe Oktober 2006,
btb Verlag in der Verlagsgruppe Random House GmbH, München
Copyright © 2004 by Luchterhand Literaturverlag,
in der Verlagsgruppe Random House GmbH, München
Umschlaggestaltung: Design Team München
Umschlagfoto: Photonica / Ryuichi Sato
Satz: Filmsatz Schröter, München
Druck und Einband: Clausen & Bosse, Leck
KS · Herstellung: AW
Printed in Gennany
ISBN 978-3-442-73496-2

www.btb-verlag.de

Wovon ich rede, sind herzzerreißende undoder komische Geschichten. Extremes und Skurriles. Tragödien, Farcen, echte Tragödien. Kindliches, menschliches, tierisches Leid. Echte Ergriffenheit, parodierte Sentimentalität, skeptischer und ehrlicher Glaube. Katastrophen selbstverständlich. Natur- und andere. Und ganz besonders: Wunder. Was die anbelangt, ist die Nachfrage stets enorm. Wir kaufen Wunder von überallher. Beziehungsweise nehmen sie uns einfach. Die Wunder sind für uns alle da. Nicht umsonst heißen wir die Zeit der Wunder. Die haben die Märtyrer, und wir haben die Wunder. Sie verstehen.   .

Die lateinischen Länder sind besonders ergiebig. Gutes altes Babylon. Und natürlich Transsylvanien. Der Balkan etcetera. Beherrschen Sie wirklich all diese Sprachen? Alle zehn?

Einer, der aussieht wie Christus ohne Bart, kann kein Lügner nicht sein, was? Oder Rasputin. Rasputin ist besser. Hinter Ihrem Rücken werde ich Sie so nennen, einverstanden? Was Neues von Rasputin? Im Übrigen ist es egal, sagte der Mann, ein Redakteur, zu Abel Nema, als er ihn das erste und letzte Mal sah. Meinetwegen lügen undoder erfinden Sie auch. Hauptsache, es ist gut. Sie verstehen mich?

Gut, gut, gut. Sehr gut. Im Übrigen ist Lügen gar nicht nötig. Das Leben ist voller furchtbarer Zufälle und unzählbarer Ereignisse. Sie verstehen.

0. JETZT

Wochenende

Vögel

Nennen wir die Zeit *jetzt*, nennen wir den Ort *hier*. Beschreiben wir beides wie folgt.

Eine Stadt, ein östlicherer Bezirk davon. Braune Straßen, leere oder man weiß nicht genau womit gefüllte Lagerräume und vollgestopfte Menschenheime, im Zickzack an der Bahnlinie entlang laufend, in plötzlichen Sackgassen an eine Ziegelsteinmauer stoßend. Ein Samstagmorgen, seit kurzem Herbst. Kein Park, nur ein winziges, wüstes Dreieck sogenannte Grünfläche, weil etwas übrig geblieben war am spitzen Zusammenlaufen zweier Gassen, so ein leerer Winkel. Plötzliche Böen frühmorgendlichen Windes – das kommt von der zerklüfteten Straßenstellung, so ein *soziales* Gebiss –, rütteln an einer hölzernen Scheibe, einem alten oder nur so aussehenden Kinderspielzeug, das am Rande der Grünfläche steht. Daneben der frei schwebende Tragering eines Mülleimers, der Eimer selbst fehlt. Einzelner Abfall liegt im nahen Gestrüpp, das es in Anfällen von Schüttelfrost loszuwerden versucht, aber es fallen meist nur Blätter klappernd auf Beton, Sand, Glasscherben, ausgetretenes Grün. Zwei Frauen und wenig später noch eine, auf dem Weg zu oder von der Arbeit. Schneiden hier die Ecke ab, trampeln über den Trampelpfad, der das Grün in zwei Dreiecke teilt. Eine der Frauen, eine Korpulente, zieht im Vorbeigehen zwei Finger über den Rand der hölzernen Scheibe. Der Scheibenfuß quietscht auf, es hört sich an wie der Schrei eines Vogels, oder vielleicht war es wirklich ein Vogel, einer von den Hunderten, die über den Himmel ziehen. Stare. Die Scheibe dreht sich torkelnd.

Der Mann habe auch irgendwie wie ein Vogel ausgesehen, oder eine Fledermaus, aber eine riesige, wie er da hing, seine schwarzen Mantelflügel zuckten manchmal im Wind. Zuerst dachten sie, sagten die Frauen später aus, jemand hätte nur seinen Mantel dort vergessen, auf dieser Teppichklopfstange oder was das ist, ein Klettergerüst. Aber dann sahen sie, dass unten Hände heraushingen, weiße Hände, die Spitzen der gekrümmten Finger berührten fast den Boden.

An einem Samstagmorgen zu Herbstbeginn fanden drei Arbeite-rinnen auf einem verwahrlosten Spielplatz im Bahnhofsbezirk den Übersetzer Abel Nema kopfüber von einem Klettergerüst baumelnd. Die Füße mit silbernem Klebeband umwickelt, ein lan-ger, schwarzer Trenchcoat bedeckte seinen Kopf. Er schaukelte leicht im morgendlichen Wind.

Größe: circa … (sehr groß). Gewicht: circa … (sehr dünn). Arme, Beine, Rumpf, Kopf: schmal. Haut: weiß, Haar: schwarz, Gesicht: länglich, Wangen: länglich, Augen: schmal, Tränensäcke beginnend, Stirn hoch, Haaransatz herzförmig, Augenbraue links tief, Augen-braue rechts hochgezogen – ein mit den Jahren zunehmend asym-metrisch gewordenes Gesicht mit einer wachen rechten und einer schlafenden linken Seite. Ein nicht schlecht aussehender Mensch. Aber *gut*, auch das ist etwas anderes. Zwischen abheilenden älteren Blessuren ein halbes Dutzend neue. Doch abgesehen davon: *Etwas* ist jetzt doch anders, dachte seine Frau Mercedes, als man sie später ins Krankenhaus rief. Vielleicht liegt es auch nur daran, dass ich ihn das erste Mal schlafen sehe.

Eigentlich nicht, sagte der Arzt. Wir haben ihn in ein künstliches Koma versetzt. Bis wir wissen, wie es um sein Gehirn steht.

Und weil es auch ein Gewaltdelikt ist, schließlich kann man sich, und sei man noch so fähig, nicht selbst in so eine Lage bringen, stellt auch die Polizei Fragen. Wann man seinen Mann das letzte Mal gesehen habe.

Mercedes schaut lange in das Gesicht.

Ich hätte bald gesagt: Wenn ich's mir recht überlege: noch nie. Aber dann sagte sie doch: Das war vor … Bei unserer Scheidung.

Chöre

An einem Samstag vor etwas mehr als vier Jahren kam Abel Nema zu spät zu seiner Hochzeit. Mercedes trug ein schmales schwar-zes Kleid mit einem weißen Kragen und einen Strauß weißer Margeriten in der Hand. Er kam wie immer, in zerknitterten schwarzen Klamotten, suchte lange, mit zitternden Fingern nach seinem Identitätsnachweis, es sah so aus, als würde er ihn nicht finden, dann fand er ihn doch, in der Tasche, in der er zuerst nachgesehen hatte. Zur Scheidung, an einem Montag vor …, kam er wieder zu spät, ich habe so was schon geahnt, nach einer Weile weiß man das, schon als noch Zeit genug war, eine Viertelstunde vor dem Termin, als sich Mercedes mit der gemeinsamen Anwältin traf. Wollen Sie das wirklich? fragte die Anwältin, als sie sie engagierten. Immerhin war er dort einigermaßen pünktlich erschienen, sagte aber anschließend kein Wort, nickte nur zu allem, was Mercedes sagte. Sind Sie sicher? fragte die Anwältin hinterher. Vielleicht sollte jeder seinen eigenen … Nein, sagte Mercedes. Das ist kein Streitfall. Plus die Kostenersparnis.

Es war also schon zu wissen, dass es auch diesmal nicht glatt gehen würde, warum sollte es ausgerechnet diesmal glatt gehen. Sie standen auf dem Gerichtsflur, die Anwältin redete etwas, Mercedes sagte nichts, beide warteten sie. Draußen sammelte sich eine letzte Brüllhitze, als würde der scheidende Sommer mit hochrotem Kopf noch einmal das Maul aufreißen und einen (Mercedes, das ist ihre Assoziation) heiß und verächtlich anhauchen, aber hier drinnen zog es fröstelig kühl den langen, grünlichen Flur herauf.

Als das Handy der Anwältin klingelte, waren es nur noch fünf Minuten bis zum Termin, und, natürlich: er war dran. Mercedes spitzte die Ohren, ob sie ihn sprechen hörte und wie er klang, aber es war nichts zu hören, nur die Echos der Flure und die Anwältin, wie sie Hm-Aha-Verstehe-In-Ordnung sagte.

Er habe, berichtete sie, angerufen, um mitzuteilen, dass er unterwegs sei, das heißt, so gut wie, es gäbe da nämlich ein Problem. – Wieso überrascht mich das nicht? Jedes Mal, wenn sich dieser Mann auf den Weg machen will, wohin auch immer, taucht ein Problem auf. – Das Problem sei diesmal, dass er ein Taxi nehmen müsse, nein, das sei nicht das Problem, das Problem sei, dass er es nicht bezahlen könne, er habe momentan leider so gut wie kein Geld, aber er müsse dieses Taxi nehmen, sonst würde er es nicht bis zum Gericht schaffen, schon gar nicht rechtzeitig.

Verstehe.

Sie standen noch eine Minute nebeneinander auf dem Flur, dann sagte die Anwältin, sie würde jetzt hinausgehen und vor dem Gebäude auf ihn warten. Mercedes nickte und ging auf die Toilette. Sie musste nicht auf die Toilette, aber draußen auf dem Flur stehen konnte sie auch nicht. Sie wusch sich die Hände, stand mit tropfenden Fingern vor dem Spiegel, sah sich an.

Frauenstimme (singt): Do-o-na no-o-bis pa-a-cem pa-cem. Doooo-naa no-o-bis paaaa-cem.

Männerstimme (singt mit ihr): Do-o-na no-o-bis pa-a-cem pa-cem. Doooo-naa no-o-bis paaaa-cem.

Andere Stimmen (singen mit ihnen): Do-o-na no-o-bis pa-a-cem pa-cem. Doooo-naa no-o-bis paaaa-cem.

Alle: Do-na. No-bis. Pa-a-cem, pa-cem. Doooo-naa no-o-bis paaaa-cem.

Frauenstimme: Do-o-na no-o-bis...

Männerstimme: Do-o-na no-o-bis

Frauenstimme (gleichzeitig): Paa-cem pa-cem.

Männerstimme: Paa-cem pa-cem.

Frauenstimme (gleichzeitig): Doooo-naa no-o-bis.

Andere Stimmen (gleichzeitig): Do-o-na no-o-bis.

Männerstimme (gleichzeitig): Paa-cem, pa-cem.

Andere Stimmen: Paa-cem pa-cem.

Männerstimme (gleichzeitig): Doooo-naa no-o-bis.

Frauenstimme (gleichzeitig): Paaa-a-cem.

Andere Stimmen (gleichzeitig): Doooo-naa no-o-bis.

Alle: Paaa-a-cem. (Mit ein wenig Konzentration bringt man das alles schon auf die Reihe.)

Auf dem Flur war es nicht zu hören, nur hier: In der Nähe oder weit weg probte ein Chor, oder was ist das, ein Friedensgebet, aber wieso am Montag mittag, Mittagspause, sie verwenden ihre Montagmittagspause, um Dona nobis pacem zu singen. Wie lange schon, keine Ahnung, jedenfalls unermüdlich. Frieden unsrer Seele, Frieden unsrer Seele, Friede, Friede.

Der dunkle Lippenstift ist ungewohnt. Das spitze Lippenherz.

Wieso muss man sich für seine Scheidung schminken? Andere Frauen kommen und gehen, schauen sich ebenfalls im Spiegel an, ihre dunklen oder helleren Lippen, Mercedes schaut ihnen durch den Spiegel zu, sie schauen Mercedes zu oder schauen ihr nicht zu, sie gehen, Mercedes bleibt. Mit einem Papierhandtuch den Mund abzuwischen ist riskant. Rotes bleibt in den Härchen drumherum zurück. Himbeersirupmund. Jetzt verkrümmt er sich nach unten. Ich bin weniger ärgerlich als traurig. Friede, Friede, Friede.

Maria von der Gnade der Gefangenenbefreiung, sagte Tatjana zu Erik. Unsere Freundin Mercedes hat eine Art Genie oder was aus Transsylvanien oder wo geheiratet, den sie aus dem Feuer oder so ähnlich gerettet hat.

Eigentlich, sagte Mercedes' Mutter Miriam, ist alles in Ordnung mit ihm. Ein höflicher, stiller, gutaussehender Mensch. Und gleichzeitig ist nichts in Ordnung mit ihm. Wenn man das auch nicht näher benennen kann. Etwas ist *verdächtig*. Die Art, *wie* er höflich, still und gutaussehend ist. Aber vielleicht ist das so, wenn man hochbegabt ist.

Was heißt hier: *hoch*? Nun gut, er kann was. Einpaar Sprachen. Angeblich. Denn in der Praxis hört man kaum einen Satz von ihm. Das mag ein Symptom sein. Aber die Ursache ist es nicht.

Er hat die gleichen Probleme wie jeder Emigrant: er braucht Papiere und er braucht Sprache, sagte zu einem früheren Zeitpunkt Professor Tibor B. zu seiner damaligen Lebensgefährtin Mercedes. Letzteres hat er so gelöst, dass er einfach perfekt geworden ist, und das gleich zehnmal, und zwar so, das glaubt man einfach nicht, dass er den Großteil seiner Kenntnisse im Sprachlabor erworben hat, so wie ich es sage: von Tonbändern. Es würde mich nicht wundern, wenn er nie mit einem einzigen lebenden Portugiesen oder Finnen gesprochen hätte. Deswegen ist alles, was er sagt, so, wie soll ich sagen, ohne *Ort*, so klar, wie man es noch nie gehört hat, kein Akzent, kein Dialekt, nichts – er spricht wie einer, der nirgends herkommt.

Ein Glückspilz, sagte jemand namens Konstantin. Ich sage zu ihm: Du bist ein Glückspilz. Da schaut er mich an, als hätte er kein

Wort verstanden. Dabei soll das doch, nicht wahr, seine Spezialität sein. Wobei ich persönlich denke, seine eigentliche Spezialität ist es, dass sich Menschen für ihn interessieren, und zwar ohne dass er auch nur das Geringste dafür tut. Man macht sich Gedanken über ihn und ärgert sich hinterher, weil sich herausstellt, dass er einem die ganze Zeit, während man auf ihn eingeredet hat, nur auf den Mund geschaut hat, als besäße allein die Art und Weise, wie man die Frikative bildet, Wichtigkeit für ihn. Der ganze Rest, die Welt, mit Mann und Maus, interessiert ihn nicht die Bohne. In der Welt leben und nicht in der Welt leben. So einer ist er.

Immer etwas etepetete, so ein Rührmichnichtan, aber du täuschst mich nicht, dein Name verrät dich: Nema, der Stumme, verwandt mit dem slawischen Nemec, heute für: der Deutsche, früher für jeden nichtslawischer Zunge, für den Stummen also, oder anders ausgedrückt: den Barbaren. Abel, der Barbar, sagte eine Frau namens Kinga und lachte. Das bist du.

Schlicht und ergreifend Trouble, sagte Tatjana. Das sieht man auf den ersten Blick, es sei denn, man ist blind, es sei denn, man ist Mercedes. Im Wesentlichen, sagt sie, sei es eine Scheinehe. Das sind ihre Worte: Im Wesentlichen. Eine Scheinehe. Womit er beide seiner Probleme gelöst hätte. Gratulieren wir. Und was sie anbelangt …

Wie käme ich dazu, über andere zu urteilen. Es kann Gründe geben, diese sind oft von außen – Mercedes verzieht den Mund, das Gegenüber lächelt –, von *außen*, von wo aus sonst!, nicht zu sehen. Scheinbar verlieren sie *einfach so* den Verstand. Da ist dieser Mensch, Abel Nema, so ein hoffnungsvoller, junger, *die erste freie Generation!*, *mit der Welt zu Füßen*. Genieße es, für diesen kurzen Moment, den es dauert, denn wie schnell kann es vorbei sein. Kaum hat man sich einmal umgeschaut, bricht etwas auf und aus, sagen wir: ein Bürgerkrieg – Ich kann es immer noch nicht begreifen, praktisch *vor unserer Haustür!* *Was* genau begreifst du nicht?–, und das war's dann, sieh zu, dass du Land gewinnst. Vor zehn, nein, mittlerweile dreizehn Jahren musste A. N. seine Heimat verlassen, das war sicher nicht leicht, seitdem allerdings war alles eher normal. Was man so nennt. Ein Mensch mit bemerkenswerten Talenten, zehn Jahre, zehn Sprachen, gelernt und gelehrt, und auch als Privatperson *von einiger Wirkung*, schließlich und endlich sogar mit Ehefrau, Stiefkind, Staatsbürgerschaft. Hat seine Nische gefunden, seine ruhige Ecke am Rande der Party, und dann, vor etwas mehr als einem Jahr, einem Samstag, nein, es war schon Sonntag, erwähnte Party, stand er auf, ging hinaus und ist seitdem *praktisch nicht mehr vorhanden.* Hat sich zurückgezogen in diese *skurrile bis lächerliche* (alle Kursive: Mercedes) Wohnung mit diesem *formidablen* Blick zur Bahn und nichts als einer Matratze und einer Standleitung, und macht *nichts*, außer von überall auf der Welt skurrile bis lächerliche Geschichten für einen *ominösen* Agenten für skurrile bis lächerliche *Wurstblätter* zusammenzusuchen, sieben Tage die Woche. Was soll ich dazu noch sagen.

Do-o-na no-o-bis. Irgendwann hast du genug in den Spiegel gestarrt. Du bist, was du bist. Auf Zehenspitzen, warum?, ans kleine Fenster. Dahinter ein grauer Innenhof, mit dem aufsteigenden, eigenen Geruch grauer Innenhöfe, darin parkende Autos, darüber Himmel. Etwas lauter: Do-o-na no-o-bis. Aber so richtig hört man nicht, woher es kommt. Als wär's von überallher. Das Fenster ist vergittert. Hier werden auch normale Fälle verhandelt. *Kriminal*fälle. Ich werde nicht durch das Klofenster fliehen können. Mercedes schließt das Fenster. Den Chor hört man immer noch.

Und dann wieder im Flur stehen, da sind auch andere, und, das ist bemerkenswert, alle schauen in dieselbe Richtung, den langen, grünlichen Korridor hinunter. Wie am Bahnsteig steht man da, die Gesichter erwartungsvoll dorthin gewendet, wo bald etwas oder jemand auftauchen müsste: er; man spürt schon die Luft, die er vor sich herschiebt.

Als er dann tatsächlich auftauchte, insgesamt nicht mehr als eine Viertelstunde zu spät, sah er bei weitem nicht so wuchtig aus, wie man aus dem Wind, den er im Vorfeld verursacht hatte, hätte annehmen können. Zwar groß, aber schmächtig, kein Zug, eher ein Semaphor, ein Strich in der Landschaft, wenn man die Augen zusammenkneift, schmilzt er von den Seiten her ein. Von vorne betrachtet sah es so aus, als würde er sich kaum von der Stelle bewegen. Dastehen, warten.

An einem Samstag vor vier Jahren kam Abel Nema zu spät zu seiner Hochzeit. Er sagte, er habe sich *etwas* verirrt, und lächelte, ich kann nicht sagen, wie. Mercedes lächelte auch und fragte nicht, wieso er nicht ein Taxi hätte nehmen können. Und *eventuell* etwas anderes anziehen. Der glitzernde Schweiß im offenen Kragen über der zerknitterten Knopfleiste ist das deutlichste Bild, das Mercedes von ihrer Hochzeit geblieben ist. Das und der Geruch, der aufstieg, als er, mitten in der Rede der Standesbeamtin, an keiner bestimmten Stelle, denn es war ohnehin kaum zu verstehen, was sie sagte – Vielleicht könnte man die Rede kürzen oder gar weglassen, sagte Mercedes, um die Zeit aufzuholen, aber die Frau sah sie nur mit blanken Augen an, holte Luft und erzählte einfach alles herunter, was auch immer, Liebe und Gesetz auf der Grundlage bürgerlicher Lebensverhältnisse –, und ich dachte immer nur: ich heirate gerade, ich heirate, als er auf einmal: seufzte. Der Brustkorb, die Schultern stülpten sich hoch und sackten wieder zurück, und dabei stieg ein Schwall auf, ein seltsames Gemisch aus dem Geruch des Sakkos, in dem sich Staub mit Regen verbunden hatte, dem durchgeschwitzten Waschmittelgeruch des Hemds, seiner Haut darunter, seiner Seifen-, Alkohol-, Kaffee- und Talgnoten, und etwas wie Gummi, genauer: Latex, mit einem leichten, synthetischen Vanillearoma, ja, sie glaubte, den Geruch eines Kondoms an ihm wahrzunehmen, plus den Geruch einer in der Hitze eines Dachgeschosses schmelzenden Computertastatur, mit weißen Kreisen im schwarzen Schmutz, dort wo die Finger die Tasten berühren, und so weiter, noch mehr bekannte Gerüche, aber diese sind Nebensache, denn was wirklich wesentlich war in dem Moment, war etwas, was die Braut Mercedes nicht hätte benennen können, das wie ein Wartezimmer roch, wie Holzbänke, Kohleofen, verzogene Schienen, ein in die Böschung geworfener Pappesack mit den Resten von Zement, Salz und Asche auf einer eisigen Straße, Essigbäume,

Messinghähne und pechschwarzes Kakaopulver, und überhaupt: Essen, wie sie es noch nie gegessen hat, und so weiter, etwas Endloses, wofür sie gar keine Worte mehr hat, stieg aus ihm hoch, als trüge er ihn in den Taschen: den Geruch der Fremde. Sie roch *Fremdheit* an ihm.

Ganz überraschend war das nicht. Eine gewisse *Aura* war schon früher da, schon beim ersten Mal, als er in ihrer Tür stand, ein wenig lächerlich in seinem altmodischen schwarzen Trench, der ihm von der Schulter hing. Der ganze Mensch eine Diagonale, aufgespannt zwischen zwei fernen Ecken des Türrahmens. Damals wusste ich noch nichts damit anzufangen. Jahre später, vor der Standesbeamtin, hat sie dieser Seufzer so in Gedanken gebracht, dass sie erst zu sich kam, als er den Ellbogen einknickte, um ihr einen unauffälligen Stoß in die Seite zu versetzen. Sie sah sich um, aber nicht nach ihm, sondern nach hinten, zu den Stuhlreihen, wo neben Tatjana ihr Sohn Omar saß, als Einzige im leeren Saal, liebes Brautpaar, liebe Gäste. Omars Augen glänzten beide gleich, das etwas größere aus Glas und das lebendige, er war gerade sieben geworden, er nickte: Sag ja. Sag' jetzt –

Oui, yes, da, da, da, si, si, sim, ita est.

Später kam der Geruch immer häufiger wieder, er war auch nicht mit dem Rasierwasser zu verdecken, das sie von Zeit zu Zeit in der Wohnung verteilte, und am intensivsten dann ganz zum Schluss – daran merkte sie, dass wirklich Schluss war.

Und natürlich war es auch jetzt wieder so, als er endlich auftauchte. Er trug trotz der Hitze den alten, schwarzen Trench, der ihm (die Zugluft?) hinterher flatterte, obwohl er diesmal nicht in der üblichen fluchtartigen Geschwindigkeit unterwegs war, lange Schritte, gebeugter Oberkörper, sondern im Gegenteil: langsam und steif. Er zog ein Bein hinterher. Er kam den Flur heraufgehinkt, der flinken Anwältin etwas hinterher. Schweißnass, auch das passte. Neu waren: die Abschürfung am Kinn, das Hämatom am rechten Jochbein, eine Beule am Hinterkopf, sowie das bereits erwähnte Hinken. Die Haare strähnig, die hastige Rasur hat Stoppelgrüppchen stehen lassen, am Ohr und am Hals glitzerte etwas –

17

alles in allem sah er aus, wie frisch einer Straßenschlägerei entstiegen. Aber die Stimme war noch die alte, überhaupt das Einzige an ihm, das dem Eindruck der allgemeinen und zunehmenden Desolation immer entgegenstand. Nie zuvor habe ich meine Muttersprache, die nicht seine ist, so perfekt gesprochen gehört, und das, obwohl er kein Wort mehr sagte, als unbedingt nötig, diesmal zwei:

Hallo. Mercedes.

Zehn Minuten sind noch vom Termin, sagte die Anwältin. Beeilen wir uns.

Die unbekannte Größe

Gerade als seine Verzweiflung am größten war und er, nach Stunden oder vielleicht Tagen irren Schmerzes schließlich soweit, sich auf das klamme Linoleum zwischen Badewanne und Kloschüssel zu knien und zu seinem Gott zu flehen, er möge ihm verzeihen, was er bald tun würde, und ihm helfen, es zu tun, am Vorabend seines seit langem geplanten Selbstmordes verschwand der Chaosforscher Halldor Rose, von einem Kongress kommend, aus einem fliegenden Flugzeug. Drei Tage später sah man ihn auf einer Brücke stehen. Er sah den Wolken hinterher, die in einem langen Keil davonzogen. Als er ihnen hinterher winkte, blieb auf der anderen Straßenseite ein Psychiater namens Adil K. stehen, überquerte nach kurzem Zögern die Fahrbahn und sprach den Physiker an. Halldor R. teilte mit, er sei vor drei Tagen leibhaftig zum Himmel gefahren und sei gerade eben wieder abgesetzt worden, auf dieser Brücke.

Auf die Frage, wieso er denke, er sei zum Himmel gefahren, antwortet er, er denke es nicht, er wisse es.

Auf die Frage, welcher Himmel es gewesen sei, antwortet er: Was meinen Sie mit welcher Himmel?

Auf die Frage, wie es dort gewesen sei, antwortet er, das könne er leider nicht sagen.

Auf die Frage, ob er wisse, warum er zum Himmel gefahren sei, antwortet er: Natürlich, wegen der Friedfertigkeit. Weil er der friedfertigste Mensch auf Erden sei.

Auf die Frage, warum er zurückgekehrt sei, antwortet er: Aus demselben Grund. Ich bin wiedergekommen als leibhaftiger Beweis dafür, dass die friedfertige Liebe das durch Gott an uns verliehene höchste Gut ist, und jede Handlung zuwider eine Beleidigung der Schöpfung und somit ein Anschlag auf Gott.

Auf die Frage des Paters Y. R., ob Gott noch etwas anderes gesagt habe, antwortet er: *Gesagt* habe Gott gar nichts, Gott bedürfe der Sprache nicht. Er habe ihm lediglich diese Gewissheit ins Bewusstsein gelegt.

Auf die Frage, ob das alles gewesen sei, antwortet er: Ja. Das heißt, soviel müsse er noch hinzufügen, dass er die ganze Zeit bei klarem Bewusstsein gewesen sei, ja sogar bei sehr klarem, ohne die üblichen chaotischen Trübungen seines Denkens und Empfindens. (Denkt nach.) Wie vor der Geburt oder nach dem Tod. In etwa. Die Fragen seien nicht beantwortet gewesen, es habe vielmehr überhaupt keine Fragen gegeben. Auch das Stückwerk Zeit habe es nicht gegeben. Er sei erstaunt zu hören, dass inzwischen drei ganze Tage vergangen sein sollen. Dieses, dass die Zeit keine Rolle spielte, sei für ihn als Naturwissenschaftler eine ganz besondere Erfahrung gewesen. Möglicherweise müsse er vieles neu bedenken. Deswegen möchte er auch so bald wie möglich zurück an die Arbeit, wenn die Herrschaften nichts dagegen hätten.

Was aus der Verkündigung der Friedfertigkeit werden solle?

Das wisse er auch nicht. Er habe diese beiden Sachen mitbekommen: Die Friedfertigkeit und die Frage nach der Zeit. Gott ließe einem die freie Wahl, welchen Fragen man sich in seinem Leben widmen möchte. Er, als Wissenschaftler, habe sich gerade dafür entschieden, der Frage nach der Zeit nachzugehen. Die Friedfertigkeit könnte vielleicht der Herr Pater …

Worauf Pater Y. R. erwiderte ---

Panik ist nicht der Zustand eines Menschen. Panik ist der Zustand dieser Welt. Alles mal die unbekannte Größe P.

Eigentlich war *bis kurz vor Schluss* alles normal. Das Wochenende vor seiner Scheidung verbrachte Abel wie meistens: im Wesentlichen zu Hause. Er fing gegen vier Uhr morgens an, loggte sich ein, durchkämmte die üblichen Quellen nach den üblichen Meldungen, kopierte und überschrieb sie direkt. Am Nachmittag schlief er einige Stunden, erwachte mit dem Sonnenuntergang, ging hinaus auf den Balkon, um ihn sich anzusehen.

Wenn man in Abel Nemas Wohnung durch die schmale Tür im Dach in den Fußbreit Metallkäfig hinaussteigt, drückt einen der Wind an windigen Tagen bis an die Hauswand zurück. Als würde man fahren, mit einem Haus fahren, so ein Windgefühl ist es, aber natürlich bleibt alles an seinem Platz oder fährt mit, nur dass man es nach einer Weile eventuell wegen der Tränen nicht mehr sieht, die einem auf die Schläfen getrieben werden. Eine Sackgasse, am Rande eines schmalen und verwinkelten Streifens alter Industrieräume an der Ostseite der Bahn gelegen, gibt es in Abels Straße nur auf der einen Seite Häuser. Auf der anderen eine Ziegelsteinmauer, dahinter siebzehn Paar Schienen und dahinter: die Stadt, sich unendlich hinstreckend in einer unendlich flachen Landschaft, die im allgemeinen Dunst verschwindet, bevor sie den Himmel berührt hätte. Ein Land, offen für alles, was kommt: Mensch, Tier, Wetter. An dieser Stelle ist die Bahnschneise am breitesten, die die Stadt verschiedentlich durchschneidet, aber im Wesentlichen in zwei Hälften teilt: in einen eleganteren, reicheren, geordneteren Westen und in die über den Ostausgang des Bahnhofs erreichbare »Insel der Tapferen«: ein ehemaliges Kleinindustriegebiet, in das man, nachdem alles eingegangen war, der Schlachthof, die Bierfabrik, die Mühle, zuerst Nervenkranke, schwer erziehbare Halbwaisen und Alte ansiedelte, dann, in einer kurzen, sogenannten goldenen Zeit versuchte man, sie zu einer exklusiven Wohngegend für junge Snobs auszubauen, bevor man die Gegend endgültig den Gestrandeten überließ, die nicht aufhörten, hierher zu strömen, als hätte ihnen jemand gesagt: nehmt den Ostausgang.

Am Samstagabend, nach getanem Tageswerk, stand Abel also auf seinem Balkon. Unter ihm, hinter der Ziegelsteinmauer, zogen die Eisenbahnwaggons hin und her wie Kugeln auf einem Abakus. Später, es war schon dunkel, kamen immer mehr Autos in die Sackgasse gefahren, reihten sich dicht an der Mauer auf, bis kein Platz mehr war. Späterkommende wendeten mühselig: das Geräusch sich auf Pflastersteinen drehenden Hartgummis, dazwischen das Klackern der Absätze, die dicht vor den erschrocken aufblitzenden Scheinwerfern die Straße querten. Der Laden am geschlossenen Ende der Sackgasse heißt Klapsmühle, an fünf Tagen der Woche feiern sie dort mit einer scheinbar nie nachlassenden Vehemenz, Arbeit und Feste, Tag für Tag, die Wellen der Drums wie plötzliches Donnern durch die Straße, wenn die Tür auf- und zugeht. Dann wieder, abrupt: Stille.

Nachdem er eine Weile auf dem dunklen Balkon gestanden war, ging Abel zurück ins einzige Zimmer, das sogenannte skurrile, obwohl es, ein nachträglich und vermutlich illegal ausgebautes Dachgeschoss, nur etwas zerklüftet geraten war. Wer auch immer hatte versucht, alles an Raum herauszuholen, was unter dem Himmel zu haben war, aber nur der tote Raum war mehr geworden: spitze Winkel, unnütze Buchten, in denen sich die Dunkelheit und der Staub sammeln, nicht mehr gebrauchte Dinge, beiseite gestoßen mit dem Fuß, oder die Zugluft weht sie dahin, sie bleiben liegen. Abel sammelte ein paar schwarze Kleidungsstücke aus den Ecken, steckte sie zusammen mit der ergrauten Bettwäsche in einen Rucksack, stieg fünf Etagen zur Straße hinunter, wo er als einziger nicht auf die Bar zu, sondern von ihr weg ging, nach einem kurzen Slalom zwischen aufgedonnerten halbnackten Fremden rechts abbog und dann noch einmal rechts: zu einer Vierundzwanzigstundenwäscherei. Dort saß er einige Stunden und starrte in ein Bullauge. Drinnen war alles schwarz. Eine Socke mit einer hellgrauen Applikation unter dem Bund fiel immer an dieselbe Stelle zurück. Abel saß ganz hinten im Raum, wo sich das Spülwasser in eine Betonwanne in der Ecke ergoss und durch ein rostiges Eisenrohr abfloss. Wenn er nicht in das sich drehende Schwarz schaute, schaute er sich den trudelnden weißen Schaum an. Später dämmerte es, und er ging nach Hause. In der Sackgasse schwamm er erneut gegen den Strom, diesmal als Einziger nicht von der Bar weg, sondern auf sie zu. Später ließ der Lärm draußen nach, er setzte sich

vor den Computer. Später läuteten die Glocken zweier naher Kirchen, er zog die Rollos an den Fenstern herunter, damit das Licht den Bildschirm nicht ausblendete. Später – die vier Zahlen in der rechten unteren Ecke des Bildschirms zeigten einen mittleren Nachmittag an, neben einer (scheinbar) rotierenden kleinen Erdkugel stand: unbekannte Zone – klingelte das Telefon.
Hallo, Mutter.

Ihr Name ist Mira. Das letzte Mal haben sie sich vor dreizehn Jahren gesehen, kurz bevor sie ihm die Flucht vor der Einberufung ermöglichte. Seitdem telefoniert man einmal im Monat, meistens Sonntagnachmittags.
Ich rufe dich zurück.
Gut.
Sie legt auf. Er ruft zurück. Fragt, wie es ihr gehe.
Sie sagt, ihr gehe es gut.
Sie schweigen ein wenig. In der Leitung klackt und piept es, das macht es die ganze Zeit, Klacken und Piepen, eine öffentliche Zelle.
Er fragt, ob sie auf die Zelle habe warten müssen.
Sie sagt ja, aber nun würde es besser. Die Nachrichten haben angefangen. Sie hat den Blick auf drei Fernseher hinter Vorhängen.
Ob es schon dunkel bei ihnen sei.
Noch nicht ganz.
Klack, Piep, Klack.
Hör mal, sagt Mira. Sie müsse ihm etwas sagen. Genauer: etwas korrigieren, das sie ihm früher einmal gesagt habe.
Neuerdings ruft sie an und korrigiert Sachen. Meine Mutter ist eine Lügnerin. Nicht notorisch. Nur aus Fantasie oder Solidarität. Sie drückt ihr Mitgefühl in Form von Lügen aus. Ja, ich weiß, wovon Sie reden, auch wir hatten Juden in der Familie. Wir hatten nie Juden in der Familie. Ich weiß, sagt Abel. Auch keinen Flugpionier. Keinen Partisanen. Sie selbst wurde nie von einem bösen Professor in eine radioaktive Kammer eingesperrt und war auch nie Zeugin einer Haifischattacke. Ich weiß, sagt Abel, ich weiß.
Diesmal, sagt sie, ginge es um was anderes. Sie sagt, sie habe Ilia gesehen.

Wen?

Deinen Freund Ilia.

Schweigen.

Anfangs sagte sie, die Stadt sei im Wesentlichen dieselbe geblieben. Abgesehen davon, was kaputt sei – das Hotel, die Bibliothek, die Post, einige Geschäfte –, sei alles noch, wie es war. Außer den Menschen. Man habe den Eindruck, es gäbe noch mehr von ihnen als vorher, aber als hätte man, ein Wunder oder ein schlechter Scherz, über Nacht die gesamte Bevölkerung ausgetauscht. Überall nur fremde junge Männer. Kommen von den Dörfern. Oder wer weiß woher. Werden neu geboren.

Es war Krieg, sagt Abel.

Ja, ich weiß.

Später fing sie an zu erzählen, sie sehe nun öfter auch Bekannte. Von einigen heiße es zwar, sie seien tot oder in Deutschland, aber sie habe sie gesehen. Ging auf der Straße, trug eine Papiertüte, ich bin mir sicher, das war er, er wohnt bloß nicht mehr da, wo er früher gewohnt hat.

Ilia, sagt sie, habe sie sogar gesprochen. Leibhaftig. Er sei zu ihr gekommen, er musste eine Weile suchen, weil auch sie nicht mehr dort wohne, wo sie vorher gewohnt habe. Er habe einen Bart gehabt wie ein Mönch.

Hm, sagt Abel und setzt sich im Stuhl zurecht. Er sagt seiner Mutter, dass Ilia vor einem Jahr für tot erklärt worden sei.

Ich weiß, sagt Mira. Das war ein Irrtum.

Pause.

Und, hat er auch was gesagt?

Er hat gefragt, wie es mir geht. Dann hat er nach dir gefragt. Ich habe ihm gesagt, wo du jetzt lebst. Da hat er gelacht und hat gesagt: Na, wenn das kein Zufall ist. Er fliege genau dahin, schon morgen. Hörst du? Er könnte morgen schon da sein.

Hallo?

Freust du dich gar nicht? Wir dachten, er sei tot, und jetzt stellt sich heraus, er ist lebendig. Ist das nicht wunderbar?

Gottesurteile

Manchmal, sagte Ilia, bin ich von Liebe und Hingabe ganz erfüllt. So ganz und gar, dass ich gar nichts anderes mehr bin als diese Liebe und diese Hingabe. Das dauert einige Minuten. Manchmal auch nur Sekunden. Ich tauche auf und sehe: Es waren nur wenige Sekunden. Bevor ich auftauche, sehe ich mich von außen. Ich sehe mich in Ekstase und erkenne es als Pose. In diesem Moment, wenn ich es als Pose erkenne, bin ich von der Hingabe zur Skepsis gewechselt, also vom Glauben zum Nichtglauben. Wenn ich mich in der Skepsis befinde, und das tue ich häufig, erscheine ich mir in meiner vorherigen Hingabe, mit allem, was dazugehört an ganz klar abergläubischen Ritualen, die ich allein oder mit anderen zusammen ausführe, als lächerlich und dumm. Wenn ich im Glauben bin, und auch das bin ich ziemlich häufig, scheine ich mir in meiner Skepsis abscheulich und dumm. Das sind meine beiden Zustände. Entweder der eine oder der andere, und manchmal auch beide zusammen.

Damals, vor fünfzehn, zwanzig Jahren, lebten sie in einer kleinen Stadt in der Nähe dreier Grenzen. Eine Stadt mit Sackbahnhof, Luftlinie etwa gleich weit von den drei nächstgelegenen Hauptstädten entfernt, eine ruhige, dunkle Insel anstelle eines ehemaligen Sumpfgebiets. Das Klima kontinental, der Boden fruchtbar, das Umland, was man hübsch nennt: Hügel, Felder, Wälder, kleine Seen. Vom Bauernstamm gewachsene Lehrer, Richter, Uhrmacher stellten die übliche versnobte Provinzaristokratie, verbissene Gähner in Konzertabonnements. Als gäbe es noch so etwas wie *bürgerliches* Leben, und sei es noch so eng, umgeben von Diktatur, Atomangst, wirtschaftlichem Niedergang. Gab es ein Theater nur für Gastspiele, ein Hotel, eine Post, ein Reiterstandbild, markierte Wanderwege? Ja. Gotik, Renaissance, Barock, Eklektik, postmoderne Verbrechen? Ja. Gotteshäuser folgender Religionen. Pflasterung, Beleuchtung, Grün. Abels Eltern waren Lehrer, sie von einem Dorf aus der Nähe, er eine Waise aus dem Ausland. Drei von vier Jahreszeiten verbrachte man in der Schule, im Sommer lud

Andor Nema Ehefrau Mira und Sohn Abel in ein himmelblaues Auto, und dann fuhr man kreuz und quer, soweit es eben ging. Dabei hörte und sang er laut Schlager. Zwischendurch stellte Mira auf Klassik um und fragte, ob man nicht wenigstens ab und zu anhalten könnte, für die eine oder andere Sehenswürdigkeit. Andor stellte meist schon während des Allegro-Satzes den Sender wieder um und raste an allen Kirchen und den meisten Heimatmuseen vorbei. Barbar! schrie Mira gegen Fahrgeräusch, Musik und Ehemanngesang an. Abel auf dem Rücksitz beteiligte sich nicht am Streit der Eltern um Radio und kulturelles Erbe. Er presste das Gesicht an die Seitenscheibe und schaute sich den Himmel an, der sich mal so, mal so drehte und im Übrigen dieselbe Farbe wie das Auto hatte, nur, dass oben die Wolken weiß waren oder wahlweise schwarz, und hier unten von Rost. Was außerdem noch zu sehen war: Vögel und Baumkronen, kahl oder mit Blättern, ganze Städte nur aus Dächern, Schornsteinen, Antennen. Und vor allem: Kondensstreifen. Viele Kondensstreifen. Der Himmel war sehr bevölkert damals. Irgendwann kommt der Punkt, an dem man erbrechen muss.

Ich habe genug davon, sagte Mira zu ihrem Sohn. Halte dich gefälligst gerade und schau nach vorn.

Er hielt sich verhältnismäßig gerade, schaute aber nicht nach vorn. Er sah sich weiter die Welt oberhalb der Stirn an, bis die Augen schmerzten, und mit der Übelkeit wurde es auch nicht wesentlich besser.

Schau her, sagte Mira. Schau uns an. Hier sind wir.

Das waren, im Wesentlichen, die ersten zwölf Jahre. Himmel, Erde. Am letzten Unterrichtstag des dreizehnten Jahres, acht Stunden vor Beginn der Sommerferien, stand Andor Nema früh auf, verließ, darauf achtend, dass er weder seine Frau noch seinen Sohn weckte, die Wohnung und kam nicht mehr wieder.

Mira und Abel fuhren den ganzen Sommer lang durch das Land und sämtliche in Frage kommenden angrenzenden Länder. Ich habe Menschen getroffen, von denen ich nie vorher etwas gehört habe. Außer: Ich liebe dich und Willst du mich küssen? konnte die Mutter nichts sagen, Abel dolmetschte, fremde Frauen streichelten über sein glänzend gescheiteltes Haar. Dann war der Sommer vorbei, das Geld alle und von Andor keine Spur. Mit dem letzten Tropfen Benzin rollten sie in die Stadt zurück.

Verflucht soll er sein! Keinen Platz auf Erden soll er finden! Die Früchte sollen ihm in den Händen verschimmeln, Eisen verrosten, Wasser verrotten, Goldklumpen zu Pferdeäpfeln werden, alles, was ihm lieb ist, soll ihm verloren gehen, verhungern soll er, oder noch besser, entehrt und durch eine entstellende Krankheit sterben, oder noch besser, niemals sterben, er soll ewig leben, dieser Bastard! Bastard! Bastard!

Früher gab es am Ende des Sommers immer diese Woche, in der die Eltern am neuen Stundenplan arbeiteten und Abel Ferien auf dem Dorf, bei Miras Eltern, machte. Eine einsame Woche mit Fröschen in der Brüllhitze. Hühnerhof, aufgeschossener Salat. Im Haus im Gegentakt zum lauten Ticktack der Pendeluhr der pfeifende Atem des Großvaters, und über allem, in seinem eigenen nie abreißenden Rhythmus, die Litanei des großmütterlichen Schimpfes, den sie, ihren tuckernden Hilfsmotor, scheinbar brauchte, um durch die Tage zu kommen. Sie murmelte, klagte, verfluchte: im Grunde alle. Rief Gott den Herrn, seinen einzigen Sohn und dessen holde Mutter, die unbefleckte Jungfrau an, ihr Gerechtigkeit widerfahren zu lassen und möglichst alle zu vertilgen. Später starb der Großvater, er hatte es noch ziemlich lange gemacht mit der halben Lunge, und als dann wenig später Abels Vater, dieser Bastard! verschwand, legte sich Oma auf die verwaiste Seite des Ehebetts. Ganz so hatte sich Mira die *gegenseitige Unterstützung* nicht vorgestellt, aber ich war nun einmal Zeit meines Lebens feige. Abel schlief, wie vorher auch, in einem Separée, in Wirklichkeit einem großen Wandschrank im Flur, und hörte sich jeden Abend durch die Sperrholzwand an, wie die Großmutter den Exschwiegersohn verfluchte, die Augen sollen ihm, das Herz soll ihm, bis Mira verbot, ihn überhaupt jemals wieder zu erwähnen, damnatio memoriae, ab da wurde es etwas besser. Das Schuljahr fing an, und Abel lernte Ilia kennen.

Die Sonne knallte auf den Schulhof, der Appell zum Jahresanfang dauerte *Stunden*, damals kannte man noch Disziplin, sie standen auf dem Handballfeld in ihren weißen Hemden wie blühende Bäume, und dann, als würden es die Wurzeln an einem windstillen Tag nicht mehr aushalten, fielen sie einfach um. Einer nach dem anderen, knallten auf den betonharten Belag, der aus vielen grau-weißen Teilchen zusammengesetzt war und wie ein magisches Bild flimmerte. Entweder schaute Abel auf diese Teilchen oder er schaute bis zum Schwindligwerden in den Himmel.

Glaubst du, da oben gibt es was?

Abel senkte den Blick. Das Gegenüber war kleiner, rundköpfiger, dunkler. Die Hände verschränkte es auf dem Rücken und sah streng drein.

Was soll das sein, eine Prüfung? Die Antwort weniger freundlich, als sie sein könnte: Und du?

Der Kleine zuckte mit den Achseln. Wegen der verschränkten Hände kam der ganze Oberkörper in Schwingung.

Abel dachte an Satelliten, Raumschiffe, Raketen, Bomben, Außerirdische. Sind sie gut oder böse? Wird uns der Müll auf den Kopf fallen? Wird er so groß sein wie eine ganze Stadt oder nur so groß wie ein Auto?

Was?

Satelliten, sagte Abel. Aber meistens sieht man nur Flugzeuge.

Meistens? Der Kleine lachte.

Wer bist du, altkluges, überhebliches …

Sein Name war Ilia, und er dachte an Gott. Kleines Missverständnis. Er lachte wieder. Diesmal, klar: über sich selbst.

Als wäre er gekommen, hätte sich das Angebot angesehen, mit dem Finger auf den einen gezeigt und gesagt: Du. Damit ihn der Rest hinfort nicht mehr zu interessieren brauchte. Abel Nema, ausgewählt aus vierhundertfünfundsechzig Menschenwesen von Ilia Bor. Wie die Stadt. Und Nema. So wie das Nichts?

Nein, sagte Abel und errötete. Nicht wie das Nichts. Es ist ein …scher Name.

Verstehe, sagte Ilia. Seine Augen glänzten.

Seine Mutter war Klavierlehrerin, der Vater Verwalter im Gastspielhaus, fromme, fleißige Menschen, im Wohnzimmer klimperte den ganzen Nachmittag Wiener Klassik, zwei Straßen weiter gab Mira Nachhilfe zwischen Schrankwand und Couch. Ilia und Abel verbrachten die Zeit zwischen Schulschluss und Einbruch der Dunkelheit auf der Straße. Das Spiel hieß: Gottesurteile. Ilia hatte es sich ausgedacht.

Worum es geht, ist, dass mein Vater zu Gott gefunden und trotzdem nicht Priester geworden ist, jetzt ist es an seinem einzigen Sohn, ihn glücklich zu machen. Um Priester zu werden, das ist klar, ist Glauben nicht zwingend nötig. Darum geht es nicht. Wovon er rede, sagte Ilia, sei, ob es ihm je gelingen könne, zu einem *wahren* Gläubigen zu werden. Er befürchte, dass das nicht möglich sei. Er leide, wie es scheint, an der Krankheit Skepsis, und wenn ich sage: leiden, dann meine ich wirklich: *leiden*, aber ebenso an der Krankheit Aberglauben. Er hatte sich das Spiel ausgedacht als Lästerung und Flehen in einem. Gib mir ein Zeichen.

Sie verließen die Schule gegen zwei Uhr nachmittags, gingen durch die Schmale Gasse, über den Salzmarkt in die Judengasse, über den Hauptplatz, durch das Vordere Tor auf den Kleinen Ring. An jeder Straßenkreuzung, Abzweigung etc. blieben sie stehen und gingen nicht eher weiter, als dass ihnen ein Zeichen gegeben wurde. Sage und schreibe fünf Jahre lang wurden sie es nicht müde. Abel ging mit seinem Freund, wohin dieser dachte, geschickt zu werden, durch sämtliche Straßen der Stadt. Abel schwieg die meiste Zeit, Ilia redete: über Gott und sich und eventuell über die Welt. Sie waren stadtweit bekannt als *die Grufties, die Intelligenten* und *die Schwulen*. Jemand wollte ihnen *für alles das* auflauern, einpaar verabredeten sich in einer bestimmten Straße, aber keiner erschien. Damit war das gestorben.

Anfangs redeten sie auch noch über Abels Interessen: Raumfahrt und Technologie, doch all das ist Kinderkram verglichen mit der Einen Großen Frage. Allerdings, nach fünf Jahren, es war ihr letztes gemeinsames Schuljahr vor dem Abitur, das letzte, das sie in der Stadt verbrachten, waren auch Ilia die Worte ausgegangen. Sie gingen praktisch stumm nebeneinander her. Ich weiß immer noch nicht, wo lang. Abels Vorstellungen von der Zukunft drehten sich ebenfalls im Kreis. Genauer, er machte sich überhaupt keine Vorstellungen. Sprachen und Mathematik, damit kann man noch alles werden. Im Moment gab es andere Dinge. Körper. Ilias war schmal, nicht besonders groß, aber auch nicht schwächlich. Manchmal, wenn sie so an einer Kreuzung standen, kratzte er sich an der Nase. Das Brillengestell klapperte. Die Haare glänzten feucht. Er hatte schöne Hände. Das war alles, was von ihm zu sehen war. Gesicht, Hände. Weil er um soviel größer war, zog Abel die Schultern ein, wenn er neben ihm herlief, er kam sich ungeschlacht vor im Vergleich zur inneren und äußeren Wohlproportioniertheit seines Freunds. Er stellte ihn sich als Geistlichen vor, mit der dazugehörigen Geistlichenfrau, und musste husten. Sie standen an einer Kreuzung in der Nähe des Bahnhofs. Abel hustete.

Dieses letzte Jahr hatte begonnen wie die Jahre zuvor. Man eröffnete mit Mitteilungen über Preiserhöhungen, denen über die nächsten Monate weitere folgten. Anfang April gab es erste Proteste, wenn auch nicht hier. Man munkelte, wie schon seit Jahren, über eine latente Krise im Land, wenn auch nicht hier. Das Identitätsbewusstsein der Minderheiten regte sich. Ilia und Abel regten sich nicht.

Die Kreuzung am Bahnhof war ein T. Rechts oder links. Im Grunde war es egal. Beide Richtungen führten irgendwann nach Hause. Im alten Kern der Stadt legten sich die Ringstraßen wie Zwiebelhäute umeinander, um sich schließlich am Hauptplatz zu treffen. Lange passierte nichts. Dunkel wurde es. Die Straßen leerten sich. Die Hunde heulten. (Dieses Hundegeheul. Ausgerechnet daran wird er sich immer erinnern. Dieser gruselige, *heimische* Ton.) Dann war's wieder still und plötzlich überfiel Abel diese Sehnsucht, und er sagte in die Stille hinein:

Ich liebe dich.

Ich weiß, sagte Ilia ohne Verzögerung, sachlich, wie er immer alles sagte. So fuhr er fort. Er wisse es, und er lehne es ab. Er empfinde sogar etwas körperlichen Ekel, wenn er daran denke. Deswegen

werde er gleich nach dem Abitur Stadt und Land verlassen. Er
werde im Ausland studieren und keinen Kontakt zu Abel halten.

Er muss es schon seit Monaten gewusst haben. Man muss sich
früh bewerben. Seit Monaten war jede seiner Regungen eine Lüge.
Was er sagte, die üblichen Sachen, wie er sie sagte, der Klang seiner Stimme, sogar wie er sich bewegte. Wenn er stehen blieb und
wenn er weiterging. Lüge.

Abel ließ sich gegen die rauhe, warme Wand hinter sich fallen. Lehnte an der Wand, im eigenen Geruch sommergewärmter
Wände an befahrenen Stadtstraßen, er spürte ihn heraus- und
heraufsickern, den Hundegeruch. Weinen müsste man können.
Es war dunkel, sie standen in der Nähe einer Laterne, Abel lehnte
an der Wand, weinte nicht, Ilia stand daneben, wartete oder nicht,
stand nur da, schaute irgendwohin, den Kopf zur Seite geneigt.
Pharisäer, dachte Abel, merkte, wie er ihn zu hassen begann und
dass er wirklich wird weinen müssen: über diesen Hass. Dass er
da ist. Der, dem die innere Marter bis dahin unbekannt war, lernte
sie an dieser Straßenecke kennen. Was Zeichen anbelangt, war es
vielleicht nicht so eine üppige Ernte, aber an Lebenserfahrung ist
man sicher nicht ärmer geworden.

Das ist alles. Das Nächste ist, dass Herbst ist, und Abel flieht. Kurz
nach diesem letzten Spaziergang brachen Kämpfe aus, als hätte
man nur darauf gewartet, dass endlich Ferien sind.

Protokoll

Bleib zu Hause, hörst du, sagte Mira am Telefon. Geh nicht weg.
Er könnte jeden Augenblick auftauchen. Vielleicht schon morgen.
Ist gut, sagte Abel. Ich werde auf ihn warten.

Nahm seine Jacke und ging hinaus. Und sei es die Nacht vor dem
wichtigsten Termin der letzten Jahre, nach *so etwas*, das ist verständlich, muss man wohin. Der Laden am Ende der Sackgasse
heißt Klapsmühle.

Was für eine Erklärung kann der Besitzer des Nachtclubs »Klaps-mühle«, Thanos N. (Was ist das für ein Name? Ein griechischer. Das Gegenteil von Thanatos) Polizei und Medien bezüglich der Vorkommnisse liefern, die sich an diesem Sonntag in seinem Etablissement abgespielt haben?

Keine.

Sie würden also sagen, das war ein ganz alltäglicher Abend?

Kommt drauf an, was man darunter versteht.

Klugscheißer.

Das Motto des Wochenendes war: Eine Orgie im alten Rom.

Orgie.

Ja.

Der größte Run war natürlich am Samstagabend, aber das ging nahtlos in den Sonntag über, wir haben die Bar gar nicht geschlossen, obwohl sich der Dreck schon türmte, und zwischendurch sauber machen geht bei den Massen nicht (Können wir das bitte streichen?), dafür gibt es den Montag und den Dienstag als sogenannte Ruhetage, wenn wir solange leben.

Das ganze Wochenende also quasi ununterbrochen Autos, Stöckelschuhe, Tammtamm. Die Vorhöfe waren so voll wie der Laden selbst, zumindest hörte es sich so an, sehen kann man nicht viel. Die Klapsmühle befindet sich im dritten Hinterhof einer ehemaligen Getreidemühle, in den ersten fällt noch etwas Licht von der Straße, aber im zweiten ist es schon so zappenduster, dass er als dark room durchgeht (Können wir das bitte …?), und im dritten hatte die einzige Lampe, eine rote über der Tür, einen Wackelkontakt. Die Leute im dritten Hof blinkten rot auf und verschwanden wieder im Schwarz, und wenn sie wieder auftauchten, waren sie ganz anders zusammengestellt.

Wann Abel N. im dritten Hof ankam, weiß man nicht. Irgendwann stand er eben da, an eine der Eisenstangen gelehnt, die das klapprige Vordach über dem Eingang hielten, und tat: gar nichts. Später ging die Stahltür zur Kneipe auf, noch mehr rotes Licht und Hitze schlug heraus und, von null auf hundert, schier unglaublicher Lärm. Der dicke, kahlköpfige Riese in der Tür ist Thanos, in enge Lederhosen gepresst, mit einer aus einem Laken gefertigten Toga über den schwarz behaarten Männertitten. Im ganzen Lärm war gar nicht zu verstehen, was er sagte.

Ich sagte: Die Party hat ein Motto. Entweder habt ihr ein Kostüm an oder ihr kommt nackt, keine Jeans.

Woraufhin die Leute im Hof ohne sichtbarem Zögern anfingen, sich ihrer Kleidung zu entledigen. Aus dem zweiten Hof näherte sich ein taumelnder Lichtstrahl: ein Brezelverkäufer auf seinem Fahrrad. Umkreiste klingelnd die auf einem Bein Hüpfenden: Jemand Brezeln? Einige hörten daraufhin tatsächlich auf, sich auszuziehen, kauften sich etwas zu essen und blieben im Hof. Andere tanzten unter der Thanosschen Achselhöhle in den Klub hinein. Bevor sich die Tür vor dem Rest schloss, holte ein langer, haariger Arm aus, packte den voll bekleideten, unkostümierten Mann an der Eisenstange und zog ihn durch die schnell schmaler werdende Türöffnung ins Innere.

Anschließend war Thanos verschwunden, was verwundert, denn im Klub waren so viele zusammengepresst, dass man kaum treten konnte. Plötzlich (woher?) hatte Abel ein Glas in der Hand, fand einen Flecken Platz am Rande einer Nische, setzte sich.

Zur Stunde, wenn der Mensch allein ist mit seinen Geistern und-oder in Gesellschaft, in der Nacht von Sonntag auf Montag, saß im Inneren einer ehemaligen Getreidemühle der Zehnsprachenübersetzer Abel N. am Rande einer Nische am Rande einer Bank. In der Tiefe der Nische, in der Deckung des Gläserwaldes auf dem Tisch, wurde kopuliert. Senatoren mit ihren Mätressen, Soldaten, Gladiatoren, bekränzte Dichter, edle Damen, aber die allermeisten waren wohl Sklaven, nackt, bis auf die leuchtenden Zeichen auf ihrer Haut, tanzten oder schauten zu. Alles war so dicht gedrängt, als befände man sich im Bauch eines überfüllten Schiffes, so laut war es auch. An der dunklen Decke, zwischen Galerien, die sich in der Unendlichkeit fortsetzten und die auch voller Menschen zu sein schienen, blitzte im wechselnden Licht ein mechanisches Geflecht unbekannter Funktion aus Zahnrädern und Seilen auf.

Als wäre alles auf einer Klaviersaite aufgehängt und könnte jeden Augenblick herunterkrachen, mitten hinein.

Jetzt oder später, Abels Glas jedenfalls war noch oder schon wieder voll, betrat ein lockiger Lustknabe die Szene, nackt, bis auf den Goldstaub, der ihn von oben bis unten bedeckte, beugte sich herunter, schaute ihm tief in die Augen und ließ eine kleine weiße Pille in sein Glas fallen. Sie drehte sich sprudelnd in der dunklen Flüssigkeit. Das haarlose Geschlechtsteil des Knaben in einer Höhe mit dem Glas. Abel leerte das Glas auf einen Zug. Glitzernder Cherubinhintern, hinter dem Glasboden verschwimmend. Eine eingestanzte Zahl: 1034. Dann war alles weg.

Tunne sa belesi houkutenel smutni filds.

Was? fragte der Engel. Abel hatte ihn am Knöchel gefasst. Wie gut, dass er gerade vorbeigekommen war. Das Lockenhaar war ihm etwas auf das vergoldete Ohr gerutscht. Er sah aus großer Höhe herab. Der brabbelnde Typ, der seinen Knöchel nicht losließ, schüttelte nur den Kopf.

Was ist mit ihm?

Die Tanzenden rissen Thanos die Toga von der Schulter, sie fiel in Abels Gesicht, oder nein, in den Nacken, sein Kopf hing inzwischen nach unten. Thanos zog die Toga weg, hockte sich hin, die Lederhose quietschte, er nahm den hängenden Kopf in die Hände. Große schwarze Pupillen, taumelnd, Holunderbeeren in einem rötlichen Sud. Nicht sterben, nur nicht sterben.

Er stirbt schon nicht von einem bisschen Süßstoff.

Was …?

Das war doch nur ein ehrlicher Scherz, mehr nicht, ich weiß auch nicht, was er hat.

Meinen besten Stammkunden umzubringen, rate ich dir nicht.

Absichtlich oder nicht, er hielt Abel mit den Händen die Ohren zu. Das ist gut, dachte Abel und verlor das Bewusstsein.

Süßstoff, was? Und wie erklären Sie sich, dass fast alle, die, wissentlich oder nicht, so eine Pille genommen hatten, Symptome eines psychedelischen Rausches zeigten? Inklusive Zeitgefühl- und Gedächtnisverlust.

Verlusts.

Bitte?

Nichts.

Als Abel das nächste Mal die Augen öffnete, saß er nicht mehr auf der Bank, und auch nicht mehr auf dem Boden davor, wohin er zum Schluss gerutscht war. Er lag in einem unbekannten Raum. Wände, Boden, Decke rot, die Luft heiß und pudrig. Ich kann mich nicht erinnern, jemals zuvor hier gewesen zu sein. Ich kann mich erinnern, niemals zuvor hier gewesen zu sein. Er griff um sich: die Finger verschwanden bis zum ersten Glied in Plüsch. Er tastete sich bis zu einer Tür vor. Dahinter: ein Korridor mit weiteren Türen. Entweder ist er sehr lang, oder ich komme sehr langsam voran. Rundherum Stöhnen, Ächzen, Hämmern, Mahlen, aber zu sehen war niemand. Einmal verfing er sich mit der Fußspitze im Boden, stolperte, fiel gegen eine Wand, nicht weiter schlimm, er sank nieder. Das war wieder die Ausgangsposition. Nicht ganz. Neben ihm ein sichtbares Paar, ein Mann und eine Frau. Sie kopulierten. Abel tat so, als sähe er ihnen zu. Der Mann legte seine Wange an die der Frau. Wange an Wange sahen sie zu ihm zurück, ein zusammengewachsener Kopf. Später rappelte sich Abel wieder auf. Hinter einer Tür gab es einen winzigen Raum, in dem Menschen standen wie Besen. Oder umgekehrt. Hinter der nächsten: ein Spiegel. Porträt des Künstlers als Totenschädel. Plötzliche Zugluft riss ihm die Tür aus der Hand. Zu. Ein bekränzter, dicker Cäsar ging vorbei, das Schulterstück seiner Toga wehte, die Lederhose quietschte. Schon war er weg, hinter einer (welcher?) Tür verschwunden, nur sein Geruch war geblieben. Hier war es nicht mehr so heiß. Das macht etwas wacher. Und der Lärm. Das Stampfen von Maschinen und eine unendliche Tonleiter, die in den Himmel orgelt. Da muss ich hin.

Vor ihm tasteten sich nackte Arme durch die Korridore. Sehen aus wie meine. Er sah an sich hinunter und stellte fest, dass nicht nur die Arme nackt waren, sondern auch die Schultern, die Brust, der Bauch. Wenig später sah er, dass ihm nicht nur Sakko und Hemd, sondern auch Schuhe und Socken fehlten. Sein einziges verbliebenes Kleidungsstück war eine schwarze Hose. Er machte kehrt, zurück an die Stelle, an der er gelegen hatte, nur einmal um die Ecke, tastete den Untergrund ab, vielleicht bin ich ja blind geworden, aber: nichts. Möglicherweise hatte er sich doch im Raum geirrt, denn auch das nackte Paar von vorhin war nicht mehr da. Er ging weiter zurück, Flure, Türen, Räume, konnte weiter nichts finden, durchwühlte die Köpfe einiger Möpe – für einen Augenblick glaubte er, dort könnte sich sein Hemd befinden, dann sah er, dass er graue Zotteln zwischen den Fingern hielt –, der darin gesammelte Schmutz schmierte auf seine Finger ab. Obwohl er jetzt tiefer im Labyrinth war als je zuvor, wurde das unbändige Gebrüll um ihn herum nur noch lauter. Die Maschinen wummerten in seinem Bauch. Er machte abermals kehrt, hinaus, Thanos suchen, fragen, was das soll, wieso bin ich halb nackt und wo sind die vergangenen Stunden geblieben?

Es sollte nur ein Scherz sein, hat er gesagt.
Wer?
Der Engel.
Ein als Engel verkleideter Nackter?
Ja.
Ein Scherz.
Ja.
Im Blut der Testpersonen nachgewiesen: Aspartam. Möglicherweise handelte es sich beim Süßstoff tatsächlich um Süßstoff. Jemand hat den Leuten Süßstoff in die Drinks getan.
Und die Symptome?
Sie haben sie produziert. Eine Massenhysterie. Wenn Sie mich fragen. Wie Pfingsten.
Wie was?
Pfingsten.
Wovon zum Teufel faselt er?

Bäuche, Arme, Achselhöhlen, Rasuren, Ellbogen. Aus sämtlichen Richtungen Hiebe zwischen die Rippen. Abel stieß wahllos zurück, ein Glas schwappte über, eine Mundvoll Flüssigkeit klatschte auf eine netzbestrumpfte Wade, das Glas, Reflex, holte aus und traf ihn am Jochbein. Er trudelte. Hoppla, sagte ein fröhlicher Glatzkopf und fing ihn unter den Achseln auf. Hoppla, sagte er und warf ihn mit Schwung zurück, einen zu kleinen Fisch ins Wasser. Im Flug wurde auf Schwarzlicht geschaltet, und er verlor abermals die Orientierung, wurde blind hin- und hergeworfen, bis er schließlich in den Vorraum hinausfiel, dem Wirt in den Rücken. Thanos schaute sich nicht einmal um. Er hatte anderes zu tun. Der Vorraum war vollgestopft mit mehr oder weniger nackten Menschen. Sie brüllten: Ihr habt gesagt, wir sollen die Kleider im Hof lassen. Jetzt sind sie verschwunden. Außerdem sei ihre Erinnerung an die letzten drei Stunden verschwunden. Ein grober, grober Unfug ist so was!

Verzeihung, sagte Abel und drückte sich an Thanos' Schweiß vorbei, zwängte sich zwischen die anderen Nackten, ihre Haut blieb an seiner kleben. Schneckenspuren. Die Marken von zwei Dutzend Fremden an mir. Verzeihung. Er sah noch, wie einer der Männer, der am wildesten schrie, Thanos ansprang. Er sprang wie ein Tier, gehockt, der Steg seines Tangas blitzte zwischen seinen Hinterbacken.

Wenn in einer Masse, in der man kaum aufrecht stehen kann, eine Schlägerei ausbricht. Abel wurde erst angesogen, zurück in den Vorraum, dann hinausgespuckt in den Hof. Wieder kollidierte er mit jemandem. Das Klirren und den Schritt trennten nur ein Augenblick voneinander: zuerst fiel das Glas, dann trat er hinein, mit dem nackten rechten Fuß, Schmerz, er verlor das Gleichgewicht, aber jetzt ist natürlich niemand da, der einen auffinge, er fiel durch die Masse hindurch, bis aufs Pflaster. Stieß sich den Kopf, blieb liegen. Auf dem Boden liegend, sah er, wie die Nackten die rudimentären Kleiderhaufen im Hof absuchten.

Könnte man sagen, dass eine Massenpanik ausgebrochen war? Jemand hat etwas von Polizei gesagt, woraufhin alle wie verrückt zu rennen anfingen, durch die drei Höfe nach vorne. Klappernde Highheels, einknickende Knöchel. Sie liefen mit eingezogenen Hälsen, sein String war golden, ihrer silbern. Sie ging stolpernd, der rechte Absatz schleifte über den Stein. Trrrrrrr. Die nächsten waren barfuß, einer hatte zwei neongrüne Kreise an den Hinterbacken. Hüpften davon. Draußen in der Sackgasse startende Autos, ein Streit um ein Taxi, schließlich stiegen alle vier ein, hektische Wendemanöver.

Abel war, nachdem sich ein spitzer Absatz in seine Seite gebohrt hatte, in eine dunkle, ruhige Ecke des dritten Hofs gekrochen, wo er nicht mehr zu sehen war und wo er nicht sehen konnte, in was er da hineingeraten war. Der Tastsinn sagte: ein Zementsack, daneben ein Plastikeimer mit scharfer Kante. Gebranntes Kind, er zog schnell die Finger zurück. Ob der Schnitt unterhalb des großen Zehs schlimm war, sah er erst später, jetzt war es nur dunkel, rutschig und schmerzhaft. Später stellte er fest, dass neben allem, was weg war, Geld und Ausweis, sein Wohnungsschlüssel noch da war, in der Hosentasche, auf der er gelegen hatte, oder man weiß nicht wieso. Was immerhin hieß, dass er nicht noch einmal in den Klub zurück musste, um Thanos nach den Sachen zu fragen. Wahrscheinlich ohnehin sinnlos. Er rappelte sich auf und hinkte blutend den anderen hinterher, denn das mit der Polizei war ernst, und ich muss morgen, das heißt: heute früh, wo sein.

Verzeihung. Eine Frau hatte ihn beim Einsteigen in ein Auto mit der nackten Hüfte gestoßen. Abel blieb flach an der Ziegelwand stehen, das Auto fing umständlich zu wenden an. Aus der Seitenstraße bogen Polizeiwagen ein, mussten abrupt bremsen, weil der Engel vorbeigeflogen kam. Die Perücke in der Hand, die eigenen Haare klebten ihm dunkel und nass an der Kopfhaut, er trug ein viel zu großes, schwarzes Hemd, das ihm von der Schulter rutschte und fast bis zu den Knien reichte und das einem (Abel) irgendwie bekannt vorkam. Aus dem hinteren Polizeiwagen stieg einer aus, zu spät, er gab gleich auf, der Engel verschwand in der Seitenstraße. Blieb nur noch das Auto mit dem nackten Paar. Der Mann stieg aus, ging auf die Polizisten zu, vor die Brust gehobene Handflächen, blödes Grinsen. Unauffällig an der Wand entlang schob sich A. N. an den Blaulichtern vorbei. Als er seine Haustür aufschloss und zurückblickte, sah er seine Spuren aus Zement und Blut auf der Straße: weiße Hacken, rote Zehen.

Was den Aufenthaltsort des angeblichen Engels anbelangt, darüber kann sich der Wirt Thanos nicht äußern. Aber wo du auch bist, ich werde dich finden und dann werde ich dir den Arsch aufreißen. Wegen deines blöden Scherzes hat man mir den Laden geschlossen. Denn die einen hatten zwar nur Süßstoff im Drink, aber die anderen waren vollgestopft mit einem Dutzend verschiedener Stoffe, die sie weißgott woher mitgebracht haben, der DJ allein hatte drei.
Soviel, im Wesentlichen, zu Abel Nemas Wochenende.

Mercedes

Verglichen damit war Mercedes nichts Spektakuläres widerfahren. In letzter Zeit ist es überhaupt so schön still um mich geworden. Die Woche vor dem Scheidungstermin verbrachte sie größtenteils allein. Omar war in einem Sommerlager, mit ihm zog die halbe Stadt hinaus. Es gab Parkplätze. Sie hörte sich den Sommer durch das geöffnete Fenster an, die Geräusche des nahen Parks. Es schienen nicht wenige dort zu sein, nur hier, wenn man hinaussah, war niemand unterwegs. Mercedes wohnt in einer dieser *netten* Straßen, mit je einer Reihe Laubbäume auf jeder Seite. Die Blätter blinkten. Es war schön.
Am Samstag stand sie, wie üblich: früh auf, Vögel zwitscherten, sie machte ihre gewohnte Runde durch die Wohnung. Schlafzimmer, Omars Zimmer: leer, das heißt: mit Sachen voll, aber ohne ihn. Die Sachen hatte Mercedes dort hingestellt, wo sie jetzt waren, Omar ist so etwas wie *Wohnen* egal. Das Einzige, das er eigenhändig angebracht hatte, waren zwei Bilder über seinem Bett: die Farbsonographieaufnahme eines Gehirns und die einzige Zeichnung, die er je mit Hilfe eines Kreisels und eines Lineals hergestellt hatte: ein Quadrat in einem Kreis in einem Quadrat in einem

Kreis und so weiter. Wenn man ihn fragt, was das sei, antwortet er: Ein Kreis in einem Quadrat in einem Kreis in einem --- (Omar ist ein kluges Kind. Ein Geburtsfehler. Wenn man ihn fragt, wo er sein linkes Auge gelassen habe, antwortet er: Ich habe es hingegeben für Weisheit.)

Mercedes ging weiter ins Badezimmer, warf, wie zu erwarten, einen Blick in den Spiegel. Standardhöhe. Ihr Kopf am unteren Rand, quasi auf dem Tablett. Zwei etwa gleich abgenutzte Zahnbürsten ragten ins Bild: eine rote, eine grüne. Sie entschied sich für *ihre*: die rote. Während sie sich die Zähne putzte, fixierte sie einen beginnenden Pickel auf ihrer Nasenspitze. Drückte ihn aus, öffnete *seine* Hälfte des Spiegelschrankes, desinfizierte die Wunde mit After shave. Anschließend tauschte sie den gebrauchten Einwegrasierer gegen einen anderen aus, Pflaster, Aspirin mit *üblichen* Gebrauchsspuren waren noch genug da. Obgleich das jetzt wohl keine Rolle mehr spielt. Sie warf die Tür wieder zu, der Spiegel bebte.

Mit *seinem* Geruch dicht an der Nase durchs Wohnzimmer, in die Küche, einen Tee machen, zurück ins Wohnzimmer. Auf der Kommode zwischen den beiden kleinen Holzstatuen – einem afrikanischen Denker und zwei hellen, langfingrigen Händen – die Familienfotos: Omar, Omar und seine Mutter, Omar und sein Stiefvater, Hochzeitsfoto. Sie stellte die Tasse hin und rief die Notfalltelefonnummer von Omars Lager an, legte aber gleich wieder auf, denn kaum hatte sie zu Ende gewählt, hob draußen ein Lärm an, bei dem jedes Wort vergeblich gewesen wäre.

Jeden Tag um Mittag, sowie an Sonn- und Feiertagen quasi permanent – 7:50, 8:15, 9:50, 10:15, 11:05, 12:00, 12:20 und so weiter – versteht man im Park und seiner Umgebung für jeweils eine Viertelstunde sein eigenes Wort nicht. Die beiden Kirchen am Park läuten die Glocken. Die katholische Kirche im Süden beginnt, die reformierte im Norden schließt sich mit etwa drei Minuten Verspätung an. Es ist laut. So laut, wie es mitten in der Stadt nicht sein dürfte. So laut, dass einem die Gedanken aus dem Kopf und die Dinge aus den Fingern fallen. Für eine Viertelstunde hört jeder auf zu tun, was er gerade tut. Parkbesucher, Musikschüler, Ner-

venkranke, Verwandte auf Besuch, Altenheiminsassen, Obdachlose, Ehefrauen lassen die Hände sinken, sitzen benommen da
unter diesem himmelhohen Brimborium. Später, es war schon
Nachmittag und das größte Gebimmel vorbei, überwand Mercedes sich und ging, um irgendwo hinzugehen, *weil das gut ist*:
hinaus, in den Park.

Vielleicht gibt es irgendwo eine einsame Bank. Aber es gab keine
einsame Bank, also ging sie weiter und weiter, zweimal über den
gesamten staubigen Rundweg am Rand. Um sie herum Picknicks,
Fußbälle, Frisbeescheiben, die Gruppe Penner am Südende cam-
piert auch immer noch hier. Andere Spaziergänger, Hunde, Jogger
zogen an ihr vorbei. Eine Gruppe, alle in ähnlichen Trikots, gemischte Friedenszeichen, schien das Sprinten zu üben. Mal ver-
fielen sie in ein fluchtartiges Rennen, anschließend trabten sie wieder friedlich vor sich hin. Sie schlurften stark, man hörte sie noch
aus der Entfernung, und sie wirbelten eine Menge Staub auf. Mercedes blinzelte. Nachdem sie sie das dritte Mal mit Staub überzogen hatten und sie das zweite Mal von den Hunden der Obdachlosen beschnüffelt worden war, gab sie auf. Weil sie gerade
davor stand, nahm sie noch einen Schluck Wasser aus einem Trinkbrunnen und kehrte nach Hause zurück.

Wieder vor dem Spiegel stellte sie fest, dass sie sich einen Sonnenbrand eingehandelt hatte, sie kümmerte sich nicht weiter drum.
Den Rest des Nachmittags verbrachte sie mit dem Lesen eines
Manuskripts, das sie zu korrigieren hatte, bis sie sich in einen längeren Satz verhedderte, dessen Sinn, wie es sich gehört, sich zuerst
von Nebensatz zu Nebensatz immer tiefer greifend entfaltete,
doch dann, kurz vor Schluss, verknäulte sich etwas, und plötzlich
wusste man nicht mehr … Sie versuchte es einpaar Mal, aber jedes Mal schien die Verwirrung weiter vorwärts zu rücken, irgendwann war schon kurz nach Beginn nicht mehr klar, worum
es überhaupt ging, gab es da nicht einen Widerspruch?

Abends war sie bei Freunden eingeladen. Sie holte ihre Freundin
Tatjana ab – Du bist ganz rot im Gesicht. Ich weiß –, gemeinsam
fuhren sie hinaus.

Sein Name ist Erik, ein alter Freund und kleiner Verleger von Texten zur Zeitgeschichte, nebenbei ihr Chef, seine Frau heißt Maya, sie haben zwei herzige Töchter und ein Haus im Grünen. Eine Minute, nachdem sie aus dem Urlaub zurückgekehrt waren, rief er sie schon an. Als würde er aus dem Nachbargarten herüberrufen. Oder besser vom zweiten Nachbarn aus. Hast du mich vermisst?! Ich habe dich vermisst! Ich kann ohne dich nicht sein! Du musst sofort herkommen! Heute nicht mehr, aber morgen! Morgen ist Samstag! Du besuchst uns in unserem idyllischen Häuschen im schon etwas überreifen, aber umso betäubenderen Sommerendsgrün! Bring den Jungen mit!

Er ist im Ferienlager.

Dann meinetwegen die Hexe (Tatjana)! Sag ihr, sie ist mein persönlicher Gast!

Endlich! rief er jetzt. Das blaue Hemd spannte auf seinem Bauch, aus den Ärmeln ragten kräftige braune Arme, er drückte Mercedes an sich, ihr Gesicht landete zwischen seinen Brustbergen, als sie wieder auftauchte, war sie röter denn je. Maya lächelte ihr zu.

Worüber im Detail geredet worden ist, kann beim besten Willen nicht wiedergegeben werden. Eine übliche Sommerparty. Mercedes setzte sich in einen einsamen Sessel gegenüber der Terrassentür und sah hinaus in die Dunkelheit. Der neue Wind hatte die Mücken aus dem Garten vertrieben, das ist gut, keiner musste ersticken, man konnte zwei Fenster und eine Tür Richtung Terrasse mit späterem Grillengeschrei öffnen, dafür saßen sie jetzt hier drin unter der Decke, späte, träge Mücken. Manchmal überwand sich eine oder ließ einfach los und trudelte herunter. Klatsch! Tatjana schlug sich auf den Oberarm, zwickte die Mückenleiche zwischen zwei Fingern, würzte den Fußboden mit ihr. Erik ließ sich auf die Armlehne von Mercedes Sessel nieder, sein großer, heißer Körper quoll über ihren.

Was ist mit dir?

Nichts.

Später fuhren sie in die Stadt zurück, Tatjana ließ sich an einer Bar absetzen. Mercedes mag keine Bars, außerdem musste sie am nächsten Morgen früh raus. Anschließend lag sie bis um drei Uhr wach, vergaß, den Wecker zu stellen, und hätte am Sonntagmorgen fast verschlafen.

Die Stadt ist nicht unendlich, irgendwann bleiben auch die letzten Lagerhallen zurück, und man kann lange zwischen Baumreihen, Feldern und Gestrüpp fahren, bis man, etwas mehr als eine Stunde später, in den Wäldern ankommt. Wie unkonzentriert sie war, merkte sie, als sie zum wiederholten Male das Gefühl hatte, gerade aufzuwachen: plötzlich war sie ganz woanders in der Landschaft. Dann dachte sie, sie hätte sich verfahren, als Folge dessen verfuhr sie sich wirklich, nahm eine Abzweigung zu früh, stieß an ein heruntergekommenes Haus. Hinter dem Zaun sprang eine Horde wilder Hunde auf und ab. Rückwärts wieder hinaus, an einem Weiher, einem Schießstand, einer Kartbahn, landwirtschaftlichem Gerät vorbei, bis ihr endlich die entgegenkommende Kolonne der anderen Elternautos den richtigen Weg zum Lager wies. Omar war der Letzte, er saß auf den Stufen der Blockhütte neben einem weichlich aussehenden Jungen, dem Sohn eines der Lehrer, sie malten mit langen Zweigen Ikse und Os in ein Gitternetz im Staub des Vorplatzes. Mercedes entschuldigte sich bei allen Beteiligten für die Verspätung, keinem machte es etwas aus.
Auf dem Rückweg fuhren sie, weil es sich anbot, bei den Großeltern vorbei.

Du bist ganz rot im Gesicht.
Ich weiß.
Der Garten war verbrannt, die Küche wie ein Glashaus, aufgeheizt, Mercedes ging ins Wohnzimmer, wo es nicht so hell war.
Grüß dich, sagte Felix Alegre, Pseudonym: Alegria, Krimiautor und Omars Großvater, wenig zuvor zu seinem Enkelsohn. Wie war dein Vormittag? Ich habe meinen nicht vergeudet und eine neue Geschichte für Pirate Om erfunden!
Der Grund, warum ich zu schreiben angefangen habe, sagte Alegria zu einem früheren Zeitpunkt mutmaßlich ebenfalls zu Omar,

war, dass mir das Leben von Anfang an als zu anstrengend vorkam. Alles und jeder, der mir begegnete, stürzte mich in Verwirrung und raubte mir fast den gesamten Lebensmut. Ich fühlte mich ohnmächtig und wütend. Alles hatte diese Wirkung auf mich, bis auf die Figuren, die ich seit frühester Jugend selbst erfand. Ich bin glücklich und stolz, dass es mir gelungen ist, mittlerweile alles, was mir begegnet, so zu betrachten, als hätte ich es erfunden. Seitdem kann ich jeden lieben.

Erfolg hat er allerdings erst, seitdem er den einäugigen schwarzen Detektiv Pirate Om erfunden hat, der jedes Mal, wenn er nach dem Verbleib seines Auges gefragt wird, antwortet: Ich habe es hingegeben für Weisheit. In seinem neuen Fall wird es Pirate Om mit einem stockkonservativen bis rechtsextremen Politiker zu tun haben, der am Abend seiner überraschenden Wahl zum Bürgermeister einer Kleinstadt spurlos verschwindet. Um ihn zu finden, muss Pirate Om den gesamten Wahlkampf, den er versucht hat zu verdrängen, noch einmal in allen Einzelheiten durchleben, sich die abscheulichen Reden auf Video ansehen, du weißt, diese Typen, die an alles appellieren, was schlecht in uns ist: Neid, Geiz, Angst, Hass, und dabei ganz gerührt von sich sind, was für gute Menschen sie doch seien. Es wird einer von P.O.s anstrengendsten Fällen. Von Kapitel zu Kapitel muss er politische Diskussionen mit Verbündeten und Gegnern, also in beiden Fällen, Grüß dich, mein Schatz! – Mercedes winkte nur und setzte sich in einen Schaukelstuhl in der Ecke –, potentiellen Mördern führen.

Und wo ist er am Ende? Der Politiker? fragte Omar.

Das weiß ich noch nicht. Vielleicht klärt es sich nie auf. Verstehst du? Dieser Typ ist ganz unwichtig. Ob es einen Mord gibt, ist ganz unwichtig. Obwohl, politische Morde ... Worum es geht, ist ...

Wie war es bei den Pfadfindern? Miriam kam aus der Küche und stellte scheppernd ein Tablett mit Limonade ab.

Das macht sie immer. Ich kann mitten im Satz sein. Ich erzähle von meinem Roman, der uns, nebenbei bemerkt, ernähren wird, und sie kommt und redet dazwischen.

Omar ist nicht nur klug und schön, er ist auch höflich. Er antwortete ...

Einen Moment noch, sagte Alegria. Ich verstehe zwar nicht, wieso sich jemand, und sei er ein zehnjähriger Junge, freiwillig in den Abgründen unserer Wälder herumtreibt, ich hoffe allerdings, wie aus allem, auch daraus eine Geschichte oder wenigstens einen Satz gewinnen zu können, also los, erzähl schon, sagte er, da er inzwischen Block und Bleistift zur Hand hatte.

Er kann so ein Kulissenreißer sein. Macht sich demonstrativ Notizen, um mir zu zeigen, dass er beleidigt ist. Wie kann er denken, dass ich das absichtlich mache? Wenn ich jedes Mal warten würde, bis er eine Pause macht, würden wir verdursten.

Wir haben ein totes Mädchen in einem hohlen Baumstamm gefunden, sagte Omar. Sie war nackt. Wir starrten lange auf ihr Geschlecht.

Totes Mädchen, hohler Baumstamm, Geschlecht, notierte sein Großvater.

Ich seh' schon, sagte Miriam, mit euch ist nicht vernünftig zu reden. Sie zögerte, ob sie beleidigt sein sollte, warf einen Blick zur Tochter. Ist sie überhaupt anwesend? Sitzt still in der dunkelsten Ecke des Zimmers, man weiß nicht, wohin sie schaut.

Natürlich ist das nicht passiert, sagte Omar. Aber es war auch so sehr interessant. Flora, Fauna, Mensch. Das große Abschiedslagerfeuer ist wegen Waldbrandgefahr ausgefallen, und als sie dachten, ich schlafe, haben einige Jungs meine Augenklappe angehoben und mir mit einer Taschenlampe in die Augenhöhle geleuchtet, weil sie neugierig waren, ob das Gehirn zu sehen ist. Und das ist wirklich passiert.

Das hast du mir gar nicht erzählt, sagte Mercedes. Seit den Begrüßungen der erste Satz, den sie ausspricht.

Es ist nicht leicht, hochbegabt zu sein, sagte Omar und zuckte mit den Achseln.

Man könnte, sagte Alegria nachdenklich, eine nächste Geschichte in der Jugend des Helden spielen lassen. Wir würden endlich erfahren oder nicht erfahren, was hinter der Augenklappe ist oder war. Und das tote Geschlecht als Auslöser. Für irgendwas.

Apropos, wandte sich Miriam an ihre Tochter. Ist jemand gestorben?

???

Wieso trägst du dann in dieser Hitze Schwarz? Du lässt dich scheiden, du wirst nicht zur Witwe.

Mercedes stand mit Schwung auf. Der Schaukelstuhl schaukelte ächzend.

Ist was? (Alegria sanft lächelnd.)

Ich bekomme morgen ein neues Glasauge, sagte Omar.

Auf dem Rückweg sind sie dann auch noch in einen Stau geraten, da standen sie, ein in der Hitze erfrorener Strom heimkehrender Ausflügler in der untergehenden Sonne – aber das nur noch so nebenbei.

Und jetzt das.

Bitte, sagte Mercedes auf dem Gerichtsflur, ich habe nicht verstanden. Was hast du gesagt?

Radio

Er hätte seine Mutter nach den Hunden fragen können. Ob die Hunde noch genauso heulten, wenn es dunkel wurde in der Stadt, oder was aus ihnen geworden sei. Statt dessen verirrte Abel N. sich in eine Orgie, wurde unter Drogen gesetzt, ausgeraubt und in eine Schlägerei verwickelt, zog eine blutige Spur hinter sich her bis zu seinem Badezimmer, das keine Tür hat, es steht nur eine Gipswand im Raum, dahinter eine Wanne und ein Klo, irgendwo dort verlor er das zweite Mal in dieser Nacht das Bewusstsein.

Als er wieder zu sich kam, war es immer noch dunkel. An seinem rechten Fuß spannte der Schorf. Er ließ die Wanne voll, legte sich hinein, den Fuß vorsichtig auf den Wannenrand gelegt, einpaar Trockenseile über ihm, und schlief wieder ein. Plötzlich schreckte er auf, weil jemand neben ihm losbrüllte:

Wir werden erlöst werden! Eintreten werden wir in ein neues Erden-Zeitalter, und es wird eine Zeit der Liebe und des Lichts sein! All die zerstörerisch wirkende Energie der vergangenen Jahrhunderte wird zum Guten gewendet werden! Das Zeitalter der Kriege wird abgelöst werden durch ein Zeitalter des Friedens!

Dem Menschen wird ein neues Bewusstsein gegeben, Hass, Neid,
Gewalt, Unterdrückung und Ausbeutung werden die Erde ver-
lassen! Liebe, Freude und Glück treten an ihre Stelle!

Klatsch! Er fuhr hoch, eine kalte Welle schwappte aus der Wanne
hinaus aufs Linoleum, der verletzte Fuß fiel ins Wasser. Er riss ihn
schnell wieder hoch. Der Schorf hielt. Er legte die Ferse wieder
auf der Kante ab.

Das Gebrüll an sich war nichts Außergewöhnliches. *Der ver-*
dammte Radiowecker. Nicht seiner, er gehörte seinem Nachbarn,
einem Physikers namens Rose, und das Ding stand auch nicht
hier, sondern hinter der Wand – was allerdings keinen Unterschied machte. Zwischen den beiden Appartements gab es ehemals einen Durchgang, später wurde er mit Latten und Gaze verschlossen, ein Küchenschrank davor gestellt. Was nicht hilft.
Normalerweise stellte der Nachbar nach einpaar Sekunden wenigstens den Ton leiser. Diesmal nicht.

Leider, leider, schrie es aus dem Schrank, die zwei Teller, das einzige Glas darin machten zirpende Geräusche, *haben wir uns, was*
das anbelangt, verrechnet! Astrologen haben mithilfe zuverlässig
berechneter Gestirnstabellen bewiesen, dass der von den Prophe-
ten versprochene Eintritt in das Zeitalter des Wassermanns nicht
zwischen den Jahren neunzehnfünfzig und zwanzigfünfzig erfol-
gen wird! Wir werden weitere 360 Jahre auf das Goldene Zeit-
alter warten müssen!

Was war das zum Beispiel wieder für ein Wochenende?! Wetter
und Weltlage bringen einen um den Schlaf! Der Staub aus der
Sahara verursacht Reizungen an den Augen und trocknet die
Kehlen aus! Laut einer Erhebung wurden schon wieder soundso-
viel Liter alles Mögliche getrunken! Ist es da ein Wunder, wenn
man denkt, bei Vollmond Wehrwölfe auf unseren Straßen zu sehen?
Vielleicht ja, vielleicht war es aber auch Ihr Nachbar aus der
Nacktbar! Eine Polizeirazzia trieb in der Nacht von Sonntag auf
Montag etwa zwei Dutzend nackte Personen aus der Erotikbar
Die Klapsmühle auf die Straße! Jemand hatte den Barbesuchern
Drogen in die Drinks getan und anschließend ihrer Kleider be-
raubt! Ein grober, grober Unfug ist so was! Etwa zur gleichen Zeit

befiederten unbekannte Täter die Weißen Schwäne des Friedens
im Großen Park! Flieg, Vogel, flieg! Keine Woche ist es her, dass
das Kunstwerk, eine Nachbildung der Papst Pius XI. geschenkten
Porzellanskulptur zweier Schwäne, feierlich am Nordende des
Parks aufgestellt worden ist! Zwischen Blumenbeeten mit Blick
auf grünes Wasser glänzten sie friedlich in der Sonne! Igor K., Ak-
tionskünstler, stand am Rande auf einem Campingstuhl, seine
großen Füße standen vorne über, und er brüllte: Nieder!
O-Ton: Mit der Lüge und dem Kitsch! Meine Empörung ist a)
ästhetischer, b) moralischer, also c) politischer Natur. Die morali-
sche, also politische Lüge offenbart sich durch die ästhetische und
wird umso sichtbarer. Aber selbst wenn politisch-moralisch nicht
gelogen würde, die ästhetische Lüge allein reichte schon aus, mich
zu empören. Ich bin empört, sagte I. K. Anschließend ging der
Künstler zurück in seinen Keller und setzte seine Aktion »Hunger«,
die er für den Protest unterbrochen hatte, fort. Die Videodoku-
mentation der Performance beweist: der Künstler I. K. ist für die
Befiederung der Schwäne nicht verantwortlich. Das Original der
Skulptur steht unversehrt in den Vatikanischen Museen neben einer
Vitrine mit einem Messgewand aus dem sechzehnten Jahrhundert,
das über und über mit sechsarmigen Seraphen bestickt ist!

Das Badewasser war kalt, obendrauf hatte sich ein fettiger Film
gebildet. In den Augen war auch etwas davon, es dauerte eine
Weile, bis er einigermaßen klar sah. Der Fettfilm war goldfarben,
und, soweit er es sehen konnte, hatte er ihn überall am Körper.
Als wäre der Engel ganzkörperlich auf ihn abgefärbt, dabei kann
ich mich nicht erinnern, ihn berührt zu haben. Doch, einmal, am
Knöchel. Er sah sich seine Finger an: verschrumpelt, golden. Dass
er das wird loswerden müssen, fiel ihm ein, und dann erst, wieso
das gerade jetzt ein Problem war. Erneutes hektisches Schwap-
pen, keine Ahnung, wie spät es ist, auf jeden Fall viel zu spät.
Fröstelndes Aussteigen, hastiges Abtrocknen. An einem Spagat
über der Wanne pendelte ein verschmiertes Stück Spiegel, darin,
fern hinter Pailletten aus Kalk, einpaar verschmierte Augen, Blut
in vornehmer Blässe, Rot und Weiß sind die Farben des Morgens.
Das Radio, als wäre es fünf Zentimeter neben seinem Ohr.

Was gibt es noch? Was sagen die Krankenhäuser, Polizeistationen und Seelsorgetelefone? Am Samstag hat ein Mann eine Kettensäge gekauft, am Sonntag hat er sich den Unterschenkel damit abgesägt, während seine Familie in der Kirche war. Der arbeitslose Mann hatte auf seine Arbeitsunfähigkeitsversicherung spekuliert. Er verblutete in der Badewanne. Was kommt als Nächstes? Im Großen und Ganzen dasselbe wie immer, würde ich sagen. Flüchtlingsschiff vor Küste gesunken, Indianerüberfall auf Siedlung, vierzehn Tote, Waldbrände wüten, Pegelstände steigen, zurück auf die Bäume, dem Tribunal in H. gehen langsam die Zeugen aus, ein weiteres halbes Dutzend Firmen rutscht in den Pennystock, nichtsdestotrotz starten wir voller froher Hoffnung in eine neue Arbeitswoche. Der Verkehr ist mörderisch. Wir bekräftigen unsere Absicht, Atomwaffen einzusetzen gegen folgende Staaten. Sie hören Radio Paradiso, willkommen in der Freakshow, Leute, willkommen, willk---
Hier hatte Abel das Treppenhaus verlassen.

All das zu erzählen, womöglich auch noch chronologisch, wäre nicht möglich und überflüssig gewesen, also sagte er seiner Frau nur soviel, er sei letzte Nacht aus gewesen und man habe ihm das Sakko gestohlen. Mit allem drin. Ausweis, Geld, Kreditkarte. Jetzt fällt ihm ein, dass er sie nicht hat sperren lassen. Alles, was er in der Tasche habe, seien einpaar Münzen, ein Wunder, dass er überhaupt hier sei, mit dem Einzigen, was ihm, als Zeichen seines guten Willens, geblieben ist: seinem abgelaufenen Reisepass.
Bitte, was?
Das sei sein einziges verbliebenes Dokument, mit einem zehn Jahre alten Foto darin. Wenn das hilft.
Sag, dass das nicht wahr ist.

Die Richterin sah sie an. Sah die Anwältin an, Mercedes, den Mann mit dem schwarzen Trenchcoat und dem Veilchen im Gesicht, den Pass, wieder Mercedes, die Anwältin. Den Staat gibt es gar nicht mehr. Sie klappte den Pass auf und zu.

Ja, aber, sagte die Anwältin. Führerscheine sind schließlich auch noch gültig.

Aber dieser hier nicht. Die Richterin sah noch einmal nach.

Der Pass war nicht lange nach der Eheschließung abgelaufen. Das fiel Mercedes jetzt ein. Rote Flecken im Gesicht.

Und überhaupt, sagte die Richterin. Ich kann niemanden scheiden, der gar nicht existiert.

Das ist der ursprüngliche Name. Vor der Heirat. Die Eheurkunde, soufflierte die Anwältin.

Ja, sagte die Richterin und schaute sich die Urkunde an. Tatsächlich.

Sie verglich noch einmal Foto und Mann. Das erste Mal, dass sie ihn überhaupt länger ansah. Bis dahin: als sei seine Anwesenheit *so* gar nicht gesichert. Größe, Augenfarbe (im Pass steht blau, aber die Richterin sah, dass sie lila sind). Sonstige besondere Kennzeichen: keine.

Tja, sagte die Richterin.

Es geht ja diesmal nur um die Absichtserklärung, sagte die Anwältin. Dass beide einmal erklären, ja, wir möchten uns scheiden lassen, der entscheidende Rest wird ohnehin später …

Ich muss trotzdem wissen, wer mir hier seine Absicht erklärt, sagte die Richterin.

Sich jemanden von der Straße geholt. So was gibt's. Sie sah Mercedes an. Hübsches, erschrockenes Kind. Tut mir Leid. Sie werden diesen Mann nicht los. Nicht heute.

Sie klappte erst den Ordner zu, dann zog sie den Daumen aus dem Pass und gab ihn mutmaßlich Abel Alegre geb. Nema wieder. Was willst du da machen.

Sie verließen das Gebäude gemeinsam: Abel, seine immer noch Ehefrau Mercedes und ihre gemeinsame Scheidungsanwältin. Standen auf den Stufen vor dem Eingang, zwölf Uhr mittags, Verkehrslärm, Sonne, Wind, ein Chor übte Dona nobis pacem, aber das hörte hier nur mehr Mercedes. Die Anwältin trug Graphit, die anderen beiden Schwarz: eine kleine Trauergemeinde.

Darf man gratulieren? fragte Tatjana.

Was macht ihr hier? Mercedes sah Omar an. Das war so nicht ver-
abredet. Dass sie da sein würden, wenn sie herauskommen. Liebes
Scheidungspaar, liebe Gäste.

Als sie ihm sagte, sie würden sich jetzt also scheiden lassen, sah
Omar Mercedes nicht an, er sagte nur: Schade.

Jetzt sah er sie wieder nicht an, er sah zu Abel: Ich wollte
mich verabschieden. Aber statt auf Wiedersehen sagte er: Hallo,
Spion.

Wie geht's, Pirat?

Mein Auge ist mir zu klein geworden. Ich bekomme heute ein
neues. Wir fahren von hier aus gleich in die Klinik. Bei Veränderung der Augenhöhle muss eine neue Prothese angefertigt werden. Prothesen aus Kunststoff haben den Vorteil, dass sie beim
Herunterfallen nicht zerbrechen. Sie sind jedoch teurer in der
Herstellung und erfordern mehrere Besuche beim Okularisten.

Verstehe, sagte Abel.

Pause. Sonne, Wind, Verkehr, drei Frauen, ein Kind, ein schwarzer Mann.

Und? Seid ihr jetzt geschieden?

Abel schüttelte den Kopf.

Was hast du getan?

Ich habe mir meine Identität klauen lassen.

Tatjana lachte auf. Mercedes' Blick.

Du hast da was am Hals, sagte Omar.

Er griff hin.

Am Ohr.

Er rieb die Fingerkuppen aneinander. Etwas blitzte golden. Mercedes setzte sich eine Sonnenbrille auf: Lasst uns gehen.

Auf Wiedersehen, sagte Omar und reichte Abel die Hand.

Abel nahm die Hand, zog sich mit ihrer Hilfe an den Jungen heran
und küsste ihn auf die Wange.

Rufen Sie mich an, wenn Sie die neuen Papiere besorgt haben,
sagte die Anwältin und verabschiedete sich mit einem Händedruck.

I. GOTTSUCHER

Reisen

Zerbrochene Fenster

Was passiert nach dem Ende der Dinge?
Es fängt an! Jetzt! Kollegen! Das wahre Leben!
Eine Abiturfeier oder doch eher eine Orgie, alle brüllten wie ...
(am Spieß) zwischen den dicken Steinwänden des Verlieses, heute
ein Kellerkneipengewölbe unter dem Hauptplatz, junge Menschen in schwarzweißen Kostümen, im stehenden Dunst, rundherum im kalkgesprenkelten Erdreich die Trümmer alter Zeiten:
Köpfe, Torsi, Füße aus Stein. Das also ist das feierliche Ende unserer ... (goldenen) Jugendzeit. Ödes Herumsitzen in braven
Klamotten um klobige Holztische herum. Viel zu sagen hat man
sich nicht, was soll man auch sagen, zu wem. Das Beste ist, möglichst ohne Umwege betrunken zu werden, notfalls hält man sich
die verheulte Nase zu, irgendwie wird man das Zeug schon hinunterkriegen: Gelbes, Rotes, Sprudelndes, aber am besten ist der
wasserklare Stoff. Es kommt der Moment, wenn einer Mut und
Zeit gekommen sieht, klirrend auf die rustikale Platte zu steigen
und etwas über das Leben! zu schreien.
Das Leben! Steht schwankend auf dem Tisch, schreit zwischen
zwei Schluchzern, mal ist es Lachen, mal Weinen: Leben! Das
wahre! Freunde! Jetzt! Wir! Eingekeilt zwischen unseren Vätern
und unseren Söhnen. Unseren ... Was wollte ich noch mal? Eingekeilt. Vätern. Egal! Jetzt! Neu! Und alt auch! Alles ist hier!
Wir! Ich sage ...! Ich liebe euch, Jungs!
Die bestrumpften Beine eines unbekannten Mädchens glänzten,
sie schluchzte auf: Ich liebe dich!, und legte einen Arm um Ilias
Hals.
Lass uns gehen, sagte Ilia zu seinem Nebenmann.
Der Mädchenarm rutschte wie etwas Totes, Weißes seinen Rücken hinunter und blieb liegen.

Zuerst liefen sie fünf Jahre lang durch die Stadt – Wie viel Stunden? Wie viele Kilometer? Einmal um die Erde? Weniger? Mehr? Egal? –, dann machten sie Abitur. Das anschließende traditionelle Besäufnis verließen sie frühzeitig. Sie gingen geradeaus, bis die Hauptpost im Weg stand, rechts um das Gebäude herum, weiter Richtung Bahnhof. Sie schwiegen schon seit einer ganzen Weile, die Stadt um sie herum ebenso, oder nein, im Gegenteil, es war sogar ziemlich laut, Arbeit, Feste, Streitigkeiten, aber immer woanders, mindestens eine Straße weiter. Wo sie waren, war alles still und leer. Sie gingen bis zum letzten Abzweig vor dem Bahnhof. Es war immer Ilia, der Zeichenempfänger, der die nächste Richtung vorgab. Jetzt blieb er stehen. Die Stundenstriche der Bahnhofsuhr leuchteten weiß vor dem schwarzen Himmel. Abel zählte die Stunden. Noch sechsunddreißig. Dann wird man sich auf den Weg machen, den Rest des Sommers durchs Land fahren. Wohin, egal. Prinzip Gottesurteil. Lass uns uns verirren. Der Vorschlag kam von Abel, Ilia nickte. Sie hatten kein Auto, noch nicht einmal einen Führerschein, nehmen wir eben den Zug.

Eigentlich wollte er warten, bis sie an einem besseren Ort waren, einer Küste, einem Panoramapunkt, irgendwas mit Atmosphäre und Bedeutung, aber dann sah Abel in die schwebende Uhr und er musste an den Arm des Mädchens denken, an diesen ganz und gar unbedeutenden Arm, und er sagte:

Ich liebe dich.

Der Minutenzeiger der Bahnhofsuhr rückte eins vor.

Ich weiß, sagte Ilia.

Später reichte er ihm die Hand. Abel lehnte an der Wand, Ilia stand mit zur Seite geneigtem Kopf vor ihm, dann, wahrscheinlich nach Minuten, streckte er die leere Handfläche vor: Sieh, ich trage keine Waffe. Sah dabei aber weiter irgendwohin, zur Seite. Abel fing an, an der Wand herunter zu rutschen, auf den pelzigen Schmutz des Gehsteigs zu. Na! sagte Ilia und schloss die ausgestreckte Hand zur Faust, bevor er sie zurückzog. Genervt, verächtlich: Na! Das half. Abel bremste das Rutschen, stieß sich von der Wand ab und ging.

Er ging links herum, Ilia muss – wie man sich das vorstellt – die entgegengesetzte Richtung genommen haben, oder wer weiß, vielleicht blieb er auch lange dort stehen. Abel sah sich nicht mehr um.

Eine außer Takt geratene Flipperkugel in den engen Korridoren der Altstadt: Er rannte, stolperte, stieß sich an Wänden. Immer, wenn das passierte, blieb er für einen Moment stehen und sah sich um. Nicht, ob *er* hinterherkam. Ilia mit seinem Herzfehler, sport-befreit, könnte er das überhaupt, so schnell rennen, egal, er soll nicht, soll er doch ---. Er sah sich *einfach so* um, sehen, was da ist, wie es jetzt ist. Dieser Moment, wenn dir alles fremd wird. Bis er irgendwann wirklich nicht mehr wusste, wo er war.
Kann ich mich in tausendmal gelaufenen Straßen verirrt haben? Ist das möglich? Er bog noch einpaar Mal ab, lauschte auf den Lärm der unsichtbaren Anderen, was machen sie und wo? Am Hauptplatz vielleicht, aber in welcher Richtung ist der jetzt? Nach einer Weile hatte er den Eindruck, er wäre wieder auf dem Weg zum Bahnhof. Auch gut. Dann doch wieder: Herzklopfen: Was, wenn *er* noch dasteht?
Als die Straßen immer steiler wurden, wurde ihm klar: Wie auch immer, er war bereits hinter den Bahnhof geraten, hatte die Schienen überquert, ohne es zu merken, nun war er unterwegs in die Berge hinauf. Das Trottoir bestand immer mehr nur noch aus Treppen, er hastete hinauf, als müsste er sich beeilen, das eiserne Geländer, wo es eins gab, schwankte, wenn er es losließ. Später gab es keine Treppen und auch keine Häuser mehr, nur noch den schlechten, groben Asphalt der Straße, mit seinem scharfkantig krümelnden Rand. Diesen Weg kenne ich, er führt zu einem Aus-sichtspunkt hinauf, Ziel Dutzender Ausflüge, allerdings noch nie mitten in der Nacht. Zwischen den Bäumen war es stockfinster, teilweise hätte man getrost die Augen geschlossen halten können, wie wenn man im Traum läuft. Er wusste: das ist der Weg zum Turm, aber jetzt war es, als müsste er endlos sein, ich kann mir nicht vorstellen, jemals anzukommen. Das ist einer dieser end-losen Traummärsche, bei denen höchstens soviel passiert, dass

der Berg immer steiler wird. Er neigte den Oberkörper nach vorn, um die Steigung auszugleichen. Seine Fingerspitzen berührten den Asphalt. Auf allen vieren zu gehen, erwies sich als gut, er blieb dabei. Das erste wirklich Seltsame, das ich in meinem Leben getan habe: auf vier Beinen durch einen stockfinsteren Wald gehen. Die Sterne schienen auf den glänzenden Stoff seines Rückens. Erst, als er vor dem Aussichtsturm stand, richtete er sich auf.

Was in den nächsten Minuten?, Stunden? passierte, darüber gibt es keine genaue Kenntnis. Er wird sich die Lichter der Stadt angesehen haben, die er noch nie so gesehen hatte, weil er noch nie zuvor nachts auf dem Berg gestanden war. Er sah sich die Stadt aus dieser neuen Perspektive an und empfand, abgesehen von einem irren, den ganzen Körper ausfüllenden Schmerz: gar nichts. Eine kleine Stadt, in der Nähe dreier Grenzen, Sackbahnhof, Luftlinie, Hunde. War ich je glücklich?

Ja. Solange er ihn hatte. Und jetzt? Den Rest des Lebens hier oben verbringen? Der Einsiedler vom Aussichtsturm sein? Zwischen eingeritzten Liebeserklärungen, Obszönitäten und anderen Existenzbeweisen leben? Sich in jeder wachen Minute das Labyrinth der Straßen anschauen? Denn ab jetzt ist alles der Rest und interessiert mich als solcher nicht.

Ein Auto kam. Die Insassen, ein Liebespaar, bemerkten ihn nicht, sie hatten es zu eilig. Sie fingen zu kopulieren an. Abel wartete, bis die Scheiben beschlagen genug waren, und ging an ihnen vorbei. Später verlor er die Konzentration und rutschte an der bröseligen Kante der Straße aus. Er fiel auf den Hintern, rutschte auf Handflächen und Fersen nach unten, hielt an, blieb noch eine Weile sitzen, stand auf. Fußsohlen und Hände schmerzten, in den Schürfwunden saßen winzige, blutige Steinchen, fielen nebenbei ab, wie der langsam trocknende Waldboden von der Rückseite des Anzugs, egal, er ging hinunter in die Stadt.

War *das* jetzt alles?

Eins gibt es noch. Dieses Fenster, Parterre, hinter dem Theater, in dieser Straße ohne Namen, weil gar keine Straße, nur eine Furt, in der es nichts gibt, außer einigen Parkplätzen für ausgewählte

Fahrzeuge, dem Künstlereingang und dem erwähnten Fenster vis-à-vis. Die Fensterbank so niedrig, dass es (früher, manchmal) einfacher war, an die Scheibe zu klopfen und direkt ins Zimmer zu steigen, als um die Ecke zu gehen und den Eingang zu benutzen. Abel kam vom Berg herunter, lief durch den Stadtpark, über die Bahnlinie, das war schon seine Straße. Er ging an dem Haus vorbei, in dem Mutter und Oma schliefen, überquerte zwei kleinere Plätze mit jeweils einer Statue, ging um das Theater herum, stand vor dem Fenster. Die nackte Lampe über dem Künstlereingang schien ihm auf den Rücken, er sah sich als Silhouette in der dunklen Scheibe. Dahinter rührte sich nichts. Rundherum hämmerte, klirrte, schepperte, heulte, jauchzte es umso lauter, ein mörderisches Fest muss das sein, oder vielleicht auch nur eine Halluzination, denn zu sehen war weiterhin nichts. Er wartete eine Weile, dann trat er sein Spiegelbild ein. Zuerst die linke, dann die rechte Scheibe. Die Scherben prasselten nach innen, aufs Bett. Er sah die Bettwäsche gräulich aufschimmern, sonst regte sich nichts. Oder er wartete es nicht ab.

Zuerst lieben sich zwei wie selbstverständlich, dann hassen sie sich ebenso, und der Übergang von dem einen Zustand in den anderen währt so kurz wie der Augenblick, ihn zu begreifen, und fällt – das ist das eigentlich Schmerzliche – keiner der Seiten besonders schwer. Sagte: ich liebe dich, sagte: ich dich aber nicht, ging davon, irrte umher, stieg auf einen Berg, kam wieder herunter, fiel, stand auf, trat ein Fenster ein, ging nach Hause, zog die Türen des Wandschrankes zu, legte sich hin. Später schreckte er auf, weil ihn eine Herzattacke aus dem Bett schleuderte.
Das Bett war kein Bett, nur eine Matratze im Garderobenschrank im Flur. Er schlug im Fallen gegen die Sperrholzwand, das muss einen Mordskrach gegeben haben, kam mit dem Gesicht auf dem Schrankboden auf und blieb liegen. Er drückte die nasse Stirn auf den Teppichboden, der Staub knirschte, er atmete, so gut es eben ging, und horchte, weil er nichts anderes konnte, wie sein Herz, Herz, Herz pochte. Von meinem Gekeuch erzittert die Welt.

Alles in Ordnung? rief Mira draußen vor dem Schrank.

Er hielt die Luft an, das war ohnehin einfacher. Leider verstärkte sich dadurch das Brennen am Brustbein. Konzentriere dich auf was anderes, auf die Geräusche draußen: Radio, Geschirr, eine ferne, biblische Litanei. Großmutter ist offenbar in der Küche, also ist es Morgen. Oder schon wieder Abend.

Abel? Mira musste jetzt ganz dicht vor dem Schrank stehen.

Gleich ist's besser, gleich ist's, gleich ...

Vielleicht hat er nur im Schlaf ..., sagte Mira, bereits im Weggehen. Mit dem Arm gegen die Wand. Langsam wird er wirklich zu groß dafür.

Er blieb liegen, Gesicht, Schweiß, Staub, wartete, bis das Schlimmste vorbei war, schlich sich dann, in einem *unbeobachteten Moment*, ins Bad, zum Spiegel. Er hatte sich das Jochbein geprellt – beim Sturz von der zehn Zentimeter hohen Matratze auf den Schrankboden (!) –, ein kleiner roter Fleck nur, aber deutlich zu sehen.

Und was ist das?

Als er wieder aus dem Bad kam, stand Mira im Schrank, den Anzug in der Hand. Besudelt von oben bis unten. Was ist das? Erde? Und: Jesus – jetzt sah sie sein Gesicht –, wie siehst du aus?

Was hast du getan?

Die ganze Nacht Randale in der Stadt gemacht. Gesoffen, sich geprügelt, Flaschen zerschmissen. (Großmutter) Konnte nicht schlafen, musste zuhören.

Schaufenster, sagte Vesna, Tante Vesna, beste Freundin der Mutter. – Eine Lesbierin! (Oma) – Kluge Augen, eine große Nase in einem bräunlichen Gesicht, die Stimme tief und rauh: Sie haben Schaufenster eingeschmissen.

Wer hat Schaufenster eingeschmissen? (Mira.)

Es ändert sich nichts, murmelte Großmutter. Sie werden nur immer gröber. Gottlos, roh, verdorben.

Wer? fragte Mira.

Warum sollten die Abiturienten so etwas tun? fragte Vesna.

Es gibt nicht immer ein Warum, sagte Großmutter.

Vesna lachte: Das ist allerdings wahr.

Das Leben ist so leicht ruiniert, sagte Mira.

Sie redete an die Adresse ihres Sohnes, dem mit dem Veilchen im Gesicht. Zumindest nahm sie an, dass der Fleck noch da war, denn *meinen einzigen Sohn* anzusehen wagte sie schon seit Stunden nicht. Ich weiß nicht, irgendwas ist anders. Sprichwörtlich über Nacht.

Abel seinerseits sah auch niemanden an. Sie saßen in einem Restaurant, Sonntagmittag, wie sonst auch zu besonderen Anlässen, *die drei Parzen und ich.*

Einfach immer gröber, murmelte Großmutter. Ich verstehe nicht, wie man an so was Spaß haben kann.

Später betraten zwei Polizisten das Restaurant, hielten sich lange in der Nähe des Eingangs auf, redeten mit dem Oberkellner, schauten herein. Abel schaute hinaus zu ihnen, aber sie waren nicht interessiert. Sie gingen wieder.

Später, im Laufe des Essens, sickerte, als würden es die diskreten Kellner auf ihren Tabletts durch die Räume tragen, das Gerücht durch, gestern Nacht sei tatsächlich die halbe Einkaufsstraße zertrümmert worden (Geh um Gotteswillen nicht hin! Am Ende verhaften sie dich noch. Abgesehen davon ist so was keine Touristenattraktion), aber die Abiturienten waren es nicht, oder nicht nur, nicht von vornherein. Als sie aus dem Untergrund herausgetaumelt kamen, war *es* längst schon im Gange, und sie waren so hinüber, kapierten gar nicht, worum's ging, lachten nur hysterisch und trampelten in den Scherben herum, in ihren Augen spiegelte sich das knisternde Feuer in einem Verkaufsraum, aber das ging später aus, der Plastikboden brannte schlecht, es stank nur fürchterlich, und angeblich hat jemand unterschrieben, so und soviel Sprengpulver und Detonatoren entgegengenommen zu haben.

Was denn noch? fragte Mira. Und: Könnten wir vielleicht über etwas anderes reden?

Zum Dessert tranken die Frauen Likör, Abel sollte auch kosten, er nahm das Gläschen und kippte alles auf einmal hinunter, es war süß, egal. Mira lächelte schüchtern, Großmutter schnalzte mit der Zunge, Vesna lachte anerkennend und kippte auch. Ts, ts, sagte Großmutter.

Mira öffnete ihre Handtasche, in der ein Umschlag mit frisch geholtem Geld für das Essen steckte und einer, den sie Abel gab.

Danke, sagte Abel.

Ich würd's erst aufmachen, sagte Tante Vesna.

Es war ein Autolotterieschein für die niedrigere Klasse.

Oh, sagte Abel, der keinen Führerschein hatte, danke.

Er steckte den Lotterieschein ins Kuvert zurück, legte das Kuvert neben seinen Teller, nahm die kleine Gabel und aß weiter sein Dessert.

Tut mir Leid, sagte Mira, dass ich dir kein Auto kaufen kann.

Nachdem sie im Sommer nach Andors Verschwinden vergeblich herumgefahren waren, verkaufte sie das himmelblaue Auto. Außerdem verramschte und verschenkte sie Andors Kleidungsstücke und Bücher und riss seine Fotos aus den Alben.

Ein höflicher Sohn würde jetzt etwas sagen, aber Abel sagte nichts.

Hallo, sagte Mira, schau uns an. Hier sind wir.

Ein Lotterieschein, sagte Vesna später. Ich wüsste nicht, was besser wäre, um sein Kind ins Leben zu entsenden. Hasardös ist das Leben, mein Kleiner. Ich an deiner Stelle hätte ihm eine Rolle Chips fürs Casino geschenkt, da wären die Chancen höher. Er könnte einpaar zwielichtige Persönlichkeiten kennen lernen, das würde seine Aussichten enorm aufwerten. Zweifellos wird die Unterwelt in Zukunft die Macht hier übernehmen, es gilt, auf der richtigen Seite zu stehen, ich persönlich hätte lieber einen erfolgreichen Mafiaboss als Sohn, als …

Als was?! schrie Mira.

Großmutter murmelte leise Flüche: Hässliche Kreatur, Zigeunerin, Schandmaul.

Sie ist ein feiner Kerl, sagte Mira.

Jetzt bin ich dran! sagte Großmutter. Aus einem großen Männertaschentuch wickelte sie eine Dose. Darin: die Auszeichnungen des Großvaters, die aus dem Krieg und die für herausragende Arbeit, eine ganze Blechdose voller Blech, darüber wurde sogar

Mira ganz rot. Abel legte den Lotterieschein auf die Aufzeichnungen, schloss den Deckel und teilte mit, er würde den Rest des Sommers auf Reisen sein.

Drei Frauengesichter.

Mit wem? Mit Ilia?

Nein.

Mit wem dann?

Mit niemandem. Allein.

Und Ilia?

Aber womit?

Mit dem Zug.

Aber wohin?

Das wisse er nicht genau. (Lüge.)

Schweigen.

Er ist jetzt ein erwachsener Mann, sagte Vesna, sah ihm über Aknenarben und Gurkennase hinweg fest in die Augen und schenkte ihm einen für unsere Verhältnisse großen ausländischen Geldschein. Für irgendwas wird er schon gut sein.

Hundstage

Verschwunden: Der Bürgermeister einer kleinen Ortschaft in D. während der Feier zu seiner Wiederwahl. Der Chaosforscher Halldor Rose von einem Kongress kommend. Der ehemalige Jugendchorleiter N. N., der vor so und soviel Tagen am Boca de Inferno in Portugal aufgebrochen ist, um den eurasischen Kontinent zu Fuß bis zur Spitze der Kola-Halbinsel zu durchqueren. Am zwölften Juni vor zwanzig Jahren, am frühen Morgen des ersten Tages der Sommerferien: Abel Nemas Vater.

Ein halber Ungar, die andere Hälfte ungewiss, er sagte, er trüge das Blut *sämtlicher Minderheiten der Region* in sich, ein Zugereister, ein Zigeuner, ein Stimmenimitator und Abenteurer, der auf zwei Flöten gleichzeitig und die Balalaika spielen konnte, und wer weiß, was noch alles. Es stellten sich immer neue Sachen über

61

ihn heraus, das war irritierend und beeindruckend, sagte Mira, solange man an jemanden glauben will, ist so etwas beeindruckend. Bestimmt bald ein Alkoholiker, sagte Oma, als sie sah, wie viel türkischen Kaffee er trinken konnte, aber er dachte nicht daran, sich an Prognosen zu halten, er blieb überraschend bis zuletzt.

Er stand vor dem Haus, sechs Uhr früh am ersten Tag der Sommerferien, die Straße herunter, aus Richtung Bahnhof, schienen Sonnenstrahlen geradewegs auf ihn zu. Ein dicker, goldener Pfeil, der auf ihn zeigte, aber mit einer Helligkeit und Hitze, als wäre es mindestens schon Mittag. Dass es in Wahrheit schon bedeutend später war, dachte Andor Nema, und dass er vermutlich nicht mehr viel Zeit zu verlieren hatte. So oder so ähnlich. Das letzte, was Abel in seinem Schrank liegend von ihm wahrnahm, war das Geräusch der sieben Schritte, die dieser brauchte, um den Flur zu durchqueren. Eins-zwei-drei-vier-fünf-sechs-sieben. Die Tür. Leise auf, noch leiser: zu. Eine Stunde und vierzig Minuten später, als er seine erste Unterrichtsstunde anfangen sollte, war Andor nicht mehr in der Stadt. Er ging, wie er gekommen war, mit leeren Taschen, vielleicht mit etwas Kleingeld, einer Zigarettenschachtel, einem Taschentuch. Zurück blieben seine leeren Kleider, ein klappriges Auto und ein Karton voller Postkarten.

Bevor er seinen einzigen Sohn Abel zeugte, hatte Andor Nema zwölf Geliebte. Davon war eine tot durch Eigenhand, eine war Bewohnerin einer psychiatrischen Anstalt. Mit den anderen schrieb er sich Postkarten. Diese bewahrte er neben alten Liebesbriefen und Fotos in einem Karton auf. Mira lachte: Eitler Gockel.
Alles, was ich kann, habe ich von Frauen gelernt, sagte Andor. Dies ist mein Lehrerinnenkollegium. Sie werden immer bei mir sein.
Mira lachte: Die zwölf Nornen.
Dreizehn, meine Liebe, sagte Andor, dreizehn.
Mira wurde rot.
Er hatte nicht die Wahrheit gesagt. Er nahm den Karton nicht mit. Mira wartete eine Woche, dann fuhr sie, anfangs schlecht, sie

war seit Jahren nicht mehr gefahren – Abel, wie geht es dir? Ich muss gleich kotzen –, die zehn in Frage kommenden (also nicht toten und nicht verrückten) Frauen ab. Zehn Frauen standen auf neun Schwellen (einmal waren es Schwestern, die sich mittlerweile wieder vertrugen und sogar zusammen wohnten), starrten den Jungen an und schüttelten den Kopf.

Die Letzte, die sie besuchten, eigentlich hätten wir gleich hier anfangen können, hieß Bora. Für Abel damals ein Männername, aber es stand eine Frau auf der Schwelle. Andors erste Liebe lebte als Einzige allein, in derselben winzigen Einzimmerwohnung wie vor zwanzig Jahren, in einem für Andors Geburtsstadt typischen Haus mit Wandelgängen und Gasgeruch. Der Junge schaute zuerst nach oben, durch das Viereck Himmel über dem Innenhof: leer, dann nach unten, zum Fußabtreter. Die Frau sah er nur von der Taille abwärts: das Rockteil des ehemaligen Ausgehkleids ihrer Mutter (»Du bist eine Hure, meine Liebe«) aus ockerfarbener Rohseide, das sie als Hauskleid trug. An den Seiten standen zwei leere Gürtelschlaufen aus Zwirn ab, man konnte durch sie in die Wohnung sehen (nichts, dunkel), und darunter ihre Beine und Füße in Holzpantoffeln. Große, maskuline Füße. Die Frau Bora sah, wie alle anderen, den Jungen an, und sagte, wie alle anderen, sie wüsste nicht, wo Andor sei. Das ist so lange her. Das müssen Sie mir glauben.
Mira glaubte ihr nicht, aber sie ging. Vorher fragte sie, ob sie die Toilette benutzen dürfte.
Bitte, sagte Bora und zeigte auf eine kleine Tür in der entfernteren Ecke des einzigen Zimmers.
Wie heißt du, fragte sie den Jungen, als sie allein waren.
Er sagte seinen Namen.
Danke, sagte Mira. Sie gingen zum Auto zurück. Mira setzte sich auf den Fahrersitz, Abel auf den Rücksitz. So blieben sie zwei Tage lang. Der Höhepunkt des Sommers. Temperaturen im Schatten: fünfunddreißig Grad, im Auto bestimmt doppelt so hoch, und kein Wind durch das offene Fenster, nur der träge hereinkriechende Gestank von Mensch, Tier, Maschine. Entweder war

Mira sehr überzeugt oder ratlos. Sie blieben im Auto sitzen und behielten den Hauseingang im Auge. Statt Boras benutzten sie die Toilette eines nahen Kellerausschanks, in dem es so dunkel und kalt war, dass sich die Saufbrüder mitten im August erkälteten. Niesend saßen sie da. Na?, sagten sie zum dünnen, scheuen Jungen, na?, sagten sie zur gut gebauten fremden Frau. Wie gut ihr dieser düstere Blick steht. Geht hochmütig, wortlos ein und aus.

Sie wohnen in einem blauen Auto, berichtete ein Saufkumpan den anderen. Was muss sich da abspielen, sie sieht doch ganz manierlich aus, man könnte sie für eine Lehrerin halten. Wieso haust sie in einem Wagen? Es muss um einen Mann gehen. Um einen einheimischen Mann, auf den diese ausländische Frau wartet. Die Frucht ihrer Liebe ist auf dem Rücksitz dabei. Wenn die Männer nach Stunden in der Kühle wieder in die Hitze hinaufstiegen, traf sie der Hammerschlag des Rausches auf den Kopf, und sie vergaßen die Frau im Auto wieder, aber am nächsten Tag, in der schönen, nach Wein riechenden Brunnenkühle kam alles wieder, und sie fingen von vorne an. Der himmelblaue Wagen störte irgendein Empfinden der Säufer. Man müsste irgendwo Bescheid geben, damit jemand kommt. Aber wo und wem sagt man in so einem Fall Bescheid? Später kamen sie auf eine Idee. Sie stellten jemanden an die Tür.

Sie kommt, sagte die Wache und stolperte die Treppen herunter. Alle nahmen ihre Positionen ein, das heißt, sie blieben, wo sie waren, mimten die Trinker, die sie waren. Mira kam, durchquerte den Raum, drückte die Klinke der Toilette. Besetzt.

Sie sah sich um: ein einziger, winziger Raum, im Dunkeln Gläser und Männer, unbeweglich und schimmernd wie Wachspuppen, in verschiedenen, wenn auch sehr ähnlichen Posen des Trinkens erstarrt, Augen zu ihr. Hierzu musste nur noch ein ganz dünnes Mäuschenkichern kommen, Quelle unbekannt, damit sie wusste, dass es eine Falle war. Ein Spaß. Sie war sich sicher, woher?, dass es ein Spaß sein sollte und nichts anderes, was auch möglich gewesen wäre, Gefährlicheres, trotzdem empfand sie jetzt das erste Mal in diesem Sommer statt Wut und Entschlossenheit: Schwäche und Angst. Sie drehte klappernd einen nahen Stuhl zu sich und setzte sich. Die Wachsfiguren wurden sofort lebendig, rückten näher, ihre Äuglein glänzten freudig, sie redeten unverständlich und schoben ihr Gläser und Flaschen mit Wein und Sodawasser hin. Die Sodawasserflasche gluckerte, als würde sie gleich in Tränen ausbrechen.

Ich werde gleich in Tränen ausbrechen. Schöne Szene: Eine aus dem Nichts gekommene Frau klagt alterlos gesoffenen fremden Männern das Leid vom untreuen Geliebten, und obwohl sie ihre Sprache nicht beherrschen, verstehen sie sie, denn diese Sprache ist universell, und sie werden, wenn sie ihr auch nicht helfen können, zumindest ihre Meinung teilen und in ihrer eigenen Sprache auf den Bastard schimpfen, wie es sich gehört, denn selbst so eine verlorene Trinkerexistenz hat mehr moralisches Empfinden als ---

Vor dem strahlenden Viereck der Eingangstür gingen zwei Frauenknöchel-Waden-Knie vorbei, alles andere war weggeblendet im weißen Licht. Der Junge draußen im Auto.

Entschuldigung, sagte Mira und stand auf. Die fremde Zunge lähmte die Männer erneut, sie sahen ihr stumm hinterher.

Sie fuhren wieder zurück. Als sie aus der Stadt heraus waren, hielt Mira am Straßenrand und urinierte hinter einem Strauch. Abel zählte die Autos, die ihnen entgegenkamen. Tausend, tausendeins.

Eine Frau namens Bora

Verschwunden, sieben Jahre später, nach Verlassen einer Abiturfeier mit anschließendem Spaziergang: Ilia B.. Abel wartete noch einige Tage, ob sich vielleicht doch etwas tat, dass er oder *jemand* sich meldete, aber nichts geschah. Ob Ilia überhaupt noch in der Stadt war, weiß man nicht. Schließlich ging auch Abel.

Er nahm den Zug. Bummelte mit Unbekannten durch unbekannte Provinzen. *Schau, wie die Bäume laufen.* Manche Dörfer wie festgezurrt zwischen lauter Kabeln. Weil er kaum Geld hatte, nahm er die langsamen Züge, aber sonst verlor er keine Zeit. Er fuhr gleich zum richtigen Bahnhof.

Es war Sommer, wie damals, der Bahnhof voller orangefarbenen Lichts. Auf zwei Ebenen plus im Untergeschoss standen, kauerten, lagen Menschen zwischen Gepäck, warteten auf eine Abfahrt oder wohnten hier. Vorsichtig, keinen Schlafenden treten, kein Picknick umwerfen, ging Bora zwischen ihnen hindurch, von der Markthalle Richtung Trolley. In Schwällen von den Bahnsteigen kreuzten noch mehr Menschen mit noch mehr Gepäckstücken, sie musste ständig den Schritt wechseln, die reinste Völkerwanderung. Später dachte sie, dass sie womöglich schon eine ganze Weile in denselben Räumen unterwegs gewesen waren, er irgendwo zwischen den Quertreibern, denn es war nicht viel Zeit vergangen, der Einkauf stand noch in der Tüte auf dem Tisch, die Holzpantoffeln, aus denen sie gestiegen war, noch nicht ausgekühlt, als es an der Tür klingelte.
Sie stand barfuß auf der Schwelle, erster Stock rechts, grüne Tür, kleines ovales Emailschild: Nr. 3.
Wen suchen Sie?
Mein Name ist …, sagte Abel. Ich bin der Sohn von …
Jesus, sagte sie und krümmte die nackten Zehen auf dem Stein.

Als Erstes setzt man sich vielleicht an den Küchentisch, hier, zwei Schritte hinter der Schwelle, warte, ich stelle die Tüte weg. Durch das Türglas fällt wenig natürliches Licht vom Innenhof herein, reicht gerade bis zum Tisch, an dem sie sitzen, der Rest des schlauchartigen Raumes ist dunkel. In der Tiefe dämmert ein weißer Duschvorhang.
Es war nicht dieser Vorhang, hinter dem sich Andor damals versteckt hielt. Es war die Kammer direkt neben der Toilette, die Mira benutzte. Er konnte seine Frau urinieren hören. Bora ging zur Arbeit oder einkaufen und tat so, als bemerkte sie den auffälligen himmelblauen Wagen nicht, der einige Häuser weiter auf der Straße stand. Der Junge schien unter der Hitze zu leiden, lag zusammengekrümmt auf dem Rücksitz. Schließlich, als sie

zwei Tage später immer noch da waren, als sie sah, wie die Frau die Kellerkneipe betrat, während der Junge im Auto zurückblieb, riss sie die Tür auf und sagte: Verschwinde aus meiner Wohnung.

Was, sagte Andor, jetzt sofort?

Verdammt noch mal, sagte Bora.

Als Andor die Straße betrat, schwankte und blinzelte er in der Hitze. Der Junge auf der Rückbank schloss die Augen. Mira setzte sich auf einen kühlen Stuhl. Als sie wieder aufstand und heraufkam, war die Straße leer.

Tut mir Leid, sagte der Junge. Dass ich die Augen geschlossen habe.

Nein, sagte Mira, es tut mir Leid.

Ob Andor das himmelblaue Auto gesehen hat, weiß man nicht. Sein Rücken in der Seitenstraße, seine hellen Hosen mit Schlag blitzten in der Sonne. Oder vielleicht habe ich es geträumt. Schau nach vorne, sagte Mira zu Abel, sonst wird dir wieder schlecht.

Bora meint, es muss sich um Sekunden gehandelt haben. Es tut mir sehr Leid. Das Letzte, was sie von ihm gehört hat, ist, dass er mit vierzig anderen in einer Werft in Frankreich angeheuert habe, aber das ist schon Jahre her, und wer weiß, ob es überhaupt stimmt. Er versteht nichts vom Schiffbau. Nicht, dass ich wüsste. Andererseits. Alles ist möglich. Andor, das Waisenkind mit den zwölf Müttern. Nacheinander und teilweise gleichzeitig.

Sie schaut sich den Jungen an: hochgewachsener Neunzehnjähriger, etwas dürrer, blasser und zerzauster als sonst üblich. Man sieht ihm die zurückliegende zwölfstündige Zugfahrt an, und, nicht genug, er hat auch diesen Geruch angenommen, den Geruch des Zuges, er wird ihn nie wieder ganz loswerden. Er hat die Augen des Vaters, die hier in der Dunkelheit schwarz wirken, aber Bora weiß, dass sie in Wirklichkeit die Farbe eines wütenden Himmels haben: Lila und Grau. In seinen Zügen, verschlafen, schimmert die Mutter durch, aber entscheidend ist jetzt schon etwas anderes, von dessen Existenz er gar nichts weiß, das Bora aber umso besser kennt. Dieses Es-gibt-kein-Wort-dafür, diese

Provokation, die er ausstrahlt, die in jedem, dem er begegnet, eine *Nervosität* weckt, den Zwang, mit ihm zu tun haben zu wollen, auf die eine oder andere Weise.

Solange er *zu zweit war*, kam diese, nennen wir es: Fähigkeit nicht zum Tragen. Der *Andere* schirmte ihn ab. Vielleicht war er auch noch zu jung. Aber nun, sagte Vesna nach dem Dessert, ist er ein Mann. Schon während der ersten einsamen Zugfahrt waren wie auf Knopfdruck alle Augen auf ihn gerichtet. Er bemühte sich, beim Fenster hinaus zu schauen, aber bei uns kannst du machen, was du willst, *lesen* (nur ein Beispiel), ausgeschlossen, dass man dich in Ruhe lässt. Nette Leute, Mitreisende, besonders ältere, sprachen ihn vertraulich an: Wer bist du, mein Junge, wo kommst du her, wo gehst du hin? Sich, die natürlich vorhandene Schüchternheit zweckmäßig noch etwas übertreibend, jedoch stets höflich, von der Wahrheit zur Lüge vorarbeiten: Aus S. Unterwegs zu Verwandten. Einer *Tante*.

Ach so? fragte der Mann in Zivil. Es war schon das zweite Mal in demselben Zug, dass er kontrolliert wurde. Mittlerweile hätte jeder im Wagen die Geschichte genauso gut erzählen können. Ach so? fragte der Mann in Zivil. Wie heißt die Tante und wo wohnt sie? --- Was ist? Hat er die Frage nicht verstanden? Er wird sich ja wohl einen Namen und eine Adresse ausdenken können.

Jetzt lassen Sie den Jungen schon in Ruhe, sagte die alte Frau vis-à-vis nach dem dritten Mal. Er hat gerade Abitur gemacht, ich kenne ihn, ein braver Junge, jetzt lassen Sie ihn schon zu seiner Tante fahren.

Der Zivile schaute sich seinen Ausweis genau an und dann noch einmal ihn, als wollte er sich dieses Gesicht ganz genau einprägen. Als er endlich weggegangen war, schenkte die alte Frau Abel ein Stück Schokolade: Wie heißt du, mein Junge? ---

So ging es, so wird es in Zukunft allen gehen: Lieben oder töten. Bei Bora ist es Ersteres. Irgend eine Familie gibt es sicher irgendwo, sagt sie tröstend, aber während sie es noch sagt, ist sie schon so eifersüchtig, dass ihr die Stimme wegknickt. *Sie* will diesen Jungen behalten, sie, sie, sie. Auf der Stelle an sich binden, ihn pflegen, ihm helfen, für ihn handeln, ihn ... Das ist doch verrückt.

Abel schüttelt den Kopf.

Danke, er will nichts essen.

Trinken?

Immerhin, da nickt er. Sie sitzen am Küchentisch, er mit der Tür im Rücken, sie gegenüber. Sie trinkt Wein, er Wasser und Schnaps. Es wird Abend. Komisch, denkt Bora, dabei ist doch gerade erst Morgen gewesen. Sie ist immer noch barfuß, der Alkoholtropf in ihrem Magen gibt feine Dosen Wärme ab. Der Junge auf dem Stuhl gegenüber rührt sich nicht. Ich stell' den Boiler für dich an. Hat er genickt, oder nicht? Sie setzt sich wieder hin. Die Geräusche des Abends. Nachbarn, Gänge, Schuhe, Schlüssel. Lichtschalter, Wasser, Blumentöpfe. Katzen, Tauben, ein Kind weint, ein Kinderlied. Ein schlecht eingestelltes Radio, populäre Klänge, reichlich ohne Bässe. Die Straßenlaterne vor dem Haus, die klirrend angeht. Autos, Autotüren, Flüche, Fußgänger. Frauen, Männer. Die Gittertür des nahen Lebensmittelgeschäfts. Ein Bohrer, ein aufgehendes Fenster. Männer auf einem Aufmarschplatz in der Nähe, ihren Hunden Plastikringe werfend. Pfiffe über Beton. Eine Gruppe Abiturienten. Körper, Rufe, Lachen. Später ein übendes Orchester. New World Symphony. Adagio. Später Fernseher. Später Stille. Später Betrunkene, dann wieder Stille. Das Ein- und Ausschalten des Gasboilers. Jetzt kannst du dich ausziehen. Das Wasser ist warm.

Die Zunge ist ihr nach dem langen Schweigen und Trinken schwer geworden: Ich geh ins Bett.

Sie macht ihm ein Lager aus Wolldecken, wo Platz ist, am anderen Ufer des Teppichs, zwischen Klotür und Schreibtisch, sie selbst legt sich ins Bett. Schließt die Augen und denkt daran, ob sie sich schlafend stellen sollte, wenn er hereinkommt, oder im Gegenteil, ihn ansprechen, und ob er wohl ahnt, dass sie schon sechzig ist. Fast. Die Frau Bora denkt an Sex mit dem Sohn des Mannes, dessen erste Liebe sie war, und – der Alkohol oder anderes –: es steigen ihr Tränen in die Augen. Doch bevor sie hinter den Lidern hervortreten können, schläft sie ein.

Aufwachen! Aufwachen!

Die Tür zum Innenhof steht offen, das Fenster im Zimmer auch, aber es nützt nichts, hier kann man keinen Durchzug machen.

Aufwachen! Aufwachen!

Tätschelt wild sein Gesicht. Er sitzt immer noch auf dem Küchenstuhl, mit Schulter und Kopf an die Wand gelehnt.

Oh mein Gott! Sie schluchzt, greift sich den Wasserkochtopf, der auf dem Herd steht, mit der anderen Hand eine Zeitung, wedelt, lässt sie fallen, nimmt das Wasser, wäscht ihm die Stirn. Ohgottohgottohgott.

Das Wasser rinnt ihm in die Augen. Es ist das Eierkochwasser vom Vortag, Salz und Essig drin, aber vielleicht ist das gerade gut. Das erste Mal, dass er sich rührt: kneift die Augen zusammen, und als ob er auch gestöhnt hätte. Alles in seinem Gesicht hat dieselbe Farbe: Wachs.

Aufwachen, schreit Bora. Du musst aufwachen! Ich weiß, dass es weh tut, aber du musst wach werden! Wir haben Gas! Hörst du mich?

Rührt sich nicht. Immerhin atmet er. Bora hustet, was in ein Schluchzen übergeht, was sie unterdrückt. Fasst ihn unter den Achseln, zerrt ihn vom Stuhl, der Stuhl fällt um, der Krach hallt im Innenhof wider. Sie muss sich mit ihm drehen, um zwischen Tisch und Herd durchzupassen, bleibt am Henkel des Wasserkochtopfes hängen, schleudert ihn vom Tisch. Bevor er auf dem Boden landet, fällt er auf Abels Schenkel, Restwasser versickert in seinem Hosenbein, ein Eiweißstückchen strandet auf dem dunklen Stoff.

Der verdammte Boiler, den sie für ihn angemacht und dann vergessen hat. In der Nacht muss die Flamme ausgegangen sein. Als sie am Morgen die Augen aufmachen wollte, konnte sie sie kaum öffnen, der Wecker klingelte, wie lange schon, normalerweise erwache ich vorher, und hätte sie vergessen, ihn zu stellen, wären sie vielleicht nie erwacht, aber so zwang sie die Lider auf, hinein in den rasenden Kopfschmerz, alles, die Augen, die Ohren, die Nasenschleimhäute wie aufgeschürft, der Mund wie mit Metall ausgeschlagen, dazu der Schwindel, praktisch auf allen vieren in die Küche, und seitdem versucht sie, ihn wachzubekommen.

Schleift ihn über den Steinfußboden zur Tür, ächzt, tut sich schwer. Es sind nur einpaar Schritte bis zur Schwelle, trotzdem, ich dachte, ich schaffe es nie. Ihre Finger bohren sich tief in seine Achselhöhlen, endlich in der Tür, sie legt ihn hin, vorsichtig, den Kopf extra in den Handtellern. Die Schwelle liegt jetzt unter seinem Nacken, der Kopf draußen im Hausflur, er ist von der Tür der Nachbarin aus zu sehen, Bora zeigt hin, dort, dieser Kopf, der da liegt, und man möge doch bitte gleich den Notarzt rufen.

Und die Gaswerke? fragt die Nachbarin. Bora schüttelt den Kopf.

Man muss in solchen Fällen die Gaswerke anrufen, sagt eine andere Nachbarin.

In der Viertelstunde, die es dauert, bis der Notarzt kommt, steht, wer zu Hause ist, auf den Rundgängen und sieht herunter auf den Kopf, der im Flur liegt, auf dem Fußabtreter, neben dem Blumenregal.

Wunder

Guten Tag, ich habe Ihren Sohn getötet.

Nein.

Ohgottohgottohgott, sagte Bora und lief auf und ab, im Krankenhaus – jemanden sprechen, die Ärzte haben keine Zeit, eine sommersprossige Praktikantin schaut gewissenhaft nach, misst Puls und Blutdruck, scheint ratlos, spricht beruhigend –, durch die Stadt, nach Hause, zu Hause. Die Durchsuchung seiner Sachen brachte ihr eine Telefonnummer mit ausländischer Vorwahl ein, dahinter in Klammern: (Schule). Sie schrieb die Nummer ab, den eigenen Zettel knautschend, lief sie auf und ab, die Bleistiftschrift verschmierte. Anrufen, nicht anrufen. Schließlich fiel ihr ein, dass es, selbst wenn es gelänge, Mira zu informieren, kaum etwas gäbe, was diese tun könnte. Herkommen? Als ob das so einfach ginge, das geht nicht mehr so einfach, das Aufkommen am

Bahnhof hat sich seit den zwei Tagen, die er jetzt schon schläft, verdoppelt, falls das überhaupt möglich war, es wird einen Krieg geben, oder es gibt schon einen. Gottgottgott.

Sie setzte sich auf den Küchenstuhl, auf dem sie zuvor ihm gegenüber gesessen hatte. Es reicht doch, wenn ich ihr Bescheid gebe, wenn er tot ist. Hallo, ich habe Ihren Sohn umgebracht.

Prime bjen esasa ndeo, sagt der Junge. *Prime.*

Was?

Songo. Nekom kipleimi fatoje. Pleida pjanolö.

Was sagt er? Hören Sie, Schwester?

Drei Männer, jeder von ihnen könnte sein Vater sein, einer sogar der Großvater, um sein Bett versammelt. Sie tragen Pyjamas, Morgenmäntel und Verbände. Beugen sich über ihn wie die Trauerweiden. Die Schwester teilt mit ihrem Körper die Zweige, rückt näher, berührt seine Stirn.

Sicher nur das Fieber, sagt sie. Er ist Ausländer.

Man denkt, man versteht, was er sagt, und dann versteht man's doch nicht, sagt der eine, der Jüngste, der einen gestreiften Bademantel trägt. Deutsche, russische Wörter. Die anderen verstehe ich nicht. In der Landessprache ist auch was dabei.

Stehen da. Später setzt sich der Älteste, weil er müde geworden ist, auf das Bett daneben. Eine Weile sagt der Junge nicht mehr so viel. Später fängt er wieder an. Die drei sitzen oder liegen in ihren Betten und horchen. Manchmal sind Wörter zu verstehen, aber insgesamt ...

Avju mjenemi blest aodmo. Bolestlju. Ai.

Ist das hier vielleicht das Sterbezimmer? fragt der Gestreifte und schaut mit glitzernden Augen die anderen beiden an. Hm? Was meinen Sie? (Grinst.) Sie kennen doch den Witz mit dem Sterbezimmer?

Die anderen beiden murmeln. Der Großvater zieht sich die Decke über die nackten Füße.

Kennen Sie den Witz mit dem Sterbezimmer? fragt der Gestreifte die Schwester.

Die Schwester antwortet nicht, sie misst Abels Puls.

Jeder kennt den Witz mit dem Sterbezimmer, sagt der Dritte Mann.

Reden Sie keinen Unsinn, sagt die Schwester. Niemand wird hier sterben.

Sie stopft die Decke um Abel herum fest. Als ob es nötig wäre. Als ob er sich rührte.

Aber was hat er?

Die Schwester zuckt die Achseln.

Abel seufzt.

Er hat geseufzt.

Danach: nichts mehr. Er schläft.

Drei Tage, in denen sich sein Zustand nicht wesentlich änderte. Das Fieber stieg und sank, wie es wollte. Manchmal sprach er, aber mehr zu Anfang, gegen Ende wurde er immer ruhiger, er seufzte nur noch, und schließlich, am dritten Tag, erwachte er. An seinem Bett standen drei ältere Männer.

Hallo, sagte der Jüngste im gestreiften Bademantel, der Fremdsprachen spricht. Na, wach?

Schaut nur. Gott, hat der Junge Augen.

Verstehst du, was ich sage? fragte der Gestreifte.

Mit Verzögerung, aber er nickte. Die drei Männer brachen förmlich in Jubel aus. Er versteht's! Sie sagten ihm noch andere Sätze, er machte bei jedem einzelnen ein Gesicht, als hörte er eine Offenbarung, und am Ende nickte er jedes Mal, als setzte er den Punkt. Ja, ja, ja, ja.

Sag nichts, sagte Bora, küsste ihn ab, drückte seinen Kopf zwischen ihre Brüste. Sag nichts, sag nichts, sag nichts.

Er sagte nichts. Vorerst hörte er nur zu. In den letzten Jahren hat er die Muttersprache seines Vaters fast vergessen, zu Bora sagte er nicht mehr als drei radebrechende Sätze, und nun war es so, dass er jedes einzelne Wort, jeden Satz, den er hörte, sofort verinnerlichte, und auch wenn er noch nicht alles verstand, er merkte bereits, wo sie einen Fehler machten, er sah die Konstruktionen vor sich, als würden kleine Astgebilde aus den Münden seiner Mitpatienten wachsen. Er starrte sie an.

Irgendwie, murmelte der Großvater dem Dritten Mann zu, schaut mir der aber doch zu lang auf einen Punkt.

Später fragte Abel Bora, ob sie ihm Münzen oder eine Karte für ein Auslandsgespräch leihen könnte, und sie war so glücklich, dass sie die Veränderung in seiner Grammatik und seiner Aussprache gar nicht bemerkte.

Ohne zu wissen, was er ihr sagen wollte, rief er Mira an.

Als wäre sie außer Atem: Wo bist du? Hast du ihn gefunden?

Pause. Ihr hektischer Atem.

Nein.

Der Teufel soll ihn ...! Wo bist du? Bist du bei ihr? Bleib dort oder geh woanders hin, suche ihn, wenn du kannst, dieser Hurensohn, wenn man ihn einmal braucht!, aber komm hierher nicht zurück. (Sie brach in Tränen aus:) Mein Gott, dein Studium! (Sie hörte auf zu weinen. Weiter, hektisch:) Du hast eine Einberufung bekommen. Sie nehmen die jungen Männer aus den Bussen und Straßenbahnen mit. Hör zu, sagte Mira, hast du was zu schreiben? Schreib das auf.

Sie gab ihm einen Namen. Adresse, Telefonnummer habe sie leider nicht. Er wohne in B. Er solle es in B. versuchen.

Ein fremder Name auf der Rückseite von Boras Zettel.

Hast du es aufgeschrieben?

Ja, sagte Abel.

Schweigen.

Alles in Ordnung?

Ja, sage Abel.

Er horchte in die Leitung hinein, aus der er ein Dutzend anderer Stimmen hörte. Außerdem hörte er die Stimmen auf dem Krankenhausflur und den Zimmern, den Fernseher im TV-Raum, er war auf einen englischsprachigen Sender eingestellt.

Ich glaube, sie hat schon aufgelegt, sagte Bora sanft, nahm ihm den Hörer aus der Hand, hängte ein. Sie legte ihren Arm um seine Schulter und führte ihn zurück ins Zimmer.

Was in diesen drei Tagen in Abel Nemas Gehirn vor sich ging, lässt sich nicht genau erfassen. Er selbst hat keine Erinnerung daran, lediglich eine Vorstellung davon. Etwas in der Art, als hätte ein Jemand die einzelnen Teile eines Schiebespiels so lange hin und her geschoben, bis sich ein völlig neues Bild ergab. So organisierte etwas, so organisierte sich das Labyrinth in Abel Nemas bis dahin in allen Schulfächern gleichermaßen begabtem und desinteressiertem Verstand so lange um, bis alles, was bis dahin eine Rolle gespielt hatte, das Gewusel von Erinnerung und Projektion, Vergangenheit und Zukunft, das die Gänge verstopfte und in den Zimmern lärmte, irgendwo verstaut war, in geheimen Wandschränken, und er, nun leer, bereit zur Aufnahme einer einzigen Art von Wissen: von Sprache. Dies ist das Wunder, das Abel Nema widerfahren ist.

Eine Marmortafel werde ich stiften und von jetzt an fromm sein, sagte Bora und packte ihm ein Lunchpaket.

II. DER BESUCHER

Hysterie, Lamento

Speisung I. Konstantin

Sie kamen gemeinsam aus dem Gerichtsgebäude, rücksichtsvoll, unauffällig passten sich die Frauen Abels Tempo an. (Nein, ich bin nicht böse, ich will es nur hinter mir haben.) Im Flur hörten sie noch die letzte Sequenz des mittäglichen Glockengeläuts, als sie die Tür zur Straße öffneten, brach es ab. Sie standen auf den Treppen, er ein wenig schwindelnd in der plötzlichen großen Helligkeit, es war schon eine Weile her, dass er das letzte Mal gegessen hatte, plus der Blutverlust, aber dann trat all das in den Hintergrund, denn, eine unverdiente Freude, der Junge war da. Er zog ihn an sich und küsste ihn. Anschließend, weil er nah war, ging, *hinkte* er in den Park, Blut ist im Schuh, aber soweit ging es noch.

So ein Park ist gut, sich auf eine Bank setzen, sich sammeln, für einen Moment nur. Die Penner am Südende, die den ganzen Sommer hier sind: Wir sammeln uns nur für einen Moment. Im Geruch des gemarterten Grases, der unter der Staubtrockenheit leidenden Pflanzen, des unbetriebenen Springbrunnens, ihrer selbst, ihrer Hunde, ihres Essens, das sie sich jeden Mittag in der Suppenküche der Kirche holen. Abgesehen davon, machen sie keine Wege. Sie sitzen den ganzen Tag und die Nacht in einem Halbkreis von steinernen Sitznischen, weitgehend symmetrisch, sechs auf jeder Seite. In der Mitte thront ein Dicker, ein Knie nach Südwest/West, eins nach Südost/Ost, als wäre er das Oberhaupt dieses zerlumpten Olymps, zu seinen Füßen eine gepflasterte Sonne, in ihrem Mittelpunkt ein Trinkbrunnen. Er ist kaputt. Das Wasser plätschert heraus. Was die Hunde nicht wegschlappen, läuft ihren Herrchen zwischen die Füße. Links hinter den Büschen eine öffentliche Toilette, rechts zwei Drahtkäfige für Fußballspieler und eine Bank, auf der nie einer sitzt, nicht einmal jetzt, zur Mittagspausenzeit, wenn der Park voll ist mit Büroangestellten. Die thailändische Wäscherei mit der kaputten, ständig jodelnden Türklingel ist genau hinter dieser Bank, ein schräges Jaulen, das keiner lange erträgt. Abel schien es nichts auszumachen, kaum dass er sich hingesetzt hatte, war er auch schon eingeschlafen.

Schau her, sagte Konstantin Tóti, was sagst du dazu.

Der Tag hatte mies angefangen für Konstantin T., angefangen mit dem Aufwachen: *mies*. *Es* steckte im Kopf und verstopfte alles. Mit Hilfe von Wasser, kalt, in die Augen gerieben, und lauwarm, getrunken, wurde es langsam besser. Soviel zum Frühstück. Später dachte er, dass es besser wäre an der (frischen) Luft, aber es war nicht besser. Es wurde ihm schwindlig, und er war schon zu weit von zu Hause entfernt und die Suppenküche noch nicht geöffnet. Gleich werde ich ohnmächtig. Er musste sich an einem Kiosk eine Brezel kaufen. So etwas kann einem den ganzen Tag verderben. Die paar lächerlichen Kröten für das pappige Ding. Wütend und gierig die Zähne hineinschlagen, abreißen. So durch den Park gehen.

Am Nordende bewährten sich zwei jugendliche Straftäter, säuberten die befiederte Schwanenstatue des Friedens. Der Geruch von Alleskleber und Lösungsmittel, Daunen wie späte Samen durch die Luft treibend. Kissendaunen, Gänse oder Enten, einpaar weiße Hühnerfedern dazwischen, und als Grundlage: viel Polyesterwatte. Ein weiblicher und ein männlicher Polizist standen zur Aufsicht dabei, sowie zwei Russen aus dem nahegelegenen Altersheim.

Dort, wo ich herkomme, gibt es das als Studentenstreich.

Bestimmt war es Uljanow, der Anarchist.

Die alten Russen lachten.

Sie sind Russen? fragte Konstantin mit der Brezel in der Hand.

Bela, sagte der eine mürrisch, der andere schaute nur misstrauisch, dann gingen sie, unterhielten sich weiter, leiser als eben.

Andere kamen und gingen, fotografierten die immer kahler werdenden Schwäne. Eine Hundesitterin stellte sich neben den Polizisten. Die Hunde unruhig im Geruch, den Federn. Als sich die Polizistin bückte, um einen Spaniel zu streicheln, ließ sich die

Hundesitterin mit der Schulter gegen den Oberarm des Polizisten fallen. Kurz und leicht, als wäre es zufällig, ein kleines Ungleichgewicht, aber es war nicht zufällig. Einer der beiden Jugendlichen und der Passant K. T. haben es gesehen. Der Polizist ist fast zwei Meter groß und blond. Sie kaum einsfünfzig, schwarzhaarig. Ihre Schulter berührte ihn knapp oberhalb des Ellbogens. Die Kollegin richtete sich wieder auf, das Mädchen mit den Hunden ging. Konstantin, mit offenem Mund, starrte ihr hinterher. Dann zum Polizisten. Der Riese merkte, dass er ihn ansah, und schaute zurück. Als würde er mich hassen. Irgendwo hinter den Bäumen schlugen Kirchenuhren: viermal hell, zwölfmal dunkel, Blick, Blick. Als die Glocken zu läuten anfingen, gab der Bulle endlich auf. Erleichtert, ein wenig triumphal und dann wieder von neuem etwas besorgt wickelte Konstantin den Brezelrest in die mitverkaufte, durchgefettete, zu kleine Serviette, steckte ihn in die Hosentasche. Das sah lächerlich aus, aber was kannst du machen. Er ging.

Als er bei der Speisung ankam, war man gerade dabei, die letzten Reste aus den Töpfen zu kratzen. Er hatte sich Zeit gelassen, der schlimmste Hunger war vorbei, außerdem wollte er nicht im größten Gedränge … Eine Weile lauerte er in den Büschen, aber von dort war nicht genug zu sehen, also trat er an den kaputten Trinkbrunnen, grätschte die Beine, damit ihm das Wasser nicht direkt auf die Schuhe lief. Einpaar Wassertropfen natürlich auch so. Die Sonne schien auf seinen grünen Pullover. Zu warm. Das ist, weil ich in einer Wohnung wohne, in der nicht einmal Fliegen überleben. Wenn ich aus dem Fenster schaue, kann ich nicht sehen, ob wir eine Hitzewelle haben oder Frost. Während er trank, untersuchte er aus dem Augenwinkel die Reste auf einem Plastikteller, den ein Obdachloser aufs Pflaster gestellt hatte. Nudeln mit roter Soße und Salat. Der Plastikteller wurde von einem Hund leer geleckt. Der Hund aß auch den Salat. Kurz vor der Suppenküche kamen ihm dann noch zwei Männer entgegen. Der eine leitete ein rostiges Fahrrad nebenher. Guter, süßer, grüner Tee, sagte er zum anderen. Der andere nickte.

Wir haben nichts mehr, sagte die Frau in der Speisung. So eine strenge Gutmütige.

Konstantin schaute in einen Topf. Nudelreste auf Aluminiumgrund.

Sie sind kalt, sagte die Frau. Die Soße ist auch alle.

Konstantin schaute in einen anderen Topf. An den Seiten waren noch Soßenreste und unten in den Ecken auch.

Die strenge Frau besah sich die Konstellation ebenfalls, nahm schließlich (Seufzer) eine große Schöpfkelle Nudeln und warf sie in den quasi leeren Soßentopf. Stieß die Nudeln mit der Schöpfkelle hin und her, Aluminium auf Aluminium schrammend, bis sie überall einigermaßen rot waren. Sie wieder einzusammeln ist schwieriger. Es schmiert und reißt. Eine Schöpfkelle zerrissener Nudeln.

Wo ist Ihr Gefäß?

Mein Gefäß?

Ihr Teller, Ihr Blechnapf, Ihre Plastikdose.

Konstantin breitete die Arme aus. Nichts. In einer Hosentasche die Beule eines Schlüsselbunds, in der anderen zweifellos ein zerknülltes Taschentuch. Die Brezel. Knitterfalten. Trag nicht immer alles in den Hosentaschen.

Die Frau, mit der (schweren) Kelle in der (arthritischen) Hand, bückte sich, zerrte einen Plastikteller unter dem Tisch hervor. Ein zweites geriffeltes, knisterndes Einmalding steckte darin fest, sie versuchte, sie mit vier Fingern zu halten und mit dem Fingernagel des Daumens voneinander zu lösen. Dabei in der anderen Hand immer noch die Kelle.

Lassen Sie mich …

Egal. Sie klatschte die Nudeln in beide Teller. Hier.

Danke.

Hier, ein Plastiklöffel und hier, in einem Plastikbecher, lauwarmer Tee.

Gott vergelt's.

Sie sah ihn an. Sie glaubt mir dieses Gottzeug nicht. Sie machte sich wieder an den Töpfen zu schaffen. Konstantin stand davor und aß. Zwischendurch hob er den Becher vom Tisch und trank

Tee. Guten, süßen, grünen Tee. Eine zweite Frau und ein Franziskanermönch halfen der ersten Frau beim Aufräumen. Der Mönch hatte einen langen weißen Bart, er verdeckte fast ganz sein Gesicht, aber der Körper und die Augen waren die eines jungen Mannes. Die Frauen sprachen, der Mönch nicht. Nickte nur oder schüttelte den Kopf, je nachdem, was passte.

Hat er ein Schweigegelübde abgelegt?

Pardon?

Der Mönch.

Nein.

Ich wusste nicht, dass hier ein Kloster ist.

Es ist kein Kloster. Sind Sie fertig? Hat's geschmeckt? Geben Sie mir den Teller.

Konstantin wischte sich den Mund.

Gelobt sei der Herr.

Nicht einmal darauf sagt er was. Unterhalb des Mundes ist der Bart zerklüftet. Am Grund der Klüfte rotes Narbengewebe. Wer hat ihm das Gesicht zerschnitten? Konstantin sah ihm in die Augen, um zu sehen, ob er wohl gut aussehend war. Davor. Dann vergaß er das.

Ich, also ich, trage mich mit dem Gedanken, entschuldigen Sie, wenn ich Sie mit meinem von Konjunktiven und Lügen durchwobenen Gestammel belästige, aber ich, Konstantin Tóti, verspüre das dringende Bedürfnis, mich für eine Weile in ein Kloster zurückzuziehen, es geht um eine wissenschaftliche Arbeit sowie um eine innere Einkehr, welche notwendig geworden ist, vielleicht würde ich sogar soweit gehen, selbst Mönch zu werden, ja, ich überlege ernsthaft, Mönch zu werden, diese Idee hatte ich schon einmal als Kind, mit elf oder zwölf, Fulbert hat Abelard kastrieren lassen, kurz: ich brauche etwas Ruhe und Sammlung und Hinwendung zu Gott. Akut geht es darum, dass K. T. vor der Wahl steht, in die Illegalität zu gehen oder in die Illegalität zu gehen, indem er sich falsche Papiere besorgt. Er hat große Angst davor, sich falsche Papiere zu besorgen, er hat einen Fehler begangen und seinen richtigen Namen gesagt, aber den musste er doch sagen, oder nicht. Natürlich erwähnt er hier nichts davon, nicht dass Sie denken, ich bin ein Krimineller, noch nicht. Ich könnte mir vorstellen, mich Pater Pierre zu nennen, beziehungsweise man hört von gewissen Stipendien für junge Wissenschaftler und Christen ---

Entschuldigen Sie, sagte die strenge Frau. Verzeihen Sie, Pater. Da sind Sie hier an der falschen Adresse. Wieso wenden Sie sich nicht …

Langsam werde ich (Konstantin) aber ungeduldig: Entschuldigen Sie bitte. Ich spreche mit dem Herrn Pater.

Sah erwartungsvoll den Pater an. Die Frau ebenso. Es entstand eine kleine Pause.

Echuhia, sagte der Pater nach einer Weile.

Zeichnete ein Kreuz über Konstantins verblüfftes Gesicht und ging.

Sind Sie jetzt zufrieden?

Was ist mit ihm?

Nichts ist mit ihm. Sie haben's doch gehört oder nicht.

Was hat er gesagt?

Es tut ihm Leid, nehme ich an. Und mir auch. Und jetzt gehen Sie bitte.

Was ist mit ihm? Wieso hat er diesen weißen Bart?

Müssen Sie alles wissen?

Wieso ist es ein Geheimnis?

Es ist kein Geheimnis. Es geht Sie nur nichts an. Wir schließen jetzt.

Es ist doch keine Schande …

Bitte.

Was hab' ich falsch gemacht?

Sie sagte nichts mehr, wedelte nur noch mit den Händen: Raus, raus. Er ging rückwärts vor ihr her.

Wieso müssen Sie so unfreundlich sein? Ha? Jetzt reden Sie wohl auch nicht mehr mit mir? Was ---

Draußen vor der Tür. Spätsommerlich blinkende Bäume, Schönheit. Konstantin konstatierte, dass er satt war. Übersatt. Er hätte sich das Geld für die Brezel sparen können. Der kleine Rest fettete langsam seine Hosentasche ein.

Das Nächste war, dass er wieder am Trinkbrunnen stand, hundert Meter weiter und du hast schon wieder Durst, wieder Spritzer auf den Schuhen, und dann: Was sagt man dazu! Einen Augenblick später saß er auf der Parkbank in der Nähe der thailändischen Wäscherei, die Türklingel jodelte, neben ihm saß mit herunterhängendem Kopf und schlief: der (beinahe) geschiedene Übersetzer Abel Nema. Konstantin Tóti wartete bis er aufwachte, und sagte:

Soso. Du bist also auch noch hier.

Speisung II. Tibor

Er hatte nur diesen Namen auf dem Zettel. Stand auf einem rauhen, schmutzfarbenen Bahnsteig, früher Morgen, Abel Nema, neunzehn Jahre, gerade angekommen, *hier*, und hielt einen Zettel mit einem unbekannten Namen in der Hand. Der Zettel war durch Zeit und Strecke zerknittert, die Handschrift kaum zu entziffern, zum einen, weil sie schon begonnen hatte, sich im Untergrund aufzulösen, und zum anderen, weil sie einfach *anders* geworden war.

Zuerst sah es so aus, als würde er gar nicht mehr aufwachen, schlief volle drei Tage durch, und als er dann endlich wieder zu sich gekommen war, gab es allerlei Symptome. Es fing damit an, dass er sich auf dem Weg von der Toilette zurück in das Krankenzimmer verlief und – wie lange? – in den Krankenhausfluren herumirrte, bis Bora ihn fand. Armer Junge. Ganz durcheinander. Dazu kam, dass er, seitdem er wieder wach war, kaum mehr schlief, ein-zwei Stunden am Tag, aber vielleicht hatte er davor nur einfach zuviel geschlafen. Ein weiteres Symptom war, ist, dass er den Zettel ruhig hätte wegwerfen können oder sich erst gar nichts aufschreiben brauchen, er hatte sich den Namen sofort gemerkt und wusste auch, dass er ihn nicht mehr vergessen würde, weil er ab jetzt nichts, was Sprache und memorisierbar ist, jemals wieder vergessen würde. Dennoch brachte er es nicht fertig, den Zettel wegzuwerfen. Die neue Konstellation, die in seinem Gehirn und die der Dinge um ihn herum, schien noch zu zart zu sein. Als würde, sobald auch nur irgend etwas, und sei es das kleinste Stück aus diesem neuen Gefüge, entfernt würde, etwas abreißen, das nicht abreißen durfte, das gerade erst begonnen hatte, war es gut, war es schlecht, wer weiß, es war das, was möglich war.

Stand auf dem Bahnsteig, eine ähnliche Jahreszeit, ein ähnliches Wetter wie jetzt, der erste kalte, nach Asche riechende Wind aus dem Osten kündigte den Herbst an. Jenseits des Perrons ein Ausschnitt der Stadt: von Drähten durchzogener Himmel, einige Hochhäuser, darunter eins, in dem er die nächsten vier Jahre wohnen wird, dort, in der zehnten Etage, aber das wußte er jetzt natürlich noch nicht. Der Bahnhof war damals noch weniger Einkaufserlebnis als Verladestation: wenig aufschneiderisches Grau und Schmutzgeruch. Passend dazu sah er keine Treppen, die vom Bahnsteig hinunter führten, nur eine Rampe, eine gigantische, gerillte Rampe, für viel mehr gemacht als nur für diese paar Menschen, die am frühen Morgen unterwegs waren. Rinderherden in Texas. Er ging hinunter.

Im Untergrund folgte er den Zeichen durch die üblichen Bahnhofsechos und -beleuchtungen. Links und rechts Zahlen und Treppen, später ein Spalier eierschalenfarbener Schließfächer, Toiletten, Telefone. Schließlich kam er zu einer kleinen Post. Er bat um ein Telefonbuch.

Der Name mit einer Nummer. Aufschreiben oder nicht?

Entschuldigen Sie bitte, wie kann ich telefonieren?

Gleich an seinem ersten Tag, in der ersten Stunde, schenkte ihm ein zur Trunksucht und Streitlust neigender mürrischer Jemand im Vorbeigehen zwei Münzen. Abel sagte höflich danke zum verwucherten Wohltäternacken, aber der war schon längst weiter. Da hast du deine gute Tat.

Anschließend entschuldigte er sich noch einmal. Man habe ihm diesen Namen gegeben. Er sei aus S.

Aha, sagte die Stimme im Telefon. Schleppend, fern. Aus dem Schlaf gerissen? Wie spät ist es eigentlich? Früh.

Sie sind gerade angekommen?

Ja.

Wo?

Auf dem Bahnhof.

Verstehe.

Sie nehmen die Metro, fahren zu der und der Station, dann rechts, links, etcetera. Schon während er der Wegbeschreibung am Telefon lauschte, begriff Abel nichts, und sobald er aufgelegt hatte, waren auch die zufälligen Brocken, die es ihm gelungen war, für Augenblicke festzuhalten, verloren gegangen. Diese Stadt hat eines der übersichtlichsten öffentlichen Verkehrsnetze überhaupt. Abel starrte auf die Netzspinne, starrte drauf. Inzwischen hatten sich Rampen und Treppen gefüllt, mit einem Mal war es so laut geworden wie vorher vielleicht noch nie – *Die aus stillen Provinzen kommen* –, und es waren so viele unterwegs, dass man kaum treten konnte. Verzeihung, stammelte er. Verzeihung.

Wohin? Frau mittleren Alters, gerunzelte Augenbrauen.

Er sagte den Namen der Station.

Rote Linie, sagte die Frau und zeigte im Weitergehen, wo.

Danke, sagte Abel zu niemandem mehr. Die Türen schlugen zu. Während der Fahrt hielt er den Blick auf den Plan über der Tür geheftet, als ob man dem Zug helfen könnte, auf Linie zu bleiben, die rote, die rote. Es dauerte lange, sein Rucksack zur falschen Zeit am falschen Ort im Gedränge, er wurde von den Festhaltemöglichkeiten weggeschwemmt, aber das machte, was die Standfestigkeit anbelangte, keinen großen Unterschied: die anderen Körper drückten sich gegen seinen, hielten ihn in ihrer Mitte. Geredet wurde auch, die Scheiben beschlugen. Ich bin durch die Stadt gefahren, ohne auch nur das Geringste von ihr zu sehen. Im Morgengrauen in einen Tunnel gefahren, bei hellem Sonnenschein wieder heraus gekommen, irgendwo an einem anderen Ende.

Der Mann hieß Tibor, er hatte eine Professur an einer der hiesigen Universitäten. Was Mira mit ihm zu schaffen gehabt haben soll, keine Ahnung, vielleicht gar nichts, eine Notiz auf dem

Nachbarschreibtisch, oder der Wind hatte ihr einen Artikel zwischen die Füße geweht. Ein ferner Sohn unserer Stadt.

Ich bin Anna, seine Frau. Heute, hier, der erste fröhliche Mensch. Nahezu ekstatische Stimme, kleine Jauchzer an den Wortenden: Wir haben Sie schon erwartet! Lassen Sie das Gepäck im Flur! Die erste Tür links! Sie tänzelte vor ihm her.

Das Arbeitszimmer meines Mannes: wie man es sich vorstellt. Die spartanische Variante. An drei von vier Wänden Bücherregale, ein Tisch, ein zweiter Tisch, an dem sie sitzen werden, ein Fenster, dahinter etwas Grünes. Tibor hat ein knochiges Gesicht, eine Haut, als wäre sie windgegerbt, dabei sitzt er sicher die meiste Zeit an einem dieser Tische. Die gelblichen Oberlider fallbereite Vorhänge über den Augen. Die Stimme heiser von Tabak und wie nach tiefem Schlaf. Spricht alles zögernd aus. Nah am Verstummen. Vor jeder Frage eine Pause.

Pause.

Sie kommen also aus S. Wie alt sind Sie?

Neunzehn.

Pause. Eine Zigarette wurde angezündet. Gelbe, derbe Fingernägel. Als würde er mit den Händen arbeiten.

Als ich wegging, war ich noch jünger als Sie. Seit fast fünfzig Jahren nicht mehr da gewesen. Irgendwie kam immer *was* dazwischen.

Hier lächelte Tibor das erste Mal. Die nächste Frage wollte er gar nicht stellen, stellte sie doch:

Wie ist es jetzt dort?

Abel wollte nicht mit den Achseln zucken, aber dann.

Verstehe, sagte Tibor. Wieder das Lächeln.

Und ein weiteres in der Tür. Ein fünfzigjähriges, graublondes Mädchen mit einem Tablett.

Sie haben doch sicher Hunger?!

Abel wusste es nicht genau.

Versuchen wir es mit Kaffee und Gebäck, jubilierte Anna und schob das Tablett auf den Tisch. Tibor wartete geduldig, bis sie den Raum verlassen hatte – auf Zehenspitzen, Vorsicht und Anmut, selbst ihr feiner Rücken lächelt –, und fragte dann:

Sind Sie religiös?

Warum ausgerechnet diese Frage zu den Buttersemmeln?

Abel sah sich um, sah aber nichts, das ihm geholfen hätte. Er biss in die Semmel, nahm einen Schluck von der schwarzen Suppe, schluckte und sagte schließlich:

Manchmal bin ich von Liebe und Hingabe ganz erfüllt ...

Pause. Tibor lächelte. Die Lidvorhänge hoben und senkten sich. Er nickte:

Ich auch nicht. Wir sind nicht erlöst. Was gibt es daran zu deuteln.

Abel drehte, so leise wie möglich, den Bissen in seiner Mundhöhle um. Er hatte es vorher schon zu ahnen begonnen, aber nun war es definitiv: Irgendwas stimmte nicht mit seinem Geschmackssinn. Alles schmeckte wie eine kalkige Tapete. Der Kaffee wie zu heißes Wasser, bei dem Zuckerwürfel, den er extra in den Mund nahm, war etwas *da*, aber es blieb diffus, er hätte nicht sagen können, dass das *süß* war. Tibor streifte die letzte Asche von der Zigarette.

Was er vorhabe? Hier? Kreisrunde Bewegung mit der Kippe. Schultern. Sieht sich abermals um. Sieht sich das *Hier* an. Eine Menge Bücher. Mira hat Andors Sachen verscherbelt, bis aufs letzte Taschentuch, auch die Bücher, an das Antiquariat in der St.-Georg-Straße, man hätte sie später zurückkaufen und bei Ilia im Bettkasten verstecken können, aber Abel erinnerte sich nicht mehr, *welche* es waren --- Man könnte auch gut hier bleiben. Sich auf den Teppich vor den Regalen legen und sich nach und nach hübsch durch diese Bibliothek lesen. Einige Zeit würde das bestimmt in Anspruch nehmen. Der Mann, der in einer Bibliothek wohnte.

Die Sonne schien durch das Grün der Scheiben, Abel saß da, bei Semmeln, Butter, Kaffee, was geht in seinem Kopf vor, hört er überhaupt zu?

Ursprünglich, sagte er schließlich, *zu Hause* hätte er Lehramt studiert.

Was?

Geographie und Geschichte ohne besonderes Interesse. Aber das kam nicht mehr in Frage. Ich könnte alles und nichts zum Ersten Weltkrieg sagen. Die Rohstoffvorkommen. Vielleicht lieber etwas mit Sprachen.

Aha. Was können Sie?

Die Semmel in der Hand des Jungen erzitterte, er legte sie hin, es hatte sowieso alles keinen Wert. Er dachte nach. Er dachte: Semmel, zsemle, roll, petit pain, bulotschka. Dachte vaj, Butter, butter, maslo, beurre. Dachte …

Was das mit dieser neuen Fähigkeit war, war noch nicht genau zu wissen. Etwas kulminierte, Worte, Fälle, Syntagmen, aber es ging häufig zwischen den Sprachen hin und her, ich fange russisch an und ende französisch. Das ist noch gar nichts, das wurde ihm jetzt klar, er konnte nichts beweisen oder vorführen, ein großes Durcheinander, das war alles. Und dann sagte er:

Die Muttersprache, die Vatersprache sowie drei internationale Konferenzsprachen.

Also, sagte Tibor. Das ist doch schon was.

Löffel, kanál, spoon. Ich habe keine Sätze, nur Worte. Alle Sätze waren bei *ihm*, ich war nur das Publikum und heute bin ich …

Wie heißen Sie noch mal?

Ilia.

Und weiter?

Bor. Nein. Warum nicht? Sich als ihn ausgeben. Ein Unbekannter statt eines anderen Unbekannten. Und dann? --- Nein, sagte er, nicht, Entschuldigung, ich war in … Abel. Abel Nema.

Und? Sind Sie denn auch wütend, Abel Nema?

Pause. Der *Alte* hörte nicht auf zu lächeln. Der *Junge* saß nur da. Irgendwo summte eine Fliege.

Doch keine Fliege, die Hausklingel. Jemand Neues ist gekommen, Stimmen im Flur, auf die Tür zu.

Darf ich?

Mädchen oder kleine Frau, große schwarze Augen, kurzes, schwarzes Haar, aufschimmerndes Bärtlein.

Mercedes. Kommen Sie ruhig. Meine Assistentin Mercedes.

Abel Nema. Noch ohne Funktion. Seine Finger waren buttrig, es gab nichts, woran er sie hätte abwischen können. Stand unbeholfen da.

Sie sah ihn an. Ihre Augen, als wären sie verweint, aber das sind sie nicht. Es sind einfach solche Augen. Sie sind beide sehr jung in diesem Moment, sie sechsundzwanzig, er neunzehn. Es ist sein erster Tag, sie eine seiner ersten Personen hier. Für sie gab es keinen Grund, solche Rechnungen aufzustellen, sie lächelte höflich, desinteressiert.

Wissen Sie was, sagte Tibor. Kommen Sie doch morgen an die Fakultät. Dann bin ich da, und wir besprechen alles Weitere.

Mercedes trat aus dem Weg, damit er an ihr vorbei kam.

Auf Wiedersehen.

Die andere Frau, Anna, war nicht mehr zu sehen. Rauschte irgendwo Wasser? Abel las sein Gepäck im Flur auf und ging.

Da sind wir also wieder. Zwischen jetzt und morgen liegt eine unbekannte Stadt. Das zweite Mal fahren wir S-Bahn wie alte Bekannte. Hier wären einpaar Stationsnamen schön, respektive, wenn die Bahn gerade obererdig fährt, der eine oder andere Straßenname. Reklamen, allgegenwärtige Versprechungen. Christus ist mit dir! Besuchen Sie unsere Sprachkurse! Anwälte und Zahnkorrekturen helfen Ihnen bei Ihren Problemen! Der nächste Winter kommt bestimmt! Verreisen Sie, bevor es zu spät ist! Später. Später vielleicht werde ich verreisen. Im Moment ist er gerade erst angekommen, ein junger Mensch mit einem Rucksack, was mag in seinem Kopf vorgehen. Eine ältere Frau mit einem sehr breiten, gefärbten Mund sah ihn interessiert an.

Er dachte: *Esszettbeekaefhaajoto. Esszettbeekaefhaajoto.* Oder: Wie Abel Nema sich ein für alle Mal die rote Schnellbahnstrecke merkte, wie er sich in Zukunft jede Strecke, gefahren, gelaufen, egal, merken würde, anhand der Anfangsbuchstaben der jeweiligen Straße oder der Station, wenig touristisch, dafür praktisch: der Code, mit dessen Hilfe ich diese Stadt entziffern werde. Mit der Zeit hat man dann genug Kapazitäten frei, bewusst zu betrachten: Straßen, Läden, Autos, wie sind die Busse hier, wie klingt die Rettungssirene, was läuft im Kino, Stadien, Einkaufszentren, Märkte, Ramsch und Gemüse und natürlich Menschen, *Leute* und über allem die Wolken des Kohlenrauchs, über manchen Stadtteilen mehr, über anderen weniger, und dazwischen, natürlich, auch hier: Kondensstreifen. Aus der Nähe betrachtet sind sie übrigens nicht weiß, sondern schwarz. Wer hat mir das (wann) erzählt?

Später sprach ihn ein Mann an, fragte ihn nach seiner Fahrkarte. Abel tat so, als verstünde er schwer. Man verständigte sich mit Händen und Füßen, dass er sich auf der Suche nach der Bahn verirrt habe, hier hat er die Fahrkarte, Hin- und Rückfahrt, das muss man so machen, siehe, meine Absichten sind ehrenwert. Und prompt wird man belohnt. Der freundliche Herr drückte ein Auge zu, drückte tatsächlich ein Auge zu, oder vielleicht hatte er nur geblinzelt, fast legte er eine Hand auf den Unterarm des Jungen, spürte deutlich und überraschend den Impuls: lieben, nicht töten – zum Glück fuhr man jetzt wieder im Bahnhof ein, dann steig' aber auch wirklich aus.

Da sind wir also wieder. Aus einem Schrank bin ich gekommen, auf einer Bank auf dem Bahnhof bin ich gelandet. Allein in einer Stadt, in der man niemanden kennt. Der nächste Winter kommt bestimmt. Kohlen bekommt man da und da. Aber erst zur Fakultät, sich helfen lassen. Natürlich weiß er nicht, wo die Fakultät ist. Vergessen, zu fragen, aber bis morgen ist noch Zeit genug. Ob er an diesem Nachmittag im Herbst noch an etwas anderes dachte, Szenarien: Was geschah bis jetzt, wie soll es weitergehen, weiß man nicht. Äußerlich war nicht viel zu sehen. Ein Teenager auf einer Bank, ein zu spät gekommener Tourist. Sein Rucksack saß neben ihm wie ein Mensch.

Später dann kam dieser Typ auf ihn zu, der sich schon seit einer Weile in der Nähe des Fahrkartenautomaten herumgedrückt und ihn beobachtet hatte, braune Bundfaltenhose, grüner Pullover, fettiger Seitenscheitel, Augenringe, und sagte:

Tag. Mein Name ist Konstantin. Brauchst du eine Unterkunft?

Genau so.

Willkommen

Am Anfang und auch später ist man ständig in Bewegung, ohne wirklich vom Fleck zu kommen. Ob mit Fahrzeug oder ohne, alles dreht sich zurück in denselben Kreis. Die Mutter unterrichtet einen in Wissenschaften und Ausflügen, der Vater singt dazu internationale Schlager. Er begleitet sich auf dem Klavier, dem Keyboard, und einmal auf einem Harmonium. Er zittert mit dem rechten Bein im Takt, die beigefarbenen Socken ringeln sich über den Knöcheln. Später spielen Füße, Knöchel, Waden, insgesamt vier, noch einmal eine nicht geringe Rolle, aber dann nimmt auch das ein abruptes bis gewalttätiges Ende, und man findet sich in neuen Kreisen wieder.

Was kann ich dir sagen, dies sind *hysterische* Zeiten! Als würde die ganze Welt Die Reise nach Jerusalem spielen. Panik, Geschiebe, Gewimmer, Gekreisch. Suchen ihren Platz. Oder einen. Eine harte Kante für den halben, Verzeihung, Arsch. Freiwillig, unfreiwillig. Hart ist das Leben überall, gerade jetzt, da sie nichts Eiligeres zu tun haben, als sämtliche Kontingente einzufrieren, als gäbe es keine, wie sagt man so schön: *internationale Lage*! Erfreulich ist das nicht gerade, wir haben alle unsere Geschichten, andererseits sind wir erst knapp zwanzig Jahre alt und so voller Hoffnung wie vielleicht noch nie und nie mehr, sagte Konstantin, während sie sich durch die abendliche Stoßzeit schlängelten.

Es war nicht notwendig oder möglich, etwas zu sagen, er redete ohne Pause, moderierte die fabelhafte Rettung *unseres jungen Helden*, zwischendurch holte er hektisch Atem, als würde er schwimmen, die Armbewegungen waren auch so.

Wir (japst, wedelt) können zu Fuß gehen! Es ist gleich dort drüben! Einer der lehmfarbenen Kolosse, die du schon bei deiner Ankunft vom Bahnsteig aus gesehen haben musst. Nehmen wir gleich den ersten Zwanzigstöcker und gleich, Hier, hier, hier!, den ersten Aufgang, anschließend trotz Platzangst (Wieder etwas Neues …) den Fahrstuhl in den zehnten Stock. Gegenüber ist eine (ebenfalls) lehmfarbene Tür, Konstantin Tóti, Geschichte des

Altertums, das wird er in Zukunft immer dazusagen: Konstantintótigeschichtedesaltertums, öffnet sie mit einem Willkommen! Willkommen in unserem bescheidenen Wohnheim, oder wie ich es nenne: der Bastille!

Voilà, der Ort, an dem es keine Dunkelheit gibt. Oder nur Dunkelheit. Das ist so eine *Ja-und-nein-Angelegenheit* (alle Kursive: Konstantin). Hier werden Gebäude, *ja, sogar: Schulen*!, gebaut, in denen es Räume ohne Fenster gibt. Abels zukünftiges Zimmer hat zwar ein Fenster, aber auch wieder nicht, denn das, was da ist, geht auf einen engen und dunklen Innenhof, aber so eng und dunkel, dass man keine Einzelheiten darin erkennen kann. Ein Fenster zum Nichts. Wir wohnen hier genau auf dem *Äquator*, man sieht weder, was auf dem Grund des Schachtes ist (Dunkelheit), noch was an den Seiten vor sich geht (Zwielicht), noch oben, den Kopf in den Nacken gelegt, im Himmel, denn der ist wieder zu hell. Dazwischen gehen die Stimmen des Hauses auf und ab, oder man weiß nicht, woher wohin, sie sind einfach da, *Lebensgeräusche*, hoffentlich bist du nicht lärmempfindlich. Obwohl du im Moment wohl eher froh bist, überhaupt ein Dach, und zwar nicht das von der Bahnhofshalle, über dem Kopf zu haben. Da stört es wohl weniger, wenn mal einer Saxophon übt.

Übrigens handelt es sich bei der Bastille eigentlich nicht um ein Gebäude, sondern um zwei, ineinander geschoben, jeder in die Hohlräume des anderen greifend. Man fragt sich, wie das möglich ist, von außen sieht es aus wie ein *Kolossaldenkmal zu Ehren des rechten Winkels*, drinnen allerdings tun sich die unerwartetsten Verschlingungen auf. Zum direkten Nachbarn kommt man mitunter erst über komplizierte Umwege, wenn einem der Durchgang nicht vollends durch Feuerschutztüren o. ä. versperrt wird. Sindbad, alias Konstantin, hat einmal versucht, diese Welt zu bereisen, aber ich kann nicht sagen, ob ich es wirklich geschafft habe, in sämtliche Etagen zu gelangen. Zu manchen Abschnitten scheint es überhaupt keinen Zugang zu geben, auf manchen Etagen ist es arktisch kalt, sie liegen direkt im Windkanal – *Den* hört man übrigens auch, jetzt gerade nicht, aber im Winter heult er wie ein Hund –, während es auf anderen schwül warm ist wie in einem Treibhaus. Es scheint sogar so etwas wie eine Dachterrasse zu geben, hinter einer kleinen, geweißten Mauer sah er die Spitzen einer Bambusart, aber die Dachluke war leider plombiert. Was die Bewohner anbelangt: zweimal zwanzig Stockwerke der *üblichen Existenzen*. Einige Etagen sind von der Universität als Wohnheim gemietet, aber es gibt auch viele *Zivilisten*. Konstantin hat sich mit fast jedem schon einmal unterhalten, den er im Flur oder im Lift traf. Er sagte jedem, wo er zu finden sei, was er studiere, fand seinerseits heraus, wo es leere Zimmer gab, aber leider sind die meisten Leute nicht einmal in Notfällen bereit, jemanden aufzunehmen. So sind sie. Willkommen in meiner Welt. Allumfassende Armbewegung.

Das hier, wo wir jetzt stehen, nennt sich, nenne ich, Konstantin, die *Piazza*. Herkömmlich: der mit beigefarbenem Linoleum ausgelegte sogenannte Gemeinsame Raum der Wohnung, auf der sich alle Wege des *Imperiums* kreuzen. Es sind sechs Türen zu sehen: Ein- und Ausgang, Küche, Bad, sowie die Türen der drei angeschlossenen *Särge*, in denen die *Delinquenten* ihre *Wohnstatt* haben. Die Piazza und eines der Zimmer haben einen Blick zur Bahn, der Rest auf den bereits erwähnten Innenhof. Im Zimmer mit Ausblick wohnt jemand (Seufzer), den wir (Konstantin) den Blonden Pal nennen, ein höchstwahrscheinlicher *Denunziator*, ein fischköpfiger Skandinavier, man muss vorsichtig sein. Zum Glück ist er gerade nicht da. Das zweite Zimmer gehört Konstantin selbst, und das dritte, das kleinste und dunkelste, ist für einen Algerier namens Abdellatif El-Kantarah oder so ähnlich gedacht, zumindest theoretisch, denn in der Praxis ist er bis jetzt nicht aufgetaucht. Der vertrauenswürdige Konstantin trug seit mittlerweile zwei Monaten den Schlüssel für diesen Raum bei sich, hier, in meiner Hosentasche, um ihn gegebenenfalls weiterzugeben, wozu es bis jetzt allerdings nicht gekommen sein konnte. In diesem Sinne: *Voilà, Monsieur*, Ihr Zimmer.

So lernte Abel Konstantin T. kennen. Er schien eine Vorliebe fürs Französische zu haben, aber abgesehen davon, war von seinem

Monolog, ehrlich gesagt, nicht allzu viel zu verstehen. Er sprach, obwohl schon ein Jahr hier, die Landessprache nicht besonders gut. Gerade mal das Wesentliche.

Du Hunger? Essen? Eier und das hier?

Fetter Speck. Durch ein Ende ist ein Draht zum Aufhängen gefädelt. Von zu Hause. Konstantin schnitt feierlich eine zitternde, dünne Scheibe ab.

Und du? fragte er schließlich. Was ist mit dir? Wo kommst du her, wo gehst du hin? --- Ach du heiliger ...! Ich schätze, das bedeutet, du bleibst für längere Zeit?

Im Übrigen, setzte er fort, ist das eine *fabelhafte* Stadt. Wenn du es nicht schon gespürt hast, dann wirst du es, sobald du satt geworden bist und dich etwas ausgeruht hast, noch spüren: Als wäre es selbstverständlich, dass du hier bist. Was ist schon selbstverständlich, ich weiß, und bestimmt würde dich auch nicht jeder mir nix dir nix von der Straße mit nach Hause nehmen, als hätte er nur auf dich gewartet, nicht jeder ist ein Konstantin T. Dennoch, ich sage: Das Land spuckt dich aus, die Dörfer jagen dich davon, aber hier kannst du bleiben und mit mir zusammen in zehn, zwanzig Jahren sagen: Weißt du noch, damals, als wir in der *pulsierendsten Metropole ihrer Hemisphäre* lebten? Sie trägt die meisten Züge der weißen Welt, Ost-West-Süd-Nord, dazu eine Prise Asien und sogar ein wenig Afrika. Konfessionen! Nationalitäten! Oh, könnte man doch das Fenster öffnen und das berühmte Air dieser Stadt auf der Haut spüren, das, besonders im Winter, welcher hier traditionell am zehnten September beginnt, besser, du stellst dich gleich darauf ein, hauptsächlich nach Kohlenrauch riecht, aber leider lassen sich die Fenster nicht öffnen, ein unbekannter Schließmechanismus, zudem ist er kaputt. Absichtlich kaputt gemacht, hoffnungsvolle junge Studenten, die aus hohen Stockwerken hüpfen, können wir nicht gebrauchen. Denn, nüchtern betrachtet, ist das Leben für Dahergelaufene mit oder ohne Stipendium hier auch nur ein bisschen mehr, als nicht zu verhungern. Noch etwas Eier und Speck? Nimm dir alles, was du willst. Wenn es auch nicht viel ist. In den ersten Tagen kaufst du dir noch, was du gerne essen möchtest: Wurst,

Brot, Milch, etcetera. Nach einigen Tagen merkst du, dass auf diese Weise dein Geld alles in allem zehn Tage reichen wird, und dabei sind wir erst beim Frühstück. Du kannst mit Anträgen hantieren, dich um Zuwendungen bemühen, einfach jedem auf die Nerven gehen, vornehme Zurückhaltung ist mir weder eigen noch kann ich sie mir leisten – Apropos: Hast du Geld? Nein? –, in neunundneunzig von hundert Fällen wird es vergeblich sein. Wir sind einfach zu viele. Meine Empfehlung für die *Zwischenzeit*: viel Nudeln, viel Brühwürfel, sowie Tomatenmark und Kohl. Und in der und der *Speisehalle* gibt es Spinat mit einem gekochten Ei für weniger als fünf Mäuse, so, jetzt weißt du wirklich alles!

Der männliche Körper, sagte Konstantin, ist erst mit 21 Jahren voll ausgewachsen. Wahrscheinlich bin ich noch in der Entwicklung, deswegen bin ich immer so hungrig.

In der Entwicklung gefiel ihm besonders, er brutzelte kichernd vor sich hin. Das machte er auch später immer, ständig war er am Brutzeln, er briet alles, *damit es Geschmack bekommt*. Auf den Fliesen, lehmfarben wie alles in der Bastille, wuchsen kleine Pocken aus Fett, die Schränke glänzten. Im einfallenden Licht, soweit das möglich war. Das Fenster war zur Hälfte von einem an der Außenwand angebrachten Heizundklimagerät verdeckt, die obere Hälfte meist beschlagen. Es roch nach ranzigem Speck und Krümeln, und nach dem Mittel, mit dem man alle paar Wochen versuchte, die Kakerlaken im Zaum zu halten. Abel, an seinem ersten Morgen – der Blonde Pal kam in die Küche, sah ihn, nickte vielleicht auch, er nickte zurück, Pal nahm etwas aus dem Kühlschrank (Milch), ging wieder –, schüttelte sie aus seiner Schüssel und aß Haferflocken, die *niemandem* gehörten, standen einfach im Schrank, mit Wasser.

Nimm dir, was du willst!

Danke, er will nichts.

Bist du Vegetarier?

Nein.

Was ist los? Tust du Buße für irgendwas oder sparst du für einen Sportwagen?

Konstantin lachte, obwohl nicht mehr ganz so herzhaft wie noch am Abend zuvor. Der Neue ist seltsam, es kann sein, was will, er verzieht keine Miene.

Nicht ganz, lieber Freund, nicht ganz.

Sein und Haben

Die herrenlosen Haferflocken reichten fünf Tage, und mehr brauchte Abel auch nicht. Nach anfänglichem Herumirren durch ein verschlungenes Universitätsgebäude – Soll ich dich hinbringen? fragte Konstantin. Nicht nötig, sagte Abel. Ich begleite dich! rief Konstantin. Nicht nötig. Wirklich – fand er sich am nächsten Tag in Tibors Büro ein.

Fassen wir zusammen, sagte Tibor. Sie brauchen, was man so braucht: ein Obdach, einen Studienplatz, natürlich Geld. Zu Ihrer Botschaft können Sie aus objektiven Gründen nicht. Ich sehe doch richtig, dass Sie Deserteur sind? (Braver Junge.) Auf die Gnade von Fremden angewiesen, das sind Sie.

Pause. Das Knarzen eines Feuerzeugs, hektisches Einatmen, Rauch.

Es ist nicht viel, was ich für Sie tun kann. Ich bin hier auch nur ... Er malte seinen Namen mit sämtlichen Titeln – Die Leute sind, zum Glück!, solche Snobs! – auf ein Blatt mit Kopfbogen. Hier, eine Empfehlung. Und hier noch eine. Diese Leute haben Geld. Seien Sie einfach Sie selbst. Wenn Sie religiös wären, wär's freilich besser, aber man kann nicht alles haben.

Danke, sagte Abel.

Keine Ursache, sagte Tibor und wandte sich wieder anderem zu. Das Ganze dauerte keine Viertelstunde.

Im Brief stand im Wesentlichen, dass Abel Nema ein Genie sei. *Es ist in unser aller Interesse, eine Person mit so außergewöhnlichen Fähigkeiten, wie Herr A. N. sie besitzt, mit allen Mitteln ...* etc. Nicht ganz eine Woche, und Abel hatte alles zusammen, was ein Mensch braucht. Alles in Ordnung, telegrafierte er an seine alte Adresse. Seit dem Gespräch im Krankenhaus hatte er nicht mehr telefonieren können. Weder zu Hause noch in der Schule ging einer an den Apparat.

Habe ich richtig gehört? (Woher schon wieder?) Konstantin in der Küche. Du hast ein Stipendium von der S… Stiftung bekommen? Wieso hast du mir nicht gesagt, dass man sich bewerben kann? Ich lass dich umsonst bei mir wohnen, und was machst du? Warum seid ihr nur alle solche Egoisten?

Man kann sich nicht bewerben, sagte Abel. Es ist eine spezielle Förderung für Hochbegabte.

Aha, sagte Konstantin. Setzte sich auf die andere Seite des Küchentisches, sah zu, wie *der Erwählte* aß: vornehm, wählerisch, leise. Konstantin seinerseits pflegte wie eine Ente zu schmatzen. Wenn er etwas angeboten bekam. Aber *das* fällt *ihm hier* natürlich nicht ein. Du bist also ein Begabter.

Glückspilz, sprach ihn Konstantin an. Was hast du jetzt vor? Hast du vor, dir eine Wohnung zu suchen?

Pause. Abel aß, möglicherweise dachte er nach. Ja, wahrscheinlich würde er sich eine Wohnung suchen.

Hm, sagte Konstantin. Es ist alles so teuer. Das kannst du dir nicht vorstellen.

Pause.

Die Toiletten sind im Treppenhaus und frieren im Winter ein, auf der schwarzen Brille versteinern die von den Nachbarn hinterlassenen obskuren weißen Spuren.

Was, sagte Konstantin schließlich, was, außer dass es illegal und gefährlich ist, spräche eigentlich dagegen, dass Abel *für immer* im Zimmer des Algeriers bliebe? Da er offiziell gar nicht da sei, würde er auch keine Miete zahlen und statt dessen die Hälfte *seiner*, also Konstantins Zimmermiete übernehmen können, schließlich sei er, Konstantin, bereits ein nicht unbeträchtliches Risiko für ihn eingegangen, der fischköpfige Pal und so weiter, das wäre doch nur gerecht, und man wäre sozusagen quitt. (Mustert ihn:) Könntest du als Algerier durchgehen? Warum nicht? Wie sieht schon ein Algerier aus.

Abel sagte weder ja noch nein, aber er blieb.

Konstantin lachte von Herzen:
Was *waren* das für Zeiten!

Später allerdings musste er sehen, dass er – wie so oft, auch diesmal – enttäuscht wurde. *Unser fiktiver Mitbewohner* schien kein Interesse an *irgend etwas* zu haben. Weder mitgerissen noch gedemütigt von *all dem hier*. Sprach keine drei Worte am Tag, man (Konstantin) bekam ihn so gut wie nie zu Gesicht. Aß und schlief kaum, dafür lernte er praktisch permanent, aber mit einer Vehemenz, als ob – ich weiß auch nicht. Als würde er noch nicht einmal beim Fenster hinausschauen. Als wäre es egal, wie es dort aussieht. Eine Stadt, basta. Das nehme ich dir nicht ab, sagte Konstantin. Kein Mensch sieht die Welt so. So *formal*.

Früher wollte Abel, oder wer weiß, er *schickte sich an,* Geographielehrer zu werden, jetzt war das Innere seines Mundes das einzige Land, dessen Landschaften er bis ins Letzte kannte. Die Lippen, die Zähne, die Alveolen, das Palatum, das Velum, die Uvula, die Lingua, der Apex, das Dorsum, die Zungenwurzel, der Kehlkopf. Voice onset time, stimmhaft, stimmlos, Aspiration, distinktiv oder nicht. Verschlusslaute, Frikative, Nasale, Laterale, Vibranten, Approximanten, Taps und Flaps. Sage und schreibe vier Jahre lang, nach Männerwohnheim, Linoleum, Neonlichtern riechende Zeit, bewegte er sich so gut wie ausschließlich entlang einer einzigen Strecke: vom Wohnheim zum Sprachlabor und zurück. Drei Stationen Schnellbahn, ein kurzer Fußweg. Es ist immer dunkel in diesem Bild, als wäre immer Winter, aber natürlich kann das nicht sein, in vier Jahren wird es wenigstens einen Sommer gegeben haben, egal, er trug immer dieselben Klamotten, die schwarze Altmännerkluft, in der er hier noch mehr auffiel als *dort*, würde man hier Blicke verschwenden an so etwas. Demonstrativ(?) unmodisch, na wenn schon. Wenn es Blicke gab – ja, es gab sie, denn abgesehen von den Klamotten und dem unidentifizierbaren Haarschnitt sieht er gut aus –, erwiderte er sie nicht. Er ging nirgends hin, wo er nicht unbedingt hin musste, auch ins Labor ging er meist nachts, wenn er allein sein konnte. Ein einzelnes schwebendes Lichtquadrat in einem dunklen Haus.

Abel N. ist auf wundersame Weise eine Fähigkeit ver- oder geliehen worden, aber, davon abgesehen, musste gearbeitet werden. Zu
Beginn gibt es die Mathematik, das Spinnennetz der Konstruk-
tion. Wie das aufklappbare Märchenschloss ersteht aus zwei Buch-
seiten ein gläserner Wald auf. Jeder seiner Bäume ist ein Satz, die
Äste schließen mit dem Stamm den und den Winkel ein, ebenso
die kleineren Äste mit den größeren, an den Enden blinken zarte
Syntagmen. Die Natur baut alles nach einem Muster. Hier kommt
einem das Wissen um Fraktale zugute. Oder der simple und universelle Sprachinstinkt. Der Wald steht für sich allein, in tödlicher
Schärfe und Schönheit, aber stumm. Anfangs war Abels mathe-
matischer Verstand noch nicht hinreichend mit seiner Zunge verknüpft, das heißt: er verstand alles und konnte nichts sagen, wäre
kaum in der Lage gewesen, einen einzigen Beweis seiner Fähigkeiten zu liefern oder, profaner, auch nur eine einzige Prüfung
abzulegen, die man jedoch braucht, wenn man seine Papiere behalten will. Das geheime Genie. Verstehe, sagte Tibor, der *eigentlich* gar nicht da war, er hatte sich ein Jahr freigenommen, um ein
Buch zu schreiben, aber um seinen Namen in seiner schönen, kalli-
graphischen Schrift auf ein weiteres Blatt mit Kopfbogen zu malen, reichte es noch. Sollten Sie dennoch Probleme bekommen,
wenden Sie sich an meine Assistentin. Sie erinnern sich doch noch
an Mercedes? Er erinnerte sich, aber das spielte jetzt, hier, keine
Rolle. Den Schlüssel zum Sprachlabor bekam er auch so.
Das macht die ganze Sache noch ein Stück unglaublicher, um nicht
zu sagen unheimlich, sagte man in den Fremdsprachigen Philologien. Er lernt Ton um Ton, analysiert Frequenzzeichnungen,
wühlt sich durch die Codes der Lautschrift und färbt sich die
Zunge schwarz, um die Abdrücke zu vergleichen. Auf die Dauer
schmeckt das wie Strafe. Als hätte man Tinte oder Waschpulver
gegessen. Da wird einem die Bezeichnung *Labor* erst so richtig
vor Augen geführt, Technik ist primär, Mensch ist sekundär. Als
züchtete er des Nachts dort seinen Homonculus, nur dass dieser hier ganz aus Sprache besteht, der perfekte Klon einer Sprache zwischen Glottis und Labia. Ist das ein Leben für einen Menschen?

Aber was ist das schon, fragte Konstantin Pal, der gerade auf der Piazza vorbeikam. Pal sah zurück und ging weiter, schloss die Zimmertür hinter sich. Der ist auch so ein Kandidat. Die ganze Nacht glimmt blaues Licht unter seiner Tür, er nimmt den Blick nicht vom Computerbildschirm (resp. den Bildschirmen; er hat drei), den Vormittag verschläft er, am Nachmittag besucht er mutmaßlich einige Lehrveranstaltungen, kommt am Abend nach Hause zurück, und dann geht es von vorne los. Ich teile meine Bleibe mit dem langweiligsten und dem gelangweiltesten Menschen der Welt. Ohne das feste Korsett ihrer Rituale wären sie vermutlich nicht einmal in der Lage, das Minimum eines Anscheins von Menschlichkeit zu produzieren, sagte Konstantin zur Fensterscheibe, in die er immer sprach, wenn er keinen direkten Ansprechpartner hatte. Stand am nicht zu öffnenden Fenster, Gesicht zur Bahn, und *lamentierte* (Kursive: Pal) *stunden*lang – über einfach alles. Vergangenheit, Gegenwart, Zukunft. *Dieses Jahrhundert, das uns hierher getragen hat*! Sein Atem bildete einen kleinen Nebelkreis an der Fensterscheibe, dort sprach er hinein, sein Mikrophon. Sie hören Radio Konstantin. Politik, Panorama, Wetterbericht. Fünftausend Jahre alten Menschen gefunden, der Schiefe Turm von P. wird immer schiefer, das größte Lebewesen der Welt ist ein 100 Tonnen schwerer Pilz, Waffenstillstand erklärt, Republik gegründet, Barrikaden errichtet, den Priester und den Fahnenträger während einer Hochzeit ermordet, Stern entdeckt, als unabhängiger Staat anerkannt (Gratuliere!), als Geisel genommen, Brücke gesprengt, 427 Jahre Geschichte, verschwunden in den eiskalten, türkisgrünen Fluten der … Pals Zimmertür ging auf: Könntest du vielleicht mal für eine Minute die Klappe halten, danke! und schmiss die Tür wieder zu. Plastikmonster, murmelte K.

Er tut so etwas nicht. Er ist höflich und still, seine Schritte auf dem Linoleum kaum zu hören, in seinem Gesicht weder Trauer noch Ärger noch Zustimmung. Das nehme ich dir nicht ab, sagte Konstantin. Wie bringst du es fertig, überhaupt keine Nachrichten zu hören und auch mich nicht zu bitten, sie stündlich zu aktualisieren? Es *kann* dich nicht nicht interessieren, was in der Fremde und zu Hause los ist. Hast du etwa nicht deine Mutter ein ganzes Jahr lang nicht wiedergefunden? Wie geht es ihr?

Es geht mir gut, sagte Mira, als sie sich das erste Mal wieder sprachen. Es graupelte, draußen vor der Zelle standen windschief drei Männer, von der Markthalle wehten Werbezettel herüber, Gemüse oder Politik, die Rechte soll stark sein auf dieser Seite der Bahn.

Wir haben die Wohnung nicht mehr, sagte Mira. Ich wohne jetzt bei Vesna. Ein Zimmer nur im Erdgeschoss, aber es geht, wir sind ja nur zu zweit. Großmutter ist gestorben. Beleidigt und im Zorn, wie sie gelebt hat. Sie war so beleidigt und zornig, dass sie aufgehört hat zu beten und sogar zu schimpfen, hat die Lippen aufeinandergepresst, sich hingelegt und …

Oh, sagte Abel.

Richte deiner Mutter meine wärmsten Grüße aus! Sie soll wissen, wer ich (Konstantin) bin, für den Fall, dass dir etwas zustößt!

Obwohl der umgekehrte Fall eher wahrscheinlich war. Während Abel und Pal so gut wie nichts widerfuhr und sie damit nicht unglücklich zu sein schienen – Man weiß einfach nicht, *was* sie sind! –, war Konstantin ständig in irgend etwas verwickelt.

Er wurde von Hütchenspielern die ganze Einkaufsstraße hinunter verfolgt, zwei Kilometer, ich wusste gar nicht, dass ich so weit laufen kann, nachdem er auf dem Bahnhofsvorplatz eine Rede an die Passanten gerichtet hatte, nicht auf den Trick hereinzufallen. Tagelang ging er zitternd auf der Piazza auf und ab. Sie haben gesagt, sie wissen, wo ich wohne. Sie würden mich in meinen eigenen vier Wänden umbringen. Er redete lange über das Blut, das überall an den Wänden kleben würde. Später wurde er im eigenen Bad von einer Wespe gestochen, und einen ganzen Winter lang waren seine Mandeln so entzündet, dass er über Wochen und Monate keinen Ton herausbrachte. Geschwächtes Immunsystem, das kommt von der einseitigen Ernährung und der nervlichen Belastung, außerdem vertrug er keine Zugluft und keine Klimaanlagen. Ich bin praktisch immer im Fieber. Rote Wangen, glänzende Augen, sein heißer Atem nach Eiter und Penicillin. Rotschwarze Kapseln, er trug sie in der Hosentasche und dosierte sie viel zu hoch. Als er schließlich damit aufhörte, war sein ganzer Körper wochenlang mit eitrigen Pusteln bedeckt. Langsam aber sicher verwandele ich mich in ein Ungeheuer. Was habe ich getan? Wer hat mich verflucht? Wieso wirst du (Abel) eigentlich nie krank? Später wurde es Frühling, er wagte sich wieder auf die Straße. Prompt mischte er sich an einer Imbissbude in ein Gespräch ein, woraufhin der Mann, der am nächsten dran war, ihm, ohne ein Wort zu erwidern, gegen den Knöchel trat. Die Schuhspitze rutschte in die Kuhle unterhalb des Knochens. Konstantin brach mit einem Schrei zusammen, fand sich auf einer Höhe mit dem umherliegenden Imbissmüll wieder. Verpiss dich, sagten die groben Männer über ihm. Hinkend fliehen müssen. Später verprügelte er selbst eine junge Frau, als er merkte, dass sie einen Penis hatte. Er übergab sich und riss in der Einkaufszone die Werbeplakate für ein Magazin mit einem nackten Mann auf dem Cover ab. Er setzte einer Frau, die er kaum kannte, gegen den Lärm in der Cafeteria anbrüllend, auseinander, dass der Segen in sämtlichen Kulturen von oben komme, der Sonnengott befruchte die Erdgöttin und nicht umgekehrt, er erzählte, er werde eine Annonce aufgeben: Suche achtzehnjährige, unverdorbene Jungfrau aus der alten Heimat. Reichtümer habe ich nicht zu bieten, nur mein ehrliches und treues Herz.

Pass auf dich auf! rief er Abel hinterher. Neulich, hast du gehört?, wurde einer in der Bahn niedergestochen, weil er eine *linke* Brille aufhatte, zum Glück ist gerade wieder Winter, Mantel und Pullover, das Messer drang nur bis zu 1 cm tief über der Niere ein, aber so ist die Atmosphäre, hysterische, hysterische Zeiten!

Hm, sagte Abel und war schon aus der Tür.

Als würdest du in eine Kloschüssel predigen, sprach Konstantin zum Fenster. Genauso.

Das waren die ersten Jahre.

Salon
Intermezzo

In dieser ganzen Zeit zeigte sich Abel, soweit es Konstantin bekannt ist, kaum in anderen als den soeben skizzierten Zusammenhängen. Manchmal ging er vor dem Labor in die Originalfassungen verschiedenster Filme, Übungszwecke, manchmal kaufte er sich an einer eventuell vorhandenen Theke etwas zu essen oder zu trinken: indem er darauf zeigte.

Einmal, noch ziemlich am Anfang, suchte er wider besseren Wissens einen studentischen Betkreis auf, den ihm Konstantin empfohlen hatte.

Es gibt auch Betkreise, sagte Konstantin. Bist du katholisch oder orthodox?

Weder noch. Auf keinen Fall werde ich da hingehen. Dann ging er doch hin, das ist nur eine kurze Episode, nur so lang wie ein Blick in die Katakomben dauert, hier: einen ausgedienten Schreibmaschinenraum. Es waren wenig Betende da, vielleicht ein Dutzend. Er sah, dass *er* nicht dabei war. Eine Sache von Sekunden. Pardon, sagte er und ging.

Ein anderes Mal war er derjenige, der Konstantin mitnahm. Ein Abendessen bei seinen *Sponsoren*. Konstantin war ganz gerührt.

Wird S...... persönlich anwesend sein?

Abel nahm es nicht an. Es sind nur Leute von der Stiftung.

Mitglieder der Vergabekommission?

Möglich.

Danke, sagte Konstantin. Du bist ein wahrer Freund.

Die Gastgeberin heißt Magda, eine *Landsmännin*, sie trägt einen grauen Dutt und raucht ununterbrochen. Ihr Mann ist ein freundlicher sowie wohlhabender Einheimischer, sie hat ihr Glück gemacht, er interessiert sich ausgesprochen für ihre Kultur.

Jetzt siehst du, wie man hier noch leben kann! Unsereins kommt kaum in diesen Stadtteil! Diese Räume, diese Helligkeit, dieses Parkett, dieser Stuck, diese Wohnasse ... Korrektur: Accessoires!

Der Gast eines Gastes, Konstantin, beschnüffelt förmlich alles. Gemälde, Signaturen, Armaturen! Oh, lass uns ein Zelt aufschlagen am Strom der Reichen! Hoppla: ein Buffet!

Endlich hat er was zu essen, für eine Weile ist's still. Abel sucht sich eine ruhige Ecke.

Wen haben wir denn da? Frisches Blut!

Also so würde ich mein Kind nicht nennen: *frisches Blut* …

Lachen. Die meisten Gäste sind im Alter der Gastgeber, *gemeinsam losgegangen*, kennen sich, abgesehen von den nie aufgedeckten Geheimnissen, in- und auswendig. Etwas Abwechslung ist immer …

Wie jung man doch sein kann! Zwanzig? Maximal. Wie heißt du richtig, mein Junge? Abel, das ist ein schöner Name. Ausgerechnet heute sind keine jungen Mädchen da. Lasst ihn doch erst mal essen. Ist doch nur so ein *Hauch* …

(Das haben die wenigsten verstanden. Nur leises Kichern.)

Junge Studenten einmal die Woche zum Mittagessen einzuladen, ist eine schöne alte Tradition.

Einmal im *Monat*.

Das war Aida, die einzige Tochter der Gastgeber, von Zeit zu Zeit Rundfunkautorin, wenn die manische Depression es ihr erlaubt. Dazwischen, jetzt, wohnt sie wieder bei den Eltern. Die Medikamente schwemmen sie auf, obwohl, pummelig war sie immer schon, immer so ein trauriges Mädchen, sagt ihre zierliche Mutter, das Leben ist ihr eine Mühsal. Das Lithium verursacht ein Ruhezittern der Hände. Der Vorteil familiärer wie historischer Katastrophen ist, dass man näher zusammenrückt. Das kann gut und schlecht sein. Einmal im Monat satt zu werden, ist auch nicht zu unterschätzen.

Oh, diese peinliche Wärme im Schoße einer *Gemeinde*! Denkt Aida und schaut sich den Neuen an. Das frische Blut. Wenn er bis jetzt drei Worte gesagt hat, insgesamt, das wäre viel. Schüchtern oder arrogant? (Beides?) Hat sich einen anderen mitgebracht, um weniger aufzufallen. Ob er weiß, wie schön er ist?

Die arme kranke Aida. Kann den Blick nicht von ihm nehmen. Ihre Augen stehen richtig hervor. Wenn so ein schöner, junger

Mann die arme, kranke, dicke Aida lieben könnte, das würde sie sicher retten, oh, ich wünschte, ich könnte ihr einen backen! Dieser hier ist doch noch ein Kind! Das Essen scheint ihm alle Konzentration abzuverlangen. Aida lächelt. Ich esse praktisch nichts, trotzdem ändert sich mein Gewicht nicht. Was würde passieren, wenn ich ganz damit aufhören würde? Vielleicht stellte sich heraus, dass ich unsterblich bin?

Die Aufmerksamkeit der Männer kann er nicht lange fesseln. Sie haben Eile, in die nächste Phase eines seit vermutlich vierzig Jahren geführten Gesprächs einzutreten, *die alten Partisanen*, in einer Sommerakademie hängen geblieben, irgendwann in den Sechzigern, und seitdem …

H. hat kein Visum bekommen, erst als die Konferenz schon lief, sie ließ sich davon nicht abhalten … eine absolute Kosmopolitin, fünf Sprachen, ich traf sie einmal … das war am einundzwanzigsten Oktober neunzehnhundert … Am dreiundzwanzigsten. Am einundzwanzigsten war noch nicht … stand auf dem Balkon, sie zogen unten vorbei, und auf einmal machen alle diesen …

Ballt die Faust. Einpaar lachen, unter fünfzig weiß man nicht, wieso. Die Damen kennen die Geschichten, sie wenden sich lieber den Neuen zu.

Und Sie? Konstantin. Auch ein Stipendiat? Ah, die Begleitung von … Geschichte des Altertums? Oh, wie intere … Was genau? Die Völkerwanderung?

Eins oder zwei? (Zuruf aus dem Kreis der Männer.)

Die vorgeschichtliche Völkerwanderung kann mit Hilfe des Magenbakteriums Helicobacter pylori …

Oh, tut Ihnen die Hand weh? Sich am Vortag bei einem Job mit einem elektrischen Messer geschnitten?

(Haben Sie Erfahrung? fragte der Mann, auch so ein Ausländer.

Ja, ja, sagte Konstantin.

Keine halbe Stunde da gewesen, natürlich kein Geld.

Raus, raus, raus, sagte der Mann, bring dein Blut hier weg, so was können wir nicht gebrauchen.

Vielleicht kann ich sie nie wieder bewegen. Vielleicht bleibe ich mein Leben lang ein Krüppel. Ich weiß gar nicht, ob ich zum Essen mitkommen kann, *so*. Man hätte ihn anzeigen sollen. Beschäftigt Schwarzarbeiter, setzt sie blutend auf die Straße. Mit nichts als einer Serviette. Ich glaube, es fängt schon an zu stinken.)

Er will nicht ins Krankenhaus.

Wer will das schon.

Zum Glück ist der gute Doktor F. da. Zeigen Sie mal her. Der gute Doktor F., der die Sache mit den Magenbakterien weiß, hat Generationen behandelt und oft genug kostenlos. Als meine Tochter geboren wurde, kam der Bischof zur Taufe, ich deckte den Campingtisch mit unseren vier Tellern. Der vierte war für den guten Doktor, er war der Pate, schon damals kannten wir uns. Jetzt ist er leider schon in Rente, aber zur Sicherheit hat er immer noch ein kleines Täschchen mit dem Wesentlichen dabei. Hauptsächlich zur Desinfektion. Kommen Sie, junger Freund, hier, in dieses stille Nebenzimmer, und lassen Sie sehen, was Sie da haben. Einen sauberen Stich haben Sie da, sieht man von möglichen Verschmutzungen ab, die sich an so einem Messer befinden können, mikroskopische Fetzen Wurst. Fleisch auf Fleisch, das ist das Übelste, das vergiftet das Blut, in diesem Fall allerdings reicht wohl ein kleiner See voll Jod.

Werde ich mein Leben lang einen blutbraunen Fleck in der Mitte meiner Handfläche tragen? Sehet meine Male!

Dein Kamerad ist verwundet, er ist nicht da, nun sind alle Augen auf dich gerichtet. Abel, informiert Magda, spricht fünf Sprachen. Oder sind es inzwischen sechs? Mir kommt's so vor, es ist wöchentlich eine mehr.

Ja, darin sind wir gut! Nicht, dass wir talentierter wären. Wir sind nur gezwungen.

Ich kann mir vorstellen, dass der Markt ziemlich voll ist, zwangsläufig.

Ist der nicht immer voll?

Da ich unsterblich bin, denkt Aida, machen auch die fünfzehn Jahre Altersunterschied nichts aus, zudem habe ich den richtigen Pass, und wenn ich mit den Nerven solange durchhalte, wirst du meinen Körper vergessen und meine Intelligenz und mein Feingefühl schätzen lernen.

Tibor B. hat ihn uns geschickt.

Auch lange nicht mehr gesehen.

Seine zweite Frau ist Tänzerin gewesen und Choreographin, eine schöne, kleine Frau.

Ein Jude.

Stimmt nicht. Nur der Vater. Dann gilt's nicht.

Wenn's drauf ankäme, würde jeder Tropfen Blut, der sich vor vierzehn Generationen in einen Nebenzweig der Familie verirrt hat, zählen.

Ein Blutstropfen geht um die Welt!

Blutwurst sagt, komm, Leberwurst ...

Können wir bitte aufhören, über Blut zu sprechen, mir wird gleich schlecht!

Trink ein bisschen Schnaps, Aidica.

Darf sie nicht. Die Medikamente.

Hier müssen alle ein bisschen schweigen. Ich hasse dich, Mutter.

Jetzt wendest du dich wieder an *ihn*:

Woher kennen Sie Tibor?

Gar nicht. Er hatte nur seinen Namen auf einem Zettel.

Oh ...

Der Name von jedem von uns könnte auf einem Zettel stehen!

Früher war Magda so etwas wie die *offizielle* Anlaufstelle, Mutter aller Emigranten, das wäre heute gar nicht mehr möglich. Es sind einfach zu viele.

Jemand hat mal zwei Dutzend Juden in seiner Wohnung versteckt. Eine Frau.

Im Laufe meines Lebens habe ich sicher Hunderte von Visitenkarten in die Welt gestreut. Wer weiß, wo die heute sind.

Der liebe Doktor ist ja auch ein Heiliger. Gott möge dich segnen und lange am Leben erhalten.

Der Betroffene lächelt traurig. Seine Hand zittert auch schon.

Konstantin, Jod schimmert durch seinen Verband, hört mit glitzernden Augen *all dem* zu. Setzt sich so, dass er sowohl Kontakt zu den Partisanen als auch zu den Damen hat, versucht sogar, sich an der Diskussion zu beteiligen, als ob das nötig oder möglich wäre, ein interessierter junger Mann. Der andere: man weiß es nicht. Außer ihm gibt es noch zwei, die mehrheitlich schweigen: Aida, sowie ein großer, weichlicher Fünfzigjähriger, graue Locken, feminine Wangen, kleiner, eitler Mund. Ein ehemaliger Schauspieler, der Star seiner Provinzstadt, heulte wie ein Schlosshund und schwang die Faust, damals war es noch nicht so schick, schwul zu sein, man legte ihm nahe zu heiraten, er lehnte ab, *eigentlich* eine löbliche Haltung. Heute denkt er, schreiben zu können, nette kleine Bücher mit Anekdoten aus der alten Heimat.

Anekdoten sind eine hohe Kunst, meine Liebe. Sein Name ist Simon. Er beobachtet erstens alle, *ein unerschöpflicher Brunnen,* andererseits, natürlich, unseren schönen, jungen Helden.

Hihihihi, denkt Aida. Hihihi.

Später laufen ihr die Augen voller Tränen, und sie geht ohne eine übliche Höflichkeit auf ihr Zimmer, die Ärmste, der Platz neben Abel wird frei. Der Mann namens Simon setzt sich um.

Pause. Dann, leise, vertraulich, etwas singende Stimme dicht an seinem Ohr:

Wie heißen Sie?

Wenig später geht er, Abel geht mit. Oh, der alte Wüstling! Konstantin, der weiß, was sich gehört, bietet ebenfalls an zu gehen.

Nicht nötig, sagte Abel. Er ging auch diesmal ins Sprachlabor. Oh, wenn sich zu jugendlicher Energie auch noch Fleiß gesellt und seltsam schielende Blicke sich ins Anerkennende wenden! Und Sie, lieber Freund, bleiben Sie doch noch ein bisschen. Konstantin mit der verbundenen Hand setzte sich würdevoll an seinen Platz zurück.

Das nächste Mal bekam er eine eigene Einladung. Er ging alleine hin. Er kicherte: Man hat dich vermisst! Mindestens zwei blutjunge Damen waren extra deinetwegen da!

Später war es nicht mehr lustig. Wieso kommt der schöne Mann nicht mehr? Er ist auf einer Geheimmission, sagte Konstantin düster. Ich glaube nicht, dass er jemals wiederkommt.

Die blutjungen Damen verzogen den Mund.

Und dazu kleiden sie sich wie die Babynutten. Ich muss dir ganz ehrlich sagen, sagte Konstantin später zu Abel: *Es* näher zu kennen, bedeutet, auch den Ekel zu kennen, wenn du verstehst, was ich meine. *Echte* Solidarität? Er winkte ab. Eine Förderung habe ich auch nicht bekommen. Alles in allem würde ich (Konstantin) dieses Intermezzo unter »Der lehrreiche Verlust einer Täuschung« zusammenfassen.

Transit

Das Gute an einer *wechselvollen Jugend* ist, sagte Konstantin eines Tages zur Fensterscheibe, dass uns jetzt praktisch nichts mehr passieren kann. Uns kann nichts mehr passieren, murmelte er in den Nebel. Das heißt, sagte er nach einer kleinen Pause, es kann uns *alles* passieren. Es passiert alles. Es wird alles passieren. Natürlich. Was möglich ist, passiert. Darum geht es nicht. Worum es geht, ist, dass uns, während uns das annähernd Nichtigste in unserer Existenz bedrohen kann, uns das annähernd Grausamste kaum mehr in der Seele zu erschüttern vermag.

Er sah sich um. Die Piazza war leer, bis auf ein hässlich gemustertes Sofa, wer weiß woher, es war schon da, bevor der Erste von ihnen einzog. *Wie Gott*, sagte Konstantin und lachte, wurde aber ganz rot im Gesicht. Gott als Sofa. Ein *Schlaf*sofa! Unter Pals Tür glomm das übliche blaue Licht, zu hören war nichts. Abel schien nicht zu Hause zu sein.

So sieht es aus, sagte Konstantin bedeutungsschwer zum Sofa.

Später kam Pal aus seinem Zimmer, sah, dass dort, wo Konstantins Atem sie traf, die Fensterscheibe sichtbar stumpf geworden war. Das wäre ja noch gegangen, aber diesmal, nach stundenlangem Gemurmel aus dem Wohnzimmer, dass einem sogar das Pissengehen verleidet wird, fand Pal zusätzlich den Abdruck einer fettigen Stirn und einer Nase an der Scheibe vor. Mit einem *Disgusting!* – er fluchte gerne englisch – verschwand er wieder in seinem Zimmer. Bald wurde ihm allerdings klar, dass er den Gedanken an diese Fettflecke nicht würde aushalten können, also ging er – unter erneuten Flüchen – wieder hin und wischte die Flecke weg. Das ging nicht einfach, der Dreck war hartnäckig, er rieb daran herum, schmierte den Fleck hin und her, dann sah er, dass im Grunde das ganze Fenster *besudelt* war, woraufhin er in einer Wutattacke die ganze Scheibe und! den Rahmen blank polierte. Auf seiner Stirn standen Schweißperlen.

Oha, sagte Konstantin als er nach Hause kam. Was für ein Ausblick!

Nachdem seine *etablierten Hoffnungen* enttäuscht worden waren, widmete sich Konstantin wieder seiner eigentlichen *Mission*. Als Kind wollte ich Missionär werden. Warum bin ich nur kein Missionär geworden? Noch ist es nicht zu spät, sagten ein litauischer Kirchenmusiker, ein albanischer Dichter, ein slowenisch-polnisches Pärchen auf der Hochzeitsreise, eine ehemalige ungarische Prostituierte, eine Studentin aus Andalusien mit ihrer Freundin. In zwei der drei Letztgenannten war Konstantin verliebt. Später stand er am Fenster und schimpfte, besonders auf die ehemalige Hure. Ausgerechnet die! Und so weiter. Tataren, Tschetschenen, Iren, Basken. In den nächsten Monaten hörte das Kommen-und-Gehen auf der Piazza praktisch nicht mehr auf. Mit der gleichen Intensität, mit der sich Abel und Pal durch die Landschaften ihrer jeweiligen Territorien arbeiteten, vernachlässigte Konstantin sein Studium zugunsten seiner Lamenti einerseits und seiner *Expeditionen* andererseits. Wenn er nicht redete oder aß, war er in der Stadt unterwegs. Sie kennen lernen, wenn man schon da ist. In Wirklichkeit trieb er sich fast nur auf dem Bahnhof und dessen Umgebung herum, denn sein wahres Ziel war es, Leute zu finden, denen er ein Obdach bieten konnte. Er quartierte seine Leute auf dem Sofa namens Gott ein und bewirtete sie herzlich mit dem Wenigen, das er hatte. Wenn *wir* um etwas wissen, dann ist es die enorme Wichtigkeit des Netzwerks. Hier, in diesem kleinen Büchlein, schrieb er die Adressen sämtlicher seiner Gäste auf. Wohin ich auch komme, ich werde gerne gesehen sein. Die Abchasen, Lappen, Esten, Korsen und Zyprioten nickten. Vielleicht, sagte Konstantin, wird sich das eines

Tages als meine wahre Berufung herausstellen: Der Mann, der zu Besuch kommt.

Im Schneidersitz auf Gott sitzend, diskutierte er mit ihnen nächtelang die internationale Lage. Eine wahre Staatsgründungsepidemie, missversteht mich nicht, ich bin voller Verständnis, gepaart mit all dem, was dazu gehört, Völkerwanderung, das ist übrigens mein Spezialgebiet, wenig überraschenderweise ist Fremdenfeindlichkeit ein großes Thema hier und woanders, neue Löwenmännchen beißen die Jungen ihrer Vorgänger tot, dafür ist unser Kiefer nicht kräftig genug, aber ---

Schluss! rief der Blonde Pal alle paar Wochen, wenn man schon wieder seit Tagen! nicht treten konnte, weil ständig! einer da war. Blockieren den Fernseher!, verstopfen das Klo!, kochen ihr stinkendes Essen!, ficken laut auf dem Sofa und jaulen! Nächtelang! Manche haben sogar Instrumente dabei! Reiskocher! Ferngesteuertes Spielzeug! Und sie benutzen all das auch. Eines Tages werde ich nach Hause kommen, und ein gemütliches Lagerfeuer! wird in der Mitte des Zimmers! lodern! Schluss! sagte er, hörst du!, mit diesem verdammten! Transitbahnhof in meiner Wohnung!

Aber du hast doch einen Fernseher in deinem Zimmer, jammerte Konstantin. Stand auf der Piazza, auf dem wüstensandfarbenen Belag, seine Windmühlenarme wirbelten, er dirigierte eine unsichtbare Stoßzeit, die Ströme oder Rinnsale der Durchreise, Menschentrecks, Tierherden, Autokolonnen, er verschwand fast hinter dem aufgewirbelten Staub. Abels Locken flatterten, als er ihm, auf dem Weg zur Tür, ins Labor, auswich.

Der Blonde Pal wies Konstantin auf die Worte »an Dritte«, »überlassen« und »verboten« in der Hausordnung hin. Das nächste Mal, wenn ich hier jemanden aus dem Welttransitstrom antreffe ... Es gibt hier Leute, die wollen verdammt noch mal arbeiten!

Da ich selbst in einer *prekär zu nennenden* Lage bin, sagte Konstantin zu Abel, wäre es sicher klüger, Pal oder der Hausordnung Folge zu leisten und niemanden mehr herzuholen, aber das wäre so (theatralisch, laut, damit es in sämtlichen Zimmern zu hören ist), als würde man mir meine *elementare Menschlichkeit* verbieten!

Ob Pal über Abel Bescheid wusste, weiß man nicht, darüber äußerte er sich nie. Solange einer die Fresse hält, ist's mir egal. Im Alltag begegneten sie sich kaum. (Frühmorgens in der Küche, einmal. Sie stießen in der Tür zusammen. Pardon, sagte Abel, mit einer vom nächtelangen Üben rauhen Stimme, woraufhin Pal ihn überrascht und wie fasziniert ansah. Pardon, sagte Abel und entzog sich dem Türrahmen. Das war alles.) Ich halte ihn (Pal), ehrlich gesagt, zu allem fähig, sagte Konstantin, aber er konnte einfach nicht davon lassen. Er quartierte weiter Leute ein. Wenn er mit seinen Sprachrudimenten von *ohrenbetäubend* schlechter Grammatik und Aussprache – und es war auch nach Jahren keine Verbesserung festzustellen – nicht weiterkam, klopfte er an Abels Tür. Da sei jemand, dessen Sprache er nicht spreche, was ist das, Polnisch?

Nein.

Tschechische Drillinge, oder nein: zwei Cousins und ein Freund, alle auf die gleiche Weise ausgeblichen: Jeans, blonde Haare. Konstantin hatte sie orientierungslos in der U-Bahn gefunden.

Abel kann weder Polnisch noch Tschechisch.

Stell dich nicht so an, sagte Konstantin im Sinne des panslawischen Gedankens.

Der panslawische Gedanke kann mich mit hundert Zungen am After lecken. Sieh an, wenn es darauf ankommt, kann ich Gedanken haben. Aber das war nur ein kurzer Moment. Gleich danach funktionierte Abels Gehirn wieder *normal,* und er begann einzelne Wörter, Syntagmen, später ganze Sätze zu verstehen. Ja, das ist so. Manchmal dauert es eine Weile, aber mit der Zeit kann ich jeden *irgendwie* verstehen. Das Abenteuer, übersetzte er Konstantin. Das Abenteuer habe die drei hierher geführt. Außer ihrer Muttersprache sprachen sie nichts, die einzigen Fremdwörter waren die Namen von Musikgruppen, die Konstantin und Abel nicht kannten. Später schimpfte Konstantin sehr auf die drei. Das war ein schwerer Fehlgriff gewesen. Das Abenteuer, pah! Sie haben den ganzen Speck und alle Eier aufgegessen und die Milch bis auf einen Schluck ausgetrunken. Das raubte ihm einigermaßen die Lust *an dem Ganzen,* und es wurde wieder etwas ruhiger.

Später waren Jahresendferien, und sie wurden in etwas verwickelt, was dem *Großen Einliegen* (Pal) ein für allemal ein Ende bereiten sollte.

Eka

Wie lange bleibst du weg? fragte Konstantin Pal, der sich mit erstaunlich viel Gepäck in die Feiertage begab.
Geht dich nichts an, sagte Pal.
Das vierte Weihnachten, das wir fern von unseren Lieben miteinander feiern, sagte Konstantin feierlich zu Abel. Letzterer sah keine Veranlassung, die Arbeit zu unterbrechen. Zu dieser Zeit beherrschte er sieben Sprachen perfekt und *laborierte* an weiteren dreien.
Was ist das Limit? fragte Konstantin. Der Sternenhimmel? Ich frage mich, was es ihm nützt, wenn er doch mit keinem redet.
Auf dem Bahnhofsvorplatz machte sich das übliche Weihnachten breit, schneelos und windig, in den Verschlingungen der Bastille pfiff und orgelte es Tag und Nacht. Konstantin stand am Fenster und sah dem sogenannten Treiben zu, Abel, wie er, ohne das Tempo ein einziges Mal zu ändern, Slalom zwischen Menschen und Tüten lief. Eine abgerissene Girlande trieb vom Weihnachtsmarkt herüber auf ihn zu, aber er war schneller, sie verfehlte ihn um Zentimeter, Konstantin seufzte.

Als Abel dann am frühen Morgen des nächsten Tages, oder des übernächsten, jedenfalls kaum, dass Pal den Fuß aus der Tür gezogen hatte, nach Hause kam und die gemeinsame Küche betrat, stand dort eine unbekannte Schwarze Madonna mit einem riesigen Knaben auf dem Arm. In einem kleinen Topf stand warmer Brei auf dem Herd, sie kostete ihn gerade mit einem Holzlöffel. Für einen Moment dachte er, er hätte sich in der Wohnung geirrt. Wäre das möglich?
Entschuldigung, sagte er.
Die Madonna ließ den Kochlöffel fallen. An ihren Lippen blieb

der Brei kleben. Jesuschristusimhimmel, sagte sie in ihrer Sprache und starrte den Mann in der Tür an. Alles an ihm war schwarz: die Haare, die Kleidung, der ganze Mund. Zunge, Zähne. Jetzt sind sie gekommen, uns zu holen.

Entschuldigung, sagte Abel noch einmal und hielt die Hand vor die dunkle Höhle. Standen so da: er seinen Mund verdeckend, sie mit Brei am Mund, das Baby danach greifend. Es schlug kräftig zu, die Zähne der Mutter klapperten.

Verzeihung, murmelte Abel und ging rückwärts aus der Küche. Er putzte sich lange die Zähne. Grauer Schaum, zwischen liegen gebliebenen Bartstoppeln das fettüberzogene Waschbecken hinabkriechend. Danach saßen die Zähne in kleinen schwarzen Kelchen und glänzten bläulich.

Sie nannte sich Maria. Nachdem sie den ersten Schreck überwunden hatte, lächelte sie freundlich. Das Baby schaute gleichgültig bis feindselig drein.

In Wahrheit, sagte Konstantin, heiße sie nicht Maria, sondern Eka. Nur in ihrem Pass stünde Maria. Das heißt, im Pass ihrer Schwester stünde Maria. Es sei der Pass ihrer Schwester.

Eka nickte und wiederholte es. Abel merkte sich das georgische Wort für »Schwester«. Sie selbst hätte keinen Pass bekommen. Wir sehen uns doch ähnlich?

Nein. Dazu die acht Jahre Altersunterschied und dass Eka hier, obwohl schon zwanzig, aussieht wie eine Dreizehnjährige. Runde Augen, Zöpfe bis zur Hüfte, man hat das Gefühl, das Baby ist halb so groß wie sie. Konstantin hatte sie nicht gefunden, sie war von alleine gekommen, jemand hatte ihr die Adresse gegeben. Stolz: Man kennt mich schon.

Eka ist auf der Suche nach ihrem Mann, informierte Konstantin. Er hat das Baby noch nicht gesehen. Sie hat ihm bei jemandem eine Nachricht hinterlassen: Warte da und da auf dich. Der Mann heißt Vachtang. Bis er sich meldet, werden sie auf der Piazza wohnen.

Hm, sagte Abel und ging in sein Zimmer schlafen.

Er ist ein bisschen …, Konstantin zog entschuldigend die Nase kraus und wiegte die Hand vor Eka in der Luft, du weißt schon. Aber ihr braucht keine Angst zu haben. Er mag auf den ersten Blick furchterregend aussehen, *in Wahrheit* ist er harmlos.

Eka lächelte. Sie verstand Brocken oder gar nichts, aber meist war das egal.

Eka und das Baby blieben mehrere Tage auf der Piazza. Konstantin durchquerte nie den Raum, ohne mit dem Kind zu spielen. Es hatte einen großen, viereckigen Kopf, dunkler Flaum bedeckte die Hälfte davon. Konstantin sang ihm Weihnachtslieder vor. Der Säugling schwieg mit geschürzten Lippen. Eka wusch seine Sachen mit der Hand, ging mit ihm spazieren, kaufte ein, kochte. Konstantin war des Lobes voll, Abel hatte keinen Hunger.

Konstantin, theatralisch: Und das dem gastfreundlichsten Volk der Erde! Dann gedämpfter: Ob Abel sich, unabhängig davon, an den Einkäufen beteiligen wolle. Es ginge schließlich nicht, dass Eka und er alles ... Du bist derjenige mit der Begabtenförderung.

Abel gab ihm, was er gerade hatte, danach war eine Weile Ruhe. Eka schmückte die Piazza für Vachtangs Ankunft. Konstantin half ihr, herrenlose Dekoration auf dem Weihnachtsmarkt zu sammeln. Während er sich bückte, steckte sie lächelnd Kerzen, Dörrobst, Holzspielzeug in die Taschen ihres großen Mantels. Sie probierte einen roten Schal an, warf ihn elegant über die Schulter, Konstantin nickte und lächelte zustimmend, Eka lächelte und nickte zurück und spazierte weiter. Aber du, aber du hast nicht bez... Hier, sagte Eka. Sie sortierte ihre Schätze auf der Piazza. Das ist für dich: Dörrobst und ein weiterer Schal. Konstantin blieb die Spucke weg. Ehrlich gesagt bin ich ziemlich schockiert. Oh, sagte Eka lächelnd, jetzt habe ich die Windeln vergessen. Windeln, zeigte sie. Sofort, sagte Konstantin und stürmte los, du brauchst es mir auch nicht wiederzugeben.

Konstantin, Eka und das Kind feierten auch Weihnachten ohne Vachtang, von dem es immer noch keine Nachricht gab, und ohne Abel, der ebenfalls nicht nach Hause kam, dabei hätte ich dich gerade jetzt gebraucht. Konstantin verbrachte den halben Abend damit, sich in die Sorge um ihn hineinzusteigern. Er spielte so gut, dass er es am Ende selbst glaubte, a) dass er sich Sorgen machte und b) dass Abel wirklich etwas zugestoßen sein könnte. Vielleicht hat man ihn ermordet. Vielleicht liegt er hier ganz in der Nähe, am Fuße der Bastille, im Dunkeln, und man wird ihn erst entdecken, wenn man die hinuntergeworfenen trockenen Weihnachtsbäume einsammeln kommt. Eka gab ihm lächelnd das größte Messer des Haushalts, er möge den Braten anschneiden, das Fleisch hatte wieder sie *besorgt*, und Konstantin vergaß das soeben ersonnene Szenario.

Als Abel schließlich nach Hause kam, lauerte ihm Konstantin am Eingang auf, zerrte ihn in die Küche.

Flüsternd: Wo warst du, beziehungsweise: egal, ich muss dir was sagen, iss was, wir haben es für *ihn* aufgehoben, aber es wird nur schlecht.

Was Konstantin sagen musste, war, dass es sein konnte, dass der Typ, dieser Vachtang, deswegen nicht gekommen war, weil er untertauchen musste oder bereits *im Gefängnis* saß. Er, Konstantin, könnte gut verstehen, wenn Abel jetzt auf ihn sauer wäre, ihm so eine *Geschichte* ins Haus gebracht zu haben, irgendwas mit Drogen, neulich, als er Windeln kaufen war, sei ihm jemand über den Weg gelaufen, der tat so, als wüsste er alles, grinste schadenfroh, aber ich dachte, das ist nur ein bösartiges Gerücht, aber vielleicht wäre es jetzt an der Zeit, sich *gemeinsam* Gedanken zu machen. Was, zum Beispiel, fragte Konstantin mit Blick zu den Essensresten, wieso isst du nicht?, wenn Vachtang *gar* nicht kommt?

Woraufhin *unser Genie* nichts weiter zu sagen wusste, als dass er keinen Hunger habe, müde sei er. Ging in sein Zimmer, schloss die Tür.

Zuerst hätte ich (Konstantin) Lust gehabt, ihm eine reinzuhauen, aber wirklich, arrogantes, egoistisches Arschloch, das ist doch kein Benehmen, wenn wir verheiratet wären, würde ich mich jetzt scheiden lassen ... Hoppla, dachte Konstantin.

In den folgenden Tagen hielt Konstantin die *Sache* unter Beobachtung. Er begleitete Eka und das Kind überallhin, unternahm alles mit ihnen, was man ohne Geld unternehmen konnte. Sie spazierten durch den kalten Park. Eka erlächelte sich eine Extraportion Maronen. Was für eine hübsche kleine Familie, sagte die Händlerin. Hoppla, dachte Konstantin.

Eka heiraten, Ekas Kind großziehen, einen Sohn haben, alles für sie tun, Ekas Essen essen, Eka trösten … Ich bin vierundzwanzig Jahre alt, ich habe einiges gesehen von der Welt, wenn auch nur indirekt, Medien und persönliche Berichte, wie auch immer, ich bin bereit, eine Familie zu gründen. Wie es scheint, hat sie auch aufgehört zu klauen, zwei Geschenke lagen noch eingepackt unter dem Sofa, eins für Vachtang und eins für Abel, sie hatte noch keine Gelegenheit, es ihm zu geben. Konstantin hätte gerne gewusst, was Eka von Abel hielt, aber sie verstand die Frage nicht. Ich kann mir nicht helfen, sagte Konstantin, während sie durch den Park spazierten, aber mir ist dieser Gedanke gekommen: Es fehlt ihm an nichts, außer an … Er kannte das Wort nicht, er bildete es neu: *Menschheit.* Ich weiß nicht, ob man das so sagen kann. Ein Mensch ohne Menschheit, verstehst du? Eka verstand weder das noch das, was er eigentlich hätte sagen wollen, sie lächelte nur und spazierte.

In der Nacht darauf hob Abel nach knapp einer Dreiviertelstunde, also kaum, dass er mit der Arbeit im Labor angefangen hatte, den Kopf. Er dachte: sieben plus drei macht zehn. Sieben plus drei macht zehn. Sieben plus drei, nacheinander in sämtlichen seiner Sprachen, und wieder von vorn. Zehn. Er streifte die Kopfhörer ab und stand auf. Es war ihm schwindlig. Er ging taumelnd über den Flur. Wo er entlang kam, gingen blinkend Lichter vor ihm an. Er zuckte jedes Mal zusammen, als wäre das nicht zu erwarten gewesen, als wäre es nicht immer so. Er fasste geblendet nach der Wand, tastete sich bis zur Toilette vor. Hier gab es keinen Bewegungsmelder, er suchte auch nicht nach dem Lichtschalter. Er ließ die Tür hinter sich zufallen, drückte Stirn und Handflächen gegen die kalten Fliesen, blieb so stehen im Dunkeln. Er stand nah an der Tür, wäre jemand gekommen, hätte er ihn vielleicht gar nicht bemerkt. Eine Person hinter der geöffneten Tür. Wie lange stand er so da, kein Zeitgefühl. Irgendwann ließen Herzrasen, Übelkeit, Schwitzen und Lichtempfindlichkeit nach, die zehnte Sprache war fertig, noch eine mehr und ich muss kotzen. Er wusch sich Gesicht und Hände und ging.

Er fuhr nicht in der aufgehenden Sonne zwischen dösenden Arbeitern mit der ersten Bahn, diesmal ging er zu Fuß, immer an den Bahnschienen entlang, auch so kam er Stunden eher als sonst zu Hause an. Auf der Piazza war es stockfinster, es roch nach parfümiertem Rauch. Wahrscheinlich hatten sie wieder gekocht, Kerzen angezündet. Abel, dem mit dem Geschmacks- auch ein Großteil des Geruchssinns abhanden gekommen war, bekam nur eine ferne Ahnung davon. Um den Säugling nicht zu wecken, machte er kein Licht. Wie er später nicht aussagte, stieß er beim Überqueren der Piazza mit dem Schienbein gegen das ausgezogene Schlafsofa. Im Dunkeln geriet etwas in Bewegung, Körper in plötzlichem Aufruhr, dann Eka, als hätte sie etwas geflüstert, dann war es wieder still.

Später schaltete jemand mit einem lauten Klack das Licht in seinem Zimmer an und riss die Vorhänge auf. Dahinter war es dunkel, immer noch oder schon wieder. Der ledrige Geruch einer Uniform erfüllte das Zimmer, so durchdringend, dass selbst *er* es riechen konnte.

Sie zwangen uns, uns auf den Boden zu legen, Nase im Dreck, Männer, Frauen, Kinder, die Hände hinter dem Kopf verschränkt. Sie stiegen über uns, warfen unsere Sachen durcheinander. Sie zerrten uns am Arm hoch, wir standen da in unseren Pyjamas, sie nahmen uns mit, wie wir waren, oder steckten uns in irgendwelche Klamotten, duckten unseren Kopf hinunter ins Auto. Sie sagten nicht, wohin sie uns fuhren, unsere Augen waren verbunden, sie fuhren hin und her, damit wir die Orientierung verloren, sie ließen uns in den Sand knien mit dem Gesicht zur Wüste und taten so, als würden sie uns hinrichten. Anschließend setzten sie uns in unserer durchnässten Unterwäsche aus ---

Ganz so nicht, aber man brachte alle, die in der Wohnung waren: Konstantin, Abel, Eka, das Baby und einen Mann, den Abel noch

nie gesehen hatte, in ein Polizeirevier. Genauer gesagt, sah er nur
Eka und den Unbekannten für einen kurzen Augenblick, beide
vom Kopf abwärts, sein Blickwinkel war so. Von Konstantin und
dem Baby hörte er nur die Stimmen, sich auf verschiedene Art
gegen die Behandlung verwahrend, bevor sie in einem anderen
Auto verschwanden. Für Jahre war das das Letzte, was Abel Nema
von Konstantin Tóti wahrnahm.

Fragen

Na, wohin Jungs?
Nirgendwohin.
Nirgendwohin? Ist denn das möglich? Ist man nicht immer irgendwohin unterwegs? Kann höchstens sein, dass man nicht weiß, wo
das Irgendwo ist. Nicht wahr?
Zwei Männer, im Alter unserer Väter, lehnten jeden Nachmittag
am Kiosk am Hauptplatz, nahe am Rathaus, mit Blick zur Pest-
säule, dem Feuerturm und der ersten Pizzeria der Stadt. Sie tranken Tee mit Wein aus Plastikbechern, rührten mit Plastikstäb-
chen darin, bei jedem Wetter. Seit wann sie die beiden, Ilia und
Abel, schon beobachteten, weiß man nicht, sie ihrerseits bemerkten sie bei strömendem Regen. Als sie aus dem Schultor traten,
donnerte es bereits. Später rannten die anderen immer schneller
an ihnen vorbei, standen platt gedrückt an den Häuserwänden,
sammelten sich in Toreinfahrten, nur die beiden hier gingen weiter, als wäre nichts. Die Markise, unter der die Männer standen,
war durchlöchert, es tropfte durch, auf den Ärmel des einen, aber
er rührte sich kaum, zog nur den Ellbogen ein wenig beiseite und
den Plastikbecher. So sahen sie sich, durch den Regen: zwei Zivil-
fahnder, zwei Gymnasiasten im Vorbeigehen.
Das ist so ein Moment, plötzlich wird man sichtbar. Ab da standen die Männer jedes Mal, wenn sie am Hauptplatz vorbeikamen,
also fast jeden Tag, am Kiosk und sahen sie an. Einmal hatte der
eine die Hand verbunden, er fettete sich gerade die Lippen, hielt
den Fettstift vorsichtig in der verbundenen Hand, sah mit hän-

genden Unterlidern zu ihnen herüber, der Verband war schmutzig, seine Lippen glänzten. Am nächsten Tag standen nur die Becher da, keine Männer. Sie bemerkten es beide, sagten aber nichts. Sie sprachen überhaupt nie über die Männer. War man einmal auf dem Hauptplatz, gab es nur noch einen Weg: unter dem Feuerturm durch einen übel riechenden dunklen Gang hinaus auf den Stadtring. Luft anhalten, durchtauchen.

Die Männer standen auf der anderen Seite, unter dem an die Stadtmauer genagelten menschgroßen Eisenschlüssel.

Na, wohin, Jungs?

Nirgendwohin.

Nirgendwohin? Ist denn das möglich? Ist man nicht immer irgendwohin unterwegs?

Pause. Sie blinzelten. Es war hell.

Kann höchstens sein, dass man nicht weiß, wo das Irgendwo ist.

Pause.

Nicht wahr?

Pause.

Doch, sagte schließlich Ilia. Das ist wahr.

Und wollte weitergehen, aber der Mann mit den hängenden Lidern, der verbundenen Hand und den gefetteten Lippen stand im Weg.

Der andere stand hinter ihm und sagte nie etwas.

So ging es ab da jedes Mal. Wohin Jungs?

Manchmal antworteten sie etwas, manchmal nicht. Die Männer kontrollierten jedes Mal die Ausweise. Jetzt schau dir an, wie schmutzig diese Ausweise schon sind, zerfleddert, wie ein alter Salat, das sind mir vielleicht einpaar Patrioten ---

Als Abel Nema, Jahre später, andere Stadt, mitten in der Nacht aus dem Sprachlabor nach Hause kam, wäre er von einem unsichtbaren Mann auf der stockfinsteren Piazza fast erschossen worden. Kein anderer hätte, aber er hat das Vorhandensein von Metall im Raum gehört, von Haut und Metall, von *danach Greifen*. Zum Glück gab es Eka, die »der Mitbewohner« flüsterte. Er erwähnte es später nicht. Er sagte so gut wie nichts.

Nameadressegeburtsdatumundortpapierewasmachensiestudent-
wasstudierenrensiesprachenwoherkennstdudenSchwarzenVach-
tangwassolldasheissenduweisstnichtwerdasistwillstduunsfürdumm
verkaufen?
Tut mir Leid, sagte Abel. Ich verstehe nicht.
Sein *Kompagnon* nebenan, Konstantintótigeschichtedesaltertums,
redete umso mehr. Echauffierte sich. Friedlich schlief ich, dann
sind Sie gekommen und haben mich mitgenommen und jetzt
wollen Sie von *mir* wissen: Wieso? Ich bitte mir das aus! Ich bin
ein unbescholtener Bürger! In Wahrheit hatte er die Hosen längst
voll. Es dauerte nicht lange, und er fing mit dem üblichen Gejam-
mere an, armer Student etcetera, seine Unterlippe zitterte feucht.
Eka versuchte, ihre Gastgeber zu entlasten. Nur zwei nette Jungs,
die mich und mein Kind aufgenommen haben. Aber dann kam
wieder alles ins Stocken, weil sie weiter behauptete, Maria zu sein,
eine ganz offensichtliche Lüge, wieso sollte sie dann in der anderen Sache etc. Nachdem man mehrmals hintereinander an diesem
Punkt angelangt und ein Tag vorbei gegangen war, fragte man Abel
und Konstantin, ob sie, offenbar tatsächlich nur zwei blauäugige
Idioten, einen Leumund benennen könnten.

Als ihn der Anruf erreichte, saß Tibor B. gerade im Kreis vertrau-
ter Freunde, oder nein, im Arbeitszimmer nebenan, er hatte noch
etwas Unaufschiebbares zu tun, oder nein: Er hatte gerade die
Lust an der Gesellschaft, wie überhaupt an allem, verloren. Die
Krise der Fünfzigjährigen. Oder eine von Anfang an in Warte-
stellung stehende Depression. Immer in der zweiten Reihe. Steht
da, wartet geduldig, wenn man hinschaut, zwinkert sie einem diskret zu.
Es fing damit an, dass Tibor nach einer Pause von fast fünfund-
zwanzig Jahren wieder unter seiner Hässlichkeit zu leiden begann.
Er verachtete sich dafür. Er war ein kluger, ein sehr kluger Kopf,
und er wirkte auf Frauen. Sie verliebten sich in ihn. Sie taten alles
für ihn. Was willst du also? Er nahm ein Urlaubsjahr. Ich will,
also werde ich ein Buch schreiben. Das Jahr ging vorüber, das
Buch war nicht fertig, aber das war nicht der Grund, weiterhin

nur sehr sporadisch am Lehrstuhl zu erscheinen. Er hatte einfach die Lust verloren. Seine Studenten interessierten ihn nicht, ehrlich gesagt, fiel es ihm schwer, sie auseinander zu halten. Das ist nicht gerade löblich, andererseits war er unkündbar, und man hörte, seine zweite Frau, diese Anna, sei rezitiv geworden (die Brust), also behelligte man ihn nicht mehr als nötig. Anna tänzelte lächelnd durch ihre gemeinsamen Räume, unnötig, es schwerer zu machen, als es schon ist. Doch er war von seiner Angst vor ihrem Tod so überwältigt, dass er kaum mehr sein Arbeitszimmer verließ. Seine Doktorandin Mercedes kam fast jeden Tag, brachte ihm die Korrespondenz, recherchierte für ihn, betreute seine Studenten, vertrat ihn, wo es nur möglich war. Sie war sechsundzwanzig Jahre alt, allein erziehende Mutter eines zweijährigen Sohnes mit einem Tumor im rechten Auge, und sie war in ihn, den Studienfreund ihres Vaters, verliebt. Sie stellte jede freie Minute in seinen Dienst. Das Kind ließ sie die meiste Zeit bei ihren Eltern. Tibor mochte keine Kinder. Sie gingen ihm auf die Nerven. Alles ging ihm auf die Nerven. Wenn man ihn um Hilfe bat, half er, zum Beispiel diesem hoffnungsvollen – oder man weiß nicht –, jungen Abel N., der daherkommt und meint, weil er aus derselben Stadt stammt, aus der wir damals vertrieben …, egal, Schwamm drüber. Doch, er muss voller Hoffnung sein, wie denn auch nicht, in dem Alter, in der Situation, ihm zu helfen ist das Minimum, also half er, doch die unbekannte Größe D ist der unbekannten Größe P insofern eine nahe Verwandte, als dass man nicht wirklich Interesse für Leben und Leiden anderer aufbringen kann. Tibor wusste auch das und verachtete sich auch dafür. Ein anständiger Mensch hätte gefragt, ob der Junge schon eine Unterkunft hatte. Ein anständiger Mensch hätte eines seiner beiden Gästezimmer angeboten. Ein leidenschaftlicher Mensch hätte ihn lieb gewonnen und hinfort wie einen Sohn … *Szenarien*. Man kann unmöglich *jedem* helfen, dachte er und ging zurück an die Arbeit.

Etwas Ähnliches dachte auch Anna. Sie wusste alles, über ihn, über sich, über die junge Frau, und dachte, dass man unmöglich jedem helfen kann. *Für diese kurze Zeit* konzentrierte sie sich auf einpaar Sachen, die sie gerne tat. Einmal im Monat lud sie Leute zu einem Jour fixe ein. Alte Freunde, unter ihnen Mercedes' Eltern – die allerdings nur selten kamen; Miriam konnte Tibor, ehrlich gesagt, nicht erst, seitdem ihr Enkelkind nicht willkommen war, nicht leiden, und Alegria sah nicht ein, wieso er alleine etc. –, die erträglicheren Kollegen, einpaar ehemalige Lieblingsstudenten. Einmal im Monat kann sich auch der Hausherr zusammenreißen, einpaar Stunden dabei sein, diskutieren, sogar plaudern wie ein normaler Mensch. Es gab welche, die nichts merkten. Sie sprachen, wie man spricht, über alles Mögliche. Nachdem Anna gestorben war, zog Mercedes bei Tibor ein und übernahm ihre Pflichten. Das Kind war inzwischen fast sechs, schön und klug wie die Sonne, der heimliche Star der geselligen Zusammenkünfte, und Tibor ertappte sich dabei, dass er ihm gerne zusah und zuhörte. Irgendwann wurde ihm sogar klar, dass er es bewunderte und ihm dankbar war. Das, Dankbarkeit empfinden zu können, machte ihn fast glücklich. Es ging ihm besser. Er brachte das Buch zu Ende und fing ein neues an. Seit Abels Ankunft waren vier Jahre vergangen.

Man saß also gerade wieder zusammen, der fixe Freundeskreis, jemand, ein Exkollege, hatte vor kurzem eine Reise durch Albanien überlebt. Ein albanischer Dichter hatte ihm lange über die Schönheit des Vaterlands oder über Schönheit und Vaterland erzählt. Über die Schönheit eines verzweifelten Vaterlandes zu sprechen, sei die Pflicht eines Dichters, dem jeder zweite Zahn fehlt. Schönheit trotz Verzweiflung, Verzweiflung trotz Schönheit. Das Fleisch, erzählte der Reisende, ist unidentifizierbar. Ich meine: welches Tier.

Die Japaner, sagte einer der ehemaligen Studenten, sein Name ist Erik, er hat gerade seinen Verlag gegründet und ist immer *unheimlich gut im Bilde*, die Japaner, sagte er, haben ein Enzym erfunden, mit dessen Hilfe man zerstückeltes Fleisch wieder zu einem Stück zusammenfügen kann. Es sieht aus wie normales Fleisch. Abgesehen davon, dass man nicht sagen kann, um welches Körperteil welchen Tieres es sich handelt.

Der Albanienbesucher nickte: Es ist zäh und riecht nicht sehr gut.

Der Dichter mit den Zahnlücken hatte ein Gedicht in seiner Muttersprache vorgelesen. Ich verstand kein Wort. Aber da waren wir schon so betrunken. Wir weinten zusammen.

Oh, sagte Omar. Warum?

Seinem Großvater entfuhr ein kleines Lachen. Der Albanienbesucher, sein Name ist Zoltán, aber das ist unwichtig, schaute sie, erst den einen, dann den anderen, verstört an.

Ich bitte dich, flüsterte Miriam ihrem Mann zu (seitdem das Kind dabei sein durfte, kam sie auch manchmal), ich bitte dich, reiß dich zusammen.

Wieso? Ich hab nichts gemacht.

Miriam wiegte den Kopf: Bis Mitternacht müssen wir auf jeden Fall bleiben.

Wieso?

An dieser Stelle klingelte das Telefon im Flur.

Sofort, sagte Mercedes und ging nach nebenan, um Tibor zu holen.

Verstehe, sagte Tibor in den Hörer.

Aaah! sagten die Gäste im Salon. Da ist ja endlich der Hausherr!

Ja, sagte Tibor. Es tut mir Leid. Ich muss gehen.

Was? sagte Mercedes. Jetzt? Am Sylvesterabend?

Ja, sagte Tibor. Er müsse jemanden aus dem Gefängnis befreien, gleich zurück, oder erst nächstes Jahr, man weiß nichts Genaues. Einer seiner Studenten sei in irgend etwas hineingeraten, eine Drogen- oder Aufenthaltsgeschichte, und da ohne Familie, habe er Tibor B. als Referenz angegeben. Wartet nicht auf mich.

Was mache ich jetzt? fragte Mercedes ihre Mutter.

Was hättest du sonst getan?

Häppchen serviert?

Na also, sagte Miriam. Ich helfe dir.

Wer ist das? fragte Omar. Der verhaftet worden ist?

Ich weiß es nicht, sagte Mercedes. Ich kenne ihn nicht.

Wir machen uns gar nicht bewusst, sagte Zoltán, wie viel leichter es zu unseren Zeiten war. Er selbst habe ein staatliches Stipendium bekommen, von dem er eine fremde Frau und deren Kind ernähren konnte. Heutzutage müssten die Studenten mit Drogen handeln, wenn sie überleben wollten. Sie kochen sich jeden Abend

einen halben Liter Instantbrühe und tun soviel billige Eierteig-
waren hinein, bis alles aufgesogen ist.
Darf ich das verwenden? (Alegria)
Zoltán sah ihn verstört an.
Siehst du, es liegt nicht an mir. Das ist einfach sein Blick.

Normalerweise braucht man vierzig Minuten bis zur Innenstadt,
diesmal, wegen des starken Abendverkehrs, dauerte es eine Stunde und zehn, bis Tibor mit dem Auto an der Wache ankam. Plus
zwanzig Minuten für die Parkplatzsuche. Er wollte sich vor dem
Gebäude hinstellen, da war Platz, doch der Polizist in der Tür
schüttelte den Kopf, und als T. B. ihm einen Blick zuwarf, fragend
und verschwörerisch, ob es denn nicht vielleicht doch möglich
wäre, ein- und aussteigen, ein- und ausladen, wackelte er auch mit
dem behandschuhten Zeigefinger und winkte: weiterfahren. Was
in Tibor zu einer Zornesattacke führte, die er sonst nie, in keiner
Situation erlitt, ausschließlich beim Autofahren und ausschließlich bei dem Kontakt mit Uniformen. Vor einiger Zeit veranlasste
ihn dies zu der Entscheidung, nie wieder Auto zu fahren. Mercedes fuhr, was zu fahren war, aber das ging heute nicht. Tibor
fuhr fluchend um den Block. Dabei steigerte er sich in die Vorstellung hinein, er müsste seinen *eigenen* Sohn aus den Fängen
einer verbrecherischen Staatsgewalt befreien und jede Minute
zählte.
Dann musste er, abzüglich der zu erledigenden Formalitäten, sage
und schreibe weitere zwei Stunden warten. Jede halbe Stunde ging
er hinaus rauchen. Insgesamt viermal. Jeder Zug steigert mein
Gefühl, gedemütigt zu werden. Die vierte Zigarette zündete er
nur noch an, warf sie gleich weg, marschierte wieder hinein und
bot eine filmreife Vorstellung. Er brüllte die Bullen an. Ihnen ist
wohl jeder Recht etc.? Was denken Sie, mit wem Sie es zu tun haben etc.?
Beruhigen Sie sich Professor, sagten die Bullen unbeeindruckt. So
darf man sich bei uns nicht benehmen.
Tibor hörte auf zu brüllen. Er verlegte sich darauf, in schnellem
Tempo im Warteraum auf und ab zu laufen.

Hör auf mit dem Scheiß und setz dich!

Er warf einen Blick in die Richtung. Irgend ein fetter Prolet. Er lief weiter.

Setz' dich, hab ich gesagt! Du machst mich ganz kirre!

Aber das Hutzelmännchen wollte nicht hören, und der Fette spürte deutlich, dass er verzweifeln würde, wenn das so weiter ginge, die einzige Lösung wird sein, den Zwerg aus seinem Anzug zu schubsen. Er stemmte gerade die Hände auf die Knie, um sich vom Sitz hoch zu drücken, da wurde der Herr Professor aufgerufen, und (beinahe) alle waren gerettet.

Da keiner der einflussreichen Personen, die die andere Nervensäge (Konstantin) als Fürsprecher genannt hatte, auffindbar war, fragte man Professor B., ob er diesen auch kenne. Tibor schüttelte ungeduldig den Kopf. Lassen Sie jetzt meinen Studenten raus oder nicht?!

Alles in Ordnung?

Ja, sagte Abel.

Weiter redeten sie kein Wort.

Fühlte sich Tibor eben noch vom Engagement für den ausländischen Studenten beseelt, war nun, da *alles vorbei* war, und sie im Auto saßen, auch das verflogen. Eigentlich weiß ich gar nichts über ihn. Tibor fuhr, so nah es ging, an die Bastille heran und ließ ihn aussteigen.

Danke, sagte Abel.

Keine Ursache, sagte Tibor und fuhr davon.

In die Wohnung war das Zirpen zurückgekehrt und der blaue Lichtstreifen unter der Tür des Blonden Pal. Wenn er da war, musste er die Eingangstür gehört haben, aber er rührte sich nicht. Als wäre nicht das Oberste zu unterst gekehrt worden, und zwar jeder einzelne Gegenstand, einschließlich der Lebensmittel, auch seiner, als wären im gemeinsamen Raum nicht die Kanten der Auslegware hochgeklappt worden, als türmten sich nicht die Einzelteile des Sofas bis zur Decke, dazwischen die beiden letzten, zerfetzten Weihnachtspakete.

Er hat gesagt, er würde uns verraten, sagte Konstantin später zu jemandem, und er hat es auch getan.

War er nicht über die Feiertage weggefahren? fragte Konstantins spätere Gesprächspartnerin. Er war doch gar nicht da.

Konstantin: Sie haben jetzt alles. Meine Fingerabdrücke, meinen Namen. Sie wissen, dass es mich gibt und dass ich hier bin. Und ich muss immer noch mit *ihm* zusammen wohnen. Stell dir das vor.

Was Abel anbelangt: Er ging in sein Zimmer, sammelte seine verstreuten Habseligkeiten ein, verließ die Bastille und kam nicht mehr wieder.

III. ANARCHIA KINGANIA

Folklore

Im Wald

An ein Taxi war nicht zu denken, er ging zu Fuß. In den zwanzig Minuten, die das Packen gedauert hatte, hatten sich Straßenbild und Wetter vollständig verändert. Nebel stand in den Straßen, es war kaum etwas zu sehen, dafür *alles* zu hören, und als wäre alles gleich nah, ein mörderischer Verkehr: Autos, Busse, Züge, Straßenbahnen – Gibt es hier überhaupt Schienen? –, und sogar etwas, das wie eine Schiffssirene klang. Darüber, dazwischen: das Pfeifen der Raketen, die Salven der Knaller, als würde eine Schlacht ausgetragen, die Geister fürchteten sich sehr. Von den Menschen weiß man's nicht, sie liefen kreuz und quer, seltsam gekleidet, fröhlich oder nicht, sie tauchten immer plötzlicher vor ihm auf, rempelten ihn an, blieben an seinem Rucksack hängen, wenn er alle paar Ecken stehen blieb, um Straßenschilder und Stadtplan zu vergleichen.

Später waren die Straßen so gut wie leer und so leise, dass man, er, seine Schritte hören konnte, plus die der vereinzelten anderen. Es waren wenige, sie versuchten, seinen Echos aus dem Weg zu gehen, nah an den Wänden. Ärmel und Taschen nahmen weiße Streifen mit.

Später tastete er sich durch ein Treppenhaus, hier war es wieder stockfinster, kalt und still, und irgendwo darin, spürbar, das Gegenteil: Lärm, Hitze, Helligkeit. Die Betonwände unter seinen Fingern, als würden sie vibrieren.

Die Stufen zu zählen, hatte er vergessen, dachte, es müsste noch eine Etage mehr geben, als plötzlich knapp vor ihm eine Tür aufschwang, *zing*, Eisen auf Beton. Ein Unbekannter kam heraus, ging von rechts nach links und verschwand hinter einer kleineren Tür gegenüber. Die erste Tür blieb offen stehen.

Den Rauch konnte man schneiden, Sichtverhältnisse ähnlich wie draußen, nur dass es hier warm war. Es schienen sehr viele da zu sein, Bauch an Bauch, ein dunstiger Wald aus Körpern. Abel stand zögernd vor dem Türspalt, ist da überhaupt noch Platz, oder wäre er der letzte Tropfen in einem übervollen Becken, und es würde einfach überlaufen, sobald er einen Fuß … Hier trat der Mensch von vorhin wieder auf, hinter ihm rauschte Wasser, er sagte keinen Ton, ging, ohne langsamer zu werden, diesmal von links nach rechts, und schob Abel vor sich hinein.

Der Wald war dicht, der Wanderer schlug mit seinem Bündel gegen Stämme, Pardon, Pardon, es machte ihnen nichts aus, als wäre er gar nicht da, sie redeten nur und redeten. --- *also das geht mir am meisten auf die nerven eine ganze generation quasi ausgeraubt wir sind die neuen deutschen stigmatisiert für die nächsten hundert wenn's reicht und ich sage dass ist sehr wohl reichtum und wenn es elend ist zu wissen man konnte an einer blinddarmentzündung sterben oder an einer steissgeburt diese beschissene ignoranz alles von ihrer satten warte das ganze war und ist eine so unverschämte lüge das regt mich am meisten auf und wenn ich sie frage ob sie auch albträume gehabt hätten schauen sie mich an als wäre ich verrückt dabei war es die situation sie tun so als könnte jeder reich werden aber ich werde nicht mehr reich im leben und das kann sehr demütigend sein wenn du dir die wurst nicht leisten kannst denn darum geht's doch um die wurst oder grlgrlgrl* --- Eine Frau mit einem goldenen Papphelm zwängte sich zwischen ihnen hin und her, eine Flasche in der Hand, neigte sie wie eine Lanze, goss Klares in sich auftuende Vogelmünder: grlgrl, Sprache zu Gurgeln. Jetzt hielt sie inne, schob den verschwitzten Papphelm höher auf der Stirn, um besser zu sehen, wen, *ihn*, und ihn mit Anlauf anzuspringen:

Kurva, Abelard, wo warst du so lange?

Ich fuhr alleine los, bummelte mit Unbekannten durch unbekannte Provinzen. Später wurden wir so viele, dass man uns nicht mehr zählen konnte. Die Heizung klemmte auf Volldampf, die Fenster auf halbem Wege, von unten kam die Hitze, von oben die Kälte, der Zug ratterte, die Heizung ratterte, der Wind brüllte, alles brüllte, der ganze Zug war ein einziges Brüllen, die Lokomotiven und die Leute, sie feierten, stritten, weinten oder schrien einfach nur so: *KURVÁK, GEBT MIR WAS ZU TRINKEN!* Alles klebte vom ausgelaufenen Alkohol, man konnte auf der Decke laufen wie die Fliegen, die Finger machten kleine schmatzende Geräusche, wenn man sich über den Köpfen bis zu den sogenannten Toiletten vortastete, in denen es kein Wasser gab, im ganzen Zug gab es keinen Tropfen Wasser, alles war in Bewegung, hin und her, vom Ende des Zugs zum Anfang und wieder zurück, *kurvák*, gebt mir was! Dazwischen war irgendwo der Speisewagen, dort, wo es am verrauchtesten war, aber es gab nichts, außer einer überhitzten Kaffeemaschine, was willst du ohne Wasser. Galle in eine wasserlose Toilette erbrechen, im selben Moment, als zwei Züge, von denen einer der deine ist, kreischend an einer Weiche aneinander vorbeirütteln und Abel Nema, Abiturient und zukünftiger Deserteur, mit der Stirn gegen den hochgeklappten Klodeckel knallt. Die Stirn machte ein schmatzendes Geräusch, als er sie vom Deckel löste.

Und jetzt trinken, sagte die Frau draußen vor der Tür, damals noch ohne Helm, nachdem sie, von der Beule ausgehend, Schnaps über seine Stirn geschmiert hatte.

Er sagte höflich danke und dass er nicht trinke.

Du tri-hinkst ni-hicht? Ist was nicht in Ordnung mit dir? Irgendwas ist nicht in Ordnung mit dir. Rauchen? Auch nicht? Lehnst du alles ab. Und wie steht's mit Sex? Lehnst du den auch ab?

Sie lachte. Keiner ihrer Zähne berührte seinen Nachbarn. Brombeerfarbene Lippen unter großen, behaarten Nasenlöchern, dafür großartige Wangenknochen, Augen, Stirn, darüber ein Durcheinander nie gekämmter dunkler Locken. Hörte nicht auf zu lachen.

Was bist du, ein Seminarist? Da guckt er nur. Was für Augen! Himmel vor dem Sturm! Oder bist du mit jemandem bekannt, der mit lilafarbenen Kontaktlinsen handelt?

Er stand mit den Füßen eingekeilt zwischen großen Gepäckstücken, sie mit dem Rücken zum Übergang in den Speisewagen, hinter ihr gingen die Leute hin und her. Die Lücke zwischen den Wägen war mit zwei Eisenplatten abgedeckt, sie schepperten jedes Mal, wenn einer drauftrat. Alle Minuten entstand ein neuer Stau. In dieser Gegend werden die Leute, sobald sie einen Zug besteigen, vollkommen hysterisch. Verzeihung. Sie rückte näher an ihn heran, die Flasche in ihrer Hand drückte gegen seinen Bauch. Der Bauch tat weh. Als würde mein Herz Trampolin auf meinem Magen springen. Sie rückte noch näher, ächzend, runde Schenkel in ausgeblichenen Jeans gegen seine drückend. Er klebte schon an der Klotür, jetzt führt kein Weg mehr hinaus, sie mussten da bleiben, gepresst in der Ecke. Sie lehnte an ihm und lachte. Aufsteigende Alkoholfahne.

Wärst du mal in deinem Kloster geblieben, Abelard, hättest du's jetzt bequemer.

Sie hackte so lange auf diesem Seminaristenthema herum, bis er ihr, nicht barsch, nur *gesättigt*, mitteilte, er möchte sich, wenn's möglich wäre, nicht über Religion unterhalten.

Hier entstand wieder ein bisschen mehr Raum, sie konnte von ihm abrücken, ihn mustern.

Schauschau, der kleine Heide. Wild lodert das Feuer seiner Augen unter der dunklen Brücke seiner Brauen.

Darauf kann er wieder nichts sagen. So ein Achtzehnjähriger.

Neunzehn.

Name?

Abel. ... Nein, wirklich, das stimmt.

Sie goss sich etwas Schnaps auf die Finger und, was tut sie da?, besprenkelte den verblüfften Jüngling. Ich taufe dich hiermit feierlich auf den Namen Abel Ausdemdickicht, im Namen des Vaters, des Sohnes und des Heiligen Geistes!

Mit Schnaps getauft in einem überfüllten Nachtzug. Er kniff die Augen zusammen. Sie wischte ihm einen Tropfen von der Nasenspitze.

Übrigens: Ich bin Kinga. Das bedeutet: die Kämpferin. Heute, das heißt, gerade jetzt, seit einer Minute, ist mein Namenstag, und ich habe meine Freunde, drei Musiker, irgendwo hier im Zug verloren, so bleibst mir also nur du, um auf meine Gesundheit anzustoßen. Auf meine Gesundheit! Ich möchte sehen, dass du trinkst! Das ist ein Mann!

Später, noch nicht einmal auf halber Strecke, stieg er aus, um jemanden namens Bora zu suchen. Kinga winkte aus dem Zugfenster: Bis nach dem Krieg um sechs!

Später fragte er sie, ob sie sich erinnern könne, was damals ihre letzten Worte zu ihm waren.

Ich rede viel, wenn der Tag lang ist.

Bepackt mit Reisetaschen und mit ihr schwankte er jetzt. Ein Plastikleguan, den sie im Ausschnitt trug, drückte gegen seine Brust, aus dem roten Plastikmaul spritzte ihm wasserklare Flüssigkeit in den Kragen. Sie lachte, leckte ihn ab, ihre breite, dunkle Zunge glitt über seinen Hals. Später würde es sich dennoch klebrig anfühlen. Jedes Mal, wenn er den Kopf bewegte.

Sie sprang ab, hielt ihm die Flasche an den Mund: Wo warst du so lange? Hier, trink! Zerrte ihn dabei aber schon hinter sich her, sie stießen sich an den Umstehenden, grlgrl, Flaschenhals auf Zahnschmelz aufschlagend. Wie kann es nur so voll sein, man sieht praktisch nicht, wo man ist, irgendwo sind blinde Fensterscheiben, als wären sie schwarz gepinselt, aber es ist nur die Nacht und der Dunst all dieser Leute. In der Küche stand einer, sein Name ist Janda, ein Gesicht, als hätte er seit drei Tagen nicht geschlafen, Zigarette im Mundwinkel, rührte in einem Topf, ließ von weit oben rotes Pulver hineinschneien. Einiges davon flog in Augen, Nase, Mund der Ankommenden. Kinga hustete.

Sie sind erst heute früh angekommen! (Hustet.) Seit drei Tagen nicht geschlafen, zuletzt auf einer Hochzeit gespielt, wannenweise das Zeug abgefasst, Fleisch, Getränke, *echte* Gewürze! Sie könnten auch heute spielen und Geld verdienen, aber sie tun es nicht, denn die Sylvesternacht gehört dem Café Anarchia, also: mir!

Hallo, sagte Abel.

Nabend, sagte Janda. Die Zigarette wackelte, Asche fiel in den Topf, er verrührte sie.

Jessas! kreischte Kinga, die erst jetzt Abels Mund sah. Wie siehst du aus?! Wie Dracula! Was ist mit deinen Zähnen?

Ganz vergessen, dass die Zähne auch heute schwarz waren, die ganze Zeit schwarz.

Was ist passiert, hier, spül noch mal!

Als merkte sie erst jetzt, dass er mit Sack und Pack dasteht.

Wieso hast du deine Sachen dabei?

Kann ich für einpaar Tage bleiben?

Warum? Was ist das? Sie drehte seine Handflächen nach außen. Schwarze Fingerkuppen. Was hast du angestellt?

Nichts. Erkennungsdienstliche Behandlung.

Jetzt schauten ihn alle an, das heißt die drei Leute in der unmittelbaren Nähe. Janda hatte wohl noch Paprika in den Augen, er blinzelte.

Wieso?

Ein Versehen.

Und wieso hast du's an den Zähnen? Haben sie dich Tinte trinken lassen?

Nein, das ist ein Verfahren in der Phonologie.

Pause.

Na los, er soll sich nicht alles aus der Nase ziehen lassen!

Er kann gar nichts weiter erzählen. Die Geschichte der vergangenen zwei Tage in der Zusammenfassung. Er hat während der ganzen Zeit nicht herausbekommen, worum es eigentlich ging. Und dann habe ich meinen Mitbewohner zurückgelassen, um ungestört gehen zu können. Das erzählt er nicht.

Die Schweine, sagte Kinga.

Janda, Pokerface, kostete, klopfte den Löffel am Topf ab, rief: An den Trog!

Kinga hätte weiter gefragt, aber sie wurde davongerissen von einem Schwall unbekannter Personen. Strömen auf den Topf zu wie kurz vorm Verhungern. Abel wurde weggeschwemmt, fand eine ruhige Matratzenecke, setzte sich. Es waren aufregende Tage, *den Rest* werde ich mir von hier aus anschauen. Kinga kam schwimmend, streichelte ihm die Locken aus dem Gesicht: Alles in Ordnung?

Ja.

Später fingen Janda und zwei andere zu musizieren an, man

tanzte, in der Enge auf der Stelle hüpfend. Später öffnete jemand die Dachluke, und alles, was nicht schon zu betrunken dafür war, kraxelte über die rostige Eisenleiter hinaus auf ein ganz und gar nicht komfortables Teerdach. Abel kannte es aus früheren, wärmeren Tagen, er blieb sitzen. Durch die geöffnete Luke strömte wie ein *Wasser*fall kalte Luft herein, er saß direkt im Zug, offenbar machte ihm das nichts. Seit Stunden in derselben Haltung, den Rücken in den Winkel gelehnt, ausgeschlossen, dass das bequem ist, aber er: Wie eine Statue, sagte eine Frau, die ihn eine Weile beobachtete, weil sie ihn gut aussehend fand. Eine schwarzweiße *Holz*statue, ein wenig gruselig und gleichzeitig ... Er strahlt etwas Unerklärliches aus, Ferne und ... ist es Kraft oder Schwäche? Man würde sich gerne zu ihm legen, wann, wenn nicht jetzt, betrunken in der Sylvesternacht, aber gleichzeitig hat man Angst, überhaupt in seine Nähe zu kommen. Kinga hatte dieses Problem nicht. Sie stürmte aufs Dach, stürmte wieder herunter, warf sich auf ihn, küsste ihn ab, rieb sich an ihm, um gleich wieder aufzuspringen, nach Musik oder Alkohol zu schreien. Später waren mehr oder weniger alle betrunken, bliesen mit glasigen Augen in ihre Papptrompeten, bis es so weh tat, dass man mit weit aufgerissenem Mund dagegen anschreien musste, um nicht zu ertauben: AAAAAAAAAAAAAAAAAAAAAAAAAAAAAAA-AAAAAAAAAAAAAAAAAAAAAAAAAAAAAAAAAA!!!
Das war in der letzten Nacht des Jahres 199x. Abel Nema in der Ecke neben dem Fenster schloß die Augen.

Die Patin

Was ist das für ein Typ, fragte Janda. Er war misstrauisch.

Sie hatten sich etwas mehr als ein Jahr, nachdem er aus dem Zug ausgestiegen war, wiedergetroffen, ein Zufall oder nicht. Wie war er in dieses universitätsnahe Kultur-und-Gastronomieobjekt geraten, vielleicht ein Programmhinweis über Radio Konstantin, vielleicht suchte er auch nur eine Toilette. Stand schüchtern, das ist nicht sein *Milieu*, auf dem kleinen, zugigen Fleck vor dem Eingang, und sah sich den üblichen Tumult an: Tische, Stühle, Menschen, links eine Theke, geradezu, am Ende des Raumes ein niedriges, staubiges Podest, darauf Instrumente, dazwischen Männer. Er müsste durch all das hindurch. Jetzt entscheidet es sich, gleich dreht er sich um und geht, als plötzlich:

KURVÁK, GEBT MIR WAS ZU TRINKEN!

Er sagte kein Wort, blieb nur stehen, wo er stand, mitten im Weg, schon wieder so ein Sternengucker, so was mögen wir! Ein absichtsvoller Ellbogen dort, wo es am meisten schmerzt, zwischen Milz und Rippenbogen, zu einem anatomiekundigen Jemand gehörend. *Jemand* hat Lebensumstände oder vielleicht nur einen Charakter, der ihn seit Tagen auf der Suche nach einer Schlägerei sein lässt, dies sind … Zeiten, und er hat er in diesem Menschen Abel Nema den besten Kandidaten dafür erkannt. Vergebens, dieses Mondkalb hier bemerkt einen nicht einmal. Steht blöd herum und glotzt die zerzauste Alte an, die ein Tablett mit vier vollen Biergläsern auf einen Tisch in der Nähe rutschen lässt und sich langsam aufrichtet. Noch war nicht klar, ob sie ihn erkannt hatte oder nicht, noch hatte auch der Mensch in Abels Rücken Hoffnung. He! Er schubste noch einmal. Bist du taub oder was? Aber hier nahm sie schon Anlauf, sprang ihn an, Arme um Hals, Beine um Hüfte, ihr Schambein knallte gegen seins, sie drehten sich, um nicht hinzufallen, weg vom Mann in Abels Rücken, der unbeachtet abwinkte und weiterzog. Abel wedelte in der Umklammerung mit den Händen, wo sollte er sie hintun, Körperteile, zum Glück sprang sie gleich wieder ab.

Damit ich dich besser sehen kann!

Kaum eine Veränderung, äußerlich immer noch der schüchterne Seminarist. Die gleichen Klamotten, nur die Haare waren ein Jahr länger, rahmten mädchenhaft sein Gesicht, und wie dünn, mein Gott! Der Wind trägt dich davon! Aber riechen tust du nicht schlecht! Sie selbst roch nach Rauch, Alkohol und noch nach etwas anderem. Vielleicht wie ein Zug, sagen wir, sie roch ganz versteckt nach einem Zug.

Als wäre es gestern gewesen. Vorgestern. Nahe Bekannte. Eine

Grundschullehrerin aus B., die einmal zwölf Stunden zwischen unförmigen Gepäckstücken mit mir saß und ihr gesamtes Leben erzählte, von Mein Großvater war Anarchist, einmal werde ich eine Geschichte über ihn schreiben und eine Kneipe nach ihm benennen, über Gedichtinterpretationen (er hatte gerade Abitur gemacht und konnte, wenn auch in Maßen, mithalten. Bist ein kluger Junge, und hübsch und brav auch, deine Mutter ist bestimmt stolz auf dich. Sie zwinkerte. Wie alt schätzt du mich? Und schweigsam und höflich ...) bis zu den letzten *Skandalen* mit einem gewalttätigen Liebhaber, nach so etwas, das ist verständlich, muss man wohin. Losgefahren auf eine Sommertour und dann hier hängen geblieben, genau wie du. Mensch, dass ich dich noch mal wieder sehe, wie geht es meinem Patenkind?

Nun, inzwischen ist allerhand passiert, wundersame Fähigkeiten, Glück, unter anderem, inklusive Nebenwirkungen. Sage das nicht. Sage einfach:

Danke, gut. Und dir?

Ich könnte viel klagen und noch mehr fluchen.

Sie lachte. Sie fing an, ihn zu kneifen, überallhin, in die Wangen, die Seite, den Penis. Die Kniffe kribbelten den ganzen Abend. Am nächsten Tag schmerzte auch der Rücken, aber er hatte vergessen, wieso.

Kinga war mit den Musikern gekommen, den Männern da, die so vorsichtig zwischen den Instrumenten herumgehen. Zwischen den Bühnenbrettern kann man durchgucken. Die Jungs aus dem Zug, hatte er sie damals schließlich getroffen? Nicht, dass ich mich erinnere. Ich stell' dich vor! Sie schleifte ihn durch die Menge, einen großen Rucksack durch eine volle Metro, hier war man gelassener.

Das sind Janda, Andre und Kontra, Schlaginstrumente, Zimbal und Gitarre und wie der Name schon sagt: Kontrabass, und das hier ist Abel aus dem Dickicht, mein Patenkind. Doch, doch, das ist mein Patenkind! Seid nett zu meinem Patenkind!

So hatte Abel Kinga wieder getroffen.

Der fuchsgesichtige Janda, der freundliche, untersetzte Andre mit der viereckigen Stirn und der hoch gewachsene, schweigsame Kontra spielten, Kinga tanzte, Abel saß den ganzen Abend in der *Künst-lergarderobe*, id est: einem durchgesessenen Sofa mit den im Moment überflüssigen Kleidungsstücken der Musiker – auch hier wieder: *der* Geruch, die männliche Ausführung davon, Leder und Rasierwasser –, Kaiserloge, etwas abseits von den anderen.

Wieso sitzt du im Musikerbereich? rief Konstantin (Wo kommst *du* plötzlich her?). Es gibt keine Sitzplätze mehr! *Männer* schnappen die Stühle *Frauen* weg! Kannst du dir das vorstellen? Ist hier noch Platz? Sei nicht immer so ein Arschloch, er drängte sich neben ihn, kannst du nicht mal rücken?

Bedaure, sagte Abel. Von der anderen Seite drückte ihn eine Blechkanne. Das ist ein Instrument.

Konstantin, an seiner Grünen Wiese trinkend, redend. Über diese Art von Musik: das Heulen der Wölfe in der durch das Rad des Jazz gedrehten Folklore, das übliche Zeug. Bis Kinga vom Tanzen wiederkam:

Platz für die Königin was ist das denn aufstehen Kumpel na wird's bald!

Konstantin starrte den kraushaarigen Drachen an – Wer war das? Meine Patin. Deine *was*? –, blinzelte, trank wortlos und *mittel-*schnell die Grüne Wiese aus und ging *sich eine neue holen*. An der Theke gelang es ihm, ein Gespräch mit einer Frau anzufangen, er kam nicht wieder. Kinga warf sich auf den nun leeren Platz, landete auf Abels Hand. Ihr Hintern war hart, die Hand knackte. Ein Kribbeln, bis in die Ellenbeuge hoch. Sie drehte sich zu ihm, legte ein Knie auf seinen Oberschenkel, auch das war hart, jetzt kribbelte auch der Oberschenkel.

Und? schrie sie. Immer noch Jungfrau? Ich auch. Einunddreißigster August. Sie lachte, wischte sich Feuchtes aus der Kuhle über der Oberlippe.

Alles ist laut an ihr. Wenn sie spricht, und auch, was bei anderen kaum zu hören wäre: das Öffnen einer Bierdose, das Fallen einer Serviette. Bei ihr: laut.

Abelard lächelte still.

So, so. Ein vieldeutiges, nichts sagendes Lächeln. Was bist du nur für ein durch und durch verdorbenes Subjekt!

Sie nahm seinen Kopf zwischen beide Hände, ihre Daumen zerrten an den Schläfen.

Was bist du nur für ein trauriges, trauriges …

Sie ohrfeigte ihn mit beiden Händen. Schrie:

Warum bist du immer so traurig, hä?

Ich bin nicht traurig.

Was dann?

Achselzucken.

Weißt selber nicht, was?

Pause, dann er, leise:

Und du?

Was, und ich?

Was bist du?

Was ich bin?

Traurig? Fröhlich?

Sie fixierte ihn: Na, was meinst du?

Sie lachte, wurde ernst, setzte sich wieder gerade hin, Schulter an Schulter. Eine Weile saß sie so neben ihm, wippte mit dem Fuß zur Musik. Der Raum war längst verschwunden hinter Schweiß, Staub und Lärm, als als wären sie nie ausgestiegen, als wäre das noch derselbe ratternde, stinkende Zug, sie musste brüllen:

Als ich so alt war wie du jetzt, war Janda mein Mann. Tja, und heute lebe ich immer noch von ihm. Mehr oder weniger. Mehr oder weniger leben wir von mehr oder weniger. (Sie lachte.) Und du? Kommst du zurecht?

Ja.

Papiere?

Zu Studienzwecken.

Du studierst?

Ja.

Was?

Sprachen.

Welche?

Er nannte vier.

Schauschau. Und Geld?

Ja.

Was machst du dafür?

Nichts weiter. Es ist ein Stipendium.

Von wem?

Er nannte den Namen der Stiftung.

Oha! Begabtenförderung, was? Wie viel kriegst du?

Neunhundert.

Wie? Im Monat?

Ja.

Hm, sagte sie. Sie ließ sich zurück ins Sofa fallen, traf ihn wieder mit der Schulter, erneuter Ameisenlauf bis hinunter in die Finger. Sie hielt die Arme verschränkt, sah zur Tanzfläche oder zumindest in die Richtung. Durch die Tanzenden hindurch erwischte jetzt Abel Jandas Blick. Er sah zurück. Dabei blieben sie. Kinga summte. Summte, summte, summte.

Am Ende des Abends fragte sie, ob er ihr hundertfünfzig leihen könnte. Ob sie gleich zum Automaten gehen könnten. Dort vorne an der Ecke ist einer. Die Musiker warteten abseits, sie bot ihm Blickschutz, in dem sie sich ganz an seinen Rücken schmiegte. Sie war schwer, ihren Daumen hängte sie in eine seiner Gürtelschlaufen ein, hoffentlich reißt die Hose nicht.

Danke. Sie ließ die Hose zurückschnippen, küsste ihn feucht auf die Wange, nah am Mund. Danke, mein Kleiner.

Zur Hälfte Armenierin, ihre Mutter hatte sie Hürchen genannt und sie das eigene Erbrochene essen lassen. Im Wohnheim, in das sie freiwillig zog, waren sie zu vierzehnt auf dem Zimmer, das Taschengeld reichte gerade mal für die Watte, in Wahrheit waren es kratzige kleine Baumwollpflänzchen, frisch vom Acker, beim Laufen stieg leises Quietschen zwischen den Beinen hervor. Mit zwölf sammelte sie Flaschen und Kippen, Rauchen soll die Blutung hemmen, außerdem hemmt es das Wachstum, trotzdem habe ich diese Dinger hier bekommen. Man nannte sie Frau Künstlerin, was bei uns ebenso wenig ein Lob ist wie das andere, aber weißt du, was die mich können, niemand konnte so saufen, raufen und Gedichte aufsagen wie Kinga. Ihr erster Liebhaber war Briefträger, in Zivil ein Dichter, am besten erinnere ich mich an die graue Asche auf dem Metallvorleger vor seinem Ofen, da schaute ich drauf, während er hinter mir lag. Die Siebziger, das war keine schlechte Zeit, obwohl man jeden Tag kotzen musste wegen der Pille, und mein eigener Frauenarzt nannte mich Hure. Andererseits war das Meer himmelblau, und wir hatten den besten Pass der Welt. Hja!, meine Lieben, damals waren wir noch wer! Schriftstellerin wollte sie werden, eine Muse bin ich geworden, nicht wahr, mein Schatz, das bin ich doch?

Klar, sagt Janda, was denn sonst.

Sie kennen sich aus dem Studium, eine leidenschaftliche Geschichte, Küsse und Schläge, während drei andere Mädchen im Zimmer sich schlafend stellten. Sie hatte Ärger mit einem Kerl, er mit dem Gesetz, und überhaupt hatten sie die Nase gerade ziemlich voll, trotzdem sollte es nicht mehr als eine Sommerfahrt werden, Reisen gegen den Unmut, und jetzt.

Das Wichtigste ist, sagte Kinga, nicht in ein Lager zu gehen. Wenn du in ein Lager gehst, bist du erledigt. Unabhängig bleiben, egal wie. Ihre Wohnung war eigentlich der freundlicherweise so gut wie für nichts überlassene Probenraum der Musiker. Er hatte die Form eines Ls. Im kürzeren Schenkel wurde größtenteils geschlafen, im längeren alles Mögliche gemacht. An der Stirnseite stand eine Kochmaschine, ein Wasserhahn für alles, Klo im Treppenhaus. Kinga sah das alles und beschloss, genau hier zu bleiben. Neue Staaten sind gerade groß in Mode, warum sollte ausgerechnet ich keinen haben. Hiermit erkläre ich zu Ehren meines Großvaters Gabriel feierlich die Unabhängigkeit der Anarchia Kingania. Nieder mit den Despoten, den Heerführern, den Sklavenhaltern und den Medien! Es lebe der freie Mensch, der Hedonismus und die Steuerhinterziehung!

Sie lachte, alle lächelten, ausgenommen Janda, dessen Art das nicht ist. Immer diese skeptische Fresse.

Kinga zeigte mit dem Finger in sein Gesicht: Jedes Volk bringt seinen Teil in die Weltkultur ein. Bei uns ist es, siehe die Abbildung, der depressive Pessimismus.

Oh, sagte Janda. Ich dachte, es wären die Paranoia und die Raserei. In Wahrheit, sagte er, ist das hier eine auf Personenkult basierende Diktatur. Er nannte sie *die Marschallin* und war mehr oder weniger der einzige, der manchmal Widerworte gab.

Fresse! sagte Kinga.

Dass Abel in den ersten vier Jahren gar keine Kontakte pflegte, stimmt also nicht. Nachdem sie sich wieder gefunden hatten, traf er sich sogar recht regelmäßig mit ihr. Manchmal verlangte sie Geld, manchmal nicht.

Seid nett zu meinem Kleinen, sagte sie zu den anderen. Seid ja freundlich zu meinem Patenkind! Schließlich ernährt es uns!

Sie lachte glucksend. In Wahrheit lebten sie von allem Möglichen, den Gagen der Musiker und dem, was sie verdiente. Putzen und Babysitten. Zu Hause wäre ich Lehrerin, Tagelöhner der Nation, meine Nachmittage wären nicht viel anders als jetzt. Der Körper, pflegte sie zu sagen, ist heute mein einziges Kapital. Meiner Muttersprache beraubt, spiele ich nur noch als Ackergaul und Sexualobjekt eine Rolle. Nach Janda war sie mit Kontra und dann mit Andre zusammen, dann wieder mit Janda, später mit einem jungen Klarinettisten, der nicht zu der Bande gehörte, und so weiter, zahllose, meist jüngere Geliebte, deren Namen keine Rolle mehr spielen. Zuerst dachten die Musiker, *er* wäre auch einer von denen, wer weiß, wo aufgegabelt – Im Zug, damals, als wir uns verloren hatten –, aber, wie es scheint, ist es diesmal was anderes. Du kannst dich beruhigen, sagte sie zu Janda. Ich könnte ihn haben, wenn ich nur wollte. Wenn ich ihn nicht habe, heißt das, ich will ihn nicht. Das glaube ich mal nicht, sagte Janda. Man weiß nicht, auf welchen Teil der Behauptung sich das bezog. Tatsache ist, abgesehen von *ihr*, sieht man ihn weder mit Frauen noch mit Männern. Ich bin ganz ruhig, sagte Janda und dachte nicht daran, nett zum Kleinen zu sein.

Was hast du?

Nichts.

Du redest kein Wort mit ihm. Ihr redet kein Wort mit ihm.

Was soll ich mit ihm reden?

Was weiß ich. Woher kommst du? Hast du deinen Blinddarm noch? Sammelst du irgendwas?

Ob er irgendwas *sammelt*?

Du weißt, was ich meine.

Nein, sagte Janda. Keine Ahnung. Ich weiß, woher er kommt. Und sein Blinddarm interessiert mich nicht.

Pause. Dann, leise:

Was willst du von dem?

Was denkst du? Nichts.

Und was will er?

Was soll er schon wollen? Was willst du?

Ich will, er zählte es an den Fingern ab: jeden Tag meines Lebens musizieren, für mich und für andere, damit Geld verdienen, Ruhm erlangen, meine Freunde nicht verlieren, eine Frau lieben, von einer Frau geliebt werden, Zärtlichkeit, Fürsorge, regelmäßigen und guten Sex, schmackhafte und nährreiche Speisen – hier gingen ihm die ersten zehn Finger aus, er begann von vorne –, gute Getränke, und schließlich und endlich möchte ich irgendwann einen Ort finden, der mir nicht zu fremd ist und nicht zu bekannt, an dem ich mich in Frieden niederlassen kann mit all dem, was ich eben aufgezählt habe, und leben bis ich schmerzlos und in Gesellschaft sterbe, nicht zu plötzlich, damit ich mich verabschieden kann, aber auch nicht zu langwierig, damit es uns allen nicht zur Last wird, das will ich.

Siehst du, das ist genau dasselbe, was er auch will.

Janda zuckte mit den Achseln. Natürlich. Jeder. Das bringt einen auch nicht näher. Wir können ihn nicht leiden, basta.

Du bist eifersüchtig, sagte Kinga.

Ts, sagte Janda.

Kinga tanzte um ihn herum: Du bist eifersüchtig, du bist eifersüchtig!

Er passt einfach nicht zu uns, das ist alles.

Er sagte es leise, sie, im Herumtoben, hörte es trotzdem, hielt inne. Mit gerunzelter Stirn und tiefer Stimme:

Wer zu uns passt, bestimme ich, kapiert?!

Nach dem Frost

In der Nacht nach Sylvester träumte Kinga von Frost. Alles an der Stadt war aus Eis, nur noch sie fünf waren hier, alle anderen gegangen, und Kinga schrie: Ans Meer! Am Neujahrsmorgen muss man ans Meer! Das Kind war noch nie außerhalb der Stadt! Idiotin, sagte Janda. Alles ist aus Eis. Aber da fuhren sie schon. Die Frontscheibe war ein Prisma aus Frost, dadurch linsten sie auf die Straße vor ihnen. Sie waren die Einzigen unterwegs, alles leer und weiß, sie fuhren im Schritttempo, unter den Rädern knisterte es. Sie fuhren mit dem Kleinbus, mit dem die Jungs sonst auf Tour gingen, es war gleichzeitig heiß und kalt, an den Fenstern zog es scharf herein, trotzdem roch es muffig, plus der Gestank der glühenden Heizung. Die Eisblumen an den Fenstern schmolzen nicht, man sah nichts, bis auf den kleinen Tunnel vorne. Wir werden das Meer nie sehen, sagte Andre. Wir werden vorher blind werden. Kontra kratzte mit dem Daumennagel geduldig die Eisblumen von seiner Fensterscheibe. Quietsch, quietsch, kratz, kratz. Ich weiß nicht wieso, aber ich hatte das Gefühl, das ist falsch, das dürfte er nicht tun. Ein *Loch* in das *Ganze* kratzen. Das ist genau unsere Form, sagte Janda. Er trank aus einer Thermoskanne schwarzen Kaffee mit Wodka. Lasst mich fahren! schrie Kinga. Aber du fährst doch schon die ganze Zeit! Tatsächlich. Dann ist ja gut, dann gibt es nichts mehr, das uns hindern könnte! Sie lachte. Eine Sekunde später knobelten sie auch schon quietschend durch den frostigen Sand. Schaut, schaut! rief Kinga. Seht ihr das? Seht ihr das? Gefrorene Wellen! Gefrorene Wellen! Sie merkte, dass sie alles zweimal rief, und lachte. Aber sie lachte auch vor Freude. Hast du so was schon gesehen, Kind? schrie sie Abel an und zog ihn an sich heran. Wie denn, sagte Andre. Wenn er die Stadt noch nie verlassen hat. Dann standen sie da, alle fünf, untergehakt: Janda, Kinga, Abel, Andre, Kontra, in dieser Reihenfolge. Niemand außer ihnen war auf dem Strand. Sie schauten sich das gefrorene Meer an. Ich liebe euch, wollte Kinga noch sagen, aber dann wachte sie auf.
Öffnete die Augen, schaute zum Fenster, dahinter war tatsächlich

alles weiß, ist es denn die Möglichkeit, ich auf die Knie, Fenster aufgerissen, zitternd vor Angst, Freude, Kälte, wie das so ist, wenn man gerade aufgewacht ist. Aber dann sah sie, dass es nur Nebel war, der Boden darunter dunkel und feucht, ein bisschen Schießpulvergeruch, dazu der Partygestank, der links und rechts neben ihr hinauszog, da war mir klar: Ich hab's nur geträumt.

Sie erzählte es in der Küche den Musikern. Dazu gab es einen neuen Geruch: etwas zu stark gerösteten Kaffee. Abel öffnete die Augen. Das Fenster, unter dem Kinga zu seinen Füßen zusammengerollt geschlafen hatte, stand offen. Nebel quoll herein, kroch über den Boden, auf dem wie angespült der Müll lag, Lebensmittel verbunden mit Asche, Stoffen, Papier. *Als hätte die Bombe eingeschlagen.* Jetzt, da die Masse fort war, war es erst richtig zu sehen. Die Einrichtung in Kingania bestand im Wesentlichen aus Matratzen, Kartons und Koffern, voll gestopft mit allem, was man zum Leben braucht oder nicht: Kleider, Bücher, Musikinstrumente, Töpfe. Zwischen den Behältnissen lagerten Endmoränen aus losem Krimskrams von der Aluminiumschöpfkelle bis zur Fliegenklatsche, dabei gab es hier überhaupt keine Fliegen. Jessasmaria, was für ein Schweinestall! Kinga, fröhlich, stampfte durch den Abfall wie durch frischen Schnee, ein Einmachglas mit Scheinen und Münzen in der Hand. Dass sich die nicht gerade wenigen Gäste, die immer auch noch welche mitbringen, die keiner kennt, die sich aber aufführen, als wären sie hier zu Hause, an den Kosten für die Getränke beteiligen, ist nur recht und billig. Wir leben alle am Rande des Nichts. Das winzige Plus, das am Ende übrig bleibt! Sag nicht, ich betriebe eine illegale Kneipe! Morgen, mein Kleiner!
Nach einer langen Nacht riechender Kuss. Sie setzte sich zu ihm auf die Matratze, kreuzte die Beine, schüttelte das Geld aus dem Glas, fing an, es zu zählen. Kontra und Andre räumten auf, Janda nahm den Kloschlüssel und ging hinaus. Das *Kind* blieb, wo es war.

Im Grunde, könnte man sagen, war nichts Gravierendes passiert. Nicht einmal sechsunddreißig Stunden bei der Polizei. Dann allerdings, kurz bevor sie ihn entließen, Tibor wartete bereits seit geraumer Zeit, setzte sich ein väterlicher Typ zu Abel, oder wie du auch immer heißen magst. Ein dünner, vierzigjähriger, aber doch: väterlicher Typ. Setzte sich vor ihm hin, die hochgeschraubte Schreibtischlampe strömte spürbar Wärme aus und ein gestreutes Licht, von rechts oben, wie in sakralen Gemälden, eine Hälfte des Mannes leuchtete auf, und auch wie er die Hände auf dem Tisch faltete, hatte etwas von Lasset uns beten. Dazu der Tonfall, zurückgenommen und respektvoll, Respekt vor etwas, das nicht im Raum war oder doch, vor etwas Höherem, das nennt man bei uns Gesetz und Ordnung. So hob er an, in etwa Folgendes zu sagen:

Du bist jung, *mein Sohn*, und du bist allein. Das Leben, das zunächst vorgaukelte, ein so leichtes zu sein, hat sich als ein hartes herausgestellt. Die Staaten, die euch festhielten mit eiserner Hand, haben euch hinausgespuckt in die Welt. Da treibt ihr nun dahin, in alle Himmelsrichtungen, wie die Samen des Löwenzahns (sic!), und man weiß nicht, sagte der Mann am anderen Ufer des Tisches, wo so ein Samenkorn schließlich landen wird. Manches vielleicht in fetter Erde, manches womöglich in einem Haufen Hundedreck, im Rinnstein, und dann. Man kommt mit Leuten in Berührung, mit denen man früher, unter *normalen Umständen*, nie in Berührung gekommen wäre. Die Frage ist: Wie kann sich die Einzelperson, zu der man durch die Umstände geworden ist, behaupten, also auf dem richtigen Weg bleiben, nämlich dem, der irgendwann von A nach B führt, wo wir alle hinwollen. Wir wollen von A nach B, auf den grünen Zweig, und du ahnst vielleicht gar nicht, wie heikel ausgerechnet dein Alter dafür ist. Einen, der allein ist, ereilt das Schicksal schnell, und du bist allein, soviel wissen wir schon, du bist so allein, wie man nur sein kann, dein Professor, der am Telefon nachfragt: Wer?, ist dein nächster Verwandter. Man unterschätzt häufig die Bedeutung einer Gemeinschaft, dabei erweisen sich Menschen in einer Gemeinschaft oft viel nützlicher für die Allgemeinheit als Individualisten. Natürlich kommt es auf die Art der Gemeinschaft an. Kurz und gut, man fragt sich, was man mit jemandem mit solchen Fähigkeiten, wie man vom werten Herrn Professor hört – Nun, es mag sein Genie sein, das Ihnen so verdächtig vorkommt! –, anfangen soll, diesem Abel Nema, der ein vernünftiger Junge zu sein scheint, von dessen Unschuld man schon die ganze Zeit oder relativ früh, überzeugt war, man hat nur gewartet, bis er selbst es sagen würde. Vaterstaat zu sein, ist ein harter Job, es geht nicht darum, zu strafen, es geht darum, Werte zu vermitteln, zum Nachdenken zu bringen, und er hoffe, das sei ihm diesmal ein wenig gelungen. Jetzt gehen wir erst mal hübsch nach Hause und denken darüber nach, was wir mit unserem Schicksal anfangen wollen. Außergewöhnliche Fähigkeiten bedeuten ein enormes Privileg, das man nicht nur für sich allein in Anspruch nehmen darf, ganz abgesehen davon, dass alles Talent nichts nützt, wenn man zum Beispiel seine Papiere nicht in Ordnung hat.

Pause. Das *Genie* war die ganze Zeit schon nicht gerade gesprächig gewesen, aber jetzt war es so still, dass man die Atemzüge im Raum hören konnte. Und etwas wie ein weinerliches Lamento durch die Wand. Das geht schon seit Stunden so. Der väterliche Typ seufzte. Wir wissen ja, wo wir Sie finden können, sagte er und entließ ihn.

Im Grunde, ja, es gibt Schlimmeres. Trotzdem war es Abel nicht mehr möglich, in der Bastille zu bleiben oder mit Konstantin auch nur ein weiteres Wort zu wechseln. Er kann nicht direkt was dafür, trotzdem. Wieder war sein bisheriges Leben, von einer Stunde zur nächsten, eine Welt weit weggerückt. Er musste sich sowieso nach etwas Neuem umsehen. Seitdem feststand, dass er die zehnte Sprache nun auch beherrschte, war er wieder etwas orientierungslos geworden. Abgesehen von der Gewissheit, dass es keine Veranlassung gab, über wen auch immer was auch immer zu berichten, ihr Schweine.

Aber wirklich, sagte Kinga beim Restefrühstück. Du kennst doch kein Schwein. Außer uns. Und wer interessiert sich schon für uns.

Sie wollten ihm Angst einjagen, sagte Kontra und leckte am Rand des Zigarettenpapiers. Schikane, sonst nichts.

Vorsicht, sagte Janda. Er arbeitet längst für die.

Arschloch, sagte Kinga.

Hier schweigen sie ein bisschen.

Wirklich, sagte Kinga. Wie kannst du nur so ein Arschloch sein?

Es war ein Scherz, sagte Andre. Ein Scherz. Tut mir den Gefallen und fangt das neue Jahr nicht mit einem Streit an.

Kinga murrte, rückte an das Kind heran, streichelte sein Gesicht, küsste ihn. Mein armer Kleiner! Dabei behielt sie Janda im Auge. Janda tat so, als würde er konzentriert zusehen, wie der Kaffeestand in der neu aufgesetzten Maschine stieg. Kontra zündete den Joint an.

Jetzt, wo sie nach vier Jahren Ballerei endlich einen Friedensvertrag unterzeichnet haben, schicken sie uns vielleicht wirklich zurück. Habt ihr darüber schon nachgedacht? fragte Kinga.

Kontra reichte ihr den Joint: Hier. Cannabionide löschen unangenehme Gefühlserinnerungen.

Über Andre und Janda wanderte die speichelige Kippe zu Abel. Ihre Hände berührten sich. Janda hielt den Blick.

Später gingen die Musiker, Kinga legte ihren Kopf auf Abels Schenkel, einen harten Kopf auf einen ebensolchen Schenkel, unbequem, sie legte sich um in seinen Schoß und schlief ein. Eine Weile blieb er unter ihr sitzen, später rollte er ihren Kopf behutsam auf ein Kissen und setzte in der Küche Wasser auf.

Später erwachte sie, oder nein, schon früher, vom Simmern, sie tat nur so, als schliefe sie noch. Wartete, bis er nackt in der blauen Plastiksitzbadewanne hockte, seit drei Tagen nicht gewaschen, jetzt bis zu den Knöcheln im Wasser. Sie stand auf, kam zu ihm, half ihm, Wasser über den Kopf zu schütten, wusch ihm den Rücken. Steh auf, sagte sie. Er stand tropfend in der Kälte, sie wusch ihn mit einem Lappen, rubbelte ihn ab, befahl ihn ins Bett zurück, brachte ihm heißen, etwas zu bitteren Tee. Mein Kleiner. Kannst bleiben, solange du willst.

Danke, sagte Abel.

Er blieb den Rest des Winters.

In der Enklave

Wir leben hier in einer Enklave, sagte Kinga. Was folgt daraus? Daraus folgt zum einen, dass alles *jetzt* ist. Aussagen, die Zukunft betreffend, können zwar gemacht werden, aber das ist auch nicht mehr als ein Kaffeebohnenorakel. Heute sind mir exakt vier Kaffeebohnen aus der Mühle gefallen. Lässt sich daraus etwas über meinen Tag schließen oder nicht? Oder nehmen wir die Vögel. Wie viele und welche Sorten sind an meinem Fenster vorbei geflogen, während ich mich bemühte, wach zu werden?

Zum anderen folgte daraus die Abwesenheit eines bis dahin gewohnten Komforts. Nach der vollautomatisierten Bastille musste hier mit zeitweiligen Stromausfällen gerechnet werden, oder plötzlich färbte sich das Wasser braun wie Kaffee. Die Kochmaschine erwärmte einen Radius von einem Meter, soviel zur Heizung. Zwar gab es auch noch einen mit Papieren voll gestopften alten Eisenofen, allerdings war er an keinen Kamin angeschlossen. Kinga stopfte ihre eigenen Papiere hinein, *missratene Liebesbriefe*, und es war immer noch Platz für mehr. Sehet, das Magische Schwarze Loch in der Mitte meines Universums. Für Notfälle gab es außerdem noch den steinzeitlichen Heizventilator, der lärmend den Gestank verbrannten Staubes umwälzte, aber wenn man ihn in Betrieb halten wollte, musste man sämtliche anderen elektrischen Geräte: Kühlschrank, Glühbirne etc. abschalten. Zum Glück war es ein milder Winter, von dem erträumten Eis keine Spur. Normalerweise wäre Kinga trotzdem zu einem der Musiker gezogen, sie hatten Wohnungen mit verschiedenen Heizarten, aber es war unausgesprochen klar, dass es für das *Kind* keinen Platz gab, also blieb auch Kinga, trotzig, wir werden uns schon gegenseitig wärmen, nicht wahr, mein Kleiner?

Alles in allem war es kein schlechtes Leben in Kingania. Die ersten Wochen des neuen Jahres waren ruhig. Was nach Chaos aussah, war in Wirklichkeit eine Folge immer gleicher Tage. Wenn sie putzen musste, ging Kinga früh, anschließend hütete sie Kinder von Leuten, die *verrückt genug* (Janda) waren, sie ihr anzuvertrauen. Bis in den Nachmittag hinein war Abel allein. Wenn es nach ihm gegangen wäre, hätte er den kürzeren Schenkel des Ls überhaupt nicht mehr verlassen. Winterschlaf halten. Oder zumindest: Winter. Eine zunehmend nach Mensch riechende Matratzenecke neben dem Fenster, durch das man schaut oder nicht, eine Höhle, was braucht der Mensch mehr. Als Kind habe ich in einem Schrank gewohnt. Später am Tag kamen die Musiker. Am häufigsten und immer als erster Kontra, der Jüngste, ordentlicher Musikstudent. Er übte einige Stunden Kontrabassparts der Klassik und der Moderne. Abel saß in der Ecke und hörte ihm zu. Sie sprachen nicht. Außer der Begrüßung wechselten die Musiker kein Wort mit ihm. Sie übten oder unterbrachen das Üben, um zu kochen, rauchen, trinken oder wenn Sport oder Nachrichten im Fernsehen (kleines Schwarzweißgerät und ein nasser Draht) kamen. Auf dem Herd röchelte pausenlos der Kaffeekocher, simmerte der Glühwein, die Dämpfe füllten das ganze Zimmer und das Treppenhaus aus. Später kam Kinga nach Hause, und sie setzten sich in einen Kreis, um zu essen. Sie gaben *für unsere Verhältnisse* sehr viel Geld für Essen aus, gutes Essen, das ist das Wichtigste. Später am Abend war Trinken das Wichtigste. Die offizielle Währung in Kingania war der Sliwo, sie soffen, also, das lässt sich nicht beschreiben. Sie vertrugen, jeder von ihnen, so viel, dass es harte Arbeit war, überhaupt betrunken zu werden. Bis auf Kontra, der nur trank, um die Wirkung des Grases zu verstärken, und auf Abel, der einfach nie betrunken wurde. Der Junge ist ein unter anderem medizinisches Wunder. Kinga legte ein Ohr an seine Brust, horchte. Alles in Ordnung, sagte sie zu den anderen. Er ist ein Mensch.

Ende Januar hatte Andre Geburtstag, und ein neues Kommen-und-Gehen hob an. Als wären nie alle von der Party nach Hause gegangen, oder nur kurz, um gleich am nächsten Abend wieder zu kommen, unbekannte und durch Wiederholung etwas bekannter gewordene Gesichter, aber es waren immer wieder auch neue dabei. Bemerkenswert, wie viel Leuten man mit der Zeit begegnet. Wir haben eine gewisse Berühmtheit, mein Lieber, sagte Kinga stolz. Offene Proben, Salon, was du willst. Im Endeffekt tun wir nichts anderes, als was wir immer schon oder die letzten zehn Jahre getan haben. Die Achtziger waren auch nicht schlecht, wenn auch alles allgemein etwas dunkler geworden war, mag sein, es lag an dem Kellerloch, in dem wir, das heißt: ich, Kinga, damals wohnte. Es war eine kleine Stadt, irgendwann hatte es sich so ergeben, dass *alle* bei ihr herumsaßen und politisierten, bei uns ist alles Politik, kritisierten mal von rechts, mal von links. Die ganze Zeit über nichts anderes geredet, als wieso es nicht möglich war, *dort* zu leben, und jetzt? Bedenke, damals dachten wir, das Hauptproblem sei, dass die Nationalitäten unterdrückt würden, und jetzt schau's dir an.

Es sind nicht die einfachen Leute, sagte Andre. Es ist von der Akademie ausgegangen, das weiß jeder.

Bullshit, sagte Janda. Ich sage dir das als ein Mann des Volkes.

Das ist was anderes, sagte Andre. Du hast nicht aus politischen Gründen gehandelt.

Hja! Kontra seufzte. Die gute alte Zeit, als man sich noch aus persönlichen Gründen an den Kragen gegangen ist.

Janda lachte schnaufend.

Kinga zu Kontra: Auch du mein Sohn? Ein Zyniker?

Ist das eine Frage? (Janda)

Der Mensch ist nicht gut! schrie er später, als sie schon mehr getrunken hatten. Begreif das doch endlich!

Andre schüttelte nur seinen großen Kopf.

Was Abel anbelangt: Er sagte nie ein Wort. Sah zu, wie allmählich jeder um ihn herum betrunken oder high wurde. Der Rausch der Männer war leise, abgesehen von der Tangoharmonika, die Andre in solchen Fällen unbedingt spielen wollte. Bei Kinga steigerte der Rausch die sonst auch nicht gerade geringen Stimmungsschwankungen ins Extreme.

Mal war sie melancholisch, mal mütterlich, schau, was ich dir geklaut habe!, eine Orange, soll ich sie für dich schälen? Wenn sie betrunken war, fing sie an, einfach jeden zu piesacken. Zog über wildfremde Frauen her, einen Moment nur gesehen, das reicht schon. Geh ich ins Kaufhaus, komme die Rolltreppe herauf, Damenabteilung, steht da eine gelackte Schnepfe, verteilt Werbung, an alle, nur nicht an: mich. So eine kauft sowieso nicht. Schaut nur wie im Museum. Ich war wenigstens schon mal in einem Museum, Parfümfotze, denkt, ihre Scheiße stinkt nicht. Oh, soll ich diese vierzig neuen Liebesstellungen lernen, eine Diät anfangen, eine Weltreise machen? Oder soll ich vielleicht doch lieber ein Kind bekommen, um mir nicht so unendlich langweilig vorzukommen?

Ich hätte gern ein Kind, sagte der Wahrheit entsprechend Janda und holte damit den Konflikt von der Straße ins traute Heim.

Kinga: *Du* und ein Kind? Armer Wurm.

Hier folgte eine kleine Pause, bevor sie wieder loslegte. Mutmaßungen anstellte. Natürlich wünscht er sich das Balg von so einer unkomplizierten Blonden, je dümmer, je besser, das tut keinem weh, der Aikju von Senf reicht aus, um die Königin unserer Herzen zu sein!

Könntest du bitte mit diesem dummen Gerede aufhören? Ich (Janda) wäre dir sehr verbunden.

Und du, was hättest du überhaupt zu bieten? Schau dich doch an, du bist doch nicht einmal in der Lage, für dich selbst zu sorgen! Auf dich hat man hier gerade gewartet!

Janda: Ich sage es in aller Freundschaft: Halt endlich die Fresse!

Hört auf. Beide. (Andre, die Stimme der Vernunft.)

Manchmal hörte sie daraufhin auf, hockte sich in die blaue Plastikwanne und rasierte sich, wo sie nur konnte.

So, sagte sie anschließend. So!

Zu Abel: Bin ich schön?

Ja, sagte der scheue Exstudent. (Deine Oberlippe ist wie ein Reibeisen, aber ich bete dich an.)

Sie lachte geschmeichelt, legte ihm die Arme um den Hals: Willst du ein Kind von mir?

Lass den Wurm in Ruhe. (Janda.)

Kinga lachte, gurrte dem Kind in den Hals: Wurrrm, Wurrrrm, Wurrrrrm.

Oder sie hörte nicht auf, dann endete es, Janda wollte es nicht, aber Temperament ist bei uns alles, im Gebrüll. Arschloch! Schlampe! Aufhören! Manchmal versöhnten sie sich, bevor Janda ging, manchmal nicht. Mit wehenden Fahnen hinaus, Tür geschmissen. Am nächsten Tag kam er wieder und erwähnte es nicht mehr.

Aber worum es eigentlich ging, waren die Nächte.
Egal, wie spät es wurde und wie müde sie waren, zum Schlafen blieben die Musiker nie in Kingania. Verbrächten wir die Nacht zusammen, schlügen wir uns *regelmäßig* tot. Dabei schlafe ich so ungern allein. Aber jetzt, sagte K., bist du ja da.
Sie nistete sich in seiner Achselhöhle ein, liebkoste ihn, tastete seinen Körper ab, legte seine Hand auf ihre Brust: Wie fühlt sich das an? Spielte mit seinen Haaren, untersuchte seine Haut, zählte seine Muttermale (neun am rechten Unterarm, fünf am linken). Stundenlang. Das waren die besseren Nächte. In den anderen, nach schweigsamen Abenden, lag sie zusammengerollt auf ihrer Matratze, schaukelte, murmelte vor sich hin. Später, mitten in der Nacht, kam sie angekrochen. Manchmal erzählte sie Träume. Alb- und schöne, aber meist sagte sie nichts Verständliches. Sie wimmerte nur, maunzte, weinte, rang mit dem anderen Körper neben ihr, zog ihn über sich, wälzte sich mit ihm. Bei jedem anderen lief es darauf hinaus, dass man zuerst Sex hatte und später grob wurde, jetzt lass mich endlich los, lass mich schlafen, dass du mich nie schlafen lässt! Er brüllt, sie weint zusammengekrümmt, zwei Nackte. Aber *das Kind* ist ein anderer, er fickt sie nicht und stößt sie auch nicht von sich. Bin ich die Frau, die deinen Körper am besten kennt? Ja. Küss mich! sagte sie das erste Mal damals im Zug und schob ihm die Zunge in den Mund. Sie kostete ihn: Hm, nicht schlecht. Er ließ alles mit sich machen, rang geduldig mit ihr, man hörte ihre Knochen knacken. Jetzt verstehe ich, wieso sie voller blauer Flecken ist. Nach einpaar Nächten hatte auch er sie, als hätte sie ihn mit einem Ausschlag angesteckt. Einmal verpasste sie ihm einen Knutschfleck am Hals. Das war nicht leicht, es sieht nicht danach aus, aber er hat eine stabile Haut, sie musste konzentriert arbeiten, bis endlich ein kleiner rötlicher Fleck erschien. Er schloss seinen Hemdkragen darüber, aber ansonsten schien es ihm nichts auszumachen. Bei Bewegungen blitzte der

Fleck manchmal hervor. Kleiner Bastard, flüstere Kinga ganz nah in sein Gesicht. Es dämmerte schon, sie streichelte ihn. Liebst du mich, kleiner Bastard? Anschließend schlief sie ein, schnarchte. Als sie wieder erwachte, war sie fröhlich und laut wie immer. Sie riss das Fenster auf:
Ich rieche nasse Pappeln, oh, wie glücklich ich bin!

Woher, wohin

Nachdem er all dem einige Wochen zugesehen und -gehört hatte, war es für Abel Zeit, sich eine neue Beschäftigung zu suchen. Seitdem er nicht mehr lernte, hatte er auch Zeit für ziellose Tätigkeiten, einfach, um die Zeit zu verbringen und um nicht *da* zu sein. Es kann von Vorteil sein, wenn man nicht schlafen muss oder nicht viel, *etwas* war trotzdem zuviel. Ich habe eine Überdosis Kinga, sagte Janda von Zeit zu Zeit. Ich brauche Luft. Abel wartete die Übungsstunde mit Kontra ab – er äußerte sich nicht, aber scheinbar mochte er sie –, dann ging er hinaus.
Wo kommst du her, wo gehst du hin, im Winter, und sei es, einem milden, was *hier* soviel wie permanenten Nieselregen bedeutet, wenn du aus dem einen oder anderen Grund nicht zu Hause bleiben kannst? Früher hatte er sich nur so viel außerhalb geschlossener Räume aufgehalten, wie es unbedingt nötig war. Er hätte ebenso gut in einem Dorf, auf einer winzigen Insel leben können, er ging nie mehr als zwei oder drei Wege. Ich kann sämtliche deiner inneren Organe sehen, so blass bist du! (Kinga) Jetzt fing er an, durch die Stadt zu laufen.
Die Hände in den Taschen des Trenchcoats, den Hals eingezogen – Hat er einen Schal? Eher nicht, der Niesel setzt sich in seine Haare, läuft die Stirn hinunter –, mit langen Schritten und gebeugtem Oberkörper, als ginge er gegen großen Wind. Entweder lief er nach eigenem Gutdünken, oder er suchte sich jemanden aus, dem er folgte. Letzteres hatte mit einer Sache zu tun, die ihn schon seit Jahren, konkret, seitdem er das Sterbezimmer verlassen hatte, beschäftigte. Dass ich mich, egal, wie häufig ich eine Strecke schon

gelaufen bin, wenn ich mich nicht ganz stark konzentriere, und manchmal sogar, wenn: verirre. Nachdem sich das auch durch noch so häufiges Üben nicht wesentlich verbessern ließ, fand er sich damit ab, die meiste Zeit nicht mehr als eine Vorstellung davon zu haben, wo er sich gerade befand. Er orientierte sich anhand einiger signifikanter Landmarken: dem Park, dem Bahnhof, der Nervenklinik, dem einen oder anderen Kirchturm. Dazwischen sahen die meisten Ecken so aus, als wäre er gerade erst da gewesen. Wandeln durch ein permanentes Déjavu. Auf der anderen Seite sah oft ein hundert Mal gegangener Weg ausgerechnet vor der letzten, definitiv geglaubten Rechtskurve so aus, als könnte das unmöglich stimmen. Als hätten sich die Himmelsrichtungen um einen gedreht. Zum Glück oder nicht waren den Irrwegen physische Grenzen (seine) gesetzt. Im Wesentlichen bewegte er sich durch drei Nachbarbezirke östlich der Bahn, soviel man als Einzelner eben bewältigen kann. Es gab Tage, die kälter waren als andere. Christophoros S., ehemaliger Müller, heute besser bekannt als der fette Zeus aus dem Park, kennt für solche Fälle gute Plätze in den kollabierten Werkstätten in der Nähe der Bahn. Sich zu ihm gesellen, für ein gemütliches Feuerchen? Später vielleicht. Davor gibt es noch Wartesäle (gewiss nicht), Lokale (auf die Dauer zu teuer) und Bibliotheken, sowie für die Abwechslung: die eintrittsfreien Tage der Museen. (Meine Mutter legte stets großen Wert auf die Kultur gegen die Barbarei. Nachdem sie das Auto verkauft hatte, nahm Mira den Zug, um mit ihrem Sohn in eine der drei nächstgelegenen Hauptstädte zu fahren. Bis zum letzten Zug nach Hause hatten sie acht Stunden, während derer sie durch soviel Museen und Kirchen liefen, wie zu schaffen waren. Wäre ich nicht so ein höfliches Kind, würde ich jetzt an dieser Straßenecke stehen bleiben, mir Sandalen und Socken ausziehen und nachsehen, ob ich, wie ich annehme, blaue Flecken auf den Fußsohlen habe. Was meinst du, für wen ich das hier tue?!?) Im *Winter der Leere*, als Abel trotz Wochen intensiven Matratzensitzens und Nachdenkens partout nicht einfallen wollte, wie es denn jetzt, da er nicht mehr lernen konnte, weitergehen sollte – Falls du bei der Verladung am Bahnhof oder im Zeitungsvertrieb arbeiten möchtest, Andre kann dir eine Stelle besorgen. Danke, sagte Abel. Ich werde darüber nachdenken –, las er mehr Bücher und sah sich mehr Kunstwerke an als jemals zuvor oder danach. Er war, außer dem Künstler und einer jungen Frau, die ihre Diplomarbeit darüber schrieb, der einzige Mensch, der sich ausnahmslos jede der Geschichten in einer 42 talking heads umfassenden Installation zu Ende anhörte. In einem Installationsraum lässt sich's gut sitzen, die Kopfhörer baumeln sanft, die Temperatur ist konstant, die Luft ventiliert, minimiert den Geruch eines Lebens in der Anarchie, so fallen wir weniger auf. Manchmal kommt eine Aufseherin, zieht die Vorhänge auseinander, schaut herein. Schwarzes Kleiderbündel in der Ecke. Chinesische Bauernkinder lernen das Pingpongspiel und hoffen auf ein besseres Leben.

Einige Wochen lang geschah nichts Außergewöhnliches, Kunst ist so was Normales. Später weiß man von einem Zwischenfall:

Ein älterer, strenger Herr, irgendein Oberaufseher, klein und rund, was mochte in ihm vorgehen? Zehn Minuten vor der Schließstunde ging er durch die Säle, klatschte in die Hände: Herrschaften! Wir schließen gleich! … Ich werd' verrückt! Was macht er da? Schläft er etwa? Der schläft hier!

Er klatschte wieder, ein martialischer Kindergärtner: Hallo! Aufwachen! Der schläft mir hier! Er kann doch hier nicht schlafen! Das ist ein Museum, nicht die Bahnhofsmission! Hat man so was schon erlebt!

Ob der schwarze Typ im Installationsraum wirklich geschlafen hatte, ist die Frage. Er saß mit geradem Rücken, die Hände auf den Knien auf einem Hocker vor den Bildschirmen, Augen geschlossen, Kopfhörer auf, vielleicht hatte er den Alten einfach nicht gehört. Zwei jüngere Aufseherinnen neugierig im Hintergrund. Jetzt öffnete er die Augen, nicht wie jemand, der gerade erwacht, eher wie bei einer Puppe, einem gerade erweckten Monster, klapp, gingen die Augen auf.

Hört er mich? Finito!

Der Alte, da er jetzt zu sehen war, wedelte mit den vormals klatschenden Händen. Machte in Halshöhe schneidende Bewegungen, ließ anschließend die Unterarme nach vorne schnellen, als würde er ein Fahrzeug dirigieren: Da geht's raus! Auf! Auf!

Der Typ legte die Kopfhöher ab, stand auf, war sofort sehr viel größer, der Alte trat ängstlich einen Schritt zurück, obwohl er sowieso weit außerhalb der Reichweite stand. Sagte nichts mehr, wedelte nur noch, dirigierte stumm.

Abel sah hin oder nicht, er ging. Sobald er den Raum verlassen hatte, stürzte der kleine Mann an die Galerie, von dort konnte er ihm auf den Scheitel gucken, wie er die Treppen hinunter ging, den Kassenraum querte, sich der Drehtür näherte. Jetzt hatte der Alte auch die Stimme wieder gefunden.

Leute gibt's! Kommt hierher, um zu schlafen! Der schaut schon so aus! Wir sind doch hier nicht beim Zirkus! Kommt hier her am Gratistag und schläft! Diese aso …

Der Rest war nicht zu hören. Abel hatte die Straße betreten.

Man hätte ihn durchsuchen sollen. Dachte der kleine Alte, obwohl das absurd ist, keines der Objekte hier ist klein genug, dennoch, er stürzte zurück in den Ausstellungsraum, um es, *irgendwas*, nachzuprüfen. Zweiundvierzig schwarze Kopfhörer baumelten von der weißen Decke, zögernd griff er zu einem, horchte daran. Als ob er etwas weggehört haben könnte. In der Rede zu seiner Pensionierung wird er den Fall erwähnen, der Mann, der zum Schlafen hergekommen ist. Heiterkeit.

Wäre Kinga das passiert, nicht auszudenken. *Jawohl, mein Führer*! Beziehungsweise: Ich bitte mir das aus, Sie Zwerg, Sie Faschist, Sie faschistischer Zwerg, Bürokratenarschloch, chauvinistisches Schwein, kannst mit deiner Frau so reden, aber ich bin eine Dame, und dann lauf, so schnell du kannst, denn eine Anzeige wäre mehr als fatal. Anschließend hätte sie aus der Entfernung, vom sicheren Terrain der autonomen Anarchia noch lange die Faust gegen ihn geschüttelt, gelacht, geweint. Er hier, Abel, blieb stumm, er ging einfach nicht mehr ins Museum. Das war am Tag des offiziellen Frühlingsbeginns, zu diesem Zeitpunkt hatte er ohnehin alles gesehen, was man sich in diesem Moment ansehen konnte, und stand kurz vor einer Entscheidung. Diese traf er vermutlich wenige Stunden später, im Computerraum der Universität, wo man ihn an diesem Tag bis Mitternacht vor einem Gerät sitzen sah. Was er genau machte, kann man nicht wissen, die Tastatur jedenfalls rührte er kaum an, saß nur da und starrte auf den Bildschirm, als würde er sein Gesicht sonnen.

Später brannten ihm die Augen, er ging nach Hause. In Kingania war es still und dunkel. Die Gäste waren gegangen, die Bewohnerin schlief.

Oder nicht, sie lauerte hinter der Tür: Huaaaaaaa! Na, hast du dir in die Hosen gemacht? Sie lachte, aber sie war nicht fröhlich, hörte gleich wieder auf. Geschieht dir recht, du Schwein. In welcher Fotze treibst du dich so lange herum?! Was bildest du dir ein? Vielleicht habe ich mir Sorgen gemacht? Vielleicht hätte ich dich gebraucht! Wie kann man nur so ein Egoist sein!

Tut mir Leid.

Ach, jetzt lüg doch nicht so frech! Nichts tut euch Leid! Was machst du da?

Er dachte: Sich hinlegen.

Oh ja, natürlich, dumme Frage, haben wir doch eine anstrengende Nacht hinter uns, brauchen unseren Schönheitsschlaf. Es wird dir wohl nichts ausmachen, wenn ich dir keine Gesellschaft leiste. Ich bin zu aufgeregt, um zu schlafen. Erst zu aufgeregt vor Sorge und jetzt …

Wütend, weil dem kleinen Bastard mitnichten was zugestoßen ist, hat sich prima amüsiert, wir sind ja hier nur das Hotel!

Ich war im Computerraum. Arbeiten.

Daraufhin ist sie bereit, still zu sein. Wartet interessiert auf mehr Information. Er habe, sagt Abel, beschlossen, eine Dissertation im Bereich der Komparativen Linguistik zu schreiben.

Ach, sagte Kinga und sank auf die Knie neben ihm. Was bin ich stolz! Mein Kleiner wird Doktor! Sie grabschte nach seinem Kopf, küsste ihn auf den Scheitel. Ich bin so froh …

So kommt man in neue

Kreise

Da sind Sie ja wieder! sagte Tibor. Man hat sich schon Sorgen gemacht. Alles in Ordnung bei Ihnen? Alle suchen Sie. (*So* stimmt
das auch wieder nicht.)

Als Tibor, schlecht gelaunt, in der Neujahrsnacht zurück in sein
Haus kam, fand er dort sämtliche Gäste geduldig ausharrend vor.
Oh, ihr seid ja noch da.
Wo ist er, wo ist er?
Wer?
Der Drogenkurier. Wieso er ihn nicht mitgebracht habe?
Er ist kein … Es war nie die Rede davon gewesen, ihn mitzu-
bringen. Wozu sollte ich ihn mitbringen? Wozu sollte ich ihn das
nächste Mal mitbringen, obwohl es andererseits auch egal ist. Ja,
ja, sagte Tibor zu den Gästen (völlig aufgedreht und teilweise
alkoholisiert, er, das Gegenteil: dunkel, nüchtern, leise), meinetwegen, ich lade ihn ein, die allgemeine Neugierde fordert es, plus
der Anstand, jemand muss sich schließlich um *diese Jungs* kümmern. Aber jetzt: Ich bin ein alter, müder Mann, quatscht euch
aus und dann verschwindet und kommt in einem Monat wieder
oder wann immer meine neue Dame des Hauses euch einlädt. Bis
dahin werdet ihr ihn eh vergessen haben.
Einige Tage später tauchte ein Mensch namens Konstantin im In-
stitut auf und veranstaltete einen ungeheuren Wirbel, man hätte
seinen Mitbewohner *verschwinden lassen*. Seine Sachen aus der
Wohnung geholt und --- Ein phantasievoller, wortreicher Thril-
ler. Sie fangen die Leute von der Straße weg und bringen sie wer
weiß wohin. Ein Fall für Verschwörungstheoretiker und Men-
schenrechtsorganisationen. Ich werde mir Geld für Flugblätter
leihen.
Schon gut, sagte Tibor. Machen Sie sich keine Sorgen. Ich habe
Ihren Freund am Sylvesterabend vom Revier abgeholt.
Konstantin blinzelte: Am Sylvesterabend?
Ja.
Pause. Blinzeln.

Und wo ist er jetzt?

Das weiß ich nicht, sagte Tibor. Ich habe ihn vor dem Haus abgesetzt.

Und wo ist er jetzt?

Das weiß ich nicht, wiederholte Tibor.

Und dann noch dreimal, derselbe Kreis. Wo? Weiß ich nicht. Aber wo? Schauen sich blinzelnd an.

Jetzt, nach Monaten, rief er endlich an.

Da sind Sie ja wieder. Ihr Mitbewohner sucht Sie überall.

Ja, sagte Abel, er sei ausgezogen.

Wieder die Frage, ob alles in Ordnung sei.

Ja.

Pause.

Ja, hm, h-khrm, sagte Tibor. Was kann ich für Sie tun? ... Verstehe ... Hören Sie, warum ... Warum kommen Sie nicht vorbei, sagen wir, nächsten Montag. Es werden noch andere da sein, so eine Art Jour fixe, das stört Sie hoffentlich nicht.

Danke, sagte Abel.

Tibor nickte, obwohl am Telefon, und legte auf. Anschließend fühlte er sich, obwohl im Sitzen, etwas weich in den Knien. Etwas Unerklärliches passiert jedes Mal, wenn ich mit diesem Menschen zu tun bekomme. Zwei Komponenten seines komplexen Gefühls konnte Professor B. später identifizieren. Es waren: Scham und Sehnsucht. Warum ausgerechnet diese?

A. N. kommt nächsten Montag.

Wer? Ach so, natürlich, sagte Mercedes.

Ehrlich gesagt, erinnerte sie sich kaum. Das erste und bis jetzt einzige Mal standen sie sich vor vier Jahren gegenüber, an seinem ersten Tag, der Grenzübertritt schätzungsweise zwei Stunden her. Der Handschlag fiel wegen Butter aus, guten Tag, auf Wiedersehen, das war alles. Anschließend sahen sie sich, wenn überhaupt, nur aus der Ferne. Sollten Sie Schwierigkeiten haben, wenden Sie sich an Mercedes, aber er bekam keine Schwierigkeiten, oder zumindest wandte er sich nicht an sie. Sie hörte einiges über ihn, was man in der Fakultät redete, die Manteltaschen voll mit winzigen Wörterbüchern und verläuft sich ständig in den Fluren, aber es interessierte sie nicht sonderlich. Jetzt stand er also in der Tür.

Unwahrscheinlich dünn und groß, ein Schulterpolster des schwarzen Trenchcoats hing auf Halbmast, überhaupt sah alles aus wie auf ihn geworfen, selbst die weißen Hände baumelten teilnahmslos aus den zu kurzen Ärmeln, so wie später, *jetzt* – ein ganz ähnliches Baumeln. Sie reichte ihm die Hand. Willkommen, ich bin Mercedes. Sobald sich die Fingerspitzen berührten, schlug es – Gummisohlen auf Fußabtreter – einen unerwartet lauten und sichtbaren Funken. Oppardon. Er zog die Hand schnell zurück und stand wieder da wie vorher, nun scheinbar so eingeschüchtert, dass er ohne Hilfe keinen Schritt würde weitergehen können. Vielleicht war es das, die vermeintliche Hilflosigkeit, die Mercedes nun mit Jahren Verspätung, aber dafür unverzüglich für ihn einnahm. Er hatte etwas Herzergreifendes an sich. Und (ein bisschen) etwas Lächerliches. Mercedes lächelte ihn aufmunternd an. Tibor habe noch etwas zu arbeiten, aber er solle doch schon zu den anderen gehen. In den *Sarong*.

Oppardon. Sie lachte, legte sich eine Hand an den Mund. Das sagt mein Sohn immer. Ich meine, den … Ah, da bist du ja, Omar, komm her. Das ist Omar, mein Sohn.

Größe: 1,30 m, Statur: schlank, Hautfarbe: Milchkaffee, Kopfform: Ei. Zu diesem Zeitpunkt war Omar sechs Jahre alt, und alles an ihm – bis auf eine winzige Abweichung in der Bernsteinfarbe der künstlichen Iris rechts – war in perfektester Balance.

Guten Abend, sagte er. Mein Name ist Omar. Ich habe nur ein Auge. (Pause. Er sah sein Gegenüber ernst an.) Das andere habe ich hingegeben für Weisheit.

Abel tat weder überrascht noch mitleidig, auch seine Unbeholfenheit war verschwunden. Seine Stimme klang, anders als man es nach dem letzten heiseren *Opp …* erwarten konnte, voll, männlich, warm:

Die meisten, sagte er, wären nicht so mutig.

Das Kind sah ihn an – wie?, überrascht?, beeindruckt?, das passiert mir öfter, so ein Blick –, dann lächelte es.

Omar, sagte Mercedes, das ist Abel. Ein Student Tibors. Er kann zehn Sprachen.

Der Junge hörte auf zu lächeln: Wieso?

Nun, sagte Abel. Neun schienen mir zu wenig, elf zu viel.

Woraufhin Omar nickte, ihn an die Hand nahm und vom Sarong wegführte. Als wäre er gekommen, hätte sich umgesehen, mit dem Finger auf den einen gezeigt. Abel Nema, ausgewählt von Omar Alegre. Der Vorname ist arabisch und bedeutet: Lösung, Mittel, Ausweg.

Er führte ihn wie durch ein Museum. Das kennen wir schon. Höchstens, dass einen *dort* keiner an der Hand hält. Wann war man, er, ich, das letzte Mal so lange in Berührung mit jemandem? Jemals? Bei manchen Gegenständen, Kunst- wie Alltags-, blieb das Kind stehen und erklärte sie, ihre Geschichte, ihre Funktion, oder machte auf ein besonderes Detail in der Ausführung aufmerksam. Diese chinesische Vase hier hat Anna gehört, Tibors Frau, sie ist gestorben. Leider wird ihr Wert, also der der Vase, dadurch geschmälert, dass der Zwilling fehlt, das heißt, eigentlich ist das hier keine Vase, sondern ein halbes Vasenpaar. Ich finde das interessant, sagte Omar. Zwei vollkommen gleiche Vasen stellen einen höheren Wert dar als eine oder drei. Denn das wäre auch möglich. Drei vollkommen gleiche. Und was wäre, wenn dann eine von diesen zerbräche? Wären dann die zwei weniger wert? Pause. Der Junge, Hand in Hand, sah ihn fragend an.

Ich glaube, sagte Abel, diese Frage ist das meiste, was man dazu sagen kann.

Omar nickte. Sie gingen weiter. Das ist *fast* das Merkwürdigste, was mir bis jetzt widerfahren ist. Andererseits hat es auch etwas unerklärlich *Gutes*. Mit der Zeit fingen ihre Handflächen an, ineinander zu schwitzen, und es war schwer, den kleinen Schritten des Jungen zu folgen, ohne zu stolpern, trotzdem ließen sie nicht los.

Das Haus gehört Tibor, fuhr Omar fort. Mercedes, das ist meine

Mutter, war seine Studentin, später Assistentin. Später gab sie ihre Stellung an der Uni auf, damit wir hier einziehen konnten. Heute unterrichtet sie an einer Schule. Das hier ist ein Teil der Bibliothek. Die meisten Bücher stehen bei Tibor im Zimmer, er braucht sie zum Arbeiten, da können wir jetzt nicht hinein. Und einpaar unten im Sarong. Die repräsentativeren Stücke.

Wie alt mag er sein?

Ich bin sechs, sagte Omar, als hätte er es gehört. Ich habe mit Sondererlaubnis die erste Klasse übersprungen. Das ist Mercedes' Zimmer. Bitte beachten Sie, was Sie vielleicht nicht erwartet hätten, den roten Motorradhelm auf dem zitronengelben Schrank. Daneben, an die Wand gehängt: rosa Spitzenschuhe, Größe fünfunddreißig. Wenn ich sie noch anprobieren will, muss es bald geschehen, in einpaar Monaten werden sie mir zu klein sein. Schwarzer Junge in rosa Spitzenschuhen. Schaut, wie der Neue auf dieses Bild reagiert. Abel lächelt. Nicht zu wenig, nicht zuviel, gerade richtig.

Der Rest sind Familienfotos, meistens bin ich das, oder sie, als sie jünger war. Dazwischen: mexikanische Terrakotten, afrikanische Holzstatuen, indische Gewebe. Mercedes sammelt so was. Das ist mein Zimmer. Hier wieder eine Maske aus Afrika. Mein Vater war ein Prinz aus G. Er ist noch vor meiner Geburt verschwunden. Die Maske ist übrigens nicht von ihm. Mercedes hat sie gekauft.

Und jetzt, sagte Omar, als sie auf seinem Bett saßen, sag was.

Njeredko acordeo si jesli nach mortom, sagte Abel. *Od kuin alang allmond vi slavno ashol.*

Aha, sagte Omar. Ich möchte Russisch lernen. Kannst du das auch?

Na, wissen Sie jetzt alles? Schöne, ältere Frau in der Tür des Sarongs. Ich bin Miriam, die Großmutter. Omars Großmutter, fügte sie hinzu, weil es so aussah, als hätte er es nicht verstanden.

Und das da ist mein Großvater. Omar zeigte auf die männliche Ausgabe der Hausherrin: ein filigraner Mann in einem geblümten Sessel. Er schreibt Krimis. Sein Künstlername ist Alegria. Das bedeutet Glück. Er hat eine Figur nach mir erfunden. Ihr Name ist Pirate Om. Wie der Pirat und die heilige Silbe, verstehst du? Meine Großeltern sind alte Freunde Tibors. Er kannte meine Mutter schon als Kind. Zu Großvaters Linken sitzt Tatjana, die älteste Freundin meiner Mutter, man sagt, sie sei sehr schön und zynisch, sie hat Haare wie Schneewittchen und kreuzt die schlanken weißen Beine mal so, mal so. Und der große *Halbdicke* da, der so laut redet, das ist (als wär's mit einem Seufzer) ---

Erik, sagte Tibor, der plötzlich hinter ihnen stand. Das ist Abel. Er schreibt eine Dissertation im Bereich Universalgrammatik.

... ..., sagte Erik. Keine Ahnung was, denn gerade hatte Omar Abels Hand losgelassen und war irgendwo hingegangen, wo er nicht mehr zu sehen war. In Abels leerer Handfläche zog es feucht. Das Gegenüber, dieser Erik, nannte Namen, offenbar von Autoren, die er verlegte, Abel kannte zu seinem Bedauern keinen einzigen. Und du sprichst wirklich all diese Sprachen? Alle zehn?

Abel nickte und war plötzlich umzingelt, stand im Mittelpunkt, eine Traube um ihn herum, man fragte ihn alles Mögliche, wo kommen Sie her, ich war neulich in Albanien. Er antwortete einsilbig. Hm ... Ich glaube ... Ich weiß nicht.

Was ist? (Erik zu Tibor.) Kann er nicht sprechen?

Und das ist dir aufgefallen? So nach zehn Minuten, oder? fragte Tatjana. Als du das erste Mal Luft geholt hast.

Sie lächelte süß und änderte die Beinstellung. Erik verzog den Mund.

Abel schaute sich nach dem Jungen um. Er stand am anderen Ende des Raumes und sagte gerade zu seiner Mutter: Ich möchte Russisch lernen. Abel wird mir Russisch beibringen. Jeden Donnerstag.

In Ordnung, sagte Mercedes und lächelte Abel quer durch den Raum freundlich zu.

So lernte Abel Nema seinen zukünftigen Stiefsohn Omar kennen.

Die Zecke

Als er wieder in Kingania ankam, war es schon hell. Die Tür war verschlossen, im ganzen Haus Totenstille. In der Nacht gab es wieder eine Party, möglich, dass sie noch schliefen.

Sie schliefen nicht. Abel hörte durch Beton und Stahl, dass sie wach waren, sie verhielten sich nur sehr leise. Er klopfte. Eine Weile geschah nichts, dann, als hätte Kinga: Sieh nach, vielleicht ist es das Kind, gesagt. Wenig später öffnete Janda die Tür.

Morgen, sagte Abel.

Janda ließ wortlos die Tür offen stehen.

Kinga: Bist du das? Gottseidank. Beziehungsweise: Was schickst du mir für Typen an den Hals?

Sie hatten, wie gesagt, wieder offenes Haus, Abel ging, bevor die ersten Besucher kamen. Eine Einladung bei seinem Professor. Aha, sagte Kinga, na dann. Geh nur. Sie war beleidigt oder hatte einfach schlechte Laune. Es war so ein Abend, man kennt das, wenn einfach nichts eine Form oder eine Richtung annehmen will. Gelangweilte und genervte Stunden, man weiß nicht, was besser wäre, weitermachen oder aufhören, heute geht mir einfach alles auf die Nerven. Die Musiker fummelten gleichgültig an ihren Instrumenten, irgendwie wurde nichts daraus. Und die Gäste, als wären es diesmal wirklich lauter Unbekannte. Kennen die Gepflogenheiten nicht, das Einweckglas so gut wie leer, dabei wurde noch mehr und schneller getrunken als sonst. Und dann lassen sie mich auch noch mit dem ganzen Müll sitzen. Kinga ging in die Küche, *demonstrativ* Gläser abwaschen. Wusch Gläser ab und auf einmal stand dieser Typ neben ihr. Einer von den Neuen, aber als hätte ich ihn schon mal gesehen, einer mit Seitenscheitel. Er war als einer der Ersten gekommen, du (Abel) warst gerade aus der Tür, halbe Stunde. Sie hatte ihn gleich Zecke bei sich getauft. Ein Querulant und Schnorrer, kommt, um satt zu werden, immer ein Glas und ein Schmalzbrot in der Hand, und die Augen gehen pausenlos hin und her, scannt die Umgebung, als müsste er sich alles merken. Hält sich außerdem für weißgott wie originell, stellt sich zu einem, spricht schmatzend:

Anarchia Kingania. Was soll das sein? Das Königreich der Spinnen? Er lachte, man sah das Brot in seinem Mund. Oder eine Drogenhöhle?

Genau das, sagte Kinga und ließ ihn stehen, obwohl sie noch nicht fertig war. Pisser.

Janda hob den Kopf, als sie zischend an ihm vorbeiging, sah, dass nichts weiter war, senkte das Ohr zurück auf den Gitarrenhals, zupfte weiter vor sich hin. Später rafften sie sich doch auf und spielten richtig. Zwei unbekannte Mädchen waren auch da, zwei kleine Tussis, Mikrominis bei Minus X Grad, saßen die ganze Zeit Schenkel an Schenkel nebeneinander, bestimmt noch Schülerinnen, diese verqualmte Langeweile ist was ganz Großes für sie. Starrten die Musiker an, tuschelten.

Na, ihr beiden Kichererbsen? Schaut sie euch gut an! Jeden von denen habe ich mindestens viermal gehabt. (Letzteres sagte sie natürlich nicht.) Wollt ihr noch was trinken, meine Kleinen?

Kinga, blutigsüß, mit der Schnapsflasche in der Hand. Andre schüttelte lächelnd den Kopf: Lass sie.

Sie ließ sie, setzte sich. Die Zecke blieb zunächst in der Küche, aß Brot, solange noch welches da war. Als nichts mehr da war, kam er herüber, setzte sich zu den Mädchen und fing an, auf sie einzureden, aber ohne Pause, blablablabla. Andre und Kontra nicht, aber Janda wird von so etwas ungehalten. Er sah sich um. Wer blubbert da ständig?

Sssssscht. Kinga beugte sich herüber, flüsterte der Zecke ins Ohr: Du. Pause ist auch Musik.

Er hörte mitten im Wort auf, starrte sie an, offener Mund, die Mikrominis kicherten. Kinga zwinkerte ihnen zu. Später ging sie auf die Toilette, und als sie wiederkam, lehnte die Zecke neben der Tür. Du, sagte er. (Äffst du mich etwa nach?) Wir haben uns schon mal gesehen.

Aha?

Sie ging einfach weiter, er ihr hinterher. Er trampelte laut, Janda sah herüber.

Ja, sagte die Zecke. Jahre her, der und der Klub.

Aha.

Ich glaube, wir haben einen gemeinsamen Bekannten. Ein Halb-ungar. Nema, Abel.

Hm.

So ein Großer in schwarzen Klamotten.

In schwarzen Klamotten, echt?

Sie sah sich um. Die Mikrominis waren weiß mit grauen Karos. Aber sonst … Eine Sekundenentscheidung: So zu tun, als könnte sie nichts mit dem vollen Namen anfangen. Aber dabei dachte ich mir: Scheiße, wer ist dieser Typ? Ihm nicht ins Gesicht sehen. Sie drehte sich weg, er folgte ihr.

Er ist verschwunden, klagte es hinter ihrem Rücken. Hat mich sitzen lassen, dachte schon, man hat ihn entführt, so was gibt's, Leute verschwinden von der Straße, man hat uns verhaftet, voll-kommen unschuldig, getrennt und befragt, und seitdem …

Tut mir Leid, sagte Kinga. Ich habe keine Ahnung, wovon du sprichst. Entschuldige mich.

Sie ließ ihn stehen, aber ab da beobachtete sie ihn. Nicht einfach, wenn man Augenkontakt vermeiden will und der andere starrt.

Was ist? fragte Janda.

Nichts. Eine Nervensäge.

Später war sie kurz abgelenkt, eine kleine Erholung vom ange-strengten peripheren Sehen, und plötzlich die Stimme des Typen, schrill: Das ist seine Tasche! Ich erkenne seine …

Pscht! Die Musiker haben wieder angefangen zu spielen.

Aber die Zecke war nicht mehr zu bändigen:

Wieso macht ihr das? Wieso seid ihr so? Was seid ihr nur für Menschen! Ich habe euch doch nichts getan, ich bin zu jedem freundlich, ich helfe jedem, mache mir Gedanken und Sorgen, ich bin ein solidarischer und mitfühlender Mensch, ein guter Mensch, ein guter Mensch, und ihr, und ihr …

Irgendwo hier war es, dass Kinga Anlauf nahm, die Zecke an den Schultern packte und mit ihm durch den Raum rannte, wie mit einem Rammbock auf die Tür zu, die, wie der Zufall es will, ge-rade offen stand, so dass sie ihn ohne weitere Verzögerung ins

Treppenhaus schubsen, nein, mit einem veritablen Tritt in den
Hintern hinausbefördern konnte. Der Typ war so verdutzt, dass
er noch eine ganze Weile weiterredete, erst als er die Tür direkt
vor sich hatte, begann er zu quäken: Heeeeeeee! Kinga hob das
Knie, trat ihn hinaus, schlug die Tür hinter ihm zu und verriegelte
sie von innen. Sie lachte.
Einpaar andere lachten auch, wieder andere haben gar nicht mitbekommen, dass da etwas war. Die Musiker sahen sie fragend an,
sie winkte ab. Aber eigentlich hatte ich die ganze Zeit ein blödes
Gefühl.
Nur ein paar Minuten später entschieden sich die Mikrominis
aufzubrechen. Sie trauten sich kaum, Kinga anzusprechen, taten
es dann doch, sehr höflich: sie möge bitte die Tür aufschließen.
Kinga hatte die Zecke, so unglaublich das auch klingt, inzwischen
vergessen. Als hätte ich ihn von der Erdscheibe geschubst. Die
Mikrominis gingen und kamen zurück.
Er weint, berichteten sie.
Wer?
Der Mann von eben. Sitzt auf dem Treppenabsatz und weint.
Na und, Herzchen?
Die Mikrominis standen betreten herum, dann zuckte die Vifere
mit den Achseln, und sie gingen ein zweites Mal.
Entschuldigung. Vorsichtig in ihren hohen Stiefelchen am schnie-
fenden Mann vorbei.
Kinga steckte den Kopf ins Treppenhaus. Tatsächlich. Da tat er
mir schon etwas Leid, andererseits … Sie schloss leise die Tür.
Wenig später hob unten im Hof ein Gebrüll an. Was ist das, zu-
erst konnten sie es gar nicht zuordnen, woher es genau kam. Dann
öffnete jemand das Fenster, und es wurde klar. Die Zecke. Stand
unten im Hof und kreischte hoch, außer sich, es echote nur so:
Ich werde euch alle anzeigen! Wegen Betreiben eines illegalen Aus-
schankes!
Kinga lachte, aber sie war nervös. Sie wagte nicht, zum Einmachglas zu schauen, das im Übrigen fast leer war.
Hört ihr! Ich werde euch alle anzeigen! (Winselnd, aber selbst das
ist gut zu hören, der Hof ist wie ein Brunnen:) Ihr Schweine.

Janda stand auf, ging zur Tür, als ginge er nur aufs Klo, aber er nahm den Schlüssel nicht mit.

Was hast du vor?

Keine Antwort, er ging.

Das werdet ihr noch bereuen! (Gebrüll unten im Hof.)

Anschließend: Stille.

Unten war es dunkel, nichts zu sehen, sie löschten die Lichter, damit auch sie nicht zu sehen waren, standen am Fenster, horchten: nichts. Später Schritte und als ob Reden, noch später kam Janda zurück.

Was ist passiert?

Nichts, sagt Janda.

Was hast du …

Nichts! Bis ich unten war, war er schon weg.

Als alle gegangen waren, erfasste Kinga dann doch noch ein Zittern.

Steigere dich jetzt nicht rein, sagte Janda. Es wird gar nichts passieren.

Wird uns die Ratte wirklich verraten? fragte Kinga *jetzt* Abel.

Wer war das überhaupt? Kennst du den wirklich?

Ich glaube nicht, sagte Abel. Dass er sie verraten würde. Eher nicht.

Was machst du da?

Er packe seine Sachen.

Wieso packst du deine Sachen?

Er habe eine neue Bleibe gefunden.

Was?

Ein neues Zimmer.

Wann?

Gerade. Auf dem Nachhauseweg.

Wie? Einfach so?

Was sagst du dazu. Da bist du (Kinga) sprachlos. Kann man *so etwas* machen? Jetzt gehen? Sie sah hilfesuchend zu den Musikern. Kontra zuckte die Achseln. Die anderen beiden reagierten gar nicht.

Tut mir Leid, sagte Abel. Aber er habe dem neuen Vermieter versprochen, innerhalb der nächsten Stunde wiederzukommen.

Er küsste Kinga auf die Wange und gab ihr zusammengefaltete Geldscheine. Fürs Mitwohnen. Sie schaute sich die Scheine an, für einen Moment sah es so aus, als würde sie sie zu Boden fallen lassen, balancierte sie auf der gespreizten Handfläche, dann steckte sie sie doch in die Hosentasche. Da war er schon aus der Tür.

IV. FLEISCH

Affären

Carlo

Unter Berufung auf seinen langen Heimweg hatte er das gesellige Beisammensein relativ früh verlassen.

Bis Donnerstag, sagten Omar und seine Mutter.

Bis Donnerstag, sagte er.

Bis Montag in vier Wochen! riefen die Gäste.

Warten Sie, sagte Tibor, ging ins Nebenzimmer und schrieb, ohne dass ihm auch nur eine Zeile von Abels Arbeit vorgelegen hätte und ohne mit der Wimper zu zucken, eine neuerliche Empfehlung, diesmal für ein Promotionsstipendium, *es ist in unser aller Interesse etc.*, womit die nächsten drei Jahre gesichert gewesen wären.

Danke, bitte, keine Ursache.

Als er endlich die Straße betrat, war der Gehsteig reifbedeckt. Knirschende Schritte und die weißen Fahnen seines Atems. Eine kleine Seele, jedes Mal. Ihren kurzen Flug zu beobachten, beschäftigt einen. Es war ihm etwas übel, man weiß nicht recht, wovon, er hatte nichts Besonderes, irgend einen hochprozentigen Alkohol und etwas Wasser getrunken. Deswegen oder nicht, er beschloss, die ganzen (Fünfzehn? Zwanzig? Also, schätzen kann ich endgültig nicht) Kilometer bis *nach Hause* zu Fuß zu gehen.

Er wollte einfach sehen, was passiert, ob er es schaffen konnte. Ein paar Mal mag er sich auch verlaufen haben, aber vielleicht auch nicht, im Grunde könnte man in einer großen Stadt wie dieser auch so tagelang unterwegs sein. Er hätte die großen Straßen nehmen, den Schildern Richtung Bahnhof, seinem ständigen Orientierungspunkt, folgen können, aber das will nicht wirklich jemand, also blieb er in den kleinen Straßen und hielt sich nur dem Gehör nach parallel zu den großen. Manchmal verlor er die Fährte, das ließ sich nicht vermeiden, fand sie oder eine andere aber später wieder. Alles in allem dauerte es fünf Stunden, bis er in einer vertraut wirkenden Gegend angelangt war. Ihm kam es nicht so lange vor, im Grunde einmal *aufgewacht*, und er war: *da*. Eine Drogerie, ein Kitschgeschäft, eine Trafik, ein Nagelstudio, ein Reisebüro, ein Blumengeschäft. Im Einzelnen alles unbekannt, aber insgesamt doch ... Zwei Kneipen, Bekleidung, Haushaltswaren, Blumen, Drogerie, Papier. Einpaar Läden wurden gerade beliefert: pittoreske Fleischbrocken über dem Gehsteig schwebend. Der frühe Spaziergänger hätte sich zwischen zwei Schweinehälften am geöffneten Fahrzeugrücken vorbeidrücken können, aber aus unbekannten Gründen blieb er stehen und sah zu. Der Besitzer der Fleischerei, ein junger Kerl mit Vollbart und weichem Bauch, kam mehrmals heraus, sah ihn jedes Mal an. Die Fleischträger trugen Plastikschürzen und sahen ebenfalls herüber. Dann fuhr der Lieferwagen weg, der Fleischer blieb neben Abel stehen.

Wo kommen Sie denn her?

Sagt den Namen des Stadtteils.

Schneit es da etwa?

???

Sie sind ganz weiß.

Er griff sich ins Haar. Raureif. An den Augenbrauen auch. Junger Mann mit weißem Haar. Deswegen haben alle so geguckt. Wahrscheinlich deswegen.

Der Name des Fleischers war Carlo, und er kämpfte gegen die Pleite. Das Verschwinden der Arbeiterklasse zieht den Niedergang der Fleischer nach sich. Worum es geht, sind die Wurststullen. Man muss sehen, wie man über die Runden kommt. Sie kennen nicht zufällig jemanden, der ein Zimmer sucht?

Ein Raum, eine Toilette. Als Bett diente ein ausziehbarer Sessel, dem man das nicht ansah, in der Ecke stand ein summender Kühlschrank, darauf eine Kaffeemaschine, in einem Regal versteckt ein Rechaud. Die Wände rochen nach Rauchfleisch, man hörte nebenan die Wurstmaschine arbeiten. Außerdem hörte man das Telefon, das ursprünglich hier gestanden hatte, jetzt direkt hinter der Wand im Flur. Wenn Carlo telefonierte, hörte man es murmeln. In dringenden Fällen wurden auch Nachrichten für den Untermieter entgegen genommen. Dann kam kurze Zeit später eine der allesamt weiblichen Angestellten in rotweißer Schürze herüber, klopfte je nach Naturell sanft oder energisch, richtete aus, was auszurichten war. Meistens schickten sie den Lehrling, ihr Name ist Ida, vom ersten bis zum letzten Tag verliebt in ihn, sie wagte ihn gar nicht anzuschauen, lief selbst so noch röter an als das Gulasch, das sie zu schneiden hatte. Gelegentlich kam, zu Idas Erleichterung und Trauer, der Fleischer persönlich, Schürze, Gummistiefeln, und blieb ein wenig. Von Zeit zu Zeit musste er wohl Zeit in seinem Büro verbringen. Eigentlich hätte er es nicht als Wohnraum vermieten dürfen, deswegen gab es auch keine Klingel. Falls Sie jemand fragen sollte, sagte er am frühen Morgen ihrer ersten Begegnung: Sie leihen sich nur das Büro. Abel nickte, ging nach Kingania zurück und holte seine Sachen.

Woran arbeiten Sie? fragte Carlo mit Blick auf den steinzeitlichen Laptop, den Abel irgendwann zwischen der Nacht im Computerraum und dem Besuch bei Tibor gekauft hatte. Sonst hatte er nicht viel dabei. Zwei, drei Bücher.

Eine Arbeit aus dem Bereich der komparativen Linguistik, antwortete Abel auf die Frage seines Vermieters.

Aha, sagte der Fleischer.

Er selbst interessierte sich für wenig mehr als Fleisch. Worüber er auch immer sprach, er tat es unter dem Aspekt des Fleisches. Sie sind doch kein Vegetarier? Er arbeitete an noch nie da gewesenen Wurstprototypen, marinierte und briet Fleisch und bat höflichst den Ausländer, er möge probieren, ob das wohl seinen Leuten schmecken würde. *Seine Leute*, das waren die *erfreulich zahlreichen Fremden*, die es neuerdings hier gibt, Carlo schätzt sie sehr, weil sie nicht so viel klagen, allgemein nicht und nicht über den Wurstgeruch, der ins Treppenhaus zieht, sie essen gerne Fleisch, und Carlo *von seiner Seite* würde ihnen gerne das Fleisch geben, das sie gerne essen. Hier hat er ein wenig mit Hackfleisch und scharfen Gewürzen experimentiert, so wie er es in Erinnerung hatte aus diesem Imbiss, in dem er neulich Probe essen war. Wie finden Sie es? *Es* – das war immer das Fleisch. Wenn er sagte: *es*, meinte er: Fleisch.

Abel Nema berührte mit seiner berühmten, zehnsprachigen Zunge die Fleischstücke. Sie wurde sofort taub.

Zu scharf?

Um die Wahrheit zu sagen, sagte Abel, ich habe so gut wie keinen Geschmackssinn.

Der Fleischer schaute nur.

Das ist die Wahrheit, sagte Abel. Ich spüre nur ganz intensive Geschmäcke. Also ist es nicht zu scharf.

Was eine Erklärung dafür wäre, wieso der Kerl wie ein Pfeifenreiniger aussieht. Andererseits glaubte ihm Carlo nicht so richtig.

War das immer schon so?

Ich erinnere mich nicht. Früher habe ich auf so etwas nicht geachtet.

Danach gab es nicht mehr viel zu sagen. Er lasse *es* dennoch hier, sagte Carlo. Es ist und bleibt ein Proteinlieferant.

Zu diesem Zeitpunkt war Abel N. sechsundzwanzig Jahre alt und lebte das erste Mal wirklich allein. Mit der Wurstmaschine, Carlo, Ida und den anderen Gummibestiefelten dicht an der Wand, aber dennoch. Auf den vernieselten Winter folgte ein ungewöhnlich warmer Frühling, der hauptsächlich damit verging, dass er sich einen neuen Alltag organisierte. Er beantragte und bekam ein Promotionsstipendium und ließ sich bei einem halben Dutzend Familien als Sprachlehrer der Kinder empfehlen.

Hier ist einiger Aufruhr zu registrieren. Kurzzeitig gab es eine *regelrechte Manie* (Mercedes, rückblickend) um ihn, ausgehend von einer unbekannten Mutter zweier Töchter. Ist dir nichts aufgefallen?, er hat doch etwas, irgendwas hat er! Dieser Blick, dieses Schweigen, die Hände, wie sie sich bewegen, wenn er etwas erklärt, weiße, zarte Hände, und überhaupt, wie er mit Kindern kann, dabei macht er scheinbar gar nichts, sie sitzen nur da, unterhalten sich, schreiben manchmal etwas auf. Er ist weder zu nachgiebig noch zu streng. Zumindest solange der Unterricht dauert. Davor, danach, wenn er mit den Eltern, meist den Müttern, sprechen muss, ist er wieder so unbeholfen, als wäre er selbst noch ein Teenager, sagt im Grunde gar nichts, geht mit einer kleinen Verneigung, ist es albern, dass mich das, das *alles*, in eine beinahe (geflüstert) *sexuelle* Aufregung versetzt?

Mercedes zuckte nur die Achseln. Obwohl, sagte sie mit guter Beobachtungsgabe, hier haben sich zweifellos zwei gefunden. Omar ist zwar ein höfliches Kind, aber wirkliches Zutrauen hatte er bis dahin zu nicht mehr als drei allesamt nah verwandten Menschen gefasst. Und nun zu ihm. Nahm ihn bei der Hand, führte ihn durchs Haus, anschließend sagte er, noch keine sechs, Lesen, Schreiben fließend: Ich will Russisch lernen.

Russisch, wirklich?

Ja, Abel hat mir etwas auf Russisch gesagt, es gefällt mir.

Was hat er dir auf Russisch gesagt?

Das weiß ich nicht, ich kann ja noch nicht Russisch.

Die umstehenden Erwachsenen, die Mutter, die Oma, lachten, die beiden *Männer* blieben ernst. Warum nicht, sagte Mercedes.

Was sie seitdem genau gemacht haben, könnte Mercedes nicht sagen, sie war mit anderen Dingen (Tibor) beschäftigt, sie öffnete dem Lehrer höchstens mal die Tür und bezahlte ihn einmal im Monat. Zu Anfang schaute sie während der Stunde ab und zu in Omars Zimmer vorbei. Es war nichts Besonderes zu sehen. Ob sie Fortschritte machten, ob er tatsächlich *konnte*, was er sagte, ließ sich nicht nachprüfen. In Tibors Kreis verkehrten zwar einige, die der Sprache mehr oder weniger mächtig waren, aber Omar sah keinen Grund, ihnen sein Können vorzuführen.

Aber, wechselten die Bekannten zurück in die Landessprache, wozu sonst willst du eine Sprache erlernen, als dich mit anderen zu unterhalten?

Aber ich unterhalte mich doch jetzt schon, sagte Omar.

Woraufhin die Bekannten verwirrt aufgaben. Sich mit diesem Kind zu unterhalten ist wie ---

Alles in allem löste er hier nicht Aufregung aus, sondern das Gegenteil. Tibor, zum Beispiel, blieb auch einmal vor dem Türspalt stehen, sah sie dahinter sitzen und dachte, was, wenn der Junge, der größere von beiden namens Abel, zukünftig *immer* hier sein würde, und wieso das jetzt so eine *beruhigende* Vorstellung ist.

Aha, sagte Kinga, als Abel sich Wochen nach seinem Auszug endlich bei ihr meldete. Dacht' ich mir schon, dass es dir gut geht.

Uns geht es, danke der Nachfrage, ebenfalls gut. Mittlerweile können nen wir schon wieder schlafen.

(Zuerst schien es, als hätte sie sich beruhigt, aber am Abend nach dem Auszug des Kindes ist es doch aus ihr herausgebrochen, sie schluchzte, zitterte, flehte die Musiker an, sie nicht allein zu lassen, sie habe Angst, weigerte sich aber auch, Kingania zu verlassen, krümmte sich in einer Ecke zusammen, bis Janda zu brüllen anfing: Hör auf, jetzt schau dich doch an, wälzt dich hier im Müll!)

Das freut mich, sagt das Kind.

Freizeichen.

Danach passierte eine Weile nicht viel. Der übliche Übergang zwischen zwei Installationen. Etwas fügte sich still. Später lernte er diesen Jungen kennen. Er sagte, sein Name sei Danko. Er ist mir in den Schoß gefallen, wie ein reifer Apfel.

Spiele

Genau genommen waren sie schon halb verfault, sie hatten sie aus dem Müll hinter der Markthalle geklaubt. Er war wieder einmal zu spät, und als er um die Ecke kam, warteten die anderen schon auf ihn und fingen an, mit den Äpfeln nach ihm zu werfen. Er grinste und lief weiter, wehrte links und rechts die Äpfel ab, aber soviel Arme hast du nicht. Mal waren die Äpfel hart, das tat weh, mal weich, dann zerplatzten sie: stinkender Matsch. Scheiße! brüllte Danko. Aufhören! Aber die anderen zielten und warfen, ernst und konzentriert, keine Munition verschwenden. Danko fluchte, wand sich, nichts nützte, als er sich umdrehte, traf ihn ein Apfel, der faulste unter allen, am Steißbein. Explodierende braune Soße. Jetzt lachten sie endlich, aber als er sich grinsend zu ihnen umdrehen wollte, geile Nummer, Arschlöcher, warfen sie wieder nach ihm. Heute betrittst du diesen Platz nicht. Jetzt ist mir aber endgültig die Lust am Ganzen vergangen. Drehte sich auf dem Absatz um und ging. Bis zum nächsten größeren Baum, dort, in der

Deckung, hockte er sich hin, den Rücken an den Stamm gelehnt. Jetzt ist er eingeschnappt.

Sie waren zu siebent, ein Zufall, aber es machte sich gut. Mehr werden wir niemals sein. Ihr Zusammensein hatte keinen bestimmten Zweck, sie waren halt eine Bande. Schwänzten die Schule, trieben sich in den Straßen herum, holten sich aus den Läden, was sie brauchten oder wollten. Wüsste nicht, dass ich mir *jemals* etwas gekauft hätte. Die Getränkedosen zerdrückten sie, kickten sie klassisch über den Asphalt, rauchten wie die Schlote und spielten fast jeden Nachmittag auf dem umzäunten Bolzplatz am Südende des Parks Fußball. Oder was sie so nannten. Christophoros S., Obdachloser, der von seiner Sitznische aus alles genau sehen kann, hätte es eher eine Massenschlägerei genannt. Sie spielten mit vollem Körpereinsatz, wild gegen die Begrenzungszäune donnernd, ineinander verschlungen, ein Tanz von Laokoonen. Sie ächzten und schrieen Flüche in einer den Herren (und Damen, das ist oft nicht so genau zu sehen) Obdachlosen unbekannten Sprache. Der schwarz gekleidete Typ auf der Bank zwischen Pennerhalbkreis und Bolz: jedes Wort.
Irgendwann im Laufe des Frühlings war Abel, vermutlich auf Vermittlung von jemandem aus Tibors Kreis, zu einem weiteren Job gekommen. Synchrondolmetschen in einem nahen Kongresszentrum, wenn auch nur als Aushilfe mit Notfalltelefon in der Fleischerei.
Sie sind ein Skandal! brüllte der Ire.
Sie sind ein Skandal, sagte die kleine Frau mit dem Pagenschnitt in der Kabine nebenan.
Sie sind ein Skandal! brüllte der Serbe zurück.
Sie sind ein Skandal, sagte Abel ins Mikrophon.
Die kleine Frau lächelte ihm durch die Scheibe zu.
Nach der Arbeit setzte er die im Winter angefangenen Spaziergänge fort. Seine Bewegungen durch den Nachmittag waren auf die übliche Weise willkürlich, am Park kam er dennoch relativ häufig vorbei, einfach weil er so zentral lag. Wenn er kam, setzte er sich auf die Bank vor der Wäscherei, auf der sonst niemand saß.

Die kaputte Ladentürklingel in seinem Nacken schien ihn nicht zu stören. Es sah aus, als schliefe er. Später hob ein irrsinniges Gebrüll an, in dem sämtliche seiner Vorfahren und Nachkommen verflucht wurden, und er wachte auf, oder wer weiß, vielleicht entschied er sich nur, das Kinn nicht weiter auf die Brust gesenkt zu halten. Er sah zu den Käfigen hinüber.

Dass er sie *schon seit einer Weile beobachtet* hätte, kann man also nicht behaupten. Dafür kam er erstens zu unregelmäßig, und zweitens bedeutet so ein Hinsehen nichts. Bei dem Lärm, den sie veranstalteten, *konnte* man einfach nicht *nicht* aufhorchen. Er blieb eine Weile, dann ging er. Insgesamt fiel er, bis auf Christophoros S., der alles sieht, aber nie was sagt, keinem auf. Aus der Bande jedenfalls hatte ihn bis zum Tag der Äpfel niemand registriert, und auch jetzt, obwohl sie praktisch Schulter an Schulter hockten/saßen, Baumstamm, Bank, bemerkte ihn der Junge eine ganze Weile gar nicht. Er interessierte sich ausschließlich dafür, was auf der Bolz vor sich ging, ob jemand kam, um ihn zurückzuholen. Aber es kamen nur Äpfel geflogen. Sobald sein Kopf hinter dem Baum auftauchte, sirrrrr, paff. Heute: nicht.

Ich weine nicht vor Schmerzen, sondern weil ich es nicht verstehe. Was habe ich getan? Warum benehmen sich alle wie die Wahnsinnigen?

Ein Apfel prallte am Baum ab, rollte vor Abels Füße. Beide sahen sie zuerst den zerfledderten Apfel an, dann einander, dann sah der Junge schnell wieder weg. Er streifte die Apfelreste von sich, soviel er eben sah und erreichen konnte. Seine Hand war geschwollen. Das ist was anderes, sagte er später.

Irre, murmelte der Junge. Ich bin von Irren umgeben. Mein Vater ist die Mutter aller Irren. Vielleicht sollte ich ins Irrenhaus. Vielleicht sind dort welche normal.

Das Letzte, dachte er, hätte er nur gedacht, aber offenbar muss er es laut gesagt haben, denn auf einmal sagte der Typ auf der Bank: Der Pförtner im Irrenhaus grüßt alle Leute mit »Freiheit!«

Der Junge (Danko. Sein Name ist …) hörte auf, die Apfelreste von sich zu wischen. Er sah schielend zur Bank.

Was?

Der Typ grinste.

Was grinst'n du?

Er grinst nicht. Das ist sein Gesicht.

Danko sah sich das Gesicht an, dann sah er sich noch einmal nach dem Käfig um. Die anderen hatten inzwischen die Mannschaften aufgeteilt, fingen zu spielen an, als wäre nichts. Er drehte den Kopf wieder zurück.

Wieso grüßt er sie mit Freiheit?

Im Gedenken an die Französische Revolution.

???

Weil er auch ein Irrer ist.

Jetzt endlich grinst er. Über der Oberlippe erster schwarzer Flaum.

Wo kommst du her, fragte der Typ.

Wieso?

Dunkle Haut, Akzent. Er schaute eine Weile zum Pennerhalbkreis. Der kaputte Trinkbrunnen plätscherte, die Hunde spielten, die Türklingel jodelte.

Die lassen ihre dreckigen Köter so rumrennen, murmelte er. Vielleicht haben sie die Tollwut.

Pause.

Wir sind Rom, sagte er dann.

Deine Freunde schauen her, sagte Abel.

Wirklich? Der Junge grinste und blieb hocken.

Und was machen sie jetzt? Und was machen sie jetzt?

Spielen weiter, halten an, schauen her, unterhalten sich, gehen, berichtete der Spion.

Und jetzt?

Nichts. Sie sind nicht mehr zu sehen. Wie heißt du?

Antwortet nicht. Geht.

Das war die erste Begegnung mit Danko.

Was ist das für ein Typ?

Sie warteten hinter der nächsten Ecke auf ihn, standen da wie ein Block, vorneweg Kosma, er war der Boss, ein Körper wie ein Tier, angeblich fickt er schon. Was ist das für ein Typ, fragte Kosma.

Danko grinste geheimnisvoll.

Kosma warf ihm den Ball ins Gesicht. Er prallte ab und landete wieder in seinen Händen: Grins nicht, Arschkrampe!

So zufällig sie auch aneinander geraten waren – *Das Kroppzeug findet sich eben* –, einen gewissen Grad an Organisiertheit musste es geben, weil eine Bande ohne eigene Gesetze, das weiß jeder, einen Scheißdreck wert ist, sagte Kosma. Die meiste Zeit waren sie Kinder, spielten alberne Spiele, aber manchmal überkam es ihn, dann brüllte er *stundenlang* auf sie ein: Du Abschaum, du, ich werd' dir die Zehennägel flambieren, deinen Schwanz zu Hackfleisch verarbeiten und dir in den Mund stopfen, deinen Kopf ins Klo stecken, bis du deine eigene Kotze trinkst, du *Mist*geburt! Sie gruselten sich und liebten diese Tiraden. Sein unnachahmliches Talent zu drohen, hatte Kosma zum Boss gemacht.

Dankos Nase prickelte. Nicht hinfassen.

Keine Ahnung. Ein Typ halt. Sitzt auf der Bank.

Ein Perverser. Oder ein Agent. Guck dir seine Klamotten an.

Das übliche Durcheinandergerede: Agent, Perverser, etcetera. Sitzt auf der Bank und beobachtet uns. Danko wurde (warum?) rot.

Bullshit, sagte Kosma. Und: Wen interessiert schon der Arschficker.

Dich doch. (Sag das nicht.)

Kosma sagte, wen interessiert schon der Stricher von der Bank, aber die Wahrheit war, dass er (warum?) in sämtlichen Köpfen haften geblieben war. Sie redeten nicht darüber, aber als er das nächste Mal wieder dasaß, auf derselben Bank, hielt Kosma das Spiel an, ging zum Zaun und schaute zu ihm hinüber. Der Typ auf seiner Bank tat so, als würde er schlafen, aber *jede*r wusste, dass das nur Show war.

Da ist er wieder.

Danko, der etwas ahnte, konzentrierte sich darauf, den Ball zwischen den Innenkanten der Füße zu zwirbeln, stellte sich nicht besonders geschickt an, überhaupt kein guter Fußballer, fiel fast hin, der Ball schnippte weg, gegen den Zaun, *zing*! Kosma stellte einen Fuß drauf, jetzt ist Schluss.

Du hast doch mit ihm geredet. Was hast du mit ihm geredet?

Danko weiß es ehrlich nicht mehr. Nichts.

Lüg nicht, Arschkrampe, ich hab's genau gesehen!

Kosma rollte den Ball unter der Sohle, nahm ihn auf die Zehen, balancierte ihn ein wenig und kickte ihn dann von sich, als wäre es der Typ persönlich. Der geht mir auf den Sack!

Anschließend spielten sie wieder, wild gegen die Begrenzungszäune donnernd etc., schrieen, lachten extra laut. Danko lachte am lautesten. Das mit den Äpfeln war nur Spaß, verstehst du? Jeder ist mal dran. Aus den Augenwinkeln schauten sie, ob er hersah. Spielten *für ihn*. Später lehnten sie am Drahtzaun, außer Atem, rauchten wie die Schlote und sahen nicht zur Bank hinüber. Als der Typ aufstand und ging, rührte sich Kosma nicht. Hielt delikat die Kippe zwischen Daumen und Zeigefinger, der Brunnen plätscherte, die Bäume rauschten, fern ein Martinshorn, ungefähr eine Minute lang. Dann warf Kosma die Kippe weg und ging ebenfalls los. Wir gehen hin, wo wir hingehen wollen. Wenn dem Typen hinterher, dann dem Typen hinterher. Der weiter so tut, als hätte er uns nicht bemerkt. Das ziemliche Tempo, das er vorlegt, beweist allerdings das Gegenteil. Versuch mal so zu tun, als schlendertest du nur mit deinen Kumpels durch die Gegend, während das Seitenstechen schon durch und durch geht.

Sie wussten seinen Namen nicht, also probierten sie, unter dem üblichen Schubsen-und-Lachen, einpaar der Klingelknöpfe am Hauseingang aus, hinter dem er verschwunden war. Erst meldete sich niemand, dann eine Frau: Ja? Schubsen, lachen, dann Kosma, der die Menge teilt, ans Mikro tritt, das Wort führt, fragt, ob hier so und so ein Mann wohne, aber da war die Frau schon nicht mehr am anderen Ende der Leitung. Der Summer ging an, sie drückten gegen die Tür und waren drin.

Sie streiften zwischen den Müllcontainern herum, schauten hinein, vielleicht findet sich was, drückten ihre Gesichter gegen die Gitter der dunklen Fenster im Erdgeschoss: als wären dahinter Maschinen. Sie schauten auch ins Bürofenster, aber sie sahen ihn nicht, und er sah sie nicht, er benutzte gerade die Toilette, und dann kam auch schon Carlo aus der Fleischerei: He! Was sie da machen. Sie zeigten ihm den Finger und liefen davon.

Kein Grund zur Sorge, sagte Carlo zu Abel. Nur einpaar dumme

Jungs. Sie haben mit den Fingern Unleserliches in den fettigen Schmutz der Scheiben geschrieben. Fotze deiner Mutter, las Abel. Danach hat man den Typen nicht mehr an der Bank gesehen. Die Lusche, sagte Kosma. Besser ist es.

Eines langen Tages Abend. Abel

Was hat er (Abel) sich dabei gedacht. Ein Gespräch anzufangen, irgendwo aufgeschnappte Geschichten übers Irrenhaus zum Besten zu geben und dann noch: Wie heißt du? Wahrscheinlich hat er sich gar nichts gedacht. In letzter Zeit hatte er einfach so viele Gespräche mit Kindern geführt, und es funktionierte so gut.
Ich kann ihm jede Frage stellen, wenn es nur in der Fremdsprache ist, sagte Omar im Vertrauen zu seinem Großvater.
Jede, wirklich?
Jede, die mir einfällt.
Und, beantwortet er sie auch?
Soweit ich das beurteilen kann ...
Hm, sagte Alegria. (Etwas eifersüchtig bin ich schon.)
Aber *das hier*, wohin sollte das führen? Anfangs, man kann es nicht begründen, ist es fast anheimelnd, die Flüche, das brutale Spiel. Später fängt es an, sich unangenehm zu entwickeln, sie verfolgen einen bis nach Hause, schreiben Fotze deiner Mutter in den fettigen Staub der Fleschereifenster. Er sieht so normal aus, sagte Mercedes Jahre später, deswegen dauert es eine Weile, bis man merkt, dass er in Wirklichkeit wie ein Magnet alles Sonderbare, Lächerliche und Traurige anzieht. Wenn dein Schicksal einmal aus den Fugen geraten ist, trägst du das Zeichen, sagte Kinga. Er lächelte nur, als wäre er ungläubig. In Wahrheit merkte er diesmal selbst, wie etwas aufzog, und versuchte, dem aus dem Weg zu gehen.

Was nicht einfach war. Wenn du partout nicht irgendwo hinfinden willst, in diesem Fall: zum Park, dann findest du natürlich immer wieder hin. Eine seiner wichtigsten Landmarken auszublenden hieß, sich nicht mehr frei bewegen zu können, und wenn es einmal so ist, bekommt irgendwann alles eine Schieflage. Irritationen und Missverständnisse häufen sich.

Einmal bemerkte eine Frau, dass er sie verfolgte. Wie war ihr Tag bis dahin, sie kam von der Arbeit, Bürokleidung, stöckelte vorneweg, schnell, dann doch lieber langsam, der Abstand blieb. Da bekam sie es mit der Angst oder wurde ärgerlich, sie wandte sich an einen Polizisten, der gerade zur rechten Zeit aus einer Bäckerei kam.

Verfolgen Sie diese Dame? fragte der Polizist Abel N.

Ja. (Sag das nicht. Sage, was auch nicht gelogen ist:) Ich habe mich nur verirrt.

Sie haben was?

Mich verirrt.

Und deswegen verfolgen Sie sie? Kann ich Ihren Ausweis sehen? Schaut sich den Ausweis an, nicht mehr im Dienst, wie gut wäre es, wenn man jetzt nachprüfen könnte, was der Typ sonst noch auf dem Kerbholz hat. In solchen harmlosen Situationen stellen sich manchmal die unglaublichsten Dinge heraus. Aber dann ließ er ihn doch laufen. Kaufen Sie sich einen Stadtplan. Jawohl, sagte A. N.

Später, an einem anderen Tag, wurde er gleich dreimal hintereinander kontrolliert. Die ersten beiden Male gab es keinen ersichtlichen Grund. Sie suchten nach jemandem, er war es nicht. Beim dritten Mal hatte er in einem beliebigen Biergarten etwas getrunken. Es war der erste Tag des Jahres, an dem man Tische auf die Straße stellen konnte. Er wollte gerade gehen, als ein Mann mit verfilztem weißem Haar und einem klappernden Gebiss erschien und zu singen (= krächzen) anfing, aber in einer Weise, dass man nicht wußte, ob er die Leute nicht nur ärgern wollte. Weil sie hier sitzen. Machen Sie, dass Sie fortkommen, sagte die Kellnerin mit einem Tablett voller Gläser in der Hand.

Du! brüllte der Heruntergekommene und zeigte mit dem Finger auf sie. Du wirst für immer verflucht sein! Du wirst kein Glück haben in deinem Leben! Du wirst nie Kinder bekommen! Hörst du, du wirst nie Kinder bekommen!

Die Kellnerin lachte, wandte sich ab und ließ die Gläser vom Tablett rutschen. Glas und Getränke spritzten auf, eine Scherbe bohrte sich in die Wade einer Frau. Sie sprang auf, riss den Tisch um, ein Bierglas fiel ihrem Begleiter in den Schoß, er sprang ebenfalls auf, verlor das Gleichgewicht, fegte das Kleingeld vom Nachbartisch, das Abel gerade hingelegt hatte, und traf ihn mit dem Ellbogen im Gesicht.

Hahahahaha, sagte der Heruntergekommene und zeigte mit Fingern auf den Rücken der Kellnerin, die in einer Pfütze aus Scherben stand, auf die Frau und ihren Begleiter und auf Abel. Er lachte nicht, er *sagte*: Hahahahahahaha!

Abel hielt sich die Nase. Alles in Ordnung? fragte der Begleiter der Frau. Abel nickte und ging schnell, bevor die Polizei eintraf. Auf der Hauptstraße winkte er einem Taxi, es fuhr weiter. Hier musste Abel das erste Mal lachen. Hahaha. Zwei Polizeiautos kamen, eins fuhr weiter, eins hielt, seine Papiere wurden kontrolliert. Was ist mit Ihrem Gesicht passiert? Abel lachte. Was gibt's da zu lachen? Fast kam es zu einem Drogenscreening, aber er konnte sich noch rechtzeitig zusammenreißen.

Sobald er außer Sichtweite war, wurde ihm schwindlig. Er fasste mit der rutschigen Hand an eine Häuserwand, jemand, ein Passant, sah ihn an: besoffen, oder was; er riss sich abermals zusammen, ging weiter. Später wurde er in der Klapsmühle gesehen.

Ein gebranntes Kind, dennoch, er hatte sich so hoffnungslos verheddert, dass ihm nichts weiter übrig blieb. Er wählte sich ein schwules Pärchen aus und ging ihnen einige Straßen nach. Die beiden bemerkten ihn, sahen sich manchmal um, schienen aber nicht besonders beeindruckt zu sein. Sie waren schon im zweiten Hof der ehemaligen Mühle angelangt, als Abel merkte, dass das keine Straße mehr war. Er blieb stehen. Die anderen beiden gingen unbeirrt weiter, auf eine Tür zu, sahen sich um, erwartungsvoll: Na, was ist? Er schloss schnell auf, wurde zusammen mit den beiden in den Klub gelassen, der zu dieser relativ frühen Stunde noch so gut wie leer war.

Willkommen, sagte ein Dicker mittleren Alters. Ich bin der Chef. Mein Name ist Thanos. Was trinkst du?

Später sah er einem Knaben zu, ein Körper wie die Zweige der Trauerweide, wie er sich gelblich, glatt, biegsam um eine Stange wand. In unmittelbarer Nähe machten zwei Pärchen, zwei Frauen, zwei Männer, Liebe, oder sie taten so. In der Klapsmühle ist das meiste Show, sie spielen, dass sie erotische Handlungen ausführen. Die meisten Körper sind älter als der unseres Helden und einpaar jünger. Die Knaben sind meist Professionelle, obwohl das in der Klapsmühle verboten ist, also tun sie so, als wären sie Gymnasiasten, nachts aus dem Fenster geklettert, müssen die erste Bahn kriegen am Morgen, hinaus, wo die Häuser mit Gärten sind. Abel, den man später tatsächlich *Spion* nennen wird, ist der Einzige, der bis an den Kragen zugeknöpft ist. Sitzt nur da und schaut zu. Wer hätte das gedacht. Dass ausgerechnet so ein Klub das Anheimelndste sein würde. Er blieb bis zum Morgengrauen.

Anschließend erschien er das erste Mal sichtbar gerädert, mit einer geschwollenen Nase im Kongresszentrum. Sieh an, dachte die Frau mit dem Pagenschnitt, ihr Name ist Ann. A-Änn-Änn, buchstabierte sie bei einer früheren Gelegenheit. Sie trafen sich, wie schon öfter, im Hof. Sie rauchte, er trank Kakao aus dem Automaten. Ihre dritte Pause, seine erste.
Ich dachte schon, Sie werden nie müde, sagte Ann. Er muss doch irgendwann müde werden, sagte ich zu mir. Oder hungrig oder durstig.
Er hob den Plastikbecher und lächelte. Sie schielte nach seiner Hand. Weiß, knochig. Überhaupt ist er sehr dünn. Ob dieser Kakao das Einzige ist, was er am Tag zu sich nimmt? Mehr oder weniger? So schlecht verdient man hier auch wieder nicht. Hat er eine Familie zu ernähren? Einen Ring trägt er nicht. Plötzlich, wieso, weil sie generell so eine Mütterliche ist – sie könnte tatsächlich seine Mutter sein, wenn auch nur knapp – und sich ganz besonders um *ihn* kümmern möchte, kam ihr die Idee, ihn zu sich nach Hause einzuladen. Auf eine Suppe. Sie müssen was essen. Eine schöne, gesunde Suppe.
Später, während sie gemeinsam und immer noch schweigend die Treppen hochgingen, zurück zu den Kabinen, hatte Ann eine se-

xuelle Phantasie mit Küchenstuhl. Sie verabschiedeten sich mit einem Lächeln und einem Kopfnicken.

Sie hätte ruhig fragen können, er hätte nicht nein gesagt, zumal zur Suppe. Wenn er gleich mitgegangen wäre, hätte das neben anderen, unbekannt bleibenden Vorteilen auch zur Folge gehabt, dass er diesem Jungen, diesem Danko vielleicht nie mehr begegnet wäre. Ein Teller Suppe, eine gewalttätige Affäre, das sind die Optionen an diesem Punkt.

Aber Ann fragte nicht, also konnte er nicht antworten. Seine Fußsohlen kribbelten, seit zwei Tagen unterwegs, diesmal wollte er wirklich gleich nach Hause. Unterwegs kaufte er sich in einem Antiquariat ein Buch, steckte es sich in die Manteltasche. Es war ein bisschen zu groß, ragte oben heraus. Nach Hause, darin blättern.

Bis zur Nervenheilanstalt lief auch alles, wie es sollte. Doch schon eine Ecke weiter stimmte es plötzlich nicht mehr. Das soll mir mal einer erklären. Was er auch in der Folge tat, es wurde nicht besser. Er geriet immer weiter in den Abend und in einen Bezirk hinein, in dem er sonst nie unterwegs war. Nicht, dass ich mich erinnere.

Die alte Eleganz ist hin, ebenso die Schnelligkeit, seit mittlerweile zwei Tagen auf den Beinen, und es wird schon wieder Abend. Er stolperte ungeschickt durch Radioklänge, Bohrmaschinenlärm, Hunde-, Benzin- und Essensgerüche, und – Die Müdigkeit? – alles schien ihm feindselig. Menschen, die starren oder einen ignorieren. Die zwei Männer dort in der Tür.

Er bog noch einpaar Mal falsch ab, schließlich blieb er an einer kleinen, grauen, nach Urin riechenden Kreuzung stehen und rührte sich nicht.

He! sagte Danko. Was machst du hier?

Eines langen Tages Abend. Danko

Sie waren schon seit drei Tagen nicht mehr in der Schule gewesen, jetzt lohnt es sich für den Rest der Woche auch nicht mehr – Was soll ich da, ich verstehe den ganzen Vormittag kein Wort –, aber es gibt immer welche, deren Job es ist, sich wichtig zu machen.

Als er am Abend nach Hause kam, waren ein Mann und eine Frau da und machten gerade den Alten fertig, wieso er seinen Sohn nicht in die Schule schicke.

Was soll ich machen? fragte der Alte weinerlich und rang die Hände. Was soll ich nur mit dir machen? Hä? Sobald Danko zur Tür hereinkam, packte er ihn am Ohr und schüttelte ihn wie an einem Henkel: Was soll ich nur mit dir machen?

Schon gut, sagten die Frau und der Mann, er solle ihn loslassen, aber er ließ ihn nicht los, rüttelte an ihm: Was, was, was soll ich machen?

Später gingen die beiden, und der Alte ließ von ihm ab, verpasste ihm nur noch eine Ohrfeige, quasi im Vorbeigehen. Eigentlich interessierte ihn das Ganze nicht. Das Ohr brannte, als wäre es doppelt so groß, Danko legte sich drauf, den Kopf ins Kissen, damit's die Nacht über wieder schrumpft.

Am nächsten Morgen traf sich die Bande wie gehabt im Park. Zwei Männer tunkten einen dritten Kopf voran in den Springbrunnen, in dem seit Wochen das alte Wasser stand. Der Mann hatte Weizenhaar, das sich in winzigen, harten Locken um seinen Kopf kringelte, und gab sich als Shampootester aus. Sprach die Frauen im Park an, ob er ihnen die Haare waschen dürfe. In einer Ledertasche hatte er in zwei Plastikflaschen vier Liter lauwarmes Wasser und zwei Shampoosorten dabei, angeblich eine Eigenentwicklung seines Salons. Das eine nannte er Citron. Zuerst müssen wir die Haare kämmen, um zu sehen, ob die Rötung gleichmäßig ist. Nur bei gleichmäßiger Rötung kann der Test erfolgreich durchgeführt werden. Er ging mit den Frauen in die Büsche, kämmte sie, wusch ihnen die Haare. Vorwärts oder rückwärts. Meist vorwärts, damit kein Wasser in den Kragen läuft. Er befleckte ihre Kleidung nicht. Anschließend frottierte er ihnen lange die Haare und kämmte sie, bis sie trocken waren, um die Kundin in den Zustand zu versetzen, in dem sie vorgefunden wurde. Vorgefunden ist gut, sagten die Frauen und kicherten. Er machte ihnen Komplimente wegen ihrer Haare und ihrer Intelligenz. Er sei sich sicher, sie hätten eine großartige Zukunft vor sich. Meinen Sie? fragten die Frauen mittleren Alters. Die jungen Frauen nickten selbstverständlich.

Jetzt tauchte er Arm in Arm mit zwei muskulösen jungen Männern auf. Sie waren links und rechts in ihn eingehängt, hatten es sehr eilig, sein Engelshaar wippte. Später hielten sie seinen Kopf lange im grünen Wasser. Falls er dort unten Münzen sehe, solle er sie mit den Zähnen aufheben, sagten die jungen Männer. Dann machen wir fifty-fifty. Sie holten die Shampooflaschen aus seiner Tasche, kippten ihren Inhalt ins Wasser. Es roch den ganzen Tag nach Zitrone. Das Becken sah aus wie ein großer Teller Dessert, Zitronenschaum, mit grünen Fladen dazwischen: Algen, die sich vom Rand gelöst hatten. Am Ende sah der Typ selbst aus wie eine Springbrunnenfigur, in seinen Haaren klebten die Algen und der Schaum, die Augen zusammengekniffen, der Mund aufgerissen. Eine Frau mit Kinderwagen und eine mit mehreren Hunden an der Leine protestierten kreischend, er macht doch nichts, und dass sie die Polizei holen würden. Wir sind die Polizei, sagten die jungen Männer, wischten sich die Hände an den Jeans ab und gingen. Die Frauen klaubten dem Typen die Algen aus den Haaren, spülten mit ein wenig sauberem Wasser aus seinen Flaschen nach, trockneten ihn mit seinem Handtuch. Er saß bedeppert am Rand des Springbrunnens, ließ sich putzen, wenn genug Shampooreste in seinem Mund zusammengelaufen waren, spuckte er aus.

Fotzedeinermutter, sagte Kosma. Standen da, mit dem Gesicht dicht hinter dem Maschendraht. Leckmichamarsch, sagte Kosma. Ich bin schwer beeindruckt. Er lachte. Haben sie den Perversen in die Soße getunkt! Dann wurde er ernst: Diese ganzen Freaks und Kinderficker.

Später war Mittag, und sie gingen, wie manchmal, spaßeshalber, zur Pennerspeisung. Die echten Penner traten ihnen kriecherisch, wie es sich gehört, aus dem Weg. Buäch! sagte Kosma und spuckte den grünen Tee aus. Was ist das für eine Ferkelpisse!

Anschließend gingen sie in eine Spielhölle. Kosmas Vater, Onkel oder Bruder hatte tags zuvor dort gewonnen, eine Handvoll Münzen spendiert, mit denen spielten sie an den Automaten, hauptsächlich natürlich Kosma, bis alles verbraten war. Als alles verbraten war, schmiss der Besitzer sie raus. Spielt oder verpisst euch. Kosma lief dunkelrot an. Den Typen merken wir uns auch. Irgendwann ist der dran. Diese ganzen Freaks und Penner und Arschwichser. Ich werd' dir Blei in deinen fetten Arsch spritzen, du Stück Scheiße, deine Nasenlöcher aufschlitzen, deine Töchter in sämtliche Löcher ficken ---! Hier, er fluchte mittlerweile seit fast einer halben Stunde, änderte sich schlagartig seine Laune. Plötzlich hatte er es eilig, schüttelte sie ab, sagte, er müsse jetzt gehen, beziehungsweise, verpisst euch, ich hab' noch was zu tun, und weg war er.

Es war noch nicht so spät, man hätte noch was machen können, aber ohne Kosma fiel ihnen nichts ein. Saftsäcke, alles muss ich mir ausdenken. Sie drückten sich noch eine Weile in einer lockeren Wolke auf der Straße herum, probierten auf einem Spielplatz die Sachen für die kleinen Kinder aus, aber im Laufe der Zeit fiel einer nach dem anderen ab, am Ende merkst du, dass nur noch du da bist. Um ehrlich zu sein, ist das nicht das Schlechteste.

Danko hatte seit der Tirade in der Spielhölle etwas Kopfschmerzen, er runzelte die Stirn. Was er konkret machen könnte, fiel auch ihm nicht ein, er steckte die Fäuste in die Taschen und schlenderte durch die Gegend. Es wurde dunkel. In einem Billardladen klemmte sich ein Einarmiger den Queue unter die Achsel und räumte sämtliche Tische leer, seine Kumpel feuerten ihn an. Danko sah eine Weile durch die offene Tür zu. Ein einarmiger Billardspieler, nicht schlecht.

Als er sich von der Tür weg- und der verpissten kleinen Kreuzung zudrehte, stand da der schwarze Typ aus dem Park. Keine Frage, das ist er.

Starrt er mich an oder was? Eine Weile hält er es aus, dann sagt er: He!

Nicht sehr laut und die Kreuzung ist dazwischen, trotzdem, dass der Typ irgendwie reagiert, hätte man schon erwartet. Steht da wie eine Statue.

He! Was machst du hier?

Jetzt schaut er endlich her. Aber so, als hätte er einen noch nie gesehen.

Ich bin's. Danko.

Das weiß der doch nicht. Man ist sich noch nicht vorgestellt worden. Hätte ich mal die Klappe gehalten. Was geht mich der an.

Stehen lassen, den anderen erzählen:

Leckmichamarsch, wisst ihr was, der Typ aus dem Park, der verfolgt mich. Steht an der Kreuzung, glotzt mir nach. Tut so, als würde er nur so herumlaufen, aber in Wahrheit … Wieso hat ihn bis jetzt kein Schwanz hier gesehen? Erst wenn ich hier alleine gehe?

Jetzt hat der Typ endlich scharf gestellt. Schaut sich um, kommt vorsichtig, als könnte jeden Augenblick etwas aus dem Nichts auftauchen und ihn überfahren, über die Kreuzung.

Tag.

Wieso muss man (Danko) davon Herzklopfen bekommen? Was soll man selber sagen? Ist gar kein Tag mehr, nur ein Abend.

Wohnst du hier in der Gegend?

Danko nickt.

Ob er ihm sagen könnte, wie es zum Bahnhof geht?

??? Hier gibt's keinen Bahnhof.

Zum Hauptbahnhof.

Zum *Haupt*bahnhof?

Jetzt gucken wir beide blöd.

Oder zum Park, sagt der Typ. Der Park geht auch.

(Bahnhof oder Park, das ist egal?) Weiß ich nicht, sagt der Junge. (Lüge, er will bloß den Satz anbringen, für den Kosma stolz auf ihn wäre:) Aber zum Irrenhaus geht's da lang.

Grinst. Die Hände hat er in den Taschen, er zeigt mit dem Kinn in die Richtung, in die er selbst unterwegs ist. Der Typ steht mit dem Rücken dazu. Grinst auch.

Danke, sagt er. Das Irrenhaus ist genauso gut.

Die merkwürdigste Stimme der Welt. Es kribbelt einem der Rücken davon. Jetzt geht er.

Nein, dreht sich wieder zurück. Fragt, ob der Junge Danko ihn nicht ein Stück begleiten würde. Nur solange, bis er sich sicher sein könnte, sich nicht mehr zu verlaufen.

Du hast dich *verlaufen*?

Danko lacht von Herzen. Ruft in den Luftraum seiner Nachbarschaft, einem unsichtbaren Publikum zu, hier, überall, in den dunklen Rängen wie im Parterre: Er hat sich verlaufen! Was bist du denn für ein Freak?

Jetzt schaut der Typ, als hätte er nicht verstanden. Zuckt mit den Achseln, geht.

Scheiße, was ist das jetzt wieder für ein Gefühl? Der Junge schaut sich um. An der Ecke gegenüber die Billardkneipe. Ansonsten ist nicht viel los. Abendessenszeit. Es riecht nach Schnitzeln. Als ob leises Brutzeln überall.

Die Hölle weiß, was das ist. Danko geht los, dem Typen hinterher. Holt ihn ein, geht neben ihm. Schaut nicht hoch, weiß nicht, was der Typ für ein Gesicht macht. Sagen tut er nichts. Wenn einer läuft, merkt man mehr, wie er riecht. Der hier wie ein Friseursalon. Außerdem Alkohol, Kakao und Plexiglas, aber das könnte der Junge Danko nicht mehr so benennen. Der Typ trägt etwas Viereckiges, Helles in der Manteltasche. Ein Buch ohne Umschlag, nur das Leinen. Eigentlich ist's zu warm für Mäntel. Ich trage nie einen Mantel. Ich habe nicht mal einen. Magst du den Winter mehr oder den Sommer? Ich mag den Sommer mehr. Dann fahren wir ans Meer. Warst du schon mal am Meer?

Sie nähern sich einer Kreuzung, der Typ wird langsamer. Danko mit den Händen in der Tasche hebt den Schenkel für einen betonten Schritt in die richtige Richtung. Der Typ folgt ihm. Als sie wieder in der Geraden sind, fragt er:

Wie heißt du?

Danko, sagt Danko zu seinen Füßen.

Wie alt?

(Geht's dich was an?) Vierzehn. (Lüge.) Und du?

Abel.

Wie?

Das ist sein Name. Abel.

Was ist das für einer?

Ein hebräischer.

Als hätte er das nicht verstanden. Als hätte er was an den Ohren, muss der Junge öfter nachfragen, oder vielleicht kennt er die Wörter nur nicht.

Mein Name ist Abel, und ich bin sechseinhalb Jahre alt.

???

Ja, sagt der Typ, er sei an einem neunundzwanzigsten Februar geboren worden. Bis jetzt hatte ich sechs Geburtstage, den nächsten habe ich in zwei Jahren.

Bis jetzt gab es keinen einzigen Schüler, der sich nicht gefreut hätte. Ich bin älter als du! Der Junge hier versteht immer noch nicht. Kann es sein, dass er nichts von Schaltjahren weiß?

Den neunundzwanzigsten Februar, erklärt Abel, nun benutzt er zur Unterstützung auch die Hände, gibt es nur alle vier Jahre. Wenn es ein Schaltjahr ist.

Hm. Danko wirft einen versteckten Blick zur Seite. Zur *anderen*, nicht dorthin, wo *er* geht. Nichts. Pause. Irgendwas ist komisch. Der Typ redet und bewegt sich anders, als man (Danko) das je gesehen hat. Als wären sie elektrisch, löst jede seiner Bewegungen eine direkte körperliche Reaktion im Gegenüber aus. Kleine Fausthiebe in der Seite.

Bis zur nächsten Ecke schweigen sie wieder. Hier geht der Junge wieder einen Schritt vor, wieder versöhnt sie das miteinander. Nach ein wenig Stottern, was … ähm … was …, fragt er, was Abel mache. Dolmetschen.

???

Von einer Sprache in eine andere übersetzen.

Von welcher?

Abel zählt sie auf. Die gemeinsame Muttersprache lässt er aus. So sind es neun.

Hm, sagt der Junge. Und Chinesisch? Kannst du das auch? Nein.

Ich kann: die Landessprache und die Muttersprache.

Beide, muss man sagen, nicht sehr gut. Orientiert sich entlang der Hauptwörter. Ah, das kenne ich. Hab so was schon mal gehört. Mit wie wenig der Mensch doch zurecht kommt. Abel hat Schüler, halb so alt, mit einem doppelt so großen Wortschatz. Ganz zu schweigen von Omar. (Sich die beiden in einem Raum vorstellen. Was würden sie miteinander reden?)

Gehen schweigend. Auf einem üblichen Eckgrundstück eine Gebrauchtwagenhandlung. Ihr Kommen löst die automatische Beleuchtung aus. Für einen Moment stehen sie in einem viel zu grellen Licht. Kleine Fähnchen auf Schnüren blinken metallen. Der Junge, plötzlich ganz aufgeregt, hängt einpaar Finger in die Maschen des Zauns ein, schaut gierig, was es drüben zu sehen gibt. Der Typ ist weitergegangen, jetzt bleibt er stehen, wartet.

Hast du ein Auto?

Nein.

Was?

Nein.

Wir hatten einen …

Aha.

Wenn ich mal Geld hab, kauf ich mir den da.

Der Typ kommt nicht näher, um sich *den da* anzuschauen. Der Junge lässt den Zaun los, schließt wieder auf.

Dann fahr' ich damit herum.

M-hm.

Warst du schon mal am Meer?

M-hm.

Was?

Ja.

Das ist das Größte, sagt der Junge. Ich kauf' mir ein Haus dort. Auf einem Felsen.

Hm.

Pause. Wieder ist ein Thema gestorben. Langsam wird der Typ ungeduldig, ginge gern schneller, aber der Junge ist jetzt woanders, schlendert verträumt, schaut sich jedes Schaufenster an. Das will ich haben und das auch. Der Typ jetzt immer drei Schritte voraus.

He! ruft der Junge. Nicht da lang!

Er ist ohne ihn abgebogen. Natürlich falsch. Der Junge kommt gelaufen, lacht. Du weißt ja gar nichts! Weißt nichts, hast nichts, bist nichts, was? Da ist es, da vorne, die Bäume, siehst du?

Danko lacht. Was hat ihn so glücklich gemacht? Sie stehen in der Nähe einer Laterne, das schwarze Profil des Jungen glänzt auf. Die Lippen eines Nubiers. Die Härchen unter der Nase. Abel streckt ihm eine weiße Hand hin.

Danke, sagt er. Für die Begleitung.

Die Faust des Jungen hat sich in der Hosentasche verkeilt, sie öffnen, die Lösung fällt ihm nicht ein, ist sich auch nicht sicher, ob das überhaupt richtig wäre, er zuckt nur kurz, dann bleibt er so stehen, wie er war. Fühlt die Finger, seine eigenen, warm und klebrig. Wie sie riechen, weiß er auch. Murmelt etwas. Der Typ hat es bestimmt nicht verstanden, aber er nickt, zieht mit freundlichem Gesichtsausdruck die Hand wieder ein, geht zwei Schritte rückwärts, bevor er sich umdreht. Danach schaut er sich nicht mehr um.

Danko dreht sich um, zackig auf den Fersen, weiß selber nicht wieso, muss jetzt einfach rennen. Rennt.

Nacht

Der Junge Danko war nicht der Einzige, der irritiert war an diesem Tag. Wobei in der letzten Stunde, seitdem sie zusammen gingen, die Müdigkeit und der Unwille mit einem Mal verflogen waren, er (jeder von ihnen) hätte bis zum nächsten Morgen so gehen können. Was merkwürdig ist. Denn, was will man eigentlich von einander. Man versteht kaum, was der andere sagt. Dazu das ganze Umfeld. Abstoßend. Einerseits. Andererseits ist er schön.

Als Abel nach Hause kam und das Tor öffnete, war es, als erwartete er dahinter etwas. Aber dahinter war nichts, einfach das Dunkel. Er machte Licht, ging durch die Einfahrt, öffnete die Tür zum Hof, erwartete wieder etwas und wieder war nichts, nur der Wurstgeruch und die dunklen Körper der Mülltonnen. Er schloss die Tür zum Büro auf, dunkel, dann Licht, er warf den Mantel mitsamt Buch von sich. Später, bevor er wieder ging, zerrte er das Buch aus der Tasche, warf es irgendwohin, in ein Regal. Dazwischen saß er eine halbe Stunde unter der Dusche, es war kalt und es roch nach der nahen Kloschüssel. Später, in einer roten Nische mit dem dritten Glas in der Hand, wurde es besser. Er vergaß den Jungen oder tat so.

Als er dann Tage, die er zum größten Teil in der Klapsmühle verbracht hatte, später wieder nach Hause kam, fand er ihn auf seiner Schwelle. Erst bemerkte er ihn gar nicht, vor dem Eingang war es stockdunkel, er kramte nach seinem Schlüssel, und wo ist überhaupt das Schloss, als er plötzlich gegen etwas Weiches trat. Dieses Gruseln: Gegen einen Batzen Fleisch getreten. Eine (Alkohol)-Leiche.
Ssssss, machte es im Dunkeln.
Was ist das?
Endlich fand er mit dem Schlüssel ins Schloss, die Tür ging auf, er tastete die Wand in der Einfahrt ab, fand den Lichtschalter. Der Junge blinzelte im plötzlichen Licht.
Du bist es. Was machst du hier?
Ssss, sagte Danko und hielt sich den getretenen Fuß.

Der Tag hatte angefangen wie immer, sie sind mit dem Ball unterm Arm losgezogen, aber dann gingen sie nicht auf die Bolz, sondern setzten sich in einen Bus und fuhren ans Meer. Der Bus fuhr aber nicht bis zum Meer, er hielt keine Ahnung wo, an einer Landstraße. Ein leerer Pfosten am Rande eines Grabens, die Reste eines weiß gewordenen Plakats drumrum gewickelt, im Graben Steine und Disteln, gegenüber eine Relaisstation. Nicht ein streichholzbreiter Schatten. Endstation, sagte der Fahrer, und als sie fragten, wann der nächste käme, sagte er, Schwarzfahrern gebe er keine Auskunft. Türen zu. Fotzedeinerhurenmutter, verdammtes Arschloch, ich brech' dir die Zähne raus und stopf sie dir in den Rachen wie einer beschissenen Gans! brüllte Kosma und trat nach dem Bus, zum Glück war der schon davon gefahren. Übrig blieb der leere Weg, die Hitze und der Fußmarsch. Ob sie nun hier herumstehen oder gehen. Umkehren, ohne das Meer gesehen zu haben, kommt nicht in Frage. Sie traten ein wenig den Ball, dann trugen sie ihn. Erst redeten sie noch durcheinander, wer was denkt, wo das Meer sein könnte. Später gingen sie fast aufeinander los, weil einer den Ball hinaus in die Wüste geschossen hatte und man ihn wiederholen musste, und plötzlich hatte keiner mehr die Kraft dazu. Und das Scheißmeer, wo ist es jetzt? Später sagten sie nichts mehr, schauten nur noch nach unten, zum flauen Löwenzahn unter ihren Füßen, folgten den staubigen Fersen des Vordermannes, das verbraucht am wenigsten Energie.

Es war schon Nachmittag, als sie das Meer endlich fanden. Stillwasser. Bis weit hinaus nur brauner Schlamm, Gestank, angespülter Müll, zitternder gelber Schaum. Warme Pfützen mit scharfen Kanten auf dem Grund. Sie patschten eine Weile in all dem herum, spielten Tiefflug, brummten und brüllten, was das Zeug hält, um die Enttäuschung zu verbergen. Schlammig von oben bis unten und durstig saßen sie im Sand und schauten dorthin, wo das Wasser sein sollte. Später kam es wieder und mit ihm andere Leute: Familien mit blonden Töchtern in rosa Badeanzügen. Sie hatten zu essen und zu trinken dabei, schauten immer herüber zu den Zigeunerjungen, die da sitzen und die ganze Zeit herschauen. Einer ist tatsächlich mutig genug, herüberzukommen und nach Wasser zu fragen. Stumm reichte ihm die Frau die halb leere Flasche. Natürlich kamen dann auch die anderen, nacheinander tranken sie, jeder ein bisschen länger als der Vorgänger, weil er der Meinung war, der Vorgänger habe zu lange getrunken. Als die Runde einmal herum war, wollten sie wieder von vorne anfangen, aber die Frau sagte, das reicht, und nahm ihnen die schlammbeschmierte Flasche weg. Sie war sowieso schon fast leer. Noch nicht einmal bedankt haben sie sich, einfach davon, brüllten und rannten, mancher in Unterhosen, mancher in voller Montur, ins ankommende Wasser, und zum Schluss wurde dann doch alles so, wie sie es sich vorgestellt hatten.

Zurück war's überhaupt nicht schwierig, zum Glück ein anderer Busfahrer, aber auch der schaute wie ein Mörder durch den Rückspiegel zum hinteren Fünfersitz, wo sie saßen, mit den Knien zitterten, das Maul aufrissen. Danko, als Einziger, war still, johlte nicht, zitterte nicht mit den Knien. Saß am Fenster und schaute hinaus, solange noch was zu sehen war. Was ist so schlimm daran, ans Meer zu fahren?

Was ist so schlimm daran, mal ans Meer zu fahren, dachte Danko im Bus nach Hause, während draußen die Sonne unterging. Was ist schlecht daran, dort sein zu wollen, wo es einem gut geht? Warum haben sie gesagt, wir seien Kollaborateure, weil wir Rom sind, um uns verjagen zu können, warum hasst mein Vater *mich* dafür, so sehr, dass er mich mit Augen anschauen muss, von denen ich nachts träume, warum muss er mich gegen alle Wände unserer Zimmerküche schleudern, bis die Knochen springen? (Washastdugemacht?! Ha?! Was soll das, ha?! Was soll das? Ha??!! Stöße gegen die Schulter: Was, was, was? Ohrfeigen. Was soll das? Was???!!! Stößt ihn im einzigen Zimmer vor sich her. Kleines Aas! Was?! Was ist das für ein Arsch?! Ha?! Mit wem läufst du herum?! Lüg' nicht, Fotzedeinermutter, ... hat euch gesehen! Der Name ist nicht zu verstehen, er muss seinen Kopf schützen plus das Schluchzen. Alles klebt. Die Schläge prasseln auf die erhobenen Unterarme. Washastdugemacht?!, Washastdugemacht?!, Was habt ihr gemacht? Zeig her! Zerrt ihm das Sweatshirt herauf, der Kopf bleibt stecken, egal, schleudert ihn hin und her, um ihn von allen Seiten zu sehen, aber da ist nichts, nur Haut, zerrt an der Hose: Zeig her, du kleiner Stricher! Was habt ihr gemacht, was, was, was ...?! Du kannst brüllen wie am Spieß, um dich treten, es nützt nichts, bald bist du nackt, das Sweatshirt um den Hals, die Hosen um die Knöchel, wenn du schwul wirst, kleines Schwein, bring ich dich um. Geht raus, pissen, Danko bleibt liegen, fünf andere, die in der Tür zur Küche stehen, sehen zu. Soviel noch zum Ausklang *jenes* langen Tages.)

Dieses Mal, dachte Danko, als der Bus die Stadtgrenze passierte, wird er mich *endgültig* umbringen. Er hat schon einen umgebracht. Er liegt unter dem Beton im Schweinestall. Der Stall ist im anderen Land geblieben. Aber ich weiß es. Es geht um Leben und Tod.

Der Bus fuhr direkt zum Busbahnhof, derselbe Busbahnhof nur ein anderer Perron, aber keiner sagte was, wer das versaut hat. Sie waren, wie selten, zufrieden und leer, selbst Kosma. Vom Busbahnhof liefen sie zur Bolz zurück, weil das der Ausgangspunkt war, und man kehrt eben zurück zum Ausgangspunkt, um zu wissen, was man jetzt machen soll. Die Bolz war dunkel und leer, sie standen ein wenig herum, einer ließ den Ball einpaar Mal aufklatschen, man konnte es gut hören, obwohl es rundherum schon laut war wie am Samstag abend: Kneipen, Verkehr. Und ab hier wird es simpel: Alle gingen nach Hause, bis auf Danko.

Er lief einfach immer weiter, schlenderte, guckte sich alles an, den Samstagabend. Kneipen an Kneipen, Tische dicht, verhakelte Stuhlbeine, die Gehsteige voll bis knapp an die parkenden Autos, es blieb nur ein schmaler Pfad, stehen konnte man nicht, nur gehen, Absatzklappern vorn und hinten. Hände in den Taschen, er schaute sich die Leute an, die Männer und die Frauen. Die schauten zurück, der Zigeunerjunge da, ob das ein Taschendieb ist. Hinter einer Scheibe flambierte einer was, Fleisch oder was Süßes. Verzeihung, sagte ein Mann, packte ihn an den Schultern und stellte ihn praktisch beiseite. Steh hier nicht im Weg herum. Nebenan fingen zwei junge Russinnen in Tracht zu singen an, das gefiel ihm ziemlich, sie sangen schön, Kalinka, das kannte er von irgendwoher. Ein Kellner klopfte die Salzkruste von einem Fisch. Ein Salzklumpen rollte Danko genau vor die Füße. Er klaubte ihn vom Gehsteig, nahm ihn in den Mund. Der Geschmack von Salz und Schmutz. Ich bin glücklich. Ich bin glücklich und ich weiß nicht, wie spät es ist. Wenn ihm das einfiel: Ich weiß nicht, wie spät es ist, musste er weitergehen, bis er es wieder vergaß. Er lief herum – wie langsam doch die Zeit vergeht, wenn man nichts will, als sie verbringen –, bis es ihm fad wurde und er wieder an der Bolz stand. Die Obdachlosen nebenan betteten sich zur Nacht. Man könnte auf einer Bank schlafen oder im Gras, im Gras lag ich schon öfter. Aber irgendwie gefiel ihm das alles nicht, langsam fing alles an, ihm nicht zu gefallen, das Brennen in der Speiseröhre, und was jetzt tun, wohin gehen. Er trank Wasser aus dem Trinkbrunnen, die Obdachlosen und ihre Hunde sahen ihm zu. Er schaute zurück, ich mag keine Hunde, ich mag keine Penner, wischte sich den Mund, schüttelte das Wasser vom Handrücken, ging zielstrebig. Denen zeigen, dass er weiß, wohin.

Irgendwann stand er dann vor der Fleischerei und da er nicht wusste, wo er klingeln sollte, setzte er sich vor die Tür in die Ecke, wo sich der Schmutz sammelt und die Taubenfedern, schaute in die Sterne, hörte sich an, was zu hören war. Irgendwann schlief er ein.

Was machst du hier? fragte der Typ, aber er wartete auf keine Antwort. Als wär's egal, als wüsste er schon alles. Ging vor ihm her ins Büro.
Hast du Durst? Willst du was trinken?
Danko hat tatsächlich Durst, etwas Hunger auch. Hast du Cola?
Leider nein. Wasser aus dem Hahn. Danko trinkt unter der Deckenlampe stehend, die Kalkflecken des Glases blitzen auf. Der Typ steht vor ihm, schaut ihm interessiert zu. Fertig? Nimmt ihm das Glas ab, stellt es hin.
Ich kann nicht nach Hause, sagt der Junge. Kann ich hier pennen?
Schaut sich jetzt erst richtig um: ein Tisch, ein Stuhl, ein Sessel. Eine Kaffeemaschine, eine braun gewordene Kanne. Vielleicht klebt ein Teebeutel an der Innenseite. Sonst nichts. So lebst du? Wieso dachte Danko, der Typ wäre reich? Kein Fernseher, keine Anlage, nicht einmal ein Bild. Ein Laptop auf dem Tisch, immerhin.
Egal wo. Auf dem Boden.
Du kannst das Bett haben, sagt der Typ. Darf ich?
Danko steht genau vor dem Sessel, macht jetzt einen Schritt zur Seite. Das ist also das Bett. Ein schmales Bett für einen Überraschungsgast. Leider nur eine Bettwäsche, benutzt, egal, was anderes gibt es nicht. (Und du?)
Der Junge bleibt, wo er ist, unter der Lampe. Sein Nacken der hellste Punkt im Raum. Abel setzt sich an den Computer.
Was machst du?
Arbeiten.
Er schreibt etwas.
Schreibst du?
Ja.

Was? Krimis?

Nein. Eine wissenschaftliche Arbeit.

Hm.

Danko schaut sich den Sessel an. Als Sessel ist er groß und bequem. Er setzt sich vorsichtig an den Rand.

Was ist das da?

Der Typ schaut hin.

Whisky.

Gibst du mir ein Glas?

Der Typ steht auf, nimmt die fast leere Flasche aus dem Regal, gießt ein, zwei Fingerbreit pur. Steht jetzt wieder so nah wie vorhin, wartet. Danko presst die Schenkel aneinander, trinkt. Rauchig, scharf, nicht schlecht. Abel nimmt ihm das Glas wieder ab, geht zur Tür, löscht das Licht, kommt zurück.

Gute Nacht.

Sitzt wieder an seinem Laptop, manchmal tippt er was, aber meist schaut er nur auf den Bildschirm. Danko rutscht tiefer in den Sessel, die Decke unter ihm. Hat die Schuhe noch an. In den Sohlen klebt Teer, Sand, Disteln. Später legt er sich richtig hin, weiß nicht, was er mit den Händen machen soll, faltet sie auf der Brust, schaut zur Decke. Ein Wasserfleck.

Eine Weile ist's still. Nur das Summen des Laptops. Der Junge im Bettsessel bewegt sich ein wenig. Es raschelt. Irgendwann fängt er zu reden an.

Einmal, sagt Danko, hat er mich fünf Tage lang im Keller eingesperrt. Ich kam nach Hause, Hintereingang, er stand im Dunkeln in der Küche, sagte kein Wort, packte mich nur und schleuderte mich gegen die Wand, dass es schepperte wie im Inneren eines Würfelbechers. Es war so laut, dass Danko einen Moment lang dachte, taub geworden zu sein. Dann wurde er wieder bei der Tür hinausgestoßen, durch die er hereingekommen war, über den Hof, zur Kellertür, die Kellertreppe hinunter, in eine Ecke, nachgetreten, Tür zu. Er blieb auf dem feuchten Boden liegen. Es war kalt, aber Schmerz hält warm. Im Kopf klang noch das Scheppern nach, aber das hörte später auf, nur ein leises Pfeifen blieb, übrigens bis heute.

Pause. Der Junge horcht. Ganz fern, aber doch, es ist da.

Später änderte er vorsichtig die Position, prüfte, ob die schmerzende Rippe in die Lunge stach, aber sie stach nicht in die Lunge. Er vertrieb sich die Zeit, indem er an alles Mögliche dachte. Das ist gar nicht so einfach. Er suchte sein Gedächtnis nach Erinnerungen ab, es war nicht viel da. Der Tag, an dem er das erste Mal rauchte. Es gibt ein Foto davon. Das Dorf nicht direkt, nur im Dorfteich gespiegelt, Bäume, einpaar schiefe Holzgiebel, rechts vorne angelt ein Halbnackter, und am linken Bildrand, in der Unschärfe, stolz: er, mit der Kippe im Mund. Die restliche Zeit dachte er an Fahrzeuge. Als ich klein war, dachte ich, ein Eselskarren wäre das Beste, was man besitzen könnte. Später ein Mofa, ein Motorrad, einen Mercedes, einen Sportwagen, wiederkommen, das Fenster herunterkurbeln, winken. Wem? Dem, der da ist. (Da ist niemand. Niemand ist da.) Heute würde er an Flugzeuge denken. Eventuell Schiffe. Sich zwischen den Containern verstecken. In einem Rucksack Überlebensriegel und Wasser. Bei minus 65 Grad einen Brief an die Großen der Welt schreiben. Oder nicht schreiben. Scheiß auf die Großen der Welt.

Am zweiten Tag ging die Tür auf, der Vater als Silhouette stellte wortlos einen Teller auf die oberste Treppenstufe. Einen tiefen Teller, darin die Reste von den Tellern der anderen, mit Suppe begossen für die Flüssigkeit. Das ist *seine Art*. Nichts ist schlimm am Meer. Das ist es nicht. Er wird mich töten, weil er es kann. Später am Tag kroch er vorsichtig die Stufen hinauf. Schlürfte etwas von der Flüssigkeit ab, nicht alles, damit es nicht so aussah, als hätte er etwas gegessen. Die Brühe war salzig, die erstarrten Fettaugen blieben an den Zähnen hängen. Sie mit der Zunge breit schmieren, jetzt ist alles fettig, der ganze Mund ist fettig, noch etwas Flüssigkeit drauftrinken, jetzt ist sie doch fast alle. Treppabwärts ist es schwerer.

Der dritte Tag gehörte dem Geruch seiner Fäkalien und der Verzweiflung, am vierten riss er sich zusammen und machte Pläne. Einen Draht spannen vor der Tür, der Sturz aufs Kinn zertrümmert den Kiefer, aber das ist mir nicht genug, einen Ziegelstein nehmen, auch wenn es weh tut mit der angebrochenen Rippe, und ihm sämtliche Zähne, die Scheißnase, die Scheißwangenknochen, die Augenhöhlen, die Stirn, alles, alles, dein verdammtes Gehirn aus deinem verdammten Schädel ---!!!

Anfangs sprach der Junge schlecht, später scherte er sich nicht mehr darum, er nahm, was ihm gerade auf die Zunge kam, und dadurch wurde es tatsächlich besser. Wie seltsam das ist. Eigentlich möchte ich nicht reden. Ich möchte nicht erzählen, ich möchte töten und dann darüber schweigen, das möchte ich! Abel an seinem Schreibtisch rührte sich nicht. Hinter seinem Rücken greinte, röhrte, spritzte es, bis nur noch ein blutiger Brei übrig war, ein Blutbrei in Kleidern, hineinpassiert in die Kellererde, als furchtbares, Korrektur: fruchtbares Opfer. Im Morgengrauen war das Schlimmste vorbei, es sprudelte nicht mehr, es blubberte nur mehr blutgesättigt, und schließlich, mitten im Satz, schlief der Junge ein. Abel hörte eine Weile seinem Atem zu, einpaar Minuten, bevor er sich umdrehte, um sich ihn, oder das, was von ihm übrig war, anzusehen.

Um dann ganz überwältigt zu sein: von dieser *Schönheit*. Wie seine Haut strahlt, die Stirn, die Wangen, die Augenlider, die Lippen, spröde, als er gekommen war, jetzt prall und feucht. Eines der schönsten Gesichter, das ich je gesehen habe.

Er beugte sich über ihn. Der Atem, der aus der Nase wehte, roch nicht gut.

Tag

Es war fast schon hell, als Danko einschlief, um den Rest der kurzen Nacht mit einem Traum zu ringen. Er träumte, dass ein großes Gesicht über ihm schwebte, nur ein Gesicht. Zuerst war es wie eine Monstermaske aus dem Spiel, das sie in der Hölle gespielt hatten, gleichzeitig sah es aber auch jemand anderem ähnlich, besonders die Linien zwischen Nasenflügel und Mundwinkel, während die Augen und die Stirn wieder jemand anderem zu gehören schienen, und darum ging es im Grunde die ganze Zeit. Die Züge des Monsters verschmolzen mit denen des Bosses, des Vaters-aller-Irren und des Schwarzen Mannes, oder nein, eher, als würden sie miteinander kämpfen, stundenlang, keiner konnte die Oberhand gewinnen. Mal sah es so furchterregend aus, dass er befürchtete, zu sterben, mal fast schon schön, auch wenn ihm das Blut aus den Augen in die Mundwinkel lief. Sie kämpften die ganze Nacht, bis die aufsteigende Welle eines Orgasmus' Danko aus dem Schlaf schleuderte.

Hhhhhh! Er fuhr hoch, wedelte mit den Händen, schnappte nach Luft, Fisch auf dem Trockenen, bis es endlich vorbei war.
Der Typ war nicht da, der Laptop summte nicht mehr, es gab überhaupt keine Geräusche, ein Sonntag, die Fleischerei nebenan verlassen. Danko strampelte sich aus dem zu weichen Nest.
Sobald er sich bewegte, spürte er den Hunger. Das letzte Mal habe ich wann gegessen? Er war so hungrig, dass es wieder dunkel wude, obwohl er die Augen offen hielt. Die feuchte Souterrainkälte getauscht gegen die scharfe Hitze der Übelkeit. Überall brannte das Salz, in den Augen, dem Magen. Muss sofort was essen, sonst breche ich in den Sessel. Selber schuld, was lässt du mich auch hier allein. Gleich bekomm ich auch noch Durchfall, wo ist das verdammte Klo?
Er ging gekrümmt zur Eingangstür, obwohl er wußte, *dort* kann *es* nicht sein. Hinaus in den Innenhof, zu den Mülltonnen. Aber die Tür ist abgeschlossen. Eine neue Welle Übelkeit erfasste ihn, *eingeschlossen*, Schweiß am ganzen Körper, er krümmte sich, trampelte. Dann fiel ihm ein: Der Typ ist nicht da, die Gelegenheit günstig, sich etwas umsehen. Schlagartig war ihm besser.
Viel ist nicht da, einpaar Schränke an der Wand. In einem fand er eine Schachtel Knäckebrot, kaute. Sonst: nichts. Eine leere Kaffeedose. Nein. Es ist Geld drin. Sicher ist sicher, er nahm sich einen Schein, den Rest des Unterrichtshonorars für den letzten Monat steckte er zurück in die Dose, stellte sie zurück in den Schrank. Daneben lag ein Buch mit einem rauhen, hellen Leineneinband. Erinnerte er sich daran oder nicht, er wollte erst gar nicht richtig, dann blätterte er es doch auf.

Ein Bildband. Alte oder auf alt gemachte, bräunliche Fotos. Künstliche griechische Landschaften, Studiohimmel, Pappmascheesäulen, ausgestopfte Füchse, gesprungene Amphoren. Und dazwischen, eine Sandale oder eine Flöte in der Hand: eine Sammlung nackter Kerle. Jungs. Knaben. Manche haben altmodische weiße Unterhosen oder Lendenschurze an, aber die meisten sind nackt. Ihr reifer Penis wie angeklebt an ihren schlanken, olivefarbenen Körpern. Ach du …! Danko stieß das Buch zurück in den Schrank, es schlug gegen die Rückwand. Er fasste nach, zog es weiter vor. Obwohl sowieso keiner mehr weiß, wie es vorher gelegen hat.

Jetzt endlich sah er auch die mit grünlicher Ölfarbe überpinselte Tür in der Ecke. Na also: Waschbecken, Klo, schräg dahinter gequetscht sogar eine Dusche. Das Salzwasser im Bauch zwickte, Danko schwitzte auf die grünliche Brille. Irgendwann ist alles schlecht geworden. Ein Buch mit lauter Schwänzen.

Als er herauskam, war der Typ wieder da. Der Junge hatte sich die Hände nicht gewaschen, das war zu hören, jetzt trug er sie zu Fäusten geballt in der Hosentasche. Abel hatte etwas zu essen geholt, was auf die Schnelle zu haben war, Brot, Milch, Karotten. (*Sürrealien* zum Frühstück, sagt Omar und lacht.) Ich mag keine Karotten. Isst du sie halt nicht. Ein Aktenschrank stellte sich als Kühlschrank heraus, Abel holte irgendwas in Papier Eingeschlagenes hervor. Wurst. Sagt, er habe schon.

Der Junge frisst wie ein Schwein, mit offenem Mund, man sieht seine große, rosa Zunge arbeiten. Er atmet durch das Gegessene, schlürft und gurgelt, als würde er es extra machen, oder es ist nur die Gier. Die Finger zittern, wenn er hier und da was abbricht. Unter den Nägeln ist es schwarz, die Haare sind verklebt, die ganze Kleidung von weißen Salzwasserspuren überzogen, am Hals Schmutzschlieren und Kratzer, an den Füßen ebenso, in den umgekrempelten Hosenbeinen Sand, Muschelbruch, klebrige Grassamen.

Abel schaltete den Laptop ein. Ein Rücken sein, herumklicken – Was machst du da? Arbeiten –, um es nicht sehen und nicht hören zu müssen. Aber natürlich war es sehr gut zu hören. Gestern wie heute: ein Toben.

Irgendwann war auch das vorbei.

Fertig?

Der Junge nickte, rülpste unterdrückt, würzige Würstchen in Milch und Salzwasser.

Und jetzt?

Wenn du willst, sagte Abel, begleite ich dich nach Hause.

Der Junge rührte sich nicht. Fäuste in den Taschen, den Kopf zu Boden gerichtet. Was will er?

Ich bleibe jetzt hier stehen, unter dieser Lampe, das ist mein Platz. Eigentlich will ich gar nicht hier bleiben, ich hab mir das, zugegeben, nicht genau überlegt – Alles in Ordnung? fragte Abel und kam näher –, ehrlich gesagt, bist du eine einzige Enttäuschung, andererseits …

Danko?

Es sah aus, als würde der Junge gleich in Tränen ausbrechen. Eine tröstende Berührung könnte helfen. Nehmen wir den Oberarm. Wen habe ich (Abel) das letzte Mal (so) berührt? Kaum war der kleinste Kontakt da, ließ sich der Junge fallen, wie gefällt, seine Stirn landete auf Abels Schultern, die Tränen durchdrangen sein Hemd. Was kann ich sagen, ihn halten, den Rücken streicheln vielleicht. Eine Minute oder so. Dann stellte sich der Junge wieder hin. Auf Zehenspitzen war er fast genauso groß, unsere Lippen auf einer Höhe. Lippen an Lippen, sein Atem, er ruhte sich aus, dann, mit neuem, zagem Schwung, schob er die Zunge hervor. Abel spürte sie: feucht und kühl, und schmeckte sogar für einen kurzen, vielleicht nur eingebildeten Moment: Pappeln, Dorfteich, Rauch, Sand, Muschelbruch, das billige Zitronensorbet, das sie sich an einer Tankstelle geteilt hatten, Salzwasser, Karotten, Würstchen und Trockenbrot --- Er trat einen Schritt zurück. Der Junge hatte die Lippen noch nicht ganz geschlossen. Zwischen Oberlippe und Nase, in der Kuhle, glitzerte etwas.

Tut mit Leid, sagte Abel. So geht das nicht.

Arschloch! Danko faucht, reißt die Tür auf, lässt sie gleich wieder zufallen, Vorsicht, sonst hast du noch das Brett vor der Stirn!, stürmt durch die Mülltonnen, in denen der Fleischabfall verrottet, durch die Einfahrt, auf die Straße. Die große Schwüle schlägt ihn fast nieder, an einem Tag wie diesem setzen reihenweise die Herzen aus. Gleichzeitig fangen auch die Glocken zu läuten an, es ist Sonntag, Danko taumelt, läuft aber gleich weiter, das Stromkabel des Laptops (Rache oder Gewohnheit?) schleift hinter ihm her.

Der Schweiß ätzt, die Seite sticht. Das Essen, beschissen genug war's, liegt in Brocken irgendwo in seiner Mitte, weniger im Magen, eher, als hätte er es irgendwo danebengegessen, als rutschte es unter seiner Haut hin und her. Bröckeliger Druck im Darm. Am Ende werde ich stehen bleiben müssen, um zu scheißen. Fasst den rutschenden Laptop nach, jetzt schlägt der Stecker gegen die Wade, das tut weh, es macht ihn noch wütender, als er schon ist. Hätte lieber das *ganze* Geld aus der Dose nehmen sollen. Schaut sich um: hinter ihm vielleicht zwanzig Meter heißer Gehsteig und dann der Typ. Verzieht angestrengt sein dämliches Gesicht, kommt hinterher gerannt.

Eine sechsspurige Straße kreuzt, in der Mitte eine Insel, man muss zweimal den Knopf für die Ampel drücken. Danko drückt nicht, er läuft, durch eine nicht allzu große Lücke zwischen den Autos. Am anderen Ufer hört endlich das Glockengeläut auf. Der Wind taumelt in niedrigen Böen zwischen den Häusern, bringt unlokalisierbare Geräusche: ein Bohren, ein Stück Musik, fremde Gerüche, Gewürze, Gestank, als wär's von ganz weit weg. Aus einem offenen Fenster das Klappern von Töpfen. Die Küche der Nervenheilanstalt. An die Mauer des hauseigenen Gartens hat jemand mit Kreide IRR-GARTEN geschrieben, auf beiden Seiten des Tors. IRR-Tor-GARTEN. Das Tor steht einen Spalt offen. An der Portierkabine eine Tafel: WILLKOMMEN. Das Gesicht von Leuten, die in Bushaltestellen in der Nähe von Gefängnissen und Irrenanstalten stehen. Der Junge läuft Slalom zwischen ihnen. Das ist schon das Südende des Parks, zur Bolz wäre es nicht mehr weit, vielleicht sind die anderen da, aber nein, er ändert die Richtung und läuft außen herum, an den Kiosken vorbei. Überall Menschen. Ekelhafter Sonntag, ekelhafte Sonntagsmenschen. Alte und Junge, Neger, Penner und Schlitzaugen. Frauen, ihre Hüften in den Röcken schwingen wie das Hinterteil eines verlängerten Busses, ihre Männer, mit den Händen in den Taschen plattfüßig zwei Schritte hinter ihnen hergehend, ihre Kinder in Kniestrümpfen, vorauslaufend oder artig an der Hand. Könnte jeden Einzelnen von denen ausrotten. Er läuft durch sie hindurch, schubst die Alten, die Frauen, die kleineren Kinder. Die Männer und die Größeren nicht, sie könnten ihn verprügeln. Er denkt daran und wieder: Wut. Jetzt gerade hasst er jedes lebendige Wesen auf Erden. Diese Stadt. Kosma und die anderen Wichser. Alle Menschen an allen Orten. Warum ausgerechnet die mickrige Höhle dieses Typen, aus der er davongejagt worden ist wie ein Hund, jawohl, wie ein Hund, der einzige Ort ist, an dem er gerne wäre: ein Rätsel. Dort und in dem Dorf mit den Pappeln.

Schaut sich um. Der Typ ist immer noch hinter ihm her. Jemanden um Hilfe fragen. Den Bullen da. Dieser Mann verfolgt mich. Niemals einen Bullen.

Tritt im Umdrehen auf einen fallen gelassenen, halb aufgegessenen kandierten Apfel, knickt um, Zuckerguss am Schuh, rudert. Jemand, ein Mann, stößt ihn von sich: Hast du keine eigenen Füße zum Draufrumstehen? Guckma, wie böse der Kleine schauen kann! Na?, was ist?

Durch den *Zwischenfall* hat Abel ihn fast eingeholt. Sie sehen sich deutlich, ein Gesicht das andere. Stehen mitten im Weg, um sie herum ein Sonntag im Park, der Junge hat einen Laptop unterm Arm. Rennt wieder los.

He! ruft der Polizist. Das war eine rote Ampel! Bleiben Sie stehen!

Danko bleibt nicht stehen, er rennt wie der Teufel, arbeitet mit dem freien Arm, sein stechender Ellbogen. Und Abel? Er macht, was er noch nie gemacht hat: Täuscht rechts an und läuft links am Bullen vorbei. Was hat mich geritten, wann bin ich das letzte Mal so gerannt, noch nie. Danko schaut zurück, schüttelt den Kopf, rennt noch schneller. Passanten, Hindernisse. Er wird ihn bald abgehängt haben, keine Frage, der Abstand wird mit jedem Schritt größer, aber Abel kann nicht stehen bleiben. Es ist längst nicht mehr der Laptop, obwohl es auch der Laptop ist, aber vor allem ist es dieses sinnlose, kindische Laufen. Er fixiert sich längst nicht mehr auf den Rücken des Jungen, er schaut jetzt überallhin, die Welt im Laufen sehen, den Himmel, gerade hätte er sogar fast laut zu lachen angefangen, als ihm etwas zwischen die Beine gerät, eine Strippe oder was, eine Hand rauscht im Fallen an ihm vorbei, er kann sie nicht mehr greifen, er stürzt durch einen Knäuel niedriger Leiber hindurch auf den harten, schmutzigen Asphalt.

In einem Hunderudel verfangen. Liegt da, über ihm das Gewühl der Tiere: Läufe, Bäuche, Hoden, Winseln. Ihr Geruch. Unter Hunden liegen. Das Vibrieren des Asphalts zwischen den Zähnen. Hat sich den Kopf gestoßen. Schließen wir die Augen, nur für einen Moment.
Alles in Ordnung?
Die Stimme der Hundesitterin, ihr besorgtes Gesicht, das sich durch die Hundekörper schiebt. Hinter ihr öffnet sich ein Stückchen Himmel, ein kleines, lautes Flugzeug fliegt niedrig darin vorbei. Sie hält ihm eine Hand hin, hilft ihm, sich aufzusetzen. Die Hunde beschnüffeln ihn, die Hundesitterin zerrt an den Leinen: Lasst das! Kommt her!
Passanten sind stehen geblieben. Ein Polizist auch. Streng:
Alles in Ordnung?
Ja, sagt die Hundesitterin. Kommt her!
Zum Glück ist es ein anderer Polizist.
Warum sind Sie so gerannt? Hat Ihnen der Bursche was geklaut?
Jemand hat gesehen, dass er etwas bei sich hatte.
Er hat ihm was geklaut!
Können Sie stehen? Blutet's?
Ja. Nein. Strampelt sich aus den Leinen frei.
Weil es nicht blutet, gehen die meisten Passanten weiter. Im Moment tut die Lunge mehr weh. Säuberung der Kleidung. Unter strengen Blicken. Na, will vielleicht jemand meine Papiere sehen? Möchten Sie Anzeige erstatten?

Abel schüttelt den Kopf. Auch das tut ein bisschen weh. Er entschuldigt sich bei der Hundesitterin.

Ich bitte Sie. Sie sortiert die Leinen und geht.

Na dann, sagt der Polizist. Passen Sie auf, wo Sie hinrennen. Am besten, Sie rennen gar nicht. Schön langsam gehen, OK?

Patient lacht, um zu zeigen: Verstanden, einverstanden, alles OK.

Schaut sich um. Unbekannte Straße. Schaut sie hoch und runter. Unbekannte Straße. Der Polizist schaut von der Ecke aus zu. Kommt wieder.

Alles in Ordnung?

Ja, sagt Abel.

Ich weiß bloß nicht, wo ich hier bin. Gehen wir einfach weiter. Mischen wir uns unauffällig unters unauffällige Volk. Er hält den Kopf etwas schief, als wäre er tief in Gedanken. Oder ein steifer Nacken. Verlegen. Als würde er sich durchs Haar streichen – verstohlen die Beule betasten.

Männer im passenden Alter

Als er wieder zu Hause ankam, war die Tür des Fleischereibüros verschlossen, und er hatte keinen Schlüssel dabei.

Sie stand offen, sagte Carlo, ich habe für dich abgeschlossen.

Danke, sagte Abel.

Ein Glück, dass ich vorbeigeschaut habe.

Ja.

Irgendwas nicht in Ordnung?

Abel sah zum Schreibtisch. Der Laptop war nicht da.

Doch, doch, sagte er. Danke.

Später, am Tag darauf, ging er zur Bolz. Sie war leer. Am selben Tag noch nicht, erst am nächsten überwand er sich und ging wieder in das Viertel, suchte nach der Kreuzung, an der sie sich damals begegnet waren, aber natürlich, wenn du unbedingt willst, findest du nichts. Xmal dieselbe Eckkneipe, überall wird Billard gespielt. Er ging in zwei An- und Verkäufe. Man sah ihn misstrauisch bis feindselig an. Der Laptop war nicht da. In eine oder mehrere der Eckkneipen gehen, herumstehen, durchsickern lassen, da ist jemand, der sucht seinen Laptop. Wieso, was ist drin? Ist was Wichtiges drin? Ja oder lieber nein sagen?

Nichts davon. Irgendwann lief er nur noch so herum. Er schaute sich einige Männer an, die vom Alter her hätten passen können. Wer könnte der Vater des Jungen sein, wie willst du ihn erkennen, und wenn, was dann? Später sah er nur mehr nach unten, zum Gehsteig, der so schmutzig war, das gibt es gar nicht, Fäkalien (Hund, Mensch, Vögel), dazwischen ein Kondom, aus dem Fenster geworfen?, und schließlich, es dämmerte schon, in einer Ecke zwischen Taubenfedern: eine Festplatte. Sie blinkte grünsilbern. Da wurde ihm klar: Du kannst aufgeben. Er gab auf, ging zurück zur Fleischerei.

Einige Tage später klopfte es an der Tür. Dreimal kurz, so klopfte Carlo immer. Vielleicht klopfen alle so. Ohne weiter nachzudenken, drückte er auf die Klinke. Die Tür kam ihm mit Wucht entgegen. Sie drückten sie mit ihrem vereinten Gewicht auf, als wären sie ein einziger Körper, so kamen sie herein, um anschließend wortlos und blitzschnell in sämtliche Ecken auszuschwärmen, als hätten sie das schon hundertmal gemacht, ein Sonderkommando, und fingen an, jeden einzelnen Gegenstand umzustülpen und zu verstreuen.

Der Typ sagte kein Wort, stand nur dabei und sah zu, wie eine Horde halber Kinder den Inhalt seiner Wohnung vaporisierte. Sie rissen Seiten aus Büchern, Hemden entzwei, zerrten mit den Zähnen an den Knöpfen des Kissenbezuges, um sie anschließend mit dem Messer abzuschneiden und natürlich das Kissen aufzuschlitzen: gelbliche Schaumgummistückchen spritzten durch die Luft. Den Inhalt des Kühlschranks verteilten sie auf dem Boden, Fleisch auf Linoleum, dazwischen zersplitterte Gläser, was drin war, verschmiert. Sie rutschten im Marmeladen-Buttermatsch herum, als wäre die Küchenecke eine Eisbahn und die Fleischstücke die Pucks. Als würden sie spielen. Drückten Seifenblasen aus dem Abwaschmittel. Dieses Hinterhofparterre ist ab jetzt unser Vergnügungspark. Das Ganze dauerte vielleicht zehn Minuten. Als sie fertig waren, als alles zertrümmert, zerschmissen und zerschnitten war, stellten sie sich wieder zu einem Block zusammen. Durch die offene Eingangstür zog der ewige Würstchengeruch des Hinterhofs herein.

Und jetzt, sagte der eine, er war etwas außer Atem. Und jetzt: zu dir. Wo ist er?

Abel schaut nur. Haben sie jemanden in seinen Schränken, seinen Lebensmitteln gesucht und nicht gefunden?

Du weißt genau, wen wir meinen, Arschficker!

Standen da wie ein siebenköpfiger Drache. Nein, sechs. Langsam wird mir was klar. Du weißt genau, wer. Der Luftzug bewegte die verstreuten Papiere. Etwas in der Wohnung knackte und knarzte. Zerknülltes, das sich auseinanderfaltete, Verschüttetes, aus dem noch eine Blase Luft entwich. Wirklich: Wo ist er?

Sie legten sich auf den Bauch, schielten in die Kellerluken, drückten das Ohr auf den Gehsteig, vielleicht hört man was.

Man hört was! rief einer, sein Name ist Atom. Sie lagen da, mit den Wangen im Dreck, und horchten, weil Atom behauptete, etwas unter der Erde zu hören.

Das sind nur die Autos.

Nein, sagte Atom, Stimmen.

Sie horchten.

Blödmänner, sagte Kosma. Stimmen unterm Gehsteig, was?

Vielleicht hat er ihn umgebracht. Sein Vater. Er hat schon mal jemanden umgebracht.

Kosma wiegte skeptisch den Kopf.

Wenn ihn jemand umgebracht hat ...

Ich wollte es wirklich nicht, aber dann, anstatt wahrheitsgemäß zu sagen: Ich weiß es nicht, ich weiß auch nicht, wo der Junge Danko sein könnte, zuckte Abel einfach nur mit den Achseln.

Kosma wurde rot und fing zu brüllen an. Arschficker! brüllte er. Soll ich dich aufschlitzen? Hä? Sollen wir dich aufschlitzen, du Arsch? Perverse Sau, Spitzel, Mörder! Seinen Arsch aufschlitzen.

Seine Eier abbeißen. Bäh! Kosma spuckte aus. Das heißt, er tat so, als würde er ausspucken. Nichts kam unten an.

Er wusste selber nicht, wieso, er konnte einfach nicht anders, sich nicht zusammenreißen, während der andere noch brüllte, fing Abel zu lachen an.

Der Typ ist doch nicht ganz richtig im Kopf. Lacht hier blöd herum. Kosma spürte, wie der Drachenkörper hinter ihm auseinander zu driften begann. Weil der Typ lacht. Abel hörte auf zu lachen, er lächelte nur noch und:

Tut mir Leid, sagte Abel in der gemeinsamen Muttersprache der Bande. Ich weiß nicht, wo er ist.

Sie starrten ihn an. Einige glaubten an eine Halluzination, aber Kosma nicht. Er trat er an den Typen heran, stellte sich ganz nah vor ihn, wie damals der andere, die Hände nicht in den Taschen, aber ansonsten ganz genau so, seine Lippen ganz nah. Ab hier: alles lautlos. Kosma sagte kein Wort mehr, hob nur die Faust und verpasste ihm einen Schlag in die Magengrube. Abel krümmte sich zusammen und glitt zu Boden. Die Bande stand im Kreis um ihn herum und trat ihn, alle auf die gleiche Weise, mit der Schuhspitze, keiner mehr als der andere, wir sind eine faire Maschine.

He! rief Carlo in der Tür, he! Was soll das? Was macht ihr da?! Verschwindet! Er fuchtelte, als würde er Krähen verjagen, allerdings mit einem Hackbeil in der Hand. Macht, dass ihr davonkommt! Er schwang das Beil, aber natürlich machte er nichts damit, die Bande schubste ihn unbeeindruckt beiseite, rannte an ihm vorbei. Als letzter Kosma, nahezu gemächlich. Er beugte sich noch einmal zu Abel herunter:

Arschloch, zischte er. Wir wissen, wo du wohnst. Hörst du? Wir wissen, wo du wohnst.

Dann waren sie weg, als wär's ein Traum gewesen, war es nicht, ich träume nie. Carlo mit dem Hackbeil in der Tür, sah sich die Verwüstung an.

Das Beste wird sein, ich ziehe aus, sagte Abel.

Der Fleischer konnte nicht einmal mehr nicken.

V. ROADMOVIE

Unvollendet

Amerikanisch

Eine Bande Zigeunerkinder ist in deine Wohnung gekommen, hat dich ausgeraubt und zusammengeschlagen? Wieso? fragte Kinga. Was hast du mit denen zu schaffen? Was für eine schmutzige Geschichte steckt dahinter? Oder sind sie einfach so, mir nix dir nix von der Straße ...? Wäre das möglich?

Vielleicht sollte man am Wochenende durch die Märkte gehen, sagte sie später. Durch gewisse Läden. Da liegt eine Menge Hehlerware. Eine Annonce aufgeben: Würde Computer zurückkaufen. Das läuft jetzt zu Hause. Die Leute kaufen ihre geklauten Autos zurück.

Und warum schaust du mich dabei an? Ich habe das Hehlergeschäft aufgegeben. Ich bin jetzt Musiker, weißt du. (Janda)

Ich hab dich gar nicht angeschaut. Davon abgesehen schau ich hin, wo ich will.

Abel winkte nur ab. Alles schon versucht.

Armer Liebling. Armer, armer Liebling. Sie küsste ihn ab. Alles ist weg. Alles, alles.

Was hast du jetzt vor? Der mitfühlende Andre.

Er hat seine Sachen dabei. Wollte fragen, ob er einen Teil davon in Kingania lassen könnte.

Wieso?

Seitdem er hier war, wie viele Jahre inzwischen?, sieben oder schon acht?, hatte er die Stadt noch nicht verlassen. Jetzt denkt er, es wäre besser, unterwegs zu sein.

Wohin?

Achselzucken.

Aha, sagte Kinga. M-hm.

Im Übrigen, sagte sie, was mich anbelangt, ich bin selten guter Laune. Und das seit Wochen! Wenn du dich manchmal melden würdest, wüsstest du es. Ich habe einen Job für den Sommer. Was für einen Job? Einen als sage und schreibe Lehrerin! Musikalische Erziehung in einem Ferienlager. Sie tanzt um den Küchentisch herum: *Ringe, Ringe, Raja!* Janda erträgt es natürlich schwer. Nicht, weil ihnen jetzt ein Fahrer auf der Tour fehlt, das ist egal, drei Leute können sich gut abwechseln beim Fahren. Es stinkt ihm, dass ich etwas Eigenes habe. Scheinbar darf das nicht sein. (Ich habe nur gesagt, freu dich nicht zu … Ach, was soll's, er winkt ab. Sie:) Das ist fast, als würde ich wieder in meinem Beruf arbeiten! Verstehst du, sie setzte sich auf Abels Schoß und würgte ihn fröhlich, verstehst du, vielleicht werde ich bald wieder in meinem Beruf arbeiten! Sie schob sein Gesicht in der Mitte zusammen und drückte einen feuchten Schmatz auf die vorgestülpten Lippen.

Das war schon beim Abendessen, sie saßen im Kreis, Janda hatte die Nudeln zu scharf gemacht, das Löschwasser, hier: selbst gemachter Johannisbeerwein (In wessen Garten haben wir die gepflückt? Vergessen) war kratzig und hatte astronomische Prozente. Selbst Kinga musste sich räuspern.

Eigentlich, h-khrm, könnte das Kind ebenso gut auch mit euch mitfahren. Euch fehlt doch ein Fahrer. Du kannst doch fahren? Abel schüttelte den Kopf.

Janda: Soviel dazu.

Kinga: Na und, man kann alles lernen! Hiermit erkläre sie sich bereit, dem Kind das Autofahren beizubringen, bevor sie weg müsse.

Kommt nicht in Frage, sagte Janda. Wir werden uns nicht von jemandem ohne Führerschein fahren lassen, der das Fahren von *dir* gelernt hat.

Er könnte Kontras Führerschein nehmen! Schaut euch an, ihr könntet Cousins sein! Und für *die* sehen wir doch alle gleich aus! (Sie lachte.) Sicherheitshalber sollten sie gegenseitig die Familiengeschichte memorisieren.

Wozu, sagte Kontra. Die kennt hier sowieso keiner.

Später. Feldweg, außen, Tag, sengende Sonne. Andre und Kontra. Verrückter kann es nicht mehr werden, sagte Andre.

Doch, doch, dachte Kontra.

Janda hatte sich geweigert mitzukommen – Das ist das Hirnrissigste, was du dir je ... –, sie standen allein am Wegesrand und schauten dem Tourbus hinterher, der durch die Schlaglöcher buckelte. Links und rechts hob der Wind Staubfetzen von den Feldern hoch. Andre kniff die Augen zusammen.

Andre: Waren wir früher schon so? Ich erinnere mich nicht. Ich spielte Gitarre im Seniorenheim oder im Jugendclub und manchmal fielen mir nur die schmutzigen Texte ein. Aber das war schon alles. Und heute? Wir sind eindeutig jenseits von etwas angekommen, und so richtig weiß ich nicht, womit das zusammenhängt.

Doch, sagte Kontra. Natürlich.

Später, Kingania.

Ausgeschlossen, sagte Janda. Er kann das Fahren nicht an einem Nachmittag auf dem Feldweg erlernt haben.

Wenn ich's sage.

J. winkte nur ab. Du redest viel, wenn der Tag lang ist. Doch Andre und Kontra bestätigten Kingas Aussage. Das Kind kann den Bus steuern. Nachdem sie einpaar Stunden zwischen den Feldern kreuz und quer gefahren waren, blieben sie einmal für fast eine halbe Stunde verschwunden, in einer Landschaft, flach wie ein Laken, eine Senke oder was, und als sie wieder auftauchten, konnte er es irgendwie. Er fuhr sie ins Dorf zurück, parkte den Bus vor der Kneipe zwischen einem blauen Kleinwagen und dem Motorrad des Dorfpolizisten, der in der Kneipe saß und ihnen zusah, zuerst beim Einparken, dann, wie sie mit ihrer Limonade (!) und ihrem Stieleis (!) auf der Bordsteinkante saßen. So ein unebener Bordstein in einem holprig gepflasterten Dorf. Die Bäume ließen die staubbedeckten Blätter hängen. Die Sonne ging unter.

Ein schönes Bild, gab Janda zu. Trotzdem: Nein. Das wäre Wahnsinn.

Kinga umarmte ihn, flüsterte ihm ins Ohr: Er braucht doch jemanden, der auf ihn aufpasst!

Das ist mir noch nicht aufgefallen.

Sie küsste ihn auf die stoppelige Wange: Pass auf mein Patenkind auf!

Ts, sagte Janda und zuckte mit den Achseln.

Später saßen Janda und Abel allein auf dem Dach, zu beiden Seiten einer bizarr geschmolzenen Riesenkerze, die von irgend einer Party zurückgeblieben war. Zwei, die sich seit Jahren stumm ansehen. Jetzt nicht. Sie sahen nach vorne, in den sogenannten *Wald*: einer mit wildem Wein bewachsenen, fensterlosen Wand im Nachbarhof. Vögel prügelten sich darin um ein Nachtlager.

Janda rauchte. Dass er das Wort niemals an Abel richten würde, war klar. Aber hat das Kind schon mal ein Gespräch angefangen?

H-khrm, sagte Abel. Nehmt mich nur mit hinaus aus der Stadt, setzt mich irgendwo ab. Damit sie beruhigt ist.

Janda schaute unverwandt in den Wald, wahlweise in den Himmel darüber. Die Stadt sieht man aus diesem Blickwinkel nicht. Man hört ein bisschen was. Nicht mehr viel um diese Tageszeit.

Mitnehmen, sagte Janda, können wir dich auch länger. Aber wie du willst. Mir ist's egal.

Mir auch.

Jetzt schaut er doch her. Kleine Fuchsaugen, Grinsen:

Na, dann ist ja alles gut.

Lange Pause, Rauch.

Stimmt es, fragte Abel schließlich, dass du jemanden umgebracht hast?

Janda drückte sorgfältig die Kippe auf dem Teerdach aus. Drückte und drückte sie aus. Schwarzer Teer, schwarze Asche. Knirschen. Die Vögel waren immer noch lauter. Wer hatte es erzählt, das lässt sich nicht mehr rekonstruieren, es war *durchgesickert*, wie es eben durchsickert: Auch Janda war, wen wundert's, Lehrer, Funktionär bei der Jugendorganisation, verheiratet (Nur um mir, Kinga, zu zeigen, dass er auch ohne mich kann! Ha!), geschieden, das Übliche. Und hat – war das noch vor der Scheidung oder bereits danach? – einen umgelegt.

Nein. Das stimmt nicht. Nur den Kopf eingeschlagen. Ist nicht gestorben.

Was war der Grund?

Ein Nachbarschaftsstreit.

(Ganz so nicht, sagte Kinga. Es ging um mich. Nicht, was du denkst. Er besteht darauf, dass man ihn nicht eifersüchtig machen kann. Aber soviel Ehrgefühl, eine Frau vor einem brutalen Idioten zu beschützen, hat er schon.

Genau genommen, sagte Andre, ging es um die Tagebücher. Neun Hefte, die sie über die Jahre geschrieben hatte. Wer weiß, eines Tages. Einen Roman oder etwas in der Art. Die Tagebücher einer Muse. Sie hatte den Kerl gereizt, wie sie nun einmal ist, ihn ausgelacht, er schmiss die Tür hinter sich zu, aber am nächsten Tag kam er wieder, als sie nicht da war, er hatte einen Schlüssel und verbrannte sämtliche Hefte in der Küche, das Spülbecken bekam vor Hitze einen Sprung, Asche in der ganzen Wohnung. Kinga, sie brüllte wie ---)

Womit? fragte Abel auf dem Dach.

Womit was?!

Womit er, Janda, diesem Menschen den Kopf eingeschlagen habe.

Jandas dünne Lippen zitterten leicht. Drumherum waren schwarze Stoppel aufgestellt. Starker Bartwuchs. Das Kind, milchig, als wäre es immer noch ein Teenager. So, so, wir interessieren uns also für die brutalen Details.

Mit einer Bratpfanne, sagte Janda. Sie stand auf dem Herd. Omelettreste klebten am Rand, ein wenig lauwarmes Schmalz war auch noch drin, rann ihm über die zuschlagende Hand. Eine gewöhnliche gusseiserne Omelettpfanne. (Pause, dann schnell:) Er hatte Verwandte bei der Polizei, einige meiner Zähne sind künstlich, wenn sich das Wetter ändert, entzündet sich die Brücke rechts oben, und ich war auch im Gefängnis. Hinterher konnte ich kein Lehrer mehr sein, und ich hatte auch keine Lust dazu. Ich hatte Lust herumzufahren, wenigstens für den Sommer, habe ich zu den anderen gesagt, dann fingen sie an, sich gegenseitig über den Haufen zu schießen, der Rest ist bekannt.

Die Vögel waren zur Ruhe gekommen. Janda holte den Tabak aus der Hosentasche, schaute ihn sich an, zögerte. Soll er jetzt wirklich noch eine rauchen *mit ihm*? Er steckte das Paket wieder weg.

Hör zu, sagte er. Wir werden keine Freunde. Um es mal so auszu-
drücken.
Das ist in Ordnung, sagte das Kind. Es war schon dunkel, sein
Gesicht kaum mehr zu sehen. Die Stimme hörte sich ganz nor-
mal an. Was man so nennt bei ihm. Diese merkwürdige, zweige-
schlechtliche Resonanz. Janda musste lachen. Das ist also auch *in
Ordnung*?
Er stand auf, staubte sich die Hosenbeine ab:
Übermorgen geht's los.
Das war das Gespräch mit Janda. Er verließ das Dach, Abel blieb
sitzen. Später legte er sich hin.
Sterne.

Reisender sein

Reisender sein. Für den Augenblick leben. Das Wetter. *Wander-
jahre*. Was man so nennt. Ein Sommer. Einer oder mehrere sind
unterwegs. Hier der mobile Innenraum, dort die Landschaft. Etwas entwickelt sich. Freund- oder Feindschaft. Kleine Dinge. Man
schaut um und in sich.
Was sah Abel, wenn er in sich sah, wofür es keinen Beweis gibt,
rückblickend auf die Geschichte mit Danko und den anderen?
Anzusehen war ihm nichts. Zuerst war er ein wenig gekrümmt
vor Schmerz, der Magen, das Schienbein, aber das ging vorbei, es
blieb nur etwas Dumpfes zurück und dann nicht einmal das. Bevor er Carlos Büro verließ, räumte er es auf, wie es sich gehört. Was
du auch tust, bedenke, jemand muss hinterher den Dreck weg-
machen. Carlo stand mit dem Beil in der Hand auf der Schwelle,
schwenkte es ein wenig, helfen oder nicht, dann schickte er Ida
herüber. Sie sagte kein Wort, sah ihn kein einziges Mal an, stumm
arbeiteten sie nebeneinander, fegten, trugen Schippen hinaus, Glas-
splitter in Milch und Marmelade, stellten Möbel wieder auf. Der
Tisch hatte eine Schramme, nichts zu machen. Danke, sagte Abel
am Schluss. Auch darauf reagierte sie nicht, ging zurück in den
Laden. Er ging nach Kingania und legte sich aufs Dach. Am näch-

sten Morgen war er voller Tau, sein Haar roch nach Dachteer, und er hatte ein Kratzen im Hals, doch zwei Tage später, als sie losfuhren, war auch das vergessen.

Er war nicht einmal über die Route informiert, es schien ihn auch nicht zu interessieren, er hatte das Fahren erlernt, aber dann fuhren doch nur die anderen. Er saß auf seiner Seite der Rückbank, mal auf der Sonnenseite, mal im Schatten, und schaute die Fassaden hoch. Später kamen andere Landschaften, ein struppiges Flusstal, Wälder, stundenlang platte Felder, neue Städte. Dazu Musik und stündlich mehr oder weniger dieselben Nachrichten aus dem Autoradio. Gesprochen wurde wenig. Die Musiker sprachen nicht nur mit Abel nicht, auch untereinander erzählten sie sich nichts. Manchmal wechselten die beiden auf dem Vordersitz einpaar leise und meist funktionale Sätze. Wo ist das und das, wohin jetzt, vorne rechts. Zwischendurch schlief Abel ein, den Kopf ans Seitenfenster gelehnt, oder tat so, denn wenn sie anhielten, öffnete er sofort die Augen. Wie heißt dieser Ort, und wo befindet er sich?
Er war, auch abgesehen vom Fahren, weitgehend überflüssig. Bei den Auftritten half er nichts tragen oder aufbauen, sie brauchten seine Hilfe nicht, sie konnten alles allein. Buckel auf dem Rücken, fünftes Rad, eigentlich hätte er schon längst aussteigen können, aber irgendwie: nein. Er ist immer noch da. Man bräuchte ihm bloß zu sagen, verpiss dich, er würde gehen, sich ohne Groll, höflich verabschieden. Wobei er lieber bliebe. Als würde er gerne zuschauen. Wie sich Männer verhalten. Die Rituale des Trinkens, des Rauchens, der Körperhaltung, des Fischfangs bei einem Zwischenhalt in einem Wald. Wildromantik, blitzende Körperteile. Nahaufnahmen ihrer Hände beim Erschlagen, Ausnehmen, Aufspießen, Braten. Er ist für solche Verrichtungen ohne Frage nicht zu gebrauchen, wortlos fangen sie einen vierten Fisch für ihn. Es ist, als schaute er einem selbst beim Essen genau zu. Als wüsste er sonst nicht, wie man einen Fisch isst. Janda wäre blöd, wenn er nicht merkte, dass es vor allem er ist, den er ständig ansieht, natürlich, aber die Strategie ist seit Jahren, so zu tun, als merkte er es nicht,

kein Grund, das ausgerechnet jetzt zu ändern. Kontra für seinen Teil schert sich tatsächlich nicht um ihn, dafür interessiert mich niemand genug, und der gute Andre kommt bekanntlich mit jedem klar. Ich bin ein einfacher Junge vom Dorf, du hörst es an meinem Dialekt, abgeschnitten von ihrer Heimat, bleibt die Sprache, was sie war, in der Kindheit. Religiöses Leben spielte damals eine große Rolle, aber deswegen ist es nicht, dass er es nicht fertig bringt, jemanden auszugrenzen, zu hassen oder was es sonst noch gibt. Er hat das Glück, als guter Mensch geboren worden zu sein, sagte Kinga einmal, so ergreifend und einfach ist das. Aber, aber, aber, stotterte er, das habe ich mir nie so vorgestellt. Ein Bauernjunge mit einem musikalischen Talent, das zu groß war, als dass man damit nicht hätte weggehen müssen. Alles hat seinen Preis, das ist sein Lieblingssatz, und es ist nicht so, dass ich etwas gegen *dieses* Leben hätte, es ist bloß … Er wäre trotz allem gleich wieder zurück gegangen, aber die anderen überzeugten ihn zu bleiben. Appellierten an die Vernunft sowie an seine Solidarität. Wir brauchen dich. Du hältst uns aufrecht und zusammen. Jetzt übertreibt mal nicht. (Murmelt, errötet.)

Zu den Auftritten gab es je nach Veranstalter Hotels, Privatwohnungen oder den Bus: eine mit blauem Blümchenstoff bezogene ehemalige Wohnheimmatratze – später wird sie Abel gehören – über die umgeklappten Rücksitze gelegt. (Einmal ein Getränkelager, ein versifftes Doppelbett zwischen Getränkepaletten. Bitte? fragte Janda. Nein, oder? Kontra, der sich den Inhalt der Kisten genauer angeschaut hatte, stieß ihn mit dem Ellbogen. Die teuersten Spirituosen. Sie nahmen so viel, wie sie tragen konnten.) Die Paarung in Doppelzimmern hieß jeweils: Kontra und Janda, Abel und Andre. Wobei das vierte Bett, die Betthälfte für *unseren Fahrer* weitgehend überflüssig war. Manche Auftritte hörte er sich an, manche nicht. Er ging mit der ersten Nummer, wohin, in den Ort, an dem sie gerade waren, was tat er da?, keiner fragte. Später soll er Omar das eine oder andere erzählt haben, merkwürdige Begegnungen, aber man weiß nicht, wie viel davon wahr ist, und wenn es erfunden ist, *wer* es erfunden hat.

Manche Städte schlafen nie, andere, als wanderte man über eine Wiese. Manche bestehen aus lauter Furten, manche haben nach verheerenden Bränden oder Überschwemmungen breite Straßen bekommen, manche Kirchen sind wie Festungen, andere wie Lustschlösser. Fast überall gibt es eine Motorradkneipe. Abel hat, was man vielleicht nicht denken würde, keine Hemmungen, welches Etablissement auch immer zu betreten. Linkisch ist er überhaupt nicht mehr, nur eben anders, er fällt überall auf. Er fällt auch auf, wenn er nicht hineingeht, sondern draußen bleibt, einfach auf der Straße. Ob viele unterwegs sind oder im Gegenteil wenige, fast jede Nacht wird er von jemandem angesprochen. Dazu scheint sich, abgesehen von den Musikern, fast jeder berufen zu fühlen.

Einmal, er kam gerade aus einer Bar, sprach ihn eine alte Frau an: Da bist du ja! Ach nein, sagte sie. Entschuldigung. Sie sind gar nicht mein Sohn. Besah ihn sich noch mal, um ganz sicher zu gehen. Nein, Sie sind es nicht.

Würden Sie ... Würden Sie mich vielleicht trotzdem begleiten? Ich habe schreckliche Angst, das ist doch keine Gegend, keine Tageszeit für eine alte Frau, aber ich muss ihn doch suchen, er ist Alkoholiker, wissen Sie, Sie scheinen mir so ein netter junger Mann zu sein.

Sie gingen eine ganze Weile nebeneinander her, sie etwas gekrümmt, er mit den Händen in den Taschen, sie trippelte, er machte nur manchmal einen Schritt. In die Kneipen traute sie sich nicht hinein, sie bat ihn, er möge für sie gehen oder durch die Fenster spähen, Sie sind so schön groß, ob er ihn sehen würde.

Aber er weiß gar nicht, wie der Sohn aussieht.

Na, so wie Sie!

Aber er sah keinen, der so aussah. Später stellte sich heraus, dass der Sohn kein Sohn, sondern ein Geliebter war. Abel sah sich die Frau genauer an. Sie sah aus wie siebzig.

Jetzt verachten Sie mich bestimmt.

Nein, sagte er. Soll ich dieses Taxi für Sie anhalten?

Sie nickte und war verschwunden.

Ein anderes Mal, an einem anderen Ort, stand ein kleiner Mann

zwischen den Sträuchern am Rande eines Parks, einen Akten-
koffer in der Hand. Auch ihm wurde übel mitgespielt.

Es fing damit an, dass meine Frau so tat, als verstünde sie nicht,
was ich sage. Das sei einfach wirres Zeug, sagte sie, was ich rede,
ich sollte es doch mal in der Landessprache versuchen, aber ich
bitte Sie, ich kann gar keine andere Sprache, nur diese eine, was
ist daran, bitte schön, nicht zu verstehen? Verstehen Sie, was ich
sage? fragte der Kleine besorgt.

Absolut, sagte Abel.

Der kleine Mann seufzte.

Ich habe es auf der Arbeit erzählt. Was wollte ich, Mitgefühl? Anfangs nickten sie verständnisvoll, ja, ja, die Ehe, aber später fingen sie auch an, so zu tun, als verstünden sie nicht, was ich sage.
Sie kicherten, ich weiß, sie wollten nur einen Spaß machen, aber
dann konnten sie nicht mehr aufhören. Sie taten den ganzen Tag
so, als verstünden sie mich nicht, und ich sagte gar nichts mehr,
aber auf der Fahrt nach Hause, Bauch an Bauch im Bus, brach ich
plötzlich in Tränen aus und musste aussteigen, seitdem irre ich
hier umher. Wer weiß, sagte der kleine Mann mit Blick in die dunklen Sträucher, vielleicht ist jeder meiner Sätze, mit denen ich glaube,
mich der Wahrheit Stück um Stück anzunähern, nichts, als genau
das: Stück um Stück. --- Ich frage Sie jetzt lieber nicht, ob Sie das
verstanden haben. Gott allein weiß, was das zu bedeuten hat. Entschuldigen Sie. Besser, ich gehe jetzt.

Er ging zwei Schritte, blieb stehen.

Entschuldigen Sie. Wären Sie vielleicht so freundlich, mich zur
Bushaltestelle zu begleiten? Ich glaube, ich habe etwas Angst.
Ich weiß, das ist merkwürdig, schließlich bin ich ein erwachsener
Mann.

Schon in Ordnung, sagte Abel.

Und so weiter. Einer wollte sich mitten in der Nacht ein ge-
stohlenes Auto kaufen und brauchte einen Dolmetscher. (Und
das glaubst du? fragte Alegria seinen Enkel. Ja, sagte Omar.
Warum nicht.) Als einer der Letzten kam ihm sein Vater entgegen.

Bruder, sagte der Mann. Dürr, unrasiert, übel riechend. Vielleicht war er auch etwas jünger als Andor, wer könnte das sagen, vom Leben gezeichnet, und es war dunkel. Manchmal ist es auch nur eine einzelne Falte, die gleich ist, der Steg zwischen Nase und Mund. Bruder, sagte der Heruntergekommene. Warum gehst du weinend und zähneknirschend durch diese dunklen Gassen?

Abel weinte nicht, mit den Zähnen geknirscht, vielleicht, aber im Wesentlichen lief er nur herum.

In dieser Gegend?

Das ist doch nicht verboten?

Hm.

Na dann …

Bruder! Der Dürre hielt ihn am Ärmel fest. Kräftige Finger, schmutzige Nägel. Hast du etwas Kleingeld für mich?

Abel langte sich in die Tasche, holte Geld hervor, Münzen, zwei zerknüllte Scheine. Der Heruntergekommene prüfte das Angebot, nahm schließlich mit spitzen Fingern den kleineren Schein und einpaar Münzen. Oder weißt du was? Er fegte alles von Abels Hand in seine. Zärtlich über die Handfläche. Die Jungs da vorne an der Ecke hätten dich sowieso überfallen. Oder wenn nicht die, dann eine Ecke weiter jemand. Lieber nehme ich es zu mir. Gott segne dich, Bruder. Und ging eilig davon in die Richtung, aus der Abel gekommen war.

An der Ecke vorne standen keine Jungs. Auch später begegnete er niemandem, außer zwei Katzen, eine schwarze, eine braun gescheckte, die, wie winzige Steinlöwen, regungslos zu beiden Seiten einer Garagenausfahrt saßen.

Als er mitten in der Nacht im Hotel ankam, saßen die Musiker noch in der Hotelbar. Ihr Lachen war bis zum Eingang zu hören.

An dem Abend hatten sie einen der merkwürdigsten Auftritte der Tour. Eigentlich konnte man schon von Anfang an wissen, dass es nichts bringen würde – abgesehen natürlich vom Geld. Kein richtiges Konzert, sie waren eher so was wie die musikalische Rundenglocke bei einem Podiumsgespräch zum Thema: Was stimmt nicht mit eurer Region? Immer, wenn man kurz davor stand, sich an den Kragen zu gehen, hieß es: Und jetzt wieder ein bisschen Musik!

Sie fragen mich, wieso wir zum Thema nicht mehr beizusteuern haben als einpaar Anekdoten? (Janda an der Bar, hält geziert die Zigarette.) Nun, besteht Geschichte nicht hauptsächlich daraus: Aus Marginalien zwischen zwei Extremen?

Aber wir stehen wie die Trottel da! ruft Kontra leidenschaftlich und schlägt vielleicht sogar auf die Theke.

Genau! sagt Andre. Das ist die Bestätigung aller Klischees, die es über uns sowieso gibt! Wieso ist keiner in der Lage, die Wahrheit zu sagen? Das ist doch nicht so schwer!

Janda, leutselig: Was ist denn die Wahrheit?

Er lacht, Kontra lacht mit, sie stoßen an.

Andre, mit tragischem Ernst: Und wie stehen Sie dazu, dass die Intelligenz des Landes entweder die Situation angeheizt oder aber nichts zu ihrer Entschärfung beigetragen hat, sich dann aber nicht zu schade ist, im Ausland ihr Geld mit unserem Elend zu machen?

Janda, geziert lächelnd: Ich reue, pardon, *freue* mich, dass endlich auch die Schauspieler aufgenommen worden sind in den Kreis der Intelligenz.

Leise Heiterkeit.

Und jetzt, Kontra hebt den Zeigefinger: Wieder ein bisschen Musik. Tülüttütüttütü, brmbrmbrm, tschtschtsch. Sie lachen, spielen Luftgitarre, trommeln auf die Theke. Sie hören wieder auf, Janda nimmt die fast abgebrannte Kippe wieder auf, schnippt die Asche weg, das macht ein unerwartet lautes Geräusch.

Oh, diese Pisser …

Na? sagt Andre zu Abel, der, wieder so unsicher, wie man es kennt, etwas abseits stehen geblieben ist. Auch noch was zu trinken?

Sie betranken sich in dieser Nacht mehr als jemals zuvor, besonders Janda. Sie mussten ihn, das heißt: Abel, der als Einziger nüchtern blieb, aufs Zimmer tragen. Seine Augen waren offen, aber man weiß nicht, ob er was gesehen hat. Am nächsten Morgen war das erste Mal keiner mehr in der Lage zu fahren, außer dem Kind.

Ach, scheiß was, sagte Janda, legte sich auf die Rückbank und schlief weiter. Abel fuhr vorsichtig, vermied jede ruckartige Bewegung. Dennoch, später, Janda: Halt an, ich muss kotzen.

Sie standen lange im Halteverbot am Rande der Schnellstraße, hinter ihnen pfiff der Verkehr vorbei, Janda spuckte in den Graben. In der Gegenrichtung fuhr ein Polizeiwagen vorbei. Abel und Kontra dachten an die nicht übergebene Fahrerlaubnis, aber zum Glück passierte nichts.

Falken

Später allerdings kam es doch noch zum Eklat.

Obwohl sich der Abend anders anließ, ganz viel versprechend. Eine andere Stadt, eine Kneipe anstelle eines ehemaligen Kinos, davon noch ein Vorhang, ein Podest, eine Galerie, Tische mit Lämpchen und einpaar Plakate übrig. Alles in allem eine nette Atmosphäre und soviel Publikum wie auf dieser Tour noch nicht. Trotz schlechten physischen Zustands der Band und obwohl viel Muttersprachliches zu hören war – Das muss ja nichts Schlechtes sein –, eine gewisse frohe Erwartung. Abel saß, wie immer, auf einer kleinen, luftigen Insel am Rande des Gedränges, allein an einem Extratisch neben dem Bühnenaufgang.

Eine Weile passierte nichts. Musik. Anfangs sind die Leute meist sehr aufmerksam, mit der Zeit, das lässt sich nicht vermeiden, fangen sie zu reden an, die Gläser machen auch Lärm, obwohl man sich fragt, ob die Bartender das absichtlich machen, dieses Geklappere. Ich bin gereizt heute, stellte Janda fest. Der Kopf tat ihm weh, die eigenen Trommelschläge, einpaar Mal kam er auch aus dem Konzept. Er schwitzte. Pause? fragte der aufmerksame Andre.

Janda nickte, ging an die Bar. Muss was trinken. Er kam neben einem Cowboymenschen zu stehen, Holzfällerhemd und Jeans, darin die schmalsten Hüften der Welt, um den Hals trug er einen Lederbeutel, mit was darin: Heimaterde?

He! Die Stimme, die Körperhaltung zeugten von einiger Alkoholisierung, aber der Blick war stechend und klar. He! sagte der Cowboy zu Janda. Spielt doch mal die Falken!

Danke, sagte Janda zum Bartender und ging zurück auf die Bühne.

Später, und gerade während eines waghalsigen Rhythmusexperiments, plötzlich: He! Spielt lieber die Falken!

Er rief nie in den Pausen, immer nur während der Lieder. Erst lallte er nur etwas über die Falken, später kamen andere Wörter dazu. Hurensöhne, Wegelagerer, Simulanten, Verräter.

Janda zu den anderen: Bin ich verrückt, oder hört ihr das auch? Kann sein, dass ich spinne, ich bin nicht der Frischeste heute.

Die anderen bestätigten, dass sie den Typen auch hörten.

Lass, sagte Andre. Wir hören drei Nummern eher auf und gut.

Sie spielten weiter, die Stimme krakeelte weiter. Lautes Stöhnen, demonstratives Gähnen, und dazwischen: Drückeberger, Arschlöcher, Betrüger. Janda legte die Kanne beiseite, ließ Andre und Kontra allein weiterspielen, ging zum Veranstalter, bat ihn, den Mann, der nicht mehr an der Bar stand, wo ist er?, irgendwo hier, zu entfernen. Der Veranstalter, ein Mensch mit weichlichem Gesicht, die blonden Haare verdeckten seine Ohren bis zu den Ohrläppchen, nickte, aber es war ihm schon anzusehen, dass er nichts machen würde.

Ob man den Verrückten vielleicht jetzt entfernen könnte, fragte Janda zwei Lieder später. Da zitterte ihm schon die Stimme.

Wovon er rede, fragte der Veranstalter. Das hier sei ein Lokal, es gäbe nun einmal Geräusche.

Janda sah sich um. Die Falken, Fotzeeurermutter! lallte die Stimme. Janda drehte sich in die Richtung, aus der sie kam. Immer, wenn er unsicher wurde, jauchzte die Stimme wieder auf, lockte ihn weiter ins Dunkel, hinauf auf die Galerie. Oben war noch mehr vom ehemaligen Kinosaal da, plüschige Stuhlreihen, vereinzelte Pärchen. Janda strauchelte im Dunkeln, die, die unten saßen, inklusive der Musiker und Abel, schauten herauf. Irgendwo lachte es schadenfroh. Janda wandte sich in die Richtung, und dann endlich sah er ihn. Die strähnigen Haare klebten ihm feucht im versoffenen Pferdegesicht, er grinste. Janda griff ihm mit seinen langen, knochigen Fingern an den Kragen.

Hör zu, Pissgesicht, noch ein Ton von dir und ich schmeiß dich da runter, und dann geh' ich runter und trete solange auf dir herum, bis du dich einscheißt, du mieser Wurm wärst der Erste nicht, haben wir uns verstanden?

Nananananahaanaa, sang Andre unten.

Ohne hinzuschauen wusste Janda, wie die Pärchen in den hinteren Reihen jetzt schauten. Er ließ den Kragen los und machte sich auf den Rückweg.

Dreckiger Romadieb, feiges Faschistenschwein, sagte die Stimme hinter ihm.

Worauf Janda mit demselben Schwung wieder umkehrte, den Kerl aus dem Sitz hob, ihn polternd aus der Sitzreihe und die enge Treppe hinunter schleifte. Der Penner wehrte sich nicht direkt, sagte auch nichts mehr, aber es dauerte eine ganze Weile und schlug großen Lärm, bis ihn Janda von der Galerie bis zur Hintertür gezerrt hatte. Nun achtete wirklich keiner mehr auf die Musik, Andre und Kontra traten mehr oder weniger auf der Stelle, aber aufhören war jetzt auch nicht möglich. Und, dann, auf einmal, fing der Cowboymensch doch tatsächlich zu singen an.

Weine! johlte er. Weine nicht, traure nicht, rufe nur und …

Andre, als er das hörte, legte das Instrument beiseite, aber noch bevor er losgehen konnte, hatte Janda den Typen schon aus der Hintertür in den Hof gestoßen. Alle Falken werden ihr Leben für dich geben! Rufe, rufe nur … Hier schlug die Tür zu.

Der Veranstalter stellte sich in Jandas Rückweg. Sauer – auf *ihn*! Was zum Teufel er da gemacht habe.

Ich mache, wozu Sie nicht in der Lage sind, sagte Janda. Ich schaffe Ordnung. Und ich mache Musik.

Ging zurück zu Kontra, nahm die Kanne in die Hand. Nananananahaanaa.

Irgendwann jetzt war es, dass Abel hinausging.

Immer diese Atmosphäre der Kränkung und der Gewalt. Sobald mehr als zwei von uns in einem Raum sind, sagte das blonde Mädchen, Korrektur: die junge Frau, draußen vor der Tür. Abel war nur zufällig neben ihr stehen geblieben. Nur solange, bis er sich für eine Richtung entschieden hat: rechts oder links. Sie sprach die Muttersprache.

Wo seid ihr her? fragte sie ihn nun direkt.

Erst sah es so aus, als würde er nicht antworten, dann antwortete er doch: Die anderen aus B., er selbst aus S.

Nein! Aus S.? Wirklich? Sie schnappte nach Luft: Ich bin auch aus S.

Jetzt sah er sie an.

Elsa
Intermezzo

Rundes Gesicht, breiter Mund. Ein Eckzahn (der rechte) ist schief gewachsen. Blaue Augen, aufgerissen, schaut ihn an, hungrig, kenne ich dich? Nein, sagt sie, fast verzweifelt, ich erinnere mich nicht an dich.

Ihr Name ist Elsa. Genauer gesagt kommt sie aus einem Dorf aus der Nähe. Aus P. Kennst du das?

Er nickt.

Das ist … Mein Gott … Sie lacht. Dann, als liefen ihre Augen voller Tränen. Große Augen. Sie schaut weg, legt eine Hand auf ihren Bauch. Jetzt erst sieht man, dass sie schwanger ist. Hinter ihnen der Lärm der Kneipe.

Wie heißt du?

Abel.

Abel. Mir ist ein bisschen schlecht. Zu wenig Luft da drin. Begleitest du mich nach Hause? Es ist zu nah, um mit dem Bus zu fahren, aber ich habe ein wenig Angst im Dunkeln.

Straße, außen, Nacht, Abel und Elsa. Das ist jetzt eine ganz andere Atmosphäre. So voll es im Lokal war, so ausgestorben ist es hier. Sie können die eigenen Schritte hören. Bis zur ersten Fuß-gängerampel sagen sie nichts. Warten auf Grün.

Ich war Schwesternschülerin, sagt Elsa, als sie weitergehen. Lebte ein strenges Leben. Von der Schule ging es direkt nach Hause. Wir hatten Kühe. Außerdem flanieren anständige Mädchen nicht in der Stadt. (Lacht.) Wir standen jeden Tag zwischen zwei und drei an der Bushaltestelle vor dem Hotel am Ring, warteten auf den Bus hinaus. Erinnerst du dich an die Haltestelle? Oben auf dem First des Hotels standen zwei Engelsstatuen, an jeder Ecke eine, barocke Fassade. Eines Tages verlor der eine Engel, der linke oder der rechte, je nachdem, von wo man es betrachtet, den Kopf. Ein steinerner Engelskopf, oder vielleicht war er aus Gips, fiel herunter, einfach so, mitten hinein in den Nachmittag, in die wartende Menge an der Haltestelle. Kommt ein Kopf geflogen. Und trifft wie durch ein Wunder: niemanden. Fällt genau in die Schneise, die erst eine Sekunde vorher entstanden ist, weil jemand seinen Hund an der Leine durch die Menge gezogen hat. Dort, wo kurz davor noch ein Hund: Platsch, ein Engelskopf. Brö-ckelndes Engelshaar ausgebreitet zwischen platten Zigaretten-stummeln und Spuckespuren. Sein dumpfes, tiefes Ausrollen. Weißt du das noch?

Hat er genickt oder den Kopf geschüttelt? Vielleicht auch nichts davon. Er schaut die ganze Zeit nach unten, zu ihren Füßen. Elsa trägt weiße Turnschuhe.

Sie sei, erzählt sie weiter, erst vor kurzem, durch Heirat, hierher gekommen. Dave, der seinen eigenen Namen als Doiv ausspricht, ist Kameramann. Sie haben einen Film gedreht, eine Doku, Elsa war als sprachkenntnisreiche und spottbillige Helferin vor Ort dabei. Zuerst verstand ich ihn nicht. Seine Aussprache. Später wurde es besser, aber ich verstand immer noch nicht. Wenn man ihn fragte, warum er das hier mache, sagte er: *War is fun*. Was bist du? fragte ich. Ein Idiot? Er lachte: Du hast keinen Sinn für *Ai*. Das heißt: *for me*, sagte ich. Nicht *for I*. Er lachte noch mehr. *Ai*, sagte er. Wie *irony*. Man musste immer alles umdrehen, was er sagte. Das war nicht immer leicht. Mein Gott, sagte er, ihr seid vielleicht ein empfindliches Volk. Was hast du erwartet?! Manchmal beschimpfte ich ihn regelrecht. Am Ende der Dreharbeiten war Elsa schwanger und sie heirateten im Beisein der Crew. Die Feier war auf einer Wiese, sie tanzte mit Blüten in ihrem hüftlangen Haar, das Kleid voller Grasflecke, aber sie tanzte und lachte und weinte, die Kamera wackelte, es gibt ein Video davon. Und zwischendurch ging ich mich übergeben. Einmal hat er auch das aufgenommen. Wie ich mir den letzten Gallenfaden von den Lippen wische und weitertanze. Immer wieder haben sie uns aufgefordert, einander zu küssen. Er tat es. Meine nach Galle schmeckenden Lippen.

Mittlerweile war Elsa im fünften Monat und musste nicht mehr spucken, aber sie weinte und lachte noch abwechselnd und manchmal gleichzeitig, und das den ganzen Tag. Ich werde wach und muss weinen. Oder lachen. Es ist ein Weinen oder Lachen gleichzeitig des Glückes und der Trauer. Die Gründe dafür sind mir teilweise unbekannt, teilweise bekannt. Die Behörden behandelten Elsa wie jedermann. Darüber darf man nicht weinen, ich weiß. Als Mann bist du ein Mafioso, als Frau eine Hure, so ist das. Es sind Frauen im Amt. Ich bin im fünften Monat und verheiratet und sie geben mir eine Aufenthaltsbewilligung für drei Monate. Dann wäre ich im achten. Verstehst du. Und das sind Frauen.

Übrigens war ich diejenige, die ihn gefragt hat, ob wir heiraten wollen. Dass ich jeden Tag weine, muss ihn belasten. Obwohl er nichts sagt. Aber wenn man bedenkt: Da kennst du jemanden seit einem halben Jahr, und wenn er nicht kotzt, weint er. Im Moment ist es etwas besser, er ist gerade nicht da. Es hat sich ein Job ergeben, eine neue Katastrophe, er ist für einen Monat oder länger weggefahren. Einer muss das Geld verdienen.

Am Vormittag gehe ich hinaus. Von Bussen wird mir schlecht, also gehe ich zu Fuß, kreuz und quer, in den Park, durch Geschäfte, in denen ich nichts kaufe. Irgendwann werden meine Füße kalt, ich gehe nach Hause zurück, nehme ein Bad, schaue zu, wie das Wasser von meinem Bauch läuft. Den Rest des Tages liege ich auf dem Sofa vor dem Fenster und schaue über die Stadt. Wir wohnen im siebten Stock. Am Morgen steigen Dampfschwaden aus den Waschkellern auf. Aus den Schornsteinen der Rauch. Daraus werden Wolken. All das ist sogar schön, dennoch: Kann man so leben, nur von Rauch und Dampf? Darf ich es überhaupt, ist es angemessen, es ...

Sie rülpst.

Oh! Legt dünne weiße Finger an ihre Lippen. Entschuldigung. Ich bin schwanger, ich darf das. Beendet den Satz: ... schön zu finden?

Kontakte zu *hiesigen Frauen* unterhalte sie nicht. Ich weiß, das ist nicht nett von mir. Aber sie kommen mir so ... *einfältig* vor. Verstehst du, was ich meine? Hier wohne ich übrigens.

Sie stehen vor einem Hochhaus.

Hast *du* Kontakt zu anderen Leuten?

Zu einpaar.

Aus unserer Gegend?

Nein.

Sie legt eine Hand auf ihren Bauch und stößt abermals auf.

Entschuldigung ... Willst du mit hochkommen?

Er schaut nur.

Manchmal, sagt Elsa, vermisse ich sogar die Kirche. Man wird so konservativ.

Ich möchte, sagt sie, dass du bei mir bleibst. Ich werde sowieso nicht schlafen können. (Pause.) Nur reden.

Tut mir Leid, sagt Abel. Aber er müsse zurück zu den anderen, die wüssten nicht, wo er sei, vielleicht wollen sie auch schon in der Nacht weiter.

Sie steht vor dem Haus, er geht mit langen, schnellen Schritten, den Oberkörper etwas vorgebeugt.

Das war die Geschichte von Elsa, die ich für eine Stunde kannte.

Fluchtartig

Wie spät war es zu diesem Zeitpunkt, vielleicht kurz nach Mitternacht, Abel lief zum Hotel zurück, zumindest ungefähr. Das ist eine von den unspektakulären Städten, alles ist neu und sieht gleich aus, an sämtlichen Ecken dieselben Läden, außerdem hatte er während der ganzen Zeit, während er neben Elsa herging, nach unten geschaut. Soweit stimmt es auch: Gehsteig, staubige, schwarze Schuhspitzen, aber das ist jetzt unwichtig. Diesen Gang können wir extrem verkürzen, die Stunde, die hier circa vergangen ist, bis er an der entscheidenden Ecke ankam. Diesmal war ihm keiner mehr begegnet.

Zuerst erkannte er die Straße hinter dem Hotel gar nicht, aus dieser Perspektive hatte er sie noch nie gesehen, beziehungsweise doch, jetzt, das ist doch der Tourbus. Dahinter war ein Ächzen zu hören, als machten zwei Liebe in einem ganz und gar nicht erhebenden Hauseingang. Oder als ob zwei auf einen Dritten eintreten, besonders Janda.

Abgesehen vom *Zwischenfall* war das Konzert planmäßig verlaufen. Janda ging grußlos noch während des Schlussapplauses, Andre und Kontra bauten ab und ließen sich das Honorar auszahlen. Das dauerte vielleicht eine Dreiviertelstunde. Als sie ins Hotelzimmer zurückkamen, fanden sie Janda auf dem Doppelbett sitzend vor, die Zähne aufeinander gebissen, er schaute Autorennen. Getrunken hatte er auch, aber er war so wütend, dass er nüchtern blieb. Andre hielt es für besser, nichts zu sagen. Was regst du dich auf, nur ein Idiot, von denen gibt es wie etc. Sie setzten sich zu ihm, schauten sich den Sport an, später einen schlechten Horrorfilm, kreischende Frauen, blitzende Messer. Später klopfte es an der Tür. Wahrscheinlich das Kind.
Komm rein!
Kommt nicht rein.
Bleibst du halt draußen. (Janda, murmelnd.)
Ich mach schon.
Andre ging zur Tür, öffnete sie und, ich glaub, ich träume, ich stehe nicht hier in der Tür, ich sitze noch vor der Glotze, ein Typ steht in einem Hotelflur, ein blitzendes Messer in der Hand, sagt kein Wort, sticht nur zu.
Die Spitze der Klinge rutschte am Schlüsselbein ab, ein unbeschreibliches Geräusch, dann fiel das Messer hinunter, trotz des

Teppichbodens mit einem Pling, im nächsten Moment war der Typ verschwunden. Nur noch ein Messer auf dem Boden, ein blutiges Hemd.

Kontras Stimme aus dem Zimmerinneren: Was ist los?

Er hat ... Andre stand verdeckt hinter einem Wandvorsprung, sie konnten ihn nicht sehen. Er hat ... mit einem Messer ...

Was?!

Andre wankte einpaar Schritte ins Zimmer zurück. Vom Schlüsselbein bis zur Brust war das Hemd aufgeschlitzt, darunter Blut. Wollte wohl die Halsschlllll ...

Hier musste er sich setzen. Rutschte an der Wand hinunter, blieb auf dem Teppich hocken, den Rücken gegen die Badezimmerwand gelehnt. Janda, ohne ein Wort, trat über ihn hinweg und rannte hinaus, Kontra ihm hinterher.

Der Nachtportier las gerade in Vorlesungsnotizen, als sie an ihm vorbei zur Eingangstür stürmten: verschlossen. Wie ist das möglich?

Aufmachen! brüllte Janda und schlug auf die Tür ein. Der Junge hinterm Pult drückte erschrocken einen Knopf, die Tür glitt auf, die beiden fielen hinaus auf die Straße und --- nichts.

Kontra blieb stehen, aber Janda nicht, rasend auf die Ecke zu, um das Gebäude herum, sie erwischten den Cowboy, als er gerade dabei war, an den Bus zu pissen.

Jetzt lag das karierte Hemd regungslos da, die Arme von sich gestreckt. Schon gut, sagte Kontra und zerrte Janda weg. Kakerlake! brüllte Janda und wollte auf die platte Cowboyhand treten.

Ist gut! schrie Kontra. Janda, aus dem Gleichgewicht geraten, hüpfte auf einem Bein. Ist gut, sagte Kontra. Diesmal, als wäre es direkt zu Abel.

Janda, als hätte er ihn nicht gesehen, rannte an ihm vorbei, zurück zum Vordereingang, hämmerte wieder gegen die Glastür, diesmal von außen. Im erleuchteten Kubus des Foyers der junge Portier, sah panisch heraus, schüttelte nur den Kopf. Janda jaulte und rannte wieder weg, zurück, dorthin, wo Abel und Kontra immer noch wie zuvor dastanden, zu ihren Füßen der regungslose Cowboy.

Es interessiert mich nicht, was du denkst, sagte Janda zu Abel. Geh rein und hol ihn raus. Er ist verletzt.

Der Portier zitterte immer noch, als Abel vor der Tür erschien und seine Zimmerkarte durch die Scheibe zeigte. Zum Glück weiß er nicht, dass ich zu ihnen gehöre.

Andres Verletzung war lang, aber nicht tief. Er hatte sich das Hemd ausgezogen, drückte Klopapier gegen die Wunde. Nicht einmal in dieser Situation würde er ein weißes Handtuch schmutzig machen. Das Klopapier blieb im Blut kleben.

Abel ging als Erster mit dem Großteil des Gepäcks, für Andre blieb der Kontrabass und eine kleine Tasche. Sie nahmen den Hinterausgang. Es wurde nur einmal brenzlig, als sie an der offenen Tür zur Rezeption vorbei mussten. Der Nachtportier redete schnarrend mit jemandem, der nicht zu sehen war.

Das zerrissene, blutige Hemd haben sie im Bad vergessen. Das Messer liegt auch noch da.

Taschen, Instrumente, Jacken durcheinander hinter dem Rücksitz, Kontra – Nein, du (Janda) fährst nicht, ich fahre! –, tritt aufs Gas. Sssst, sagt Andre. Die Instrumente. Der Bus rast um den Kreisverkehr herum, in der Mitte ein Springbrunnen, als sie kamen, blies eine Windböe Wasser auf die Scheibe, der gelbe Staub der Straße verschmierte, jetzt ist der Brunnen aus, Kontra betätigt die Scheibenwaschanlage, das Wasser schießt pfeifend heraus. Als wäre das schon zu viel, als wäre es so laut, dass alle davon aufwachen müssten. Ein heruntergekommener Mann quert langsam die Straße vor ihnen, wenn sie so weiterrasen, werden sie ihn erwischen. Erwischen ihn doch nicht, Kontra ist ein guter Fahrer, zischt knapp hinter dem Rücken des Heruntergekommenen vorbei, der erbost stehen bleibt, was sagen will, kann nicht, macht sich fast in die Hosen, konzentriert sich darauf, das zu verhindern, steht mitten auf der Straße, das Auto ist längst weg.

Als sie fast schon aus der Stadt hinaus sind, Abel:
Könntest du bitte anhalten?
Kontra zweifelt, ob er richtig gehört hat, schaut in den Rückspiegel, fährt weiter. Andre sieht, dass das Kind neben ihm schwitzt und zittert.
Könntest du bitte ...
Janda auf dem Beifahrersitz: Fahr weiter!
Andre würde auch was sagen, aber wenn er den Mund aufmacht, sickert Blut durch sein T-Shirt. Das Shirt ist grau, der wachsende Blutfleck auf seiner linken Schulter rehbraun.
Später: keine Stadt mehr, nur Felder, kein Mond, vielleicht Wolken, man sieht nichts, außer einem Stück beleuchteten Asphalts vor ihnen. Jetzt kannst du anhalten.
Kontra fährt ganz von der Straße ab, biegt in einen Feldweg ein, hält an, macht die Lichter aus. Nun endgültig: dunkel. Sitzen da. Vier atmen.
Scheiße, sagt Kontra.
Andre: Was ... Was habt ihr ...
Ein Nesteln auf der anderen Seite des Autos, wo das Kind sitzt, dann geht die Tür auf. Ein Knirschen: Er hat den Fuß hinausgesetzt. Ein Schwall seines parfümierten Schweißes kommt zu Andre. Dann geht die Kofferraumklappe auf, er nimmt etwas heraus.
Andre: Was machst du?
Die Klappe geht wieder zu.
Andre: Mach mal Licht.
Kontra schaltet die Innenbeleuchtung an. Ein beleuchtetes Autoinneres in der sonst fast vollkommenen Schwärze. Wie kann es nur so dunkel sein? Man hört die Bewegung der Pflanzenblätter auf dem Feld. Kohl. Abel ist nicht zu sehen.
Andre steigt aus dem Wagen, ruft nach ihm. Abel?!
Keine Antwort.
Janda zu Andre: Steig ein!
Andre: Was habt ihr gemacht?
Jetzt steig schon ein!
Was macht er da?

Er ist ausgestiegen, sagt Janda, jetzt ganz die Ruhe.

Wenn du uns verrätst, kleine Schwuchtel, bring ich dich um, dachte er wenige Minuten zuvor. Und dann war ihm, als hätte er *gehört*, wie das Kind *zurück*dachte: Keine Panik. Janda sah in den Rückspiegel, sah ihn aber nicht, er hatte sich gerade nach vorne gebeugt.

Lasst uns fahren, sagt Janda jetzt.

Kontra schaut nur.

Janda macht die Innenbeleuchtung aus.

Jetzt steigt auch Kontra aus, geht zu Andre. Ihm helfen, ins Feld zu schauen. Nichts zu sehen. Andre, aus der Schulter blutend, stolpert zwischen den Kohlköpfen herum.

Abel?

Es lässt sich schlecht balancieren, wenn man mit einer Hand eine blutende Wunde an der Schulter halten muss, Andre strauchelt, der Knöchel knackt, Au!, er fällt aufs Knie, in einen Kohlkopf hinein. Dann ist zum Glück Kontra da, zieht ihn hoch, stützt ihn. Er blutet ihm auf den Arm. Janda im Auto ist auf Kontras Platz gerutscht, macht den Motor an, schaltet das Licht ein. Man sieht: Andre, Kontra, etwas Kohl. Abel nicht.

Er ist weg.

Scheiße, sagt Andre. Er weint fast. Was hast du getan?

Er kann sich kaum auf den Beinen halten. Nicht der Knöchel – plötzlich ist ihm schlecht.

Komm, sagt Kontra. Wir suchen den Sanikasten.

Der Kasten ist so gut wie leer, Andre weiß es, einpaar Pflaster, trotzdem kommt er mit. Kontra bugsiert ihn auf den Rücksitz. He! Kontra hat kaum Zeit, ebenfalls einzusteigen, Janda fährt schon los. Andre greint. Du bist wahnsinnig. Vollkommen. Wahnsinnig.

Später, als es etwas heller wurde, hielten sie an, verbanden endlich Andres Wunde. Anschließend wurde es langsam Zeit für eine Zigarette. Kontra suchte sein Sakko im Kofferraumwust und: Oh, Fotzedeiner …

Janda: Was ist?

Kontra lieh sich eine Zigarette, bevor er antwortete: Übrigens hat der Junge meine Jacke mitgenommen. Mein Tabak ist drin. Und, ach ja, meine Papiere.

Er schaute sich Abels zurückgelassenen Pass an. Oh, sagte er, *ich bin an einem Schalttag geboren.*

Gratuliere, sagte Janda.

Ich hasse den Mann, der mich niedergestochen hat, nicht, dachte Andre. *Dich* hasse ich. Ich will nach Hause, winselte er auf dem Rücksitz.

Schon gut, sagte Kontra. Ich fahr' ja schon.

Was Abel anbelangt: Das Sakko passte wie angegossen, er bemerkte die Verwechslung auch erst nach Sonnenaufgang, als er ein heißes Getränk an einer einsamen Tankstelle bezahlen wollte. Er verlangte den Toilettenschlüssel, hielt vor dem Spiegel den offenen Pass neben sein Gesicht. Der Unterschied zwischen dem 4×4-Foto und dem lebensgroßen Gesicht war erträglich. Wir könnten Cousins sein. Dann wäre mein bürgerlicher Name jetzt also Attila V. Ich wusste gar nicht, dass er ein Landsmann meines Vaters … Ist auch egal.

Kontra war der Einzige, der ein gutes Visum hatte, und es war noch Jahre gültig. Jetzt kann ich überallhin.

VI. DAS UNMÖGLICHE

Ehe

Straßenszene. Mercedes

Manchmal verdichten sich, wie Eiter, die Dinge. Die immer etwas merkwürdigen, sogenannten alltäglichen und scheinbar langsamen Prozesse, mit denen wir uns annähern, sagen wir: dem Leben-bis-wir-sterben, werden plötzlich beschleunigt und kommen außer Takt. Das kann man nicht erklären, sagte eine langjährige Geliebte zu einem arbeitslosen Schornsteinfeger, oder er hat es einfach nicht begriffen. Wie Liebe kommt und geht. Es schien, er wollte gar nicht, dass sie fortdauerte, er wollte nur eine Erklärung, jenseits von »weil du oder ich so oder so bist/bin, weil das und das passiert ist«. Denn es ist ja nichts passiert, und jeder ist, wie er ist, darum geht es nicht. Das kann man nicht erklären, sagte die Geliebte. Kurz darauf heiratete sie einen, den sie erst wenige Wochen kannte, und der Schornsteinfeger zündete vier Dachstühle und einen Kiosk an. Mercedes stand auf der Straße, es regnete Dachziegel auf sie herab.

Dass in Mercedes' Leben bis zu diesem Punkt alles, wie es heißt: *planmäßig* verlaufen wäre, kann man so auch nicht sagen. Ihre Kindheit war schön, ihre Eltern waren Hippies, ließen sich's auf Staatskosten auf einem karibischen Campingplatz gut gehen, eine ganze Windelphase lang. Ihr nackter Unterleib das Hauptmotiv in diesem Bild. Zwanzig Jahre später verliebte sie sich. Sein Name war Amir. Er war so schön und so schwarz, dass sie, in der Dämmerung oder wenn es sehr hell oder sehr dunkel war, sein Gesicht und den Rest seines Körpers kaum erkennen konnte. Ein perfekter Ebenholzmann, ein edler und geheimnisvoller Prinz, er kam gerne spät nachts und kroch im Dunkeln über sie. Sie waren fünf Jahre zusammen, während derer er immer nur noch schöner, edler und geheimnisvoller wurde. Im ersten Jahr redete er fünfmal mehr als im zweiten. Sie erfuhr über verkehrt herum eingepflanzte Bäume, deren Holz aus Wasser ist, und wenn man nachts zum Stausee fährt und glaubt, den Baum in lichterlohen Flammen zu sehen, wird er am nächsten Morgen ganz und gar unversehrt sein. Das ist Schwarze Magie. Gegen Ende sagte er so gut wie gar nichts mehr. Zumindest zu ihr nicht, zu anderen redete er durchaus. Er konnte gut sprechen, er war klug und attraktiv, er wurde zum Sprecher der Gruppe gewählt. In der Gruppe waren einige, an deren Namen man sich gar nicht mehr erinnert, und auch nicht, wie es dazu kam, dass sie plötzlich die ganze Diskussion beherrschten. Plötzlich beherrschten sie die ganze Diskussion. Er war der Sprecher, also diskutierte er mit ihnen bis spät in die Nacht, dann kam er zu ihr und weckte sie mit seinem Gewicht. Wie er sich das vorstelle mit der weißen Frau, fragten die in der Gruppe. Er sagte: Das geht euch einen feuchten an. Sie sagten: Du bist nicht mehr für sie als ein Haustier. Er bat sie, während des Aktes nicht zu sprechen und auch nicht zu stöhnen. Sie ist deiner nicht würdig, sagten die in der Gruppe. Das weißt du so gut wie wir. Du gehst heimlich zu ihr, nachts, weil du sie selbst nicht sehen kannst. Er sagte: Schlangen. Sie bewegten obszön die Zungen. Er sagte, ich will deine sogenannten toleranten Eltern nicht mehr sehen. Sie behandeln mich wie einen sprechenden Affen. Am Ende sagte er kein Wort, er kam einfach nicht mehr. Sie wurde blass vor Schlaflosigkeit. Sie kletterte über den Zaun des Wohnheims und schürfte sich die Innenseite der Schenkel auf. Jeder Stoß wie mit Schmirgelpapier, aber weder verlor sie ein Wort darüber noch stöhnte sie während des Aktes. Er verschwand drei Wochen später, ahnungslos, sie trug das Kind drei Wochen zu lang. Als es geboren wurde, hatte es ein kleines blaues und ein großes schwarzes Auge. Sie nannte es nach dem Vater: Omar. Ich heiße Omar, das bedeutet Lösung, Ausweg, Mittel.

Später fing sie eine Promotion an. Ihr Professor war ein vergilbter Greis, ein Gesicht wie eine Tropfsteinhöhle, die Haut hing ihm in Zapfen von den Augen. Er war so hässlich, wie er klug war, und so eitel auch. Nachdem seine zweite Frau still und diskret wie es ihre Art war, gestorben war, zog Mercedes bei ihm ein, weil es so leichter war, alles für ihn zu tun. Als dann Tibor kurz vor seinem fünfundsechzigsten Geburtstag erfuhr, dass er der lieben

Anna bald nachfolgen würde, sagte er zu seiner jungen Lebensgefährtin: Ich möchte in den nächsten Wochen nicht gestört werden. Ich werde bald sterben, aber vorher will ich das Buch noch zu Ende schreiben. Sie nickte. Ihre Augen immer, als wären sie verweint. Ich stellte ihm das Essen vor die Tür wie einem … Es blieb ihm nur noch Zeit für ein letztes Kapitel. Der Verleger sagt, es sei sehr schön, es habe nur nichts mit dem Rest des Buches zu tun, nichts mit der Geschichte der Rhetorik, es habe etwas mit dem Tod zu tun, Angst und Wut, und sei in diesem Sinne sehr ergreifend und befremdlich, zum Beispiel dieser letzte Satz hier, wie er wohl darauf gekommen ist: Gott sei ein bespeicheltes Stück Hundespielzeug … Diagnose im Mai, im August war er tot. Natürlich, sagt eine gewöhnlich gut informierte Freundin der jungen Witwe, hat er sich einen Dreck darum gekümmert, ihr auch nur eine Rolle Klopapier zu hinterlassen, sie musste sogar um ihre eigenen Möbel kämpfen. Zum Glück hatte sie das Manuskript und die Tagebücher aus dem Haus geschafft, bevor seine Kinder aus erster Ehe eintrafen. In seinen Tagebüchern widmet sich T. B. im Wesentlichen denselben Fragen wie in seinen Büchern und Manuskripten. Manchmal notiert er das Wetter des Tages, eine skurrile Beobachtung, wichtigere geschäftliche Anrufe. U. E. rief an. Seine Lebensgefährtin oder deren Sohn erwähnt er in fünf Jahren mit keinem einzigen Wort. Aber abgesehen davon, behauptet Mercedes, habe sie keinen Grund zur Klage. Wenn es auch immer wieder Anlass zu Befremdung und Trauer gibt, alles in allem war ich immer und bin ich auch jetzt: glücklich. Da ist zum Beispiel Omar und die Anstellung an einer Privatschule, ich bin gerne Lehrerin, außerdem ist das Schulgeld für die eigenen Kinder reduziert, wenn man dort arbeitet.

An dem Tag, um den es hier geht, dem *entscheidenden Montag*, hatte sie die gröbste Hölle, den Sommer, hinter sich. Sie hatten eine neue Wohnung bezogen, das Schuljahr hatte angefangen, nun war sie, zwei Leerstunden, mit einem Blumenstrauß in der Hand und einem Buch unter dem Arm unterwegs zu einem Krankenbesuch. Ein liebenswürdiger älterer Kollege war *aus heiterem*

Himmel in einen quasireligiösen Streit mit dem Direktor der konfessionellen Schule – Konfessionell, aber ansonsten sehr gut! (Mercedes) – zum Thema Darwin versus die Kreationisten geraten. Es ging wochenlang hin und her, und das Ende war, dass der Kollege, sein Name ist Adam Gdansky, in der Psychiatrie landete. Mercedes war der Meinung, man hätte ihn so kurz vor der Pensionierung nicht unbedingt als alten Spinner denunzieren müssen, andererseits muss das nicht der einzige Grund für diesen Nervenzusammenbruch gewesen sein, was weiß man schon von anderen.

Was ging zum Beispiel in dem Taxifahrer vor, sein Name ist auf einem kleinen Schild am Armaturenbrett zu lesen, vielleicht hatte er ein schlechtes Wochenende – erst hieß es, er könne den Jungen beide Tage haben, dann hieß es plötzlich, nur den Sonntagvormittag, und so weiter, am Ende stand er unter ihrem Fenster, brüllte aber nicht hoch, ihr Neuer ist Polizist –, nichtsdestotrotz nahm er Montag früh ganz normal seinen Dienst auf. Seine erste Fahrt führte ihn ins Bahnhofsviertel. Er nahm eine Straße, die er immer nahm, dieselbe, in der an diesem Morgen kurz vorher ein Gebäude in Flammen aufgegangen war. Die angesengten Dachziegel schossen pfeifend in die Höhe, zerbarsten auf dem Gehsteig, schlitterten auf die Fahrbahn, das Taxi aber, wie Zeugen später berichteten, raste einfach drauf zu, um erst in letzter Sekunde, als hätte der Fahrer, Tom, sein Vorname ist: Tom, da erst gemerkt, was er vor sich hat, doch noch zu bremsen. Das Heck des Wagens brach aus und kollidierte mit einem gerade ankommenden Polizeiauto. Der Taxifahrer Tom, dessen dritter Unfall das in kurzer Folge war, setzte zurück und versuchte zu wenden, fuhr dabei über den Gehsteig, und wieder mit zuviel Schwung, so dass er trotz gleich wieder eingeleiteter Vollbremsung ---

Ich habe genug vom Ganzen! Ich habe genug, hört ihr! Ich habe die Schnauze voll! Er sprang, ohne den Motor auszustellen, aus dem Fahrzeug, würdigte die auf ihn zukommenden Polizisten keines Blickes, er schrie die Gruppe der Schaulustigen an: Ich habe genug! Hört ihr?! Ich habe genug! Zwischen ihnen und ihm, auf

dem Gehsteig sitzend, während rundherum immer noch die Dachziegel einschlugen: Abel Nemas zukünftige Frau.

In der einen Hand der Blumenstrauß, mit der anderen greift sie
in die Luft, sich an etwas festhalten, da ist nichts, sie schafft es
trotzdem, den Fall irgendwie zu bremsen, das Buch gerät unter
sie, ein größerer Bildband. Sitzt auf dem Buch, *Aug in Auge* mit
der Stoßstange, irgendwie *brav*, der Rücken gerade, der gebro-
chene Knöchel liegt unter dem Auto, man sieht ihn nicht. Träume
ich, oder hat mich gerade ein Taxi angefahren? Mit der Hand, in
der sie nichts hält, angelt sie noch immer in der Luft, und plötzlich ist da auch etwas, eine andere Hand, sie hält sich an ihr fest,
am letzten Haken vor der Ohnmacht. Der Storch hat sie in den
Knöchel gezwickt, nein, ein Auto hat ihr den Knöchel zertrümmert, so was kann sehr schmerzhaft sein, aber erst spürt man es
oft gar nicht, das ist der Schock, die Erschütterung. Du denkst, sie
haben die Bombe geworfen, erzählte sie später, irgendwie passt
alles zusammen: Flammen, Wasserfontänen, berstende Scheiben,
Blaulichter, Geschrei – der Fahrer schrie immer noch, raufte sich
die Haare, drehte sich im Kreis, die Polizisten näherten sich ihm
mit ausgebreiteten Armen, als wollten sie ein Huhn einfangen –,
alles, als würde gerade eine große Katastrophe passieren. Eben
noch ging ich mit einem Blumenstrauß auf Krankenbesuch und
plötzlich stürzt die Welt ein, und man sitzt in Trümmern auf einer kleinen Insel zwischen den Schaulustigen und wird fotogra-
fiert.

Das Blitzlicht einer kleinen automatischen Kamera, die ein Passant betätigte, fuhr ihr direkt ins Auge. Sie kam zu sich, sah, was
los war, sah sich halb unter einer surrenden Maschine sitzen, die
sie stinkend und warm anhauchte. Mit der linken Hand hielt sie
sich fest an jemanden geklammert. Sie sah hin.

Ach, Sie sind das, sagte sie und dann nichts mehr.

Abel

Das letzte Mal haben sie sich vor drei oder vier Monaten gesehen. Es war ein Sonntag, sie, Freunde, Familie, nahmen an einer Demonstration für mehr Toleranz teil, Omar enthusiastisch, Mercedes wie nicht anwesend. Die Diagnose stand seit vier Wochen fest, und sie konnte, so sehr sie sich auch bemühte, kaum an etwas anderes denken. Tibor wird sterben, Tibor wird sterben, Tibor wird …

Abel seinerseits hatte gerade einen längeren Lauf hinter sich. Er war einem gewissen Danko oder dem Laptop unter dessen Arm hinterhergerannt, bis er sich in einem Hunderudel verfing und stürzte. Später, als er seinen Weg nach Hause suchte, fand er sich auf einmal zwischen all diesen Menschen und ihren Transparenten wieder, begriff erst gar nicht, was das war, nur dass sie ihn am Fortkommen hinderten, als plötzlich:

Abel! rief Omar. Du bist auch hier?! Abel ist hier!

Tatsächlich, sagte Mercedes. (Tibor wird sterben.) Guten Tag.

Omar trug einen blauen Luftballon, Abel sagte, er könne leider nicht länger bleiben, er müsse … sage: zum Bahnhof.

Aber der ist doch da lang!

Tatsächlich, sagte Abel heiter, hätte ich mich doch fast verlaufen.

Wie ist das möglich, fragte Omar hinterher seine Mutter. Ich werde ihn in der nächsten Stunde fragen.

Dazu kam es nicht mehr.

Mein Russischlehrer ist verschwunden, sagte Omar einige Tage später. Umsonst habe ich dieses Dutzend Fragen für ihn vorbereitet. Wo ist er? Das ist nicht seine Art!

Mercedes (Tibor wird sterben, Tibor wird …) rief die hinterlassene Nummer an. Eine Fleischerei. Pardon.

Tut mir Leid Schatz, (Tibor wird …) ich weiß es auch nicht.

Wir wissen es nicht, sagten auch die Musiker, als sie nach der abgebrochenen Tour nach Kingania zurückkehrten. Sie waren viel zu früh dran und einigermaßen erschrocken, denn als sie hereinkamen, war *sie* schon da.

Sie heulte. Das Lager war *absolut demütigend*, am Ende endete sie, nach einem Umweg über die Küche, wo sie sich über die unterentwickelte Würzkunst lustig machte – Das ist ein Ferienlager für *Kinder,* Madame! Sie nannte mich: Madame! –, im Putzdienst, aber das machte sie nicht mehr mit, sie haute ab, buchstäblich mitten in der Nacht, sechs Kilometer zu Fuß zum nächsten Bahnhof, zähneknirschend ging ich unter den Sternen. Sie hat sich nicht einmal das Geld auszahlen lassen. Und jetzt das.

Was ist passiert? Wieso seid ihr schon da? Wo ist das Kind? Was ist das für eine Verletzung an deiner Schulter? Was habt ihr getan? Hat er das getan? Warum? Was habt ihr mit ihm …?

Nein, sagte Andre. Das war nicht er.

Wir haben nichts mit ihm gemacht, sagte Kontra. Er ist einfach ausgestiegen.

Ich weiß, sagte Kinga zu Janda, der auffällig schweigsam war, ich weiß, dass du was damit zu tun hast. Du bist es.

Sie fing immer wieder damit an. Du bist es, ich weiß es, du, du, du! Aber diesmal ließ er sich nicht provozieren. Er hatte es versprochen.

Sei vernünftig, sagte Kontra zu Andre, der erst winselte und später hysterisch wurde. Du kannst jetzt nicht so weit fahren, allein. Warte wenigstens, bis die Wunde verheilt ist.

Noch ein Ding, sagte Andre und zitterte am ganzen Körper, noch ein einziges lautes Wort zu wem auch immer, und ich bin weg, sag ihm das!

OK, sagte Kontra, ich sag's ihm.

Das eine hatte mit dem anderen nichts zu tun, log jetzt Kontra Kinga an, plötzlich zum Wortführer geworden. Das eine war irgendein Irrer nach einem Konzert. Und das Kind ist einfach so ausgestiegen. Er wird sich schon wieder melden. Er hat schließlich noch meinen Pass.

Ts! entfuhr es Janda. Dann tat er so, und die anderen auch, als hätte er nur niesen müssen.

Zeig! Kinga nahm Kontra Abels Pass weg, sah sich das Foto darin an, brach erneut in Tränen aus. Marschierte los, den Pass in der Hand.

Was hast du vor?

Bumm, die Tür zu. Kurze Zeit später kam sie zurück, mit einer Kopie des Passfotos, einer für *Texte*, flach und schwarzweiß, und hängte sie in der Küche auf.

Damit ihr ihn nicht vergesst!

Janda sagte immer noch nichts, aber er spazierte hin und riss ohne jede Regung, mit einer Hand, das Stück Papier herunter, zerknüllte es, warf es in den Müll. Kinga wartete, bis er aus der Küche gegangen war, holte das Papier aus dem Müll. Kaffeesatz klebte daran. Sie säuberte das Blatt, aber die Flecken ließen sich nicht ganz entfernen. Sie hängte es fleckig wieder auf. Später verließ sie die Wohnung, und als sie wiederkam, war das Blatt verschwunden, der Müll ebenfalls, und es war niemand da, mit dem sie einen Streit hätte anfangen können. Dabei blieb es.

Notfalls könnte man ihn übers Rote Kreuz suchen lassen, sagte später Andre.

Wen willst du suchen? fragte Kontra und winkte ab. Ein erwachsener Mann treibt sich herum, wo, wann und solange er will.

Kinga hatte getrunken, lag zusammengerollt auf einer Matratze, schniefte manchmal leise. *Madame …*

Später, es war schon Herbst, hatten sie sich einigermaßen regeneriert. Kinga hatte die Madame verwunden, und auch die Musiker sprachen wieder miteinander, nachdem in den heimlich abgehörten Nachrichten nirgends die Rede von einer Leiche war. Vielleicht hatte er sich nur tot gestellt oder war ohnmächtig gewesen, das hat schließlich keiner nachgeprüft. Kinga wusste, dass sie etwas verschwiegen, aber erst hatte sie genug mit sich selbst zu tun, und später, nachdem alles wieder verheilt war, wollte sie nicht …

Sie kam gerade aus dem »Bad«, ein Morgen im Herbst, ihr sauberer Unterkörper in speckigen Jeans, an den Taschen grünlicher Schimmer, ihre Finger dampften noch warm, als er auf einmal in der Tür stand.

Tag.

Sie jauchzte, sie konnte wieder jauchzen: Da bist du wieder! Er ist wieder da!

Sie sprang ihn an, er schwankte, sie nahm sein Gesicht in die Hände: Wo warst du? Wie siehst du aus?

Schwer zu sagen. Wie immer. Etwas zerfetzt. Viel unterwegs gewesen in letzter Zeit.

Wo, unterwegs?

Ich kann mich nicht erinnern, dass er irgend etwas Brauchbares geantwortet hätte. Unterwegs eben.

Leider, sagte er, müsse er auch gleich wieder gehen. Er sei nur gekommen, um seine restlichen Sachen zu holen.

Er war seit dem Abend zuvor in der Stadt, und wieder einmal hatte ihm jemand noch vor dem Morgengrauen ein neues Asyl angeboten. Kinga blieb das nächste Dutzend Fragen – Aber wer, wo, wie, warum? – in der Kehle stecken. Sie sah nur zu, wie er Kontra das Sakko mit Inhalt wiedergab. Er hatte etwas vom Geld ausgegeben, nicht viel. Du kriegst es wieder.

Danke, sagte Kontra und gab ihm seine Sachen.

Danke, sagte Abel und nahm die zwei schwarzen Reisetaschen. Er küsste Kinga auf die Wange. Den Musikern nickte er zu.

Sie nickten stumm zurück.

Er war mit dem Zug gekommen, wie beim ersten Mal, nur diesmal war es abends, und er kam aus einer anderen Richtung. Jenseits des Perrons glänzte die Bastille in der untergehenden Sonne. Er fuhr nach Kingania, aber dort war niemand. Er fuhr zurück zum Bahnhof, deponierte sein Gepäck in einem Schließfach und ging in die Stadt.

In der Klapsmühle kreiste ein untersetzter Unbekannter seinen Glitzertanga vor seinem Gesicht, er schaute an ihm vorbei, vielleicht zur Schaukel hoch, wo sich eine engelweiß gekleidete Dragqueen über den Köpfen der Tanzenden hin und her schwang. Die Musik war ohrenbetäubend, aber ansonsten war es still. Keiner sprach mehr als unbedingt notwendig. Ab und zu hielt er sein leeres Glas hoch, der Wirt schenkte nach.

Später war es morgen, und alle waren gegangen, nur Abel saß noch in der Ecke, in die er sich ganz zu Beginn gesetzt hatte, bis an den Kragen zugeknöpft. Die Eisentür zum Hof stand offen, ein Viereck hellen Sonnenscheins, Luft, hier drin der Geruch parfümierten Schmutzes. Keiner sagte ihm, er solle gehen, man räumte wortlos auf. Thanos, Gläser einsammelnd, näherte sich langsam seiner Nische. Als er die Gläser vom Tisch räumte, sah er ihn an, sagte aber immer noch nichts. Auf der gepolsterten Sitzfläche neben Abel balancierte ein halb volles Glas mit brauner Flüssigkeit, das Thanos fast übersehen hätte. Er gab es ihm.

Danke, sagte Thanos. Was ist los mit dir? Hast du keine Wohnung?

In der Tat, sagte Abel.

Soso, sagte Thanos und brachte die Gläser weg.

Kam wieder, bot ihm eine Zigarette an.

Abel schüttelte den Kopf.

Du achtest doch nicht etwa auf deine Gesundheit? Du hast mindestens sechs Himmel-und-Höllen intus, vielleicht auch sieben. Eigentlich müsstest du tot sein.

Ich kann nicht betrunken werden.

Wie kommt's?

Achselzucken. Es schmeckt wie Wasser und hat circa dieselbe Wirkung.

Du bist schön, sagte der Wirt.

Was soll man darauf sagen.

Ein bisschen zu alt schon, vielleicht.

Pause.

Außerdem schaust du lieber nur zu, was?

Nach (wie vielen?) Jahren fragte Thanos seinen Stammgast: Wo kommst du her?

Darauf antwortete er endlich was.

Verstehe, sagte Thanos.

Irgendwo, in einem hinteren Raum, ging ein Staubsauger an.

Du suchst also eine Wohnung, sagte Thanos und vermietete ihm ein illegales Dachgeschoss für lächerlich wenig Geld.

Abel bedankte sich, steckte den Schlüssel ein. Für den Rückweg von Kingania ins Bahnhofsviertel nahm er ein Taxi.

Omar

Ach, Sie sind das, sagte Mercedes.

Danach konnte sie eine Weile nicht mehr sprechen. Andere kamen hinzu, halfen, sie unter dem Taxi hervorzuziehen, die Blumen schlierten weiß und grün über den Gehsteig. Der Schmerz war jetzt auch da, sie hielt sich krampfhaft an seiner Hand fest, ihr Haarrand war verschwitzt.

Später hatte sie eine Nadel im Handrücken, und es wurde besser. Sie erkannte ein Krankenzimmer, fragte nach ihren Sachen. Er hatte ihre Sachen. Tasche, Telefon, sogar das Buch und der zerfledderte Blumenstrauß lagen auf einem Stuhl. Die zerstörten Blumen erinnerten sie an ihren Knöchel, sie mochte nicht hinsehen, aber auch nicht sagen, er oder jemand anderes solle den Strauß endlich wegwerfen.

Würden Sie mir einen Gefallen tun?

Ihr das Telefon geben. Bevor sie zu ihrer komplizierten Knöcheloperation geholt wird, erledigt sie einpaar Telefonate.

Sechs Tage die Woche, von neun bis fünfzehn Uhr, hört Omars Großvater das Telefon nicht, weil es zu dieser Zeit, seiner *Arbeits*zeit, in seinem *Arbeits*zimmer stumm gestellt ist, aber das spielt meistens keine Rolle, denn die Großmutter des Kindes ist da, oder wenn sie nicht da ist, dann ihr Anrufbeantworter. Aus nie aufgeklärten Gründen kam an diesem Tag nur ein wiederholtes »Kein Anschluss unter dieser Nummer« aus der Leitung. Bei Tatjana funktionierte alles, aber sie war nicht in der Stadt, eine Reportage irgendwo, ungeduldige Stimme: Was gibt's, ich bin mitten in irgendwas. Nicht so wichtig, sagte Mercedes. Erik oder vielmehr Maya wären noch eine Möglichkeit gewesen, aber aus ebenfalls nicht näher geklärten Gründen entschied sich Mercedes dafür, den halbfremden ehemaligen Russischlehrer ihres Sohnes, der, nebenbei bemerkt, ohne ein Wort gesagt zu haben, für Monate verschwunden war, bevor er unter romanhaften Umständen wieder auftauchte, als Fahrgast des Taxis, das sie ohne ersichtlichen Anlass am Rande eines aus noch unbekannten Gründen ausgebrochenen Feuers anfuhr, um einen weiteren Gefallen zu bitten. Ob er ihren Sohn von der Schule abholen könnte.

Er war nicht überrascht, zögerte nicht. Er sagte ja.

Und versuchen Sie bitte, meine Mutter zu erreichen.

Und sank in den Schlaf.

Omar wartete schon vor der Schule, auf der dritten Treppenstufe, so waren sie gleich groß, Augen auf Augenhöhe, die des Jungen blinkten kalt.

(Und? Hast du ihn gefunden? hätte Omar gefragt.

Wen? hätte Abel zurückgefragt.

Den Bahnhof.

Po russki, poschalujsta.

Woksal.

Im ganzen Satz bitte.

Ti...

Naschol. Nachadjit, naidtji.

... naschol woksal?

Da.

Willst du verreisen?

Abel hätte den Satz auf Russisch niedergeschrieben und ihn vorgesprochen, Omar hätte ihn wiederholt.

Willst du verreisen?

Njet, ja ne chatschu ujechatj.

Nein, ich will nicht verreisen.

Wolltest du jemanden abholen?

Wolltest du jemanden abholen?

Nein.

Was wolltest du dann dort?

Was wolltest du dann dort?

Ich wohne in der Nähe.

Ich wohne in der Nähe.

Wieso wusstest du dann nicht, wohin du gehen musstest?

Wieso wusstest du dann nicht, wohin du gehen musstest?

Ich hatte mich verirrt.

Ich hatte mich verirrt.

Im Park?

Nein, schon vorher.

Nein, schon vorher.

Das verstehe ich nicht, hätte Omar gesagt. Ja nje panjimaju.)

Jetzt: Hallo, sagte der Erwachsene schüchtern. Ich soll dich abholen.

Ich weiß, sagte das Kind mit dem Charisma seines unbekannten Vaters und der ruhigen Stimme seiner verwundeten Mutter. Er schulterte den Ranzen. Ich will nicht ins Krankenhaus, ich will nach Hause. Ich habe Hunger. Danke, ich kann die Tasche selbst tragen. Wozu das Taxi? Es sind nur zwei Bushaltestellen. Was ist los? Bist du noch nie Bus gefahren?

Nein, sagte Abel. Ja njikagda nje jechal n'avtobuse.

Der Junge sah ihn an. Eins: Russisch zu sprechen heißt, an etwas anzuknüpfen, was war, in der Hoffnung, dass es noch da ist. Mit anderen Worten: eine klare Anbiederei. Zwei: Musste das Kind jetzt doch schmunzeln, den Kopf schütteln: Wie kann man so ein … sein. Abgesehen davon blieb es streng.

Er ist da, sagte Omar zum Bus und stieg ein. Abel blieb nichts weiter übrig, als ihm zu folgen. Omar ging durch in die Mitte des Fahrzeugs. Sofort wurde es eng, Körper, dicht an dicht. Abel konzentrierte sich auf das Schädeldach des Jungen, trotzdem wurde ihm irgendwann die Hand rutschig. Gerade, als sie nicht mehr auf der Stange zu halten war, sagte Omar: Hier!

Sie stiegen aus, gingen durch den Park. In den Fußballkäfigen wurde gespielt. Omar sah aus den Augenwinkeln, dass der Mann neben ihm nass geschwitzt war. Dabei ist es heute das erste Mal kühl. Was ist mit dir? Er fragte nicht. Aber wenn es so weitergeht, werde ich ihm schneller verziehen haben, als …

Sie wohnten nicht mehr dort, wo sie früher gewohnt haben, sie hatten jetzt eine eigene Wohnung in so einer netten Straße mit Bäumen, unweit des Parks. Auf der Frontseite des Hauses ein Flaschenzug: *fürs Klavier*. In der Wohnung erkannte Abel einige der ihm während einer früheren Führung erklärten Gegenstände in neuer Zusammensetzung. Die afrikanische Statue auf der Bauernkommode. Das Kind ging in die Küche, Abel versuchte, die relevanten Personen zu erreichen.

Ich weiß, wer Sie sind, unterbrach Miriam sein Stottern am Telefon. Schon wieder so eine geradlinige Stimme. Was macht er jetzt?

Er holt einen Topf aus dem Küchenschrank. Er will Nudeln mit Mais kochen.

Gut, dann essen Sie eben mit ihm. Ich fahre ins Krankenhaus. Aufgelegt.

Es ist etwas unerklärlich Angenehmes an diesem Ganzen. Ach, Sie sind das, nein, wir fahren nicht zuerst ins Krankenhaus, wir nehmen kein Taxi, ich weiß, wer Sie sind, essen Sie mit ihm, hilfst du mir?

Der Junge mit einer Maisdose und einem Öffner in der Hand. Abel öffnete die erste Maisdose seines Lebens. Butterweiches Metall. Etwas unerklärlich Angenehmes.

Später geriet die Küchenuhr in Abels Blickfeld, und der Rucksack und die Reisetasche fielen ihm ein, die er im Kofferraum des Taxis zurückgelassen hatte. Mit allem drin: schwarzer Kleidung, der Ruine eines Buches mit den Abbildungen nackter Knaben, die er die ganze Zeit mitgeschleppt hatte, weil er wusste, Kinga würde seine Sachen durchstöbern, sowie dem beinahe abgelaufenen Reisepass einer untergegangenen Föderation. Darum müsste man sich auch kümmern, andererseits kann man es ebenso gut auch lassen, die Sachen sind futsch, und zwar endgültig, kein Grund mehr zur Eile, er konnte ebenso gut auch hier bleiben und sich den Richtungsanweisungen dieser klaräugigen Familie überlassen.

Fertig?

Abel nickte ergeben. Als er dem Jungen die Dose übergab, fiel sein Blick auf die Zahlenreihe, die auf den Deckel gedruckt war: 05.08.2004. Für einen Moment war ihm, als könnte das das heutige Datum sein.

Danke, sagte Miriam, als sie schließlich kam. Das war reizend von Ihnen. Wenngleich man mit Omar nicht viel Mühe hat. Er ist ein großer Junge. Habt ihr gegessen? Habt ihr euch gut unterhalten?

Omar hatte das Essen auf zwei tiefe Teller verteilt und sie wortlos auf den Küchentisch gestellt. Sein ehemaliger Russischlehrer nahm ebenso wortlos Platz. Alte Ehe. Im Großen und Ganzen schwiegen sie.

Es tut mir Leid, sagte schließlich Abel, ich musste zu plötzlich weg, ich konnte mich nicht mehr verabschieden, du hast Recht, ich hätte das tun sollen, das wäre das Mindeste gewesen, zur Strafe habe ich meine Wohnung, meinen Computer und sämtliche meiner Jobs verloren, ich sage das nicht, um Mitleid zu erheischen, verdient ist verdient, ich habe dich enttäuscht, kannst du mir verzeihen?

Der Junge trank aus einem großen, roten Kristallglas. Das Licht der Küchenlampe in den geschliffenen Flächen und in seinem Glasauge darüber. Er stellte das Glas hin, nahm Löffel und Gabel wieder zur Hand.

Natürlich *kann* ich das.

Ja, sagte Omar, Wir haben uns gut unterhalten.

Anschließend lieh sich Abel einen Stadtplan und suchte den Weg zu der neuen Wohnung zu Fuß. Keine zwanzig Minuten entfernt. Abenddämmerung, die Klapsmühle hatte Schließtag, leerer Gehsteig, Ziegelmauer, Wind und ein seltsames Quietschen, das er zunächst nicht zuordnen konnte. Sein Haus, das vorletzte vor dem Ende der Sackgasse, erkannte er an den beiden Taschen, die vor der Tür auf dem Gehsteig standen. *Jemand* hatte sie, zusammen mit der Schaumstoffmatratze, die er sich von Andre geliehen hatte, zu der Adresse gebracht, die er dem Taxifahrer gegeben hatte. Später, als er fünf Etagen höher auf seiner Plattform stand, sah er auch, woher die quietschenden Echos kamen: Waggons, rangierend.

So öffnen sich neue Perspektiven. Er stand auf seiner Plattform, hüfthoch im eisernen Käfig, der Wind drängte ihn fast bis an die Hauswand zurück, hinter ihm ein bizarr geschnittener staubiger

Raum, mit nichts als einem Schrank und einem kalkverkruste-
ten Radiogerät in der sogenannten Küche, das sogenannte Bad
in Wahrheit nur zwei Emailleschüsseln mit altem, rostfarbenem
Wasser auf dem Grund, und *in der Mitte*, hingestreckt, eine alte
Matratze und zwei schwarze Reisetaschen, die er schon verloren
geglaubt hatte. Er kniff die Augen zusammen: Die kugelförmi-
gen, silbernen Container, die auf den Schienen unten vorbeizogen,
sandten letzte Lichtreflexe aus.

Dazwischen
Krisen

Keine sechs Monate und sie werden verheiratet sein. So außergewöhnlich ist das nicht. Im Moment spricht allerdings noch nichts
dafür. Er ist wieder da, aufgetaucht aus obskuren Zeiten, und
dann gleich auf die Sekunde genau, ein punktgelandeter Held:
Hält Händchen, öffnet Maisdosen (oder: eine, *eine* Maisdose),
wohnt mit Ausblick und benimmt sich überhaupt so erwachsen
und normal wie vielleicht noch nie. Ruft nach einer angemesse-
nen Zeit, wie es sich gehört, an, um sich nach dem Zustand zu erkundigen. Oh, sagte Mercedes abwesend. Danke. Sie hatte wieder einmal andere Sorgen.

Der Zeitpunkt, an dem es nötig werden könnte, in Tränen aus-
zubrechen, scheint nicht mehr allzu fern zu sein, dachte sie, und
zwar wortwörtlich, während man sie vom Asphalt auf die Trage
hob, und der Schmerz sie vom Knöchel bis unter die Schädeldecke
durchfuhr. Oder in Ohnmacht zu fallen. Aber sie fiel nicht in
Ohnmacht und brach auch nicht in Tränen aus, dafür war sie erst
viel zu perplex, und später sorgten die Analgetika dafür, dass sie
die etwas dumpfe Fassung wahrte. Sie beobachtete still das Wirken des Morphiums in ihrem Körper. Kurz bevor der Pegel auf
Knöcheltiefe gesunken wäre, sagte sie Bescheid und bekam einen
neuen Schuss. Das ist dieselbe Gruppe wie Heroin. Als wärst du
außerhalb deines Körpers. Die nächsten Tage und Wochen immer

ein bisschen neben sich, oder man weiß nicht, wo. Ihr Umfeld registrierte eine gewisse, nennen wir es: Veränderung ihrer Persönlichkeit. Mal ertrug sie alles (Fernsehprogramm, Baustelle direkt vor dem mit einer Plane verhängten Krankenzimmerfenster) mit einer an Apathie grenzenden Geduld, dann wieder war sie, und kaschierte es kaum, voller Unmut (Direktor zu Besuch, sie nickt, jaja, bald gesund, aber mit den Händen wedelt sie schon, pack die Blumen da hin und verzieh dich), hinzu kamen die zeitweilige Reduktion ihres Wortschatzes (Was ist das für ein unglaublicher Mist/Müll/Scheiß!), nie gekannte körperliche Ausbrüche (versucht mit einem Buch den Abfalleimer unter dem Waschbecken zu treffen) sowie knappe, kategorische Befehle, Neins und Jas, und wenn sie etwas wiederholen muss, dann tut sie es das zweite Mal brüllend, kurz: eine handfeste postoperative Depression.

Was ist los? Was ist nur los hier? Als sie hinter der Plane auftauchte, war die Stadt wie umgekrempelt. Gibt es eigentlich eine einzige Ecke in dieser Stadt, an der nicht mit Höllenlärm irgendwelche Gruben ausgehoben werden? Die netten Bäume in ihrer Straße hatten das Laub verloren – Wohin ist der Herbst verschwunden? Wieso muss hier der Sommer neuerdings nahtlos in den Winter übergehen? –, standen da, klappernde Reisigbesen. Ohne Blätter konnte man sehen, wie rabiat sie zurechtgestutzt worden sind, damit sie nicht zu hoch, zu breit, zu rund für diese nette Straße werden. Warum musste mir auch der Schleier von den Augen fallen?

Wieder zu Hause saß sie fast nur auf dem Sofa, den Fuß auf die marmorne Tischplatte vor sich gelegt. Der Tisch hatte auf der Straße gestanden, als sie einzogen, quasi als Begrüßung, vielleicht hatte ihn jemand absichtlich in die Nähe ihrer Möbel auf den Gehsteig gestellt, ein Angebot. Den auch? Fragten die Möbelpacker. Sie sah sich um – niemand zu sehen – und nickte schließlich. Die Marmorplatte war hell, mandelförmig, durch die längste Achse zog sich ein schwarzer Riss. Sie schaute sich mehrere Wochen lang unbewegt diesen Riss an. Ihr kleines aber stabiles Netz aus Familie und Freunden war dafür quasi permanent am Kommen und Gehen. Ich brauche, ganz im Gegensatz zu vielen, nie alleine zu sein, dafür sollte ich Liebe oder zumindest Dankbarkeit empfinden, im Moment allerdings ging ihr alles auf die Nerven. Erik, wenn er laut wie ein D-Zug einfährt, um zu verkünden:

Nie gab es weniger Grund, den Mut sinken zu lassen! Wir strotzen vor Kraft! Am Ende der neunziger Jahre prosperieren wir wie noch nie zuvor! Wahrscheinlich wird das nicht länger als bis zu drei Jahre dauern, dann wird die Blase platzen, und es wird, Zitat, *ein Blutbad geben*, aber bis dahin! Streit gibt es höchstens darüber, ob wir B. bombardieren sollten oder nicht. Jeder, der etwas auf sich hält, ist dafür, wie steht's mit dir?

Weiß nicht, sagte Mercedes. Keine Ahnung. Mein Leben ist gerade im Begriff zu zersplittern wie ein willkürlich angefahrener Knöchel.

Stimmt es, dass du gekündigt hast?

Ja. Das heißt: nein. Aber ich werde es, sobald ich wieder gesund geschrieben sein werde.

Falls es jemals dazu kommt. Ich glaube, sagte Miriam, als man sagte, du sollst den Knöchel hochlegen, meinte man nicht: für den Rest deines Lebens.

Im Ernst, sagte Erik, uns geht es im Moment so gut, ich überlege ernsthaft, das bewährte Prinzip der Ausbeutung immer neuer Praktikanten aufzugeben zugunsten einer Lektoratsstelle, es kostet dich nur ein Wort.

Du bist ein Schatz, sagte Mercedes (Erik wurde rot) und blieb sitzen.

Miriam: Ich meine es ernst, wenn du nicht anfängst, den Fuß zu belasten, wirst du vielleicht nie wieder richtig gehen können.

Wenn ich hier sitzen bleibe, spielt das ja wohl keine Rolle.

Hier: der zu erwartende mütterliche Vortrag über das verantwortungsvolle Handeln Erwachsener. Wie alt bist du? Zwölf?

Mein ganzes Leben lang, immerhin dreiunddreißig Jahre, war ich ein braver, fleißiger, optimistischer Mensch. Jetzt, da mein Leben zersplittert ist wie ein …

Das hast du schon gesagt.

Na und? Darf ich mich nicht mal wiederholen? Darf ich nicht

hier sitzen bleiben, bis ich mich auskuriert habe? Ist mir (Miriam winkte ab und nahm ihre Handtasche) das nicht erlaubt?

Hier klingelte das Telefon.

Ja! schrie Mercedes in den Hörer. Ach, Sie sind es …

Omar kam aus seinem Zimmer und blieb vor ihr stehen.

Danke, sagte Mercedes am Telefon. Es geht schon wieder. Nett, dass Sie anrufen. Sie hätte sich schon längst für die Hilfe bedanken wollen, aber wir hatten keine Nummer von Ihnen. Würde er sie diesmal hinterlassen? Sie würde sich gerne revanchieren, irgendwann, wenn es wieder möglich sein wird, ein Abendessen vielleicht.

Wann kommt er? fragte Omar, nachdem sie aufgelegt hatte.

Was soll ich helfen? fragte Miriam aus dem Flur.

Danke, gar nichts, sagte Mercedes.

Wie wär's nächsten Donnerstag, fragte Omar.

Hm, sagte Mercedes.

Um die Wahrheit zu sagen, wollte sie nur höflich sein. Im Moment habe ich keine Luft, Korrektur: Lust auf keinen Menschen.

Wann? fragte Omar.

Was wann?

Wann wirst du soweit sein?

Stand da, das Weiße seines Glasauges war ähnlich geädert und schimmerte ähnlich wie die Marmorplatte des Tisches. Er ist mit einem Tumor im Auge geboren, da schämte ich mich dann doch ein wenig.

Bald, sagte sie, bald.

Einige Tage später hörte Omar schon im Hausflur das Klopfen ihrer Krücken auf den Dielen.

Was ist passiert?

Rate mal, wer heute zum Essen kommt.

Wer?

Es gab wieder Nudeln, diesmal von Mercedes zubereitet, scharf.

Was ist besser?

Beides ist gut.

Ja, aber was ist *besser*?

Der Junge gab sich weiter streng, natürlich *kann* ich dir verzeihen. Respektive: *Das* ist schon längst geschehen. Was nicht heißt, dass es keine Fragen mehr gäbe. Nur: Wer soll sie stellen?

Es wurde ein merkwürdiges, ein sehr stilles Essen, als wollte keiner herausrücken, womit?, mit *etwas*. Er war noch nie sehr gesprächig, sie war für die Konversation zuständig, und manchmal, wenn es Lust dazu hatte, das Kind. Diesmal: Als zögen ganze Engeltruppen durch den Raum, aber, und das ist interessant, das war nicht unangenehm. Das ist interessant, dachte Mercedes. Sie sah Abel schon die ganze Zeit an, was man *forschend* nennt, und dann, als Omar auf die Toilette ging und sie beide sitzen blieben, der verletzte Knöchel lag zwischen ihnen auf einem Extrastuhl, sagte sie, und ihre Stimme klang ganz leicht:

Übrigens, die Anhörung wegen meines Unfalls ist in zwei Wochen. Sie haben auch eine Vorladung bekommen. Das heißt: mein toter Lebensgefährte Tibor B. hat, dem Nachsendeantrag sei Dank, eine Vorladung bekommen.

Damals glaubte sie, es wäre nur der Schmerz, sie saß auf dem Asphalt, später auf der Trage, man hob sie in den Wagen, es rumpelte, wer hätte gedacht, dass sie es überhaupt hören konnte: Wie er auf die Frage des Polizisten, wer er, der hilfsbereite Taxigast und Zeuge denn sei, antwortete: Tibor B., wohnhaft in. Und stieg mit in den Krankenwagen ein, als gehörte er bereits zu ihr.

Spricht es für oder gegen ihn? Als er sich als ihn ausgab, wusste Abel nicht, dass Tibor tot war. Er erfuhr es einpaar Stunden später, von Omar.

Oh ...

Ja, sagte Omar. Ich bin mit den Großeltern in die Ferien gefahren, und als ich wiederkam, war er tot, und wir waren umgezogen.

Es tut mir Leid, sagte Abel jetzt. (Als wäre er sogar etwas errötet. Wer hätte das gedacht.)

Schon gut, sagte Mercedes.

Omar kam zurück:

Was ist?

Kleine Pause, dann, das hätte ich, Mercedes, auch nicht erwartet, erzählte es Abel dem Kind. Was vorgefallen war. Ich habe mich als ein anderer ausgegeben.

Oh, sagte Omar. Po tschemu? Warum hast du das getan?

Man konnte zusehen, wie es im Zimmer dunkler wurde. Der Marmortisch schimmerte mondfarben.

Also schön.

Die Sache ist simpel, sagte Abel. Der Staat, in dem er geboren worden sei und den er vor fast zehn Jahren verlassen habe, sei in der Zwischenzeit in drei bis fünf neue Staaten gespalten worden. Und keiner dieser drei bis fünf sei der Meinung, jemandem wie ihm eine Staatsbürgerschaft schuldig zu sein. Dasselbe gelte für seine Mutter, die nun zur Minderheit gehöre und ebenfalls keinen Pass bekomme. Er könne hier nicht weg, sie könne von dort nicht weg. Man telefoniere. Einen Vater gäbe es auch, dieser besäße sogar die Bürgerschaft eines sechsten, also unabhängigen Nachbarstaates, allerdings sei er vor nicht ganz zwanzig Jahren verschwunden und sei seitdem unauffindbar. Ach so, und da er selbst einer Einberufung nicht Folge geleistet habe, gelte er bis auf weiteres als Deserteur.

Oh, sagten Mercedes und Omar. So ist das.

Ja, sagte er und bat noch einmal um Entschuldigung.

Ich würde sagen, sagte Tatjana später, das war der Moment. Jemand wie Mercedes kann unmöglich jemandem widerstehen, der so in der Bredouille steckt, dass er die Identität eines Toten annimmt. Das Zwielichtige, das Lächerliche und das Tragische. So ist es.

Bis zu den Verabschiedungen sagten sie nichts mehr. Ein Mann im Dunkeln. Weiße Hände, einander locker haltend.

Frühling

Letztes Frühjahr, damals noch: nach dem Unterricht, ging Mercedes in ein Antiquariat in der Nähe ihrer Schule. Ein wirklich winziges Antiquariat, zwischen Eingangstür und Kassentisch ist gerade soviel Platz, dass sie, die nicht sehr groß ist, sich bequem hinlegen könnte, sollte sich dafür ein Anlass ergeben. Indem man sich zum Beispiel verirrt und bis zum Ladenschluss nicht wieder herausfindet aus diesem vorgeblich so winzigen Raum. Das wäre durchaus vorstellbar, denn es ist alles so voll gestellt mit Büchern, überall stapeln sie sich, in Regalen, auf Tischen, auf dem Boden, dass es wohl keinen lebendigen Menschen gibt, geben kann, der sich hier zurecht findet.

Fragen Sie mich doch einfach, riet der Besitzer. Selbstporträt des Künstlers als der Gesalbte, die cognacfarbenen Christushaare reichen bis unter die Tischkante, hinter der er in sehr gerader Haltung sitzt. Ob er Beine hat? Wonach suchen *wir* denn?

Mercedes dachte an etwas in der Art eines zweisprachigen Rimbaud-Bandes.

Er an ihrer Stelle würde da lang gehen. Der Mann, der wie Dürer aussah, zeigte die Richtung an. Es ist nicht weit.

Die Gazellen sind nur zwei Tagesmärsche entfernt, dachte Mercedes, während sie schmunzelnd durch das staubige Chaos balancierte. Die Kanten der Büchertürme berührten sie am Schenkel: weiße Staubstreifen auf dunkler Kleidung. In den anderen Gängen scharrte es. Andere Kunden oder Mäuse. Ratten. Tauben. Mercedes, die eine Abneigung gegen gewisse Tiere hat, bekam eine Gänsehaut.

Haben Sie es? Die Stimme des Besitzers. *Normalerweise* müssten Sie jetzt genau davor stehen.

Sie sah ins Regal, und tatsächlich, genau auf Augenhöhe: ein zweisprachiger Rimbaud. Sie lachte. Von diesem Typ muss ich den anderen erzählen. Könnte es sein, dass es ein Antiquariat gibt, in dem jeder das findet, was er sucht? (Alegria anrufen.) Hier kam jemand in den Laden, man hörte die Tür, dann, dass der Antiquar zu jemandem sprach. Mercedes, auf ihrem Weg hinaus, folgte der Stimme. Als sie wieder am Kassentisch ankam, steckte sich der Kunde gerade das Wechselgeld in die Hosentasche.

Oh, hallo, guten Tag, sagte Mercedes zum Russischlehrer ihres Sohnes. Und weil sie den Eindruck hatte, er hätte sie nicht erkannt, ergänzte sie: Ich bin Mercedes, Omars Mutter.

Abel nickte. Natürlich. Er wisse das. Guten Tag.

Das Geld in die Hosentasche, das gekaufte Buch in die Tasche des schwarzen Mantels. Es passte nicht ganz hinein, ein Streifen des hellen Leineneinbands stand über, man sah es schon von weitem: Dieser Mann trägt ein Buch bei sich. Mercedes ihrerseits kaufte einen Sommer in der Hölle, anschließend gingen sie einen Teil des Wegs zusammen.

Mercedes ist klein, sie reicht ihm nicht einmal bis zur Schulter, er ging etwas gebeugt neben ihr her. Diese Haltung lässt ihn älter erscheinen, als er ist. Oder jünger. Ein Teenager, der nicht weiß, wohin mit seinem Körper. Ich denke gleichzeitig wie an einen Greis und wie an ein Kind an ihn. Das erste Mal, dass sie ihm woanders als bei sich zu Hause begegnete, die erste Unterhaltung zu zweit. Sie gingen auf den Park zu, ein April in offenen Wintermänteln, alles war etwas feucht, obwohl es nicht regnete. Erwachende Natur in der Mitte der Stadt.

Khrm, sagte Mercedes. Wie läuft es mit dem Unterricht?

Großartig, sagte Abel.

Sie freute sich, das zu hören. Sie habe gehört, er unterrichte noch mehr Kinder.

Ja.

Er tue das offenbar gerne.

Ja.

Auch sie sei gerne Lehrerin.

Darauf sagte er nichts.

Wie es mit der Dissertation laufe?

Wieder: Pause. Darin: das bemerkenswert synchrone Geräusch ihrer Schritte und, als Gegensatz, das unrhythmische Klimpern des Wechselgeldes in seiner Hosentasche. Männer, die ihr Kleingeld in der Hosentasche tragen. Mercedes' Verhältnis dazu ist zwiespältig. Wie überhaupt *alles* in diesem Moment irgendwie *einerseits-andererseits* war. Hier der elegante Rhythmus seiner Schritte, dort das missklingende, proletarische Klimpern der Münzen. Ebenso seine Antworten. (Vor allem: Es gab *nur* Antworten. Dass er etwas fragte, kam diesmal überhaupt nicht vor und später auch nur, wenn es sich absolut nicht mehr vermeiden ließ. Wo finde ich den Bahnhof?) Zum einen gab es die Stimme: in Fülle und Melodie das Beste aus Weiblichem und Männlichem, zum anderen musste man ihm alles aus der Nase ziehen und dann wusste man nicht, ob er ironisch war oder nur unbeholfen. Auf die Frage, wie es mit seiner Arbeit laufe, antwortete er nach einer kurzen, aber unleugbaren Pause: Es *ginge*.

Ich, sagte Mercedes, habe meine Doktorarbeit auch nie zu Ende geschrieben. Pardon, ich meine, *ich* habe meine Doktorarbeit nicht zu Ende geschrieben. Und jetzt, da sie unterrichte, sei ihr endgültig klar geworden, dass sie nie einen wissenschaftlichen Verstand oder wenigstens ein Interesse gehabt habe.

Darauf sagte er wieder nichts, was sollte er darauf auch sagen.

Sag etwas auf Russisch!, sagte Mercedes später, zu Hause, zu ihrem Sohn.

Das geht so nicht, sagte Omar. Man kann nicht einfach etwas sagen.

Dann sag: Ich liebe meine Mutter.

Ja jublju maju matj.

Das hört sich gut an, sagte Mercedes. Worüber redet ihr noch?

Omar zuckte mit den Achseln, was sonst nicht seine Art ist, und sagte: Worüber man so redet. Grammatik. Landeskunde.

Ich glaube, sagte Mercedes zu ihren Eltern, er mag ihn. Er ahmt niemanden nach, den er nicht leiden kann. *Er* zuckt auch immer mit den Achseln wie ein Halbwüchsiger.

Das hast du also beobachtet. (Alegria)

Mercedes: Tibor hat leider keine Zeit, sich mit dem Kind zu beschäftigen. Er lebt ganz für seine Arbeit.

Miriam nickte: So, wie es nur absolute Egoisten wie er können.

Alegria tat so, als wäre er in Gedanken versunken gewesen, und wachte jetzt auf: Wer?

Abel und Mercedes gingen bis zur Nervenheilanstalt, verabschiedeten sich höflich, dann ging er rechts, sie links, der Rest ist bekannt.

Damals, an jener Straßenecke, war das letzte Mal *alles in Ordnung*. Ein nicht schlechter Punkt in ihrer beider Leben, alles hatte einen und war an seinem Platz, aber dann verlor er die Orientierung, verhedderte sich in einer gewalttätigen Affäre und verschwand, und ihre Verhältnisse entwickelten sich auch nicht gerade zum Besten. Jetzt bot sich die Gelegenheit, neu anzusetzen. Wir sind ein wenig im Kreis gelaufen, oder nein, das ist nicht mehr derselbe Kreis, ich bin eine andere, nicht ganz und gar, aber um entscheidende Nuancen, und er? Das wusste man noch nicht so genau.

Mercedes hatte den Pass mit dem inkriminierten Datum darin nicht gesehen, aber anhand der ihr zur Verfügung stehenden Daten rechnete sie aus, dass bald zehn Jahre um sein müssten. Es gab also einerseits den Zeitfaktor, andererseits musste man doch behutsam vorgehen. Sich erinnern: Was wissen wir bereits über ihn? Was weiß Omar? Was ahnen wir? Was gibt es zu sehen?

Die folgenden Wochen boten sich für Beobachtungen an. Diesmal, sagte Omar, möchte ich nicht nur Russisch, sondern auch Französisch lernen. Montags Russisch, Donnerstags Französisch. In Ordnung, sagte Mercedes und erteilte Abel den Auftrag. Er nahm, ohne sich zu wundern oder zu zögern, an. Mercedes ihrerseits griff auf Eriks Angebot zurück, von irgendwas muss ich die Stunden schließlich bezahlen. Anfangs arbeitete sie mit Rücksicht auf den Knöchel von zu Hause aus, was sich gut traf, denn so konnte sie nebenbei auch ihr Französisch auffrischen. Ich setze mich ganz still in die Ecke und höre zu, und nebenbei sehe ich auch. Wie sieht er aus? Wie ist seine Haltung, wie sind seine Bewegungen? Beim Essen, beim Unterricht, beim Kommen-und-Gehen? Beschaffenheit und Zustand der sichtbaren Körperstellen? Wenig schwarze Haare auf den untersten Fingergliedern, sonst annähernd makellose helle Männerhaut, Sehnen. Spuren körperlicher Arbeit: keine. Fehlerlose Fingernägel, etwas länger vielleicht, als man es erwarten würde. Eine kleine Unregelmäßigkeit in den unteren Schneidezähnen. Wenn plötzlich die Weisheit einen in der Mitte zusammendrückt. Ein Haar wie Rabenfedern, einen Haarschnitt würde ich das nicht nennen. Sieht er alles in allem gut aus? Manchmal würde ich sagen: ja, manchmal weiß man's nicht. Dasselbe Gesicht und dennoch. Eine Sache des Blickwinkels und davon gibt es unzählige. Lichteinfall, Tageszeit, Gesprächsthema. Ein Gesicht wie der Mond: manchmal Krater, Dunkelheit, dann wieder voll, weiß, strahlend. Letzteres macht der Blick. Was für ein Blick.

Wenn man ihn im Anschluss an die Stunde zum Abendessen einlädt und ihm Fragen stellt, antwortet er. Höflich, knapp und allem Anschein nach vollkommen aufrichtig.

Wo kommt er her? Wie ist es dort? Respektive: Wie war es? Das Klima, die Architektur? Gab es ein Theater nur für Gastspiele, ein Hotel, Gottes- und Autohäuser?

Eine U-Bahn? (Das war Omar.)

Und Sie können also Ihre Mutter nicht besuchen?

Mein Vater ist auch verschollen, sagt Omar.

Mercedes interessiert sich neuerdings für Flüchtlingsfragen, wie ist die Rechtslage, welche spezifischen Krankheiten. Dafür ist er allerdings kein guter Gesprächspartner, wundert es dich, wie würde es dir an seiner Stelle gehen, ich schäme mich fast, widmen wir uns wieder vermutlich Unverfänglicherem:

Was ist alles passiert, seitdem man sich das letzte Mal gesehen hat? Hat er eine neue Wohnung? Wo? Wovon lebt er? (Beobachtung: Fährt häufiger Taxi, als man das bei *jemandem wie ihm* annehmen würde.) Hat er Geld? Woher? Keine Papiere, aber Geld? Geht das? (Bist du bei der Mafia, fragte Mira eines Tages am Telefon.) Man weiß oft nicht, wovon die Leute leben. (Was war das noch mal mit den Drogen?)

Was interessiert Sie mehr: die wissenschaftliche Arbeit oder der Unterricht?

Beides ist gut. Ja, aber was ist besser?

Mercedes ihrerseits vermisst die Kinder. Ob sie mich auch vermissen?

Warum magst du ihn, fragte sie Omar, ohne jede Einleitung, eines Morgens, er wußte dennoch, was oder wen sie meinte. Er zuckte die Achseln und sprach weise: Es ist einfach so.

Später, als sie wieder mobiler war, fragte sie auch anderes. Wir fahren nächstes Wochenende ans Meer. Würden Sie uns begleiten? Haben Sie die Holzkathedrale seit ihrer Fertigstellung gesehen? Kannst du mir etwas zu den Ikonen sagen? Meine Mutter hat Höhenangst, fährst du mit mir Riesenrad? Übrigens ist er gar nicht so ein Stockfisch. Man kann sich über Kunst und Bücher mit ihm unterhalten. Über die permanenten Ausstellungen weiß er gut Bescheid, in den neueren Sachen war er noch nicht. Wir gehen nächsten Freitag, willst du mit?

Er sagte jedes Mal zu. Man sah sich mindestens zweimal, meist dreimal die Woche. Und irgendwann beginnst du, ob du willst oder nicht, den Unterschied zu spüren: zwischen der Sorte Tagen, die man mit ihm verbringt, und der Sorte, die man nicht mit ihm verbringt. An den Tagen, die man mit ihm verbringt, muss man an nichts denken. An den anderen muss man an ihn denken. Mercedes hätte nicht sagen können, was besser war. Ja, Psychologie spielte vermutlich auch eine Rolle. Dass ich es, *ihn*, gut finden wollte, aber warum nicht? Die wichtigsten Eckpunkte ihres Lebens hatten sich wieder an ihren Platz begeben, aber mit einer neuen Spannung zwischen den Teilen, ein neues Gebäude, es arbeitete in den Fugen. Sie spürte die Wiederkehr dieses ihr so gut bekannten, schwindelerregenden Zustands: jemandes heimliche Geliebte zu sein.

Ce jour

Und eines Montags erschien sie dann Arm in Arm mit diesem Typen beim Jour fixe. Neuerdings fanden wieder welche statt, diesmal unter der Schirmherrschaft des Ehepaars Erik-Maya, in einem Café in der Nähe des Verlags. Die Zeit verlangt nach geselligem Leben und neuen Diskussionen. Wenn du (Mercedes) nichts dagegen hast. Warum sollte ich etwas dagegen haben? Sie horchte in sich hinein, und tatsächlich: kein Schmerz mehr. Ehrlich gesagt, habe ich fast schon vergessen, wie es in *jenem Haus* war.

Das Wochenende vor diesem Montag hatte sie mit Arbeit verbracht. Einer ihrer Autoren, sein Name ist Maximilian G., aber aus gegebenem Anlass nennen wir (Erik) ihn einfach Madmax, rief sie noch vor dem Frühstück mit zitternder Stimme an: Können wir uns sehen? Ich weiß, es ist Wochenende, aber ich … (Es war eine schreckliche Nacht.)

Ein netter Junge, sagte Erik, ein kluger Kopf, aber ein Wahnsinniger. Er denkt, er müsse sich kaputt denken. Wir sind gleich alt, zwölf Jahre in derselben Schulbank, jetzt sieh mich an, sieh ihn an. Das Haar grau und schütter, und die Kopfhaut!, die Zähne!, der ganze Körper! Der Rücken gekrümmt, ebenso die Finger, dazwischen zittert die Kippe, alle Viertelstunde wird er von einem Raucherhusten durchgeschüttelt. Jede einzelne Seite schneidet er sich wahrhaftig aus den Rippen, er wird von Seite zu Seite weniger. Wenn ihn eines Tages der Luftzug aus dem Fenster weht, wird er so zögernd und langsam segeln wie ein Blatt.

Überhaupt kein Problem, sagte Mercedes mit sanfter, beruhigender Stimme. Ich rufe Großmutter an, ob sie auf dich (Omar) aufpassen, nein, formuliere es anders, ob sie dir Gesellschaft leisten möchte.

Oder, sagte Omar, ich gehe, wie geplant, mit Abel in den Zoo.

Ich weiß nicht …

Es ist sowieso zu spät, er wird jeden Augenblick hier sein.

Hier klingelte es.

Siehst du?

Einen Augenblick später waren sie weg, mir ist, als hätte ich nicht einmal Zeit gehabt, »aber« zu sagen, und – Was für eine Metamorphose! – Madmax saß an Omars Stelle am Esstisch, starrte mit fiebrigen Augen irgendwo in die Richtung, wo das Manuskript lag, während sich Mercedes gerade das dritte Mal daran machte, einen langen Satz laut vorzulesen, dessen Sinn sich zuerst von Nebensatz zu Nebensatz, wie es sich gehört, immer tiefer greifend entfaltete, doch dann, kurz vor Schluss, verknäulte sich etwas, und plötzlich wusste man nicht mehr …

Manchmal frage ich mich wirklich, sagte MM bitter, ob überhaupt ein einziger Gedanke aufrecht zu erhalten ist.

Seine Hand lag auf der Tischplatte, und die Finger zitterten so stark, dass es sich auf den Eistee übertrug, der in einem Glaskrug daneben stand. Das Echo eines fernen Bebens.

Ich bin mir sicher, sagte Mercedes sanft, es ist nur ein sprachliches Problem.

Natürlich, sagte MM. Es ist immer nur ein sprachliches Problem. Mercedes bemerkte erschrocken, dass sich das Zittern über seinen ganzen Körper ausgebreitet hatte, als wäre er von Strom geschüttelt. Er stand auf, der Stuhl schlitterte schrillend zurück.

Ich muss eine rauchen, Entschuldigung, sagte er, aber dann stellte er sich nicht, wie es zu erwarten gewesen wäre, an das offene Fenster, sondern kauerte sich auf das Fensterbrett, den Rücken an den Rahmen gelehnt: Schuhe, Socken, Hosenbeine und über einem spitzen Hintern der Rest des Körpers, zusammengefaltet, eine Lumpenpuppe, der man seit wie vielen Wintern versäumt hat, die graue Strickweste auszuziehen, und selbst so schien er noch zu frieren. Von seinen Fingern wehte weiße Asche in die Straße hinaus. Wenn er sich hinterher stürzte, könnte ich nichts dagegen unternehmen.

Ich glaube, sagte Mercedes, ich verstehe sehr gut, was Sie meinen. Ach so?! Er sah sie scharf an. Runde Augen, spitze Nase. Als wär's auch ein wenig verächtlich. Das hat sie in diesem Moment erst über ihn erfahren. Er besitzt Verachtung. Das schmerzt ein wenig. Die Stimme peitschend, mit einem rattigen Pfeifen im Unterton: Was meine ich denn?

Mercedes wagte sich mit leiser Stimme und einem korrekten, langen Satz an dem soeben verknüllten entlang, und tatsächlich. Er warf die Kippe aus dem Fenster – ihre Lider zuckten: auch das hätte sie nicht erwartet – und setzte sich wortlos wieder an den Tisch, der Rauch aus seinem Mund fiel auf die Seiten.

Wollen wir es so schreiben? fragte Mercedes.

Kurz vor Einbruch der Dunkelheit kamen das Kind und sein Begleiter zurück, man stellte sich vor. Omar und Max kannten sich bereits, der gut aussehende Große war neu. Guten Tag, sagte er und lächelte höflich, den Kopf etwas schief gelegt. MM starrte ihn verblüfft, ja regelrecht ehrerbietig an. Die Temperatur, die Textur, der Druck seiner nicht von Nikotinflecken verschandelten Hand. Die Minute, die Mercedes brauchte, um die Neuankömmlinge ins

Nebenzimmer zu begleiten, verharrte MM weitgehend regungslos und sagte dann zur zurückkehrenden Mercedes:
Wissen Sie was, ich denke, den Rest schaffe ich auch allein.
Ich verehre Sie, sagte er noch in der Tür, seine Augen leuchteten
aus ihren Höhlen, die Schuppen aus seinem Haar. Ich danke Ihnen, und ich entschuldige mich. Ich werde die Kippe wieder einsammeln. So ich sie finde. Wenn nicht, dann eine andere. Irgend
eine Kippe.
Er lächelte, sie auch, sie drehte sich lächelnd von der Tür weg:
Na, ihr beiden? Hattet ihr einen schönen Tag?

Zum Tausch für das verpatzte Wochenende machte Mercedes den
Montag frei, erledigte einpaar langweilige Sachen – niemand bü-
gelt so gut wie die Frau von der thailändischen Wäscherei – und
wartete auf den Nachmittagsunterricht. Dieser verlief wie immer, sie tranken Tee. Anschließend ging sie zum Jour fixe, er nach
Hause. Sie hatten denselben Weg.
Normalerweise (immer) ist es an ihr, ein Gespräch anzufangen
und in Gang zu halten, diesmal sagte sie nichts, also schwiegen
sie. Auf halber Strecke wurden sie von einem Touristenpaar nach
dem Weg gefragt. Er übersetzte ihr die Frage, sie beantwortete
sie, er übersetzte zurück, die Fremden dankten. Danach gingen
sie wieder schweigend. An der letzten Ecke vor dem Café verabschiedete er sich. Der Händedruck beidseitig so zart, dass er
kaum da ist. Sie ging weiter, blieb aber schon nach zwei Schritten
wieder stehen, sssss, stand auf einem Bein. Tagsüber zuviel unterwegs gewesen, jetzt: stechender Schmerz im Knöchel.
Was er für sie tun könne? Ein Taxi rufen?
Das lohnt sich nicht mehr. Es ist gleich da vorne.
In diesem Fall begleitet er sie. Sie ist so klein und leicht, er hätte
sie gut hintragen können, aber konventionell bot er ihr wieder
nur einen Arm an, sie hielt sich fest.

Sieh an! schrie Erik am Kopfende des Tisches. Wen haben wir
denn da?! (Abel senkte schamhaft die Lider. Tatjana hob eine
Augenbraue.) Natürlich erinnern wir uns alle, mit großer Herz-

lichkeit und ehrlichem Interesse nehmen wir dich in unseren Kreis auf, du kennst doch noch meine Frau Maya, und das sind Max, ach, ihr seid euch auch schon begegnet, mein alter Freund Juri, ihm noch nicht, und, natürlich, meine alte Widersacherin Tatjana, die jetzt erwartungsgemäß spöttisch die für meinen Geschmack viel zu roten Lippen verzieht, was willst du trinken?

Wie steht es um das mit Spannung erwartete *universelle Werk*? fragte Erik, als der Espresso und der Cognac gebracht wurden.

Danke, sagte Abel zur Kellnerin.

Hm? (Erik)

Entschuldigung, sagte Abel, ich habe nicht ...

Erik wiederholte die Frage. Die Geschichte mit der komparativen Linguistik.

Abel nahm einen Schluck Espresso.

Mein Computer wurde gestohlen.

Oh, sagte Maya. Wie ist das passiert?

Ja und? sagte Erik. Man hat doch wohl eine Sicherungskopie?

Man hat nicht.

Oh.

Schweigen.

Wie geht es Omar? fragte Maya.

Sehr gut, danke, antwortete Mercedes.

Was an diesem Abend für längere Zeit das Letzte war, das sie laut aussprach.

Wo waren wir stehen geblieben?

Ich verstehe Sie sehr gut, wandte sich Tatjana (die so tat, als würden sie die beste Freundin und der Mann bei ihr nicht interessieren) an Madmax. Zuerst ringt man mit der eigenen Idiotie, dann mit der der anderen, das ist nicht einfach.

Ja, sagt Erik, wir fühlen mit dir, aber wir bedauern dich nicht. Es ist das, was du verdienst. *Du hast dich aus eigener Lust und Liebe in die Sphäre des Fatalen begeben. Nun sei fügsam und geduldig.* Klatsch, seine Pranke landete auf Madmax' krummem Rücken. Hinter den Rippen donnerte es. MM hustete. Wegen des Rückenklatschers oder was anderem. Hustete, nickte, lächelte schmerzlich, zustimmend.

Max hat nämlich gerade ein Buch fertig geschrieben. (Erik, erklärend zu Abel.)

Am liebsten würde ich verreisen, sagte MM. Am liebsten sofort, für ein Jahr oder länger. So lange hatte es beim letzten Buch gedauert, bis er die Wunden verwunden hatte. Wenn es nur nicht so viele Unwägbarkeiten gäbe, Husten, angefangen mit dem Geld.

Ganz abgesehen davon, dass du außerhalb deines üblichen Alltagsradiusses vollkommen verloren bist.

Wenn Sie wollen, begleite ich Sie, sagte Tatjana.

MM sah sie erschrocken an.

Warum wollen Sie ihn umbringen? Der arme Mann hat Ihnen doch nichts getan, raunte ihr Juri ins Ohr. Sie tat so, als wäre ihr ein Haar ins Ohr geraten oder eine Fliege. Angeekelt drüberstreichen.

Und so weiter. Erik sprach, Tatjana widersprach, Madmax rieb sich zwischen ihnen auf, Maya nahm sich Juris an, sie führten nebenher ein höfliches Gespräch über nichtige Dinge. Mercedes und Abel saßen in der Ecke zwischen Fenster und Eingangstür und schwiegen. Um sie herum der übliche Lärm des Cafés, Mercedes saß betäubt darin, der Knöchel unter dem Tisch kribbelte, und alles hatte ein Parfum, wie es bis dahin *hier* nicht üblich war. Es war der Geruch des Mannes neben ihr, nicht konkret, eher so etwas wie das *Air seiner Anwesenheit*, und plötzlich sagte sie leise, und ohne ihn dabei anzuschauen:

Was halten Sie davon zu heiraten?

Was war die Frage?

Erik war gerade dabei, etwas auseinander zu setzen, zum *Kern der Sache* vorzustoßen, er nahm einen letzten Anlauf, holte Luft, es entstand eine winzige Pause – und ausgerechnet hier brach einer am anderen Ende des Tisches in Lachen aus. Der Mensch namens Abel, der die ganze Zeit stumm wie ein Fisch dagesessen hatte. Plötzlich lachte er heraus, aber wie, das hat man bei ihm noch nicht gesehen, so ein Lachen mit vollen Zähnen. Wer immer am Tisch saß, sah jetzt zu ihm. Erik, der Aufmerksamkeit beraubt, ohnehin hatte er den Faden verloren, runzelte pikiert die Stirn. Was gibt es da zu lachen?

Nichts! Abel schwenkte entschuldigend das leere Cognacglas. Die Kellnerin missverstand es. Noch einen?

Das wäre dann schon der vierte oder fünfte gewesen, das fiel Mercedes jetzt auf. Zähle lieber die Drinks, bevor du jemandem einen Heiratsantrag machst. Er lachte, schüttelte den Kopf. Ein Missverständnis! Er stellte das Glas ab.

Es war schlecht, dass er so lachte, andererseits, was hast du erwartet, jemanden am vollen Tisch so etwas zu fragen, ich weiß auch nicht. Am anderen Ende des Tisches wurde immer noch geschwiegen, er konnte also gar nichts sagen.

(Sehr viel.

Was »sehr viel«? (Das wäre Erik gewesen.)

Er, liebenswürdig: Ich habe Mercedes' Frage beantwortet.

Und was war die Frage?

Etwas Privates, hätte sie schnell gesagt, worauf wieder geschwiegen worden wäre, bis hoffentlich die freundliche Maya ein neues Thema angeschnitten hätte.)

Er winkte den anderen zu: Redet weiter, bitte, lasst euch nicht stören und lasst mich vor allem in Ruhe, damit ich das ikste leere Glas mit leisen Schabgeräuschen auf der Tischplatte drehen und so tun kann, als würde ich beim Fenster hinausschauen.

Also, um den Satz zu beenden … Sagte Erik und beendete den Satz und fing einen neuen an, aber die Aufmerksamkeit, seine, war futsch, was er jetzt auch sagte oder tat, er konnte die beiden nicht mehr aus den Augen lassen.

Sie starrte mit roten Wangen in die Kaffeetasse vor sich, *er* tat so, als schaute er beim Fenster hinaus, aber man konnte beim Fenster nicht hinausschauen, es gab nichts zu sehen, es war dunkel, das eigene Spiegelbild, höchstens, aber auch an diesem, Erik sah es, ging sein Blick vorbei. So, blind, unbeobachteter Moment oder nicht, nicht einmal das konnte er festgestellt haben, griff er

neben sich, nahm ihre Hand, führte sie zum Mund und küsste sie.
Vier Personen am Tisch unterhielten sich –

Neulich saß eine Freundin von mir genauso in einem Café, nah am Fenster, und auf einmal fiel ein Mann am Fenster vorbei. Hat sich vom Dach des Kaufhauses gestürzt. Mitten hinein in die Menge.
Hat er jemanden getroffen?
Ich bitte dich …
Soweit ich weiß, nicht.

– und bemerkten es nicht, die fünfte war Erik. Ach, du …!
Ein Handkuss. Das ist so altmodisch, unerwartet, abgedroschen, dass mir ganz schlecht wird vor Neid. Gar nicht einmal vor Eifersucht. Einfacher, ehrlicher Neid für eine unausführbare Geste.
Nahm die Hand, küsste sie, legte sie wieder neben sich ab, jetzt lag ihre Hand wieder auf ihrem Knie, seine auf seinem. Den Rest des Abends sprachen sie kein Wort mehr. Danke, ja oder danke, nein? Was für eine Situation, zum Weglaufen, dummerweise tut der Knöchel weh, laufen bestimmt nicht, höchstens hinken, aber selbst dafür müsste man *ihn* noch einmal ansprechen, er sitzt im Weg, sie eingeklemmt in der Fensternische und hört nichts mehr außer dem eigenen Herzklopfen.
Später allerdings war er so höflich, sich klarer auszudrücken. Zumindest dachte ich das, damals. (Mercedes, winkt ab.) Erik bot sich an, sie zu fahren, aber da hatte er schon ein Taxi bestellt.

Ich muss dir etwas sagen, sagte Mercedes am nächsten Morgen zu Omar. Wir werden heiraten.
Wirklich? fragte Omar. Nicht besonders überrascht.
Das heißt, sagte Mercedes, wenn du einverstanden bist.
Ich bin einverstanden, sagte Omar würdevoll und schmierte sich ein Brot.
Mercedes lachte und küsste seine das Messer haltende Hand.
Vorsicht, sagte Omar.

Der Termin war an einem Samstagmorgen um neun Uhr zwanzig. Er kam zu spät, suchte mit zitternden Fingern nach seinem Identitätsnachweis und roch merkwürdig. Das war etwas irritierend, aber er hatte die Demütigungen der Bürokratie in den letzten Wochen so, nein, nicht wie üblich: tapfer, eher: *elegant* getragen, als wären sie ein zwar altmodischer, aber doch stilvoller Manteau und keine gemeine Schürze aus Blei (Was auch immer, sagte Tatjana. *Du* brauchst deswegen kein schlechtes Gewissen zu haben), so dass man ihm *das* jetzt nun wirklich nachsehen konnte. Er hat doch alles, was man braucht, ist jungenhaft und väterlich, man kann gut mit ihm Arm in Arm vor offiziellen Organen stehen. Ja, wir wollen heiraten, ja.

Anschließend gingen sie in den Park, wie man in den Park geht, um sich fotografieren zu lassen. Mercedes in dafür nicht geeigneten Schuhen über knirschende Wege. Der Strauß schwang locker in der Hand. Ab und zu sagte Tatjana: Halt!, und sie blieben stehen: an Bäumen, Bänken, Statuen, einer Brücke, einem kleinen See, wenn vorhanden. Tatjana drehte eine Ewigkeit am Einstellrad ihrer All-Manual-Spiegelreflexkamera, sie standen da wie in alten Zeiten, in Posen erstarrt am Ufer eines künstlichen Teichs, die grünen Häufchen der Enten und Gänse, die aus irgend einem Grund hier leben bleiben, kreisten sie ein. Dicke weiße Vögel watschelten durchs Bild. Hochzeitspaar mit Federvieh. Eine Gans setzte einen Haufen direkt neben Abels Schuh. Omar fing zu kichern an. Abel antwortete mit etwas Ähnlichem. Der Arm, in den sich Mercedes eingehängt hatte, erzitterte.

Jetzt mach schon, wie lange sollen wir denn noch, ich habe keine Lust mehr!

Ihr Sprechen verleitete auch die Vögel zum Schnattern, sie verstummte schnell, dann auch die Vögel. Endlich: Klick. Sie ließ seinen Arm los und machte sich auf den Weg, die Füße vorsichtig zwischen die Häufchen gesetzt, zurück zum Rand der Grünfläche, wo Tatjana stand. Sie warf ihr den Brautstrauß zu.

Fang!

Sie warf ihn mit Wucht, gereizt, aber doch nicht kräftig genug, er fiel vor dem anvisierten Ziel ins Gras. Tatjana hatte sich ohnehin nicht gerührt. Verfolgte interessiert die Flugbahn des Straußes bis zu dessen Landung. Anschließend fuhr sie fort, das Stativ abzubauen. Omar hob den Strauß auf.

Fang!

Er warf ihn Abel zu, Abel fing den Strauß auf, warf ihn zurück. Die beiden Frauen vorneweg, hintendrein die Männer, sie warfen sich den Brautstrauß zu und kicherten. Mercedes schaute auf ihre ramponierten Schuhe, beschloss, dass sie nicht mehr zu retten waren, und entschied sich gegen Tränen und dafür, sich umzudrehen, die Arme auszubreiten und zu rufen: Zu mir auch! Der Strauß war gerade bei Omar, er schleuderte ihn ihr lachend gegen die Brust. Gelber Blütenstaub auf schwarzer Kleidung. Sie behielt den Strauß.

Noch eins! sagte Tatjana.

Aber der Strauß ... Ein Großteil der Blütenblätter war abgerissen.

Lässt du ihn halt weg.

Schließlich ließ sie ihn doch nicht weg. Wenn so, dann eben so.

Auf der letzten Aufnahme des Tages stehen sie im Schatten der Hecke vor dem Vogelgehege, ihre schwarzen Kleider vor den dunkelgrünen Blättern sind kaum zu sehen, nur ihre weißen Gesichter, Kragen, Hände leuchten, Mercedes hält einen zerfledderten Strauß, Blumen mit hängenden Köpfen, und über der Hecke schaut mit interessiert zur Seite geneigtem Kopf ein Pfau ins Bild.

Bevor Erik fragen konnte: Was ist da los?, musste er schon fragen: Das stimmt doch nicht, oder? Was die Hexe Tatjana da erzählt?

Was erzählt sie denn? fragte Mercedes freundlich.

Du hast diesen Typen tatsächlich geheiratet? Ich frage nicht, warum, obwohl ich mich das auch frage, ich frage nur: Wieso war ich nicht eingeladen?

Nicht einmal meine Eltern waren eingeladen.

Wieso nicht? fragte Miriam ihren Mann.

Es ist eine Scheinehe.

Trotzdem. Unsere einzige Tochter. Es hätte um so echter ausgesehen.
Der Brautvater zuckte die Achseln: Wozu?

Jasagen, Fotos. Anschließend auseinander zu gehen war schwierig, also blieben sie zusammen, spazierten durch den Park, saßen
auf Bänken, aßen eine Waffel, später Hotdogs, schließlich, leicht
nach vorne gebeugt: Eis. Hier konnte auch Mercedes wieder lachen. Unser Hochzeitessen. Irgendwoher – Kofferradio – schepperte mit dem Wind Rock and Roll. In den vergangenen Stunden
hatte sich der Park gefüllt: Picknicks, Sonnenbäder, Hunde, Fris-
bees. In den Käfigen wurde Fußball gespielt. Männer in Abels
Alter. Schau, sagte Mercedes zu Omar. Eine alte Frau mit einem
schneeweißen Ballerinaknoten hatte einen Vogelkäfig dabei. Der
Vogel sah wie ein Spatz aus. Zwei Jungs in Omars Alter ließen
ihre Zierschildkröten im Gras Rennen gegeneinander laufen.
Eine Hundesitterin trug einen regenbogenfarbenen Hut. Hinter
der Hochzeitsgesellschaft, im Baum: ein Eichhörnchen. Mercedes bot ihm die Reste ihres Straußes an. Es schaute nur. Den
Schildkröten, sagte Omar, würde er wahrscheinlich besser schmecken. Die Kirchenuhren schlugen. Tatjana schob sich die Sonnenbrille auf die Stirn und sah auf die Uhr, öffnete den Mund, um
etwas zu sagen, doch da fingen mal wieder die Glocken zu läuten
an, und sie machte den Mund wieder zu. Sie wartete geduldig, bis
es sich ausgeläutet hatte, und sagte dann: Schön und gut, aber jetzt
müsse sie gehen.
Sie gingen zu dritt bis zu Mercedes' Haus. Vor der Tür verabschiedete sich auch der Bräutigam.
Bis Montag.
Bis Montag.
Bis Montag.

Drei Jahre, nicht wahr? So lange braucht man für einen eige-
nen Pass. Eigentlich ist das eine klare Sache. Warum also bin ich
(Miriam) beunruhigt?
Pause.

Er geht fantastisch mit dem Jungen um, und auch sonst ist alles in Ordnung mit ihm. Ein höflicher, stiller, gutaussehender Mensch. Und gleichzeitig ... Ich weiß auch nicht, er hat etwas an sich, etwas ...

Ja, sagte Alegria, ich verstehe.

Sie gingen auseinander, trafen sich am übernächsten Tag wieder zum Unterricht. Da es der Letzte des Monats war, gab Mercedes Abel zusammengefaltete Geldscheine. Er bedankte sich höflich. Anschließend sagte er zu, zum Abendessen zu bleiben.

Omar erzählte sich durch eine nie gesehene Geographie. Der Ozean, das Meer, die See, die Küste, die Wellen, der Wellenbrecher, die Insel, die Halbinsel, der Haken, das Haff, die Mündung, das Delta, der Strom, der Fluss, der Bach, das Rinnsal, der See, der Tümpel, der Sumpf, die Ebene, das Grasland, die Wälder, die Birken, die Pappeln, die Eichen, die Tannen, das Unterholz. Beim sibirischen Wald hielt er sich lange auf. Die Bären. Anschließend ging es weiter mit Erhebungen, Hügeln, Bergen, Gebirgen, Hochgebirgen.

Die Erwachsenen schwiegen die meiste Zeit.

Als Omar auserzählt hatte, fragte ihn Mercedes, ob er Lust hätte, das Land, dessen Sprache er lernte, zu besuchen und die Geographie mit eigenen Augen zu sehen. Man könnte eine Reise unternehmen.

Omar überlegte kurz und sagte dann: Eigentlich sei das nicht *notwendig*.

Im Großen und Ganzen blieben die Dinge unverändert. Diese gewisse Leere, nachdem ein Ziel erreicht worden ist. Wenn eine Weile nur die Zeit vergeht. Zwei-, dreimal die Woche Unterricht, Essen, pädagogisch wertvolle Freizeit. Auch sonst tat *unser Hausfreund*, was man ihm sagte, worum man ihn im Sinne einer notwendigen Tarnung bat. Anfangs war er sehr verlässlich. Das meiste bleibt natürlich doch an einem selbst hängen. Ich bin mein eigener Ehemann. Benutze seine Zahnbürste, seine Hemden, sein Parfum. Man weiß nicht, wie viel er davon überhaupt mitbekommt.

Ist das wichtig? fragte Tatjana. Es ist *dein* Spiel.

Du bist so klug, sagte Mercedes und verzog den Mund.

Sie kaufte einpaar schwarze Männerhemden (Was ist eigentlich deine Kleidergröße?) und trug sie als Nachthemden. Damit immer etwas im Wäschekorb ist.

Die perfekte Verbrecherin, sagte Alegria. Ich bin stolz auf dich.

Es sah so aus, als würde der Frieden diesmal eine Weile halten.

Das Leben in den Bergen und auf hoher See

»Er hieß Gavrilo, Gábor oder Gabriel, bei seiner Geburt steckte er den Kopf ins neue Jahrhundert. Kleine Übertreibung, ein bisschen früher war es schon, sonst wäre er noch zu jung gewesen für den Krieg. Seiner Verlobten schrieb er roséfarbene Feldpostkarten über gar nichts, sein einziges nennenswertes Erlebnis schien es gewesen zu sein, als wir in der Hitze unter den Orangenbäumen lagen, halb verdurstet, und es bei Todesandrohung verboten war, die verdammten Dinger zu pflücken. Er kehrte heim, heiratete, ein Bauer unter Bauern, zeugte drei Töchter, und es gibt keine Erinnerung daran, dass er je etwas Denkwürdiges gesagt hätte. Aber als der nächste Krieg ausbrach und er einberufen wurde, ein fast vierzigjähriger dreifacher Familienvater, versteckte er sich in den Bergen.

Ich weiß nicht, wo er ist, sagte seine Frau, zwischen den Hügeln des aufgetürmten Hausrats auf dem Hof. Ruhig, als wäre nicht das Unterste zu oberst gekehrt. Angeblich seit Monaten nicht mehr gesehen.

Und von wem hast du den Bauch, Hure? fragte der Offizier zwischen zwei Ohrfeigen. Er prügelte auf sie ein und vergewaltigte sie schließlich, bevor er sie, anstatt sie zu töten, doch freiließ. Während *er* oben, bei seiner Schönen, der Natur, war und aus klaren Quellen trank. Da war ich wohl doch wütend auf ihn geworden, sagte sie später.

Als sie drohten, das Haus einzureißen, erwies sich der hinkende Dorftrottel, der kein Trottel war, nur ein klumpfüßiger Alkoholiker, als der einzige Mann im Dorf. Ohne dazu aufgefordert worden zu sein, trat er auf und behauptete, das Kind im Bauch meiner Großmutter sei von ihm.

Wenn das kein Grund zum Feiern ist, sagte der Offizier und flößte dem Trottel eine ganze Flasche Sechzigprozentigen ein. Er wäre fast gestorben, aber er starb nicht. Er überlebte und blieb bei meiner Großmutter und ihren mittlerweile vier Töchtern auf dem Hof. So hat der Hinker unseren Hof und unser Leben gerettet, zumindest für die nächsten paar Jahre. Meine Großmutter nannte ihre jüngste Tochter liebevoll Hürchen und zwang sie, ihr Erbrochenes zu essen, aber das kann auch die damalige Erziehung gewesen sein.

Als das Kriegsende nahte, begab sich Gavrilo in tiefere Lagen. Mehrere wollen ihn gesehen haben, er trieb sich in der Nähe des Dorfes herum, aber endgültig zurück zu kehren, dazu konnte er sich scheinbar nicht entschließen. Ihm war ein Geweih gewachsen, oder man weiß es nicht, er konnte, nachdem er am ersten Winter, der besonders hart war, nicht krepiert war, scheinbar einfach nicht mehr zurückkommen. Seit dem *Verhör* durch den Offizier hatte ihn weder seine Frau noch sonst jemand aus der Familie in den Bergen besucht.

Jahre vergingen, er ist zu so etwas wie einem Berggeist geworden, zum Alten Mann, den man in Vollmondnächten über den Grat wandern sieht. Papiere hatte er längst nicht mehr, statistisch gab es ihn gar nicht. Im Krieg verschollen. Hinkebein nahm seinen Platz in der Familie ein, das lief reibungslos, abgesehen natürlich davon, dass er weiterhin Alkoholiker war, und außerdem reicht eine gute Tat im Leben für einen Tag Urlaub aus der Hölle. Mehr verlangt ein Hinkebein gar nicht.

Gavrilo in den Bergen schien auch zufrieden damit zu sein, was ihm zugefallen war. Er hungerte und fror und musste ab und zu Menschen und größeren Tieren aus dem Weg gehen, aber ansonsten fehlte ihm nichts. Die Nachricht von der Gründung des neuen Staates erreichte ihn offenbar mit einigen Jahren Verspätung, vielleicht machten ihm auch die Grenzpatrouillen dort oben Ärger, oder es gab überhaupt keinen direkten Auslöser, jedenfalls kam eines Tages unerwartet ein Brief von ihm. Er war mit Kohle auf ein Stück schmutzigen Karton geschrieben. Der genaue Wortlaut lässt sich nicht rekapitulieren, die Kriegswitwe benutzte ihn umgehend, um das Feuer im Herd zu entfachen, aber im Wesentlichen ging es darum, dass mein Großvater Gavrilo, auf welchem Wege auch immer, Anarchist geworden war. Nieder mit der Polizei, dem Militär, dem Parlament, der Regierung, der Bürokratie, der Eucharistie, kurz: dem Staat, diesem unnützen und gefährlichen Spielzeug! stand sinngemäß auf dem Karton. Es lebe die Natur, das Individuum, die Freiheit, der Gedanke, die Schönheit und die Freude! Es lebe: der Mensch! –«

Nach dem enttäuschenden Sommer, dem Auszug des Kindes und einigen anschließenden *unseriösen Versuchen* mit jüngeren Lovern, kam Kinga zum Schluss, es würde nun allmählich Zeit, etwas Vernünftiges mit ihrem Leben anzufangen, und schrieb endlich *die vermaledeite Geschichte* ihres Großvaters, des Anarchisten, auf. Die erste Fassung wurde zu kurz, nur vier Seiten, sie überarbeitete sie und schickte sie an eine Zeitschrift.
Abgesehen von den Orthographiefehlern, schreiben mir die Fettsäcke zurück, habe sie die Geschichte leider nicht überzeugen können. Nicht *packen*. Was heißt hier: nicht packen?! Zu subtil, oder was? Das Einzige, was euch zu packen in der Lage ist, ist doch höchstens eine kräftige Hand: an den *Eiern*! *Uns* hingegen erschüttert alles! Neulich ging ich auf der Straße, und plötzlich roch es nach Platanen und nach Essen, wie vor der Kantine der Fabrik, und ich war gleichzeitig glücklich und zu Tode deprimiert. Aber so etwas ist ja nicht *sexy* genug! Zu weit von *unserer* Erlebniswelt entfernt. Oh, ihr armseligen Pisser!
Auf die neuerliche Enttäuschung trank sie sehr viel. Taumelte tagelang weinend durch die Straßen, bis sie sich eines Nachmittags in einer Pfütze erblickte. Die Pfütze hatte sich in einer Kuhle in ihrem Hof gesammelt. Auf dem Grund der Kuhle war ein Riss im Asphalt, der sah aus wie das Auge Gottes. Ich sah mich in den Augen Gottes, eine haltlose Kreatur, da fiel ich auf die Knie, das krachte ganz gruselig, und heulte wie eine Wölfin. Als sie sich

ausgeheult hatte und wieder etwas nüchterner war, riss sie sich zusammen, wusch sich, kämmte sich, benahm sich wieder wie ein Mensch.

Aber schon kurze Zeit später, zwei, maximal drei Wochen, fing es wieder an. Oh, wie vermisse ich die Berge! Stand stundenlang am Fenster und seufzte. Mit ihren fettigen Fingern malte sie Bergkämme auf die Fensterscheibe. Wenn die Sonne herumgewandert kam, glänzten sie silbern auf. Oh, sagte Andre, Segelschiffe. Oder so, sagte sie.

Meistens allerdings war sie zu unruhig, um auf einer Stelle zu stehen und Berge oder Segelschiffe zu malen. Ich bin unruhig! rief sie und lief stundenlang auf und ab, den nicht besonders breiten Pfad entlang, der zwischen den Hügeln der Unordnung geblieben war. Seitdem es *chez Kinga* kaum mehr Partys gab, drifteten immer mehr Sachen von den Rändern ins Zentrum. Mit der Zeit hatte es sich mit den Zusammenkünften *zerschlagen* und scheinbar tat es keinem besonders Leid darum. Für eine Weile war es schön, so zu tun, als wären es immer noch die Achtziger und wir die angesagtesten Typen in unserer Kleinstadt, aber irgendwann ist es eben vorbei, wie Janda sagte, und auch Kinga schien ihrem Salon nicht nachzuweinen. Sie weinte überhaupt nicht. Sie lief auf und ab. Wenn ihr etwas im Weg lag, trat sie es beiseite, mit nackten Füßen, schwarz wie Kohle, und marschierte weiter. Mittlerweile war wieder Frühling. Die Sonne scheint, die Natur erblüht, nur ich werde einfach nicht fröhlicher. Warum, warum nur? Sie murmelte. Alles geht abwärts. Alles geht abwärts.

Die Musiker, wenn sie da waren, saßen im Raum verteilt, wie in alten Zeiten. Kontra bastelte geduldig an einer Tüte, Andre tat etwas Nützliches, pflegte die Instrumente, Janda las Zeitung.

In K. bekennen sich nur noch 0,9 % zum orthodoxen Glauben, las Janda.

Andre: Aha?

Kontra leckte am Klebestreifen des Zigarettenpapiers.

Alles geht abwärts, murmelte Kinga. Alles geht abwärts. Alles geht abwärts.

Sie haben den Typen, der den Che umgebracht hat, zum Botschafter ernannt.

Andre: Hm.

Ssssst. Kontra zündete ein Streichholz an.

Abwärts, abwärts, abwärts.

Dusko T. –

Andre: Das Schwein ...

– ist in elf von einunddreißig Anklagepunkten für schuldig befunden worden.

Alles geht abwärts, alles geht abwärts, alles geht abwärts.

Janda: Jetzt hör schon auf damit.

Alles geht abwärts. Alles geht abwärts, alles geht ...

Kinga, *bitte* ...

... abwärts. Alles ...

Janda schlug die Zeitung zusammen: KANNST DU NICHT AUFHÖREN DAMIT?!?

SAG MIR NICHT, WAS ICH TUN SOLL!

Scht. (Das war natürlich Andre.)

Das hör' ich jetzt schon ... Ich weiß nicht wie lange. Tage, Wochen, Monate? Ich kann's nicht mehr hören.

Ich kann nichts dafür! Ich bin krank!

Dann geh zum Arzt.

Geh zum Arzt, geh zum Arzt. Murmelt, trampelt weiter. Geh zum Arzt, ha! Ja, wo leben wir denn? DA HABEN WIR WOHL WAS VERPASST, *GENOSSE!* Geh zum Arzt. Wenn ich eine dieser ... eine von *denen* wäre, könnte ich zum Arzt gehen, mir zwei Backen voll Hirntabletten verschreiben lassen, eine Therapie machen. Aber ich bin ich und für mich gibt es keine Therapie! Du musst bleiben, was du bist oder was du wirst, ein gemeingefährlicher Irrer. Sie blieb stehen, sah die Männer bedeutungsvoll an: Es gibt Frauen, die kurz vor ihrer Periode imstande sind zu töten.

Nur zu, sagte Janda. Du wirst schon sehen, was du davon hast.

Meine Großmutter – nicht die Vergewaltigte, die andere – hat sich mit achtundvierzig Jahren erhängt.

Zugegeben, es tut weniger weh, als Pulsadern aufschneiden. (Janda) Arschloch!

Hört auf!

Hier, sagte Kontra und reichte Kinga die Tüte.

Eine Weile kiffte sie trotzig, still vor sich hin, später trank sie drauf und fing wieder zu brüllen an. Ich kann nicht einschlafen, ich kann nicht einschlafen! Ich kann nicht betrunken werden! Ich kann nicht betrunken werden! Natürlich war sie schon längst hinüber. Torkelte durch das Chaos. Stieß sich den kleinen Zeh an der Kante eines schweren Buchs, das auf dem Boden lag, heulte wie eine Wölfin. Auuuuuuu!

Janda erhob sich mit einem Seufzer, stellte sich ihr in den Weg. Sie lief trotzig weiter, auf der Stelle. Hob die schwarzen Füße.

Janda (leise): Es ist nicht so, dass es nichts gäbe, worüber man empört sein könnte, (laut) aber alles, woran du denken kannst, ist: Ich, ich, ich!

Sie hörte auf zu trampeln, hämmerte mit der Faust auf seine Schulter ein: Du! Du! Du! Ist es besser so?

Nein, es ist nicht besser! Es tut weh!

Gut! Du sollst leiden, Hund! Hund, Hund, Hund ---

Er ohrfeigte sie mit der Zeitung, griff ihr ins Haar, zog sie am Schopf hoch. Könnte er sie so hoch heben, dass ihre Füße nicht mehr auf die Dielen trampelten?

Schluß damit! (Andre)

Kinga brüllte: Aaaaaaaaaaaaaaaaa!

Aufhören!!!

Man zerrt sie auseinander, Kontra geht mit Janda weg, sicher ist sicher, Andre bleibt. Jemand muss bei ihr bleiben. Jede Berührung lässt sie zusammenzucken. Wenn er sie nicht berührt, berührt sie sich selbst, erzittert. Uuuuuh. Seufzt: Oh Daniil!

Wer ist Daniil?

Mein Geliebter.

Du hast einen Geliebten namens Daniil?

In meinen ... in meinen Träumen, weißt du, habe ich einen Geliebten namens Daniil.

Verstehe, sagte Andre.

Hast du auch eine geheime Liebe? Wie ist ihr Name?

Ilona.

Sie geht uns in die Binsen, sagte Andre zu den anderen beiden.
Pure Hysterie, murmelte Janda. Aber er wusste, dass das nicht stimmte. Kein Mensch, nicht einmal Kinga, kann permanent PMS haben. Die Wahrheit ist: Sie geht uns in die Binsen. Sie kann keine Kinder mehr ertragen. Überhaupt keine anderen Leute mehr. Einkaufen gehen. Putzen. Zu Hause schon gar nicht. Die Männer müssen alles für sie machen. Tagelang wäscht sie sich nicht. Sie stinkt. Es kommt noch soweit, dass ich sie in den Zuber stellen und abschrubben muss. Oder sie für eine Woche oder zwei in ihrem Dreck sein lassen, bis alle Konserven aufgegessen sind, mal sehen, was sie dann macht. Geht doch irgendwann raus zum Einkaufen oder rollt sich auf dem Boden zusammen und stirbt. Wir müssen ja sogar dafür sorgen, dass sie bei ihrem einzigen Job, den sie noch hat, erscheint. Dann wischt sie in der Nacht auf ihr winziges Spiegelbild am Ende eines langen Flurs zu und redet vor sich hin. Wahnsinn.
Janda, zu seinem Missvergnügen, musste an Abel denken. Seitdem er ausgezogen war, Monate her, hatte er sich nur noch ein- oder zweimal gemeldet, um sich *außerhalb* mit ihr zu treffen. Den Musikern schien er aus dem Weg zu gehen. Nicht, dass wir ihn vermisst hätten. Immerhin, er gab ihr Geld und eine Telefonnummer, die sie aber nie anrief. Als hätte sie (auch ihn) aufgegeben. Wer hätte das gedacht.
Jetzt rief ihn Andre an.
Hallo, sagte Abel, als ob es gestern gewesen wäre.
Es geht um Kinga, sagte Andre. Sie hat bald Geburtstag.
Ich weiß, sagte Abel. Den vierzigsten. Natürlich hatte er vor zu kommen.

Als er den Kopf durch die Dachluke steckte, stand sie gerade auf dem Schornstein, eine Galionsfigur und Sirene, und brüllte in die Nacht: Tütüüüüüüt! Tütüüüüüüt! Ab heute heißt das nicht mehr Kingania, ab heute heißt es ... Titanic! Ein anderer Schiffsname fiel ihr auf die Schnelle nicht ein. Dann ist es eben so. Wenn, dann heißt dieses Schiff: Titanic. Das Dach ist das Oberdeck, das Wohnzimmer das Unterdeck! Um uns herum die dunklen Gewässer der Stadt! Um acht gehen die Schleusen hinter uns zu! Alle Mann an Bord! Rückkehr erst bei Sonnenaufgang!

Ihre Jeans war frisch gewaschen, sie trug eine rote Bluse, war geschminkt und gekämmt, hinter ihrem Ohr klemmte eine Stoffkamelie. Die Kamelie hing etwas traurig herunter, aber sie selbst lachte. Die Lippen glänzten feuerrot, die Oberlippe war rasiert, mit derselben Klinge, mit der sie auch die Achselhöhlen bearbeitete: einpaar kleinere Schnittwunden, macht nichts, sie stand breitbeinig über dem Schornstein, wedelte mit den Armen und lachte schreiend.

Ist euch klar, fragte Kontra, dass sie tatsächlich die Tür abgeschlossen hat?

Ihr wollt doch nicht auf hoher See aussteigen? Hallo, mein Kleiner, sagte sie zu Abel. Na, auch hier? Und schwebte fröhlich an ihm vorbei. Muss mich um meine Gäste kümmern.

Später stellte sich heraus, dass sie auch sämtliche Teller und das ganze Besteck versteckt hatte. Den einzigen Löffel, einen bemalten aus Holz, hielt sie in der Hand. Ging mit einem Topf und dem Löffel herum und füllte etwas von Janda Gekochtes, rot und scharf, in die Münder. In einem Köcher führte sie eine Flasche Schnaps mit sich, goss ihn hinterher. Tsssch! *Zum Löschen.* Überhaupt musste aus den Flaschen getrunken werden, denn auch sämtliche Gläser waren verschwunden. Gibt's ein Problem, ihr Wohlstandskrüppel?!

Abel saß mit dem Rücken an der Brandmauer, sie blieb mit dem Löffel vor ihm stehen. Er schüttelte den Kopf. Sie gluckste, hielt den Löffel näher an seine Lippen. Er schüttelte den Kopf. Sie lachte auf, als hätte man sie gekitzelt, und schmierte ihm mit dem Löffel das Chili über die geschlossenen Lippen. Es rann ihm übers Kinn, fiel ihm in den Kragen, kroch, eine rote Spur ziehend, seinen Bauch hinunter. Kinga lachte. Sie nahm die Flasche, goss ihm Schnaps ins Gesicht, wusch ihn, wie damals, weißt du noch, die Beule, und lief lachend davon.

Später wollte sie, dass es nicht nur im Unterdeck Musik gab. Alle Mann an Deck! Die Kapelle auch!

Nein, sagte Janda, aber schließlich saßen sie doch oben, am Fuße des Schornsteins, und spielten, so leise sie konnten. Sie tanzte mit einer brennenden Kerze auf dem Kopf. Die Flamme flatterte, das Wachs lief ihr in die Haare, sie jauchzte, sie roch verbrannt. Später tat sie so, als würde sie Anlauf auf den Rand des Daches nehmen. Juhuuuuuu! Die Kerze ging aus und fiel hinunter, die Musiker, erst Janda, dann die anderen zwei, hörten mitten im Lied zu spielen auf.

Spielt! schrie sie. Seht ihr nicht den Eisberg?

Janda verschwand durch die Luke nach unten, die anderen beiden und die meisten Gäste folgten ihm. Abel blieb. Hast du Angst, ich springe sonst? Sie lachte. Tanz mit mir!

Unten haben sie wieder angefangen zu spielen, zumindest, soweit man es hören konnte, Andre und Kontra, irgendwas musste getan werden, während Janda den Schlüssel für die Eisentür suchte. Das Kind hat noch nie in seinem Leben getanzt. Wird diesmal auch nicht damit anfangen. Er blieb sitzen. Sie zerrte eine Weile an ihm, schließlich gab sie auf, ließ sich neben ihn fallen. Au! Sie war auf der Kerze gelandet. Sie lachte.

Am müdesten Punkt der Nacht saßen Kinga und Abel allein an der Brandmauer. Um sie herum die Silhouetten der Stadt. Bäume in manchen Höfen. Dunkle, eiserne Anlagen. In der Ferne Kräne vor dem Hintergrund des sich langsam orange färbenden Himmels. Eine Herde Giraffen in den Savannen. Sie drehte sich zu ihm, setzte sich rittlings in seinen Schoß. Räkelte sich, als suchte sie nur nach der bequemsten Position, aber das unentwegt. Sie räkelte sich ernsthaft, konzentriert. Durch die harte Jeans wanderte langsam die Wärme ihres Körpers. Sie drückte ihm die Knie in die Seiten, umfasste mit beiden Armen seinen Kopf, drückte sein Gesicht gegen ihren Busen. Schaukelte sich und ihn. Kleiner Bastard. Hob sein Gesicht aus ihrem Busen, nahm seinen Kopf in die Hände, die nach Chili, Rauch, Schmutz, verbranntem Kaffee, verbranntem Haar, Wachs und Alkohol rochen, seine Ohren gerieten zwischen ihre Finger. Da er die Lippen schon wieder nicht öffnete, biss sie ihn, er stöhnte auf, na endlich eine Reaktion. Sie nutzte die Gelegenheit und schob ihm ihre Zunge in den Mund. Ihr Mund schmeckte, wie ihre Hand roch, seiner nach gar nichts.

Etwas Blut. Sie saugte es auf. Er sah an ihren Haaren vorbei zum Himmel. Es dämmerte.

Beantworte mir eine Frage, Antoninus, sagte die Stimme neben seinem Ohr. Magst du Austern oder bevorzugst du Schnecken? Sieht mich verständnislos an.

Sie versetzte ihm mit ihrem Becken einen Stoß. Hä?! Ihr Gesicht war ein einziges Auge. Hm?

Sie rückte etwas ab, lächelte. Er lächelte auch und sagte leise: Das geht dich überhaupt nichts an.

Wenn ein dem Weinen nahes Lächeln aus einem Gesicht fällt.

Arschloch, sagte sie, stieg von ihm, verschwand durch die Luke nach unten. Er blieb.

Später kamen die anderen wieder, sahen sich fröstelnd den Sonnenaufgang an. Kinga war nicht dabei. Er stieg hinunter.

Sie stand in der Küche, allem Anschein nach nüchtern, hantierte mit Kaffee. Er setzte sich auf einen Stuhl in der Nähe. Sie sprachen kein Wort.

Wo ist der Schlüssel, fragte Janda. Es wollen welche gehen.

Sie tat so, als hörte sie ihn nicht. Hantierte summend.

Kinga! sagte Janda streng. Wo ist der Schlüssel?

Welcher Schlüssel, Süßer?

Janda hatte keine Zeit oder keine Lust, erfahrungsgemäß bringt eine Diskussion überhaupt nichts, er trat zu ihr, fasste ihr in die Hosentasche.

Als würde man ein Ferkel schlachten: Sie kreischte, strampelte, wälzte sich auf dem Küchenboden, die Partygäste im Halbkreis daneben. Scheiße, sagte Kontra. Andre stand mit versteinertem Gesicht da. Als Kingas Bluse riss, griffen endlich welche ein. Sekunden später war die Küche ausgefüllt von der Rangelei, jemand trat gegen Abels Stuhl, ein lockeres Stuhlbein riss krachend aus der Halterung, aber noch bevor das Wrack auf dem Boden aufgekommen wäre, stand er, trat über die Rangelnden hinweg. Kontra schüttelte eine Sodaflasche, Andre als Einziger sah, wie Abel auf die Tür zuging. In dem Moment, als das aufgeschüttelte Wasser über den Kämpfenden ausbrach, öffnete das Kind die Tür und ging.

Das war einen Tag, bevor er den Heiratsantrag bekam. Danach hat man sich längere Zeit nicht mehr gesehen.

Das Drachen-Spiel

Die Hochzeit war zu Frühlingsbeginn. Irgendwann im Mai, sobald es das Wetter erlaubte, fuhr die kleine Familie ans Meer.

Ein Tag zwischen Sonnenbrand und Erkältung, die Sonne schien hell, aber der Wind war noch frisch, man schwitzte und fror zugleich. Mercedes' nackte Füße wurden kalt im Sand, aber haltet durch, es geht um Ehre und Status, Vaterland und Familienalbum. Der Drache flatterte in einer Böe, Omar hielt die Schnüre, Abel stand hinter ihm und tat so, als würde er Hilfestellung leisten, aber seine Hände berührten die des Jungen nicht. Auf dem Foto werden die linken Hände abgeschnitten sein, in den Gesichter wird Innigkeit und Freude geschrieben stehen. Mercedes ruinierte weit über die Hälfte der Bilder, weil sie spielte, dass sie eine stürmische Fotografin ist, damit die anderen beiden lachten, und sie lachten auch, weil irgend etwas an Abel Omars Ohr kitzelte. Du kitzelst! Auf die Taucherbrille des Jungen prasselten aufgewirbelte Sandkörner ein. Ein schöner Tag. Plötzlich:
He! He! Bist du das? *Kurva*, Abelard, was machst du hier?
Sie kickte barfüßig Sand gegen seine Waden, sprang ihm auf den Rücken, umklammerte ihn mit den Beinen, boxte ihn in die Seiten, der Drache geriet klappernd in Turbulenzen. Nicht im Familienalbum: Bild einer fremden Frau, den Gatten niederringend.
Fotzedeinermutter, was machst du hier?
Blick zum Jungen, der den Drachen zu bändigen versuchte, die Frau mit der Kamera bemerkte sie gar nicht. Abel hatte Sand im Mund.
Wir lassen Drachen steigen, informierte der Junge die fremde Frau. Das heißt: Wir *haben* Drachen steigen lassen.
Er hatte sich die Brille auf die Stirn geschoben, ein Auge ist starr, aber das merkt man nicht auf den ersten Blick.

Kinga sah ihn an wie ein Ding.

Hallo, sagte Omar. Ich bin Omar.

Tag, sagte Mercedes, die inzwischen bei ihnen angekommen war.

Abseits, nah am Wasser, ein jüngerer Kerl, er gehörte zu Kinga, streckte den Hals, kam aber nicht näher, zertrat mit der Fußspitze angespülten Schaum. Eine Weile standen alle herum. Dann, Mercedes:

Können wir helfen? (Wer sind Sie?)

Kinga zu Abel: Wer ist das?

Mercedes, freundlich: Ich bin Mercedes. Freut mich.

Sie streckte eine kleine, braune Hand vor. Kinga starrte drauf. Ein Ehering. Sie nahm Abels Hand: derselbe. Dünn, aus Gelbgold. Mercedes zog die Hand zurück, um sich die Augen zu beschirmen.

Kinga: Hast du dich deswegen nicht mehr gemeldet?

Als hätte sie bei »deswegen« mit dem Kopf geruckt: wegen denen da. Ihr Mund stank nach Tabak und schlechten Zähnen. Auf ihrem Kinn wuchs eine haarige Warze. Insgesamt sieht sie immer mehr aus wie eine Hexe. Blickt erbost drein, faucht, geht, ohne sich zu verabschieden. Ihr Begleiter sah sich im Weggehen einpaar mal um. Als hätte sie ihn dafür am Arm gezerrt.

Wer war das?

Eine alte Freundin.

Warum ist sie so böse?

Ein paar Tage später trafen sie sich in einem Café. Sie trug Ohrringe, hatte sich gekämmt. Er sah besser aus als jemals. *Die Ehe tut ihm gut.*

Wie lange schon?

Zwei Monate.

Wieso hast du's geheim gehalten?

Ich hab's nicht geheim gehalten.

Pause.

Hm, sagte sie. Haben wir es also geschafft. Ich wette, sie lieben dich. So kultiviert ist selten ein Barbar. Und passend dazu die kleine Frau. *Kleine Frau*, ich wüsste nicht, was besser passte. So höflich, fein, gebildet. Offen, verständnisvoll, tolerant. Vermutlich ebensolche Eltern. Der Apfel fällt nicht weit vom Stamm. Nicht den Furz von einer Ahnung. Fickt sie wenigstens gut?

Nein.

Nein?

Es ist keine richtige Ehe. Es ist wegen der Papiere.

Blödmann. Du lässt Drachen mit ihrem Gör steigen.

Sein Name ist Omar.

Pause.

Ist es wegen des Geldes?

???

Ich habe nachgerechnet. Ich schulde dir bis heute fast sechstausend.

Er winkt ab. Das macht nichts.

Was macht denn etwas? Was bist du für ein Typ? Hä? Nichts macht etwas. Ich glaub nicht, dass du gut bist. Ich glaub, dir bedeutet bloß nichts etwas. Geld, Menschen. Was soll dieses ständige Verschwinden, was bist du? Eine Fata Morgana? Du bist keine Fata Morgana, mein Lieber, du bist ein Mensch, andere Menschen machen sich deinetwegen Gedanken! So kann man sich doch nicht verhalten! Ohne ein Wort zu sagen! Ist es wegen Janda?

(???) Nein.

Was hat er getan? Hat er was zu dir gesagt? Du weißt doch, dass er ein Idiot ist, oder nicht? Er ist ein netter Junge, aber ein Idiot. Was der sagt, kannst du vergessen. Er hat nichts zu sagen. Hör nicht drauf, was er sagt. Ich hau ihm aufs Maul.

Mit Janda hat das nichts zu tun.

Womit dann? Was ist dein Problem? Ha?

Abel schüttelte den Kopf.

Was ist los? Was ist passiert?

Keine Antwort.

Vielleicht sollte man lieber dir aufs Maul hauen. Die Jungs wollen das schon lange. Ich sage: Er macht doch nichts. Sie sagen: Wir wissen, dass er nichts macht. Aber er hat etwas an sich.

Jetzt lächelte er.

Würde dir das gefallen? Es würde dir gefallen. Eine Tracht Prügel, was? Darauf bist du aus. Was hast du ausgefressen?
Abel hörte auf zu lächeln. Pause.
Ich bin dir peinlich.
Nein.
Wir sind dir nicht peinlich?
Nein.
Dieser besoffene, zerlumpte Haufen Dahergelaufener?
Er schüttelte den Kopf.
Was dann? Was bin ich für dich?
Du bist meine. Geliebte. Patin.
Sie lachte rauh. Ihr Gesicht hatte die Farbe von Knochen, die sich stärker als bisher jemals unter der Haut abzeichneten. Wenn sie lachte, zogen sich die Nasenflügel zurück. Aus dem linken Nasenloch ragte ein Haar. Sie wurde wieder ernst:
Charmantes Arschloch. Das hast du dazugelernt. Höflich warst du ja immer schon. Man möchte dich ohrfeigen, so höflich bist du. Hat man dich früher viel geohrfeigt? Dann weißt du jetzt, wieso.
(Was soll das, bei fremden Leuten durchs Fenster zu steigen? Anständige Menschen benutzen die Tür! Was ist das für ein Benehmen, einfach an die Scheibe klopfen und dann. Was habt ihr zu verbergen? Was haben zwei Siebzehnjährige für Geheimnisse? Was macht ihr, wenn ihr zu zweit seid, in diesem Zimmer, in dem nur Platz für einen Tisch und ein Bett ist, das Bücherregal hängt unter der Decke, und es gibt nur einen Stuhl? Warum sprichst du nicht mit mir, die ich mich täglich für dich aufopfere?! Warum sagst du nichts?! Seit Jahren, habe ich das Gefühl, hat keiner mehr ein vernünftiges Wort an mich gerichtet, ist es ein Wunder, dass ich alt werde und wahnsinnig? Zuck nicht mit den Achseln! Wage es nicht, mit den Achseln zu zucken! Wage es nicht, so überheblich zu gucken! Was denkst du, wer du bist? --- Verzeih mir, ich wollte dich nicht schlagen, ich war nur so verzweifelt.)
Kinga: Ich hätte auch heiraten können. Ein älterer Mann hat mich heiraten wollen. Aber ich kann das nicht. Ich kann nicht einen von denen heiraten. Verstehst du? Das kann ich nicht. Ich hätte

nicht gedacht, dass ich in zehn Jahren so fertig sein würde. *Das hier* macht einen noch viel fertiger. Ich bin so fertig, dass ich nicht einmal mehr die Kraft habe aufzugeben. Ich brauche dein Geld nicht. Ich geb's immer weiter, mal an den, mal an den. Ihr könnt euch nicht leiden, ich weiß. Ich sage zu ihnen: Du kannst nichts dafür. Dass du kein Herz hast. Du kannst nichts dafür.

Er suchte nach Kleingeld, legte es auf den Tisch.

Entschuldige. Immer mach' ich das. Immer muss ich dich angreifen. Natürlich hast du ein Herz. Jetzt kannst du mich nicht einmal mehr ansehen. Immer mache ich das. Du darfst das nicht ernst nehmen. Du weißt doch, dass ich eine Verrückte bin, oder? Oder weißt du das nicht? Geh nur. Kann ich besser weinen.

Puzzle

Sieh an! Also doch kein impotenter Schwuler?

Wovon, bitte, sprichst du?

Du hast Recht, sagte Tatjana. Es wäre verfrüht, endgültige Schlüsse zu ziehen. Wenngleich mir die Vorstellung, sie könnte *so etwas wie seine Frau* sein, gefällt. Hier wäre Platz für eine Dreiecksgeschichte.

Bitte, sagte Mercedes. Zögere nicht, sie zu schreiben. Respektive: Na und? Was ist schon passiert? Begegnung mit rüpelhafter Unbekannten, unerwartet und irritierend, aber sowas kommt vor. Menschen kennen Leute.

Wieso erzählst du's dann? (Tatjana)

Hätt' ich's bloß nicht getan.

Es war ein merkwürdiges Wetter, zwischen den Böen geradezu heiß, zeitweise hatte er den Hemdsärmel bis zum Oberarm hochgekrempelt. Knapp unter dem Rand war die Narbe einer Pockenimpfung zu sehen, und Mercedes dachte: Jetzt habe ich etwas von ihm gesehen. Tatsächlich die bislang größte Körperfläche: fast einen ganzen Arm. Das nächste Mal gehen wir schwimmen. Oder ich bitte ihn, in meine Wohnung zu kommen und sich zu entkleiden. Als Begründung kann ich angeben: Wenn man mich eines Tages fragt, muss ich über seinen Körper Bescheid wissen. Muttermale an welchen Stellen? Natürlich wird es dazu nie kommen. Und mit dem Schwimmen ist es auch so eine Sache. Omar mag kein Wasser. Dem Meer schaut er nur zu. Das mag mit der Augenhöhle zusammenhängen, obwohl ihm gesagt worden ist, dass Wasser nichts ausmacht.

Ich weiß, sagt er, das ist es nicht. Zu Abel: Kannst du schwimmen? Ja.

Ich nicht. Ich werde es auch nie lernen.

Weißt du, sagte Mercedes auf der Heimfahrt vom Strand, sie fuhr, Abel saß auf dem Beifahrersitz, schaute zum Meer, wie es langsam hinter der Landschaft verschwand, weißt du, dass ich heute das erste Mal jemandem aus deinem Freundeskreis begegnet bin?

Das läge daran, sagte er, Blick unverändert nach draußen, dass es keinen Kreis gäbe. Es gibt nur sie. Ihr Name ist Kinga. Wir haben uns eine Weile nicht gesehen.

Ich habe auch keine Freunde, sagte Omar vom Rücksitz.

Ich bin eure Freundin, sagte Mercedes.

Danach schweigen sie.

Aus dem Schwimmen wurde nichts, das Wetter überlegte es sich noch einmal anders, der Winter kehrte zurück, zerrte an den Baumkronen in der netten Straße, pfiff zwischen den Containern auf dem Verladebahnhof hindurch. Schwimmen wäre ganz und gar nicht das Richtige gewesen. Abgesehen davon, sagte Abel, hätte er nächstes Wochenende leider keine Zeit.

Jetzt wäre das Kind an der Reihe gewesen, mit kindlicher Neugier zu fragen: Was hast du vor? Aber Omar fragte nicht, und so erfahren wir (Mercedes) es auch nicht. Warum wurmt mich das jetzt?

Plötzlich ist etwas da. Ein *Moment*. Jemand, eine Erbtante namens Vorsehung, hat mir ein gigantisches Ehemann-Puzzle geschenkt, Stück für Stück nähere ich mich von den Rändern an, Beobachtungsgabe und Ausdauer werden trainiert, mit einem Wort: Es ist Mühsal, aber man kann nicht aufhören damit, noch nicht, wenn auch das Ergebnis voraussehbar und, geben wir's zu, meistens enttäuschend ist: ein zweidimensionales, von Rissen durchzogenes Bild. Oder – Wechsel der Metapher – als ob man in einem Traum unterwegs wäre, und das *Etwas,* das man sucht, ist immer hinter der nächsten Ecke. So fühle ich mich, sagte Mercedes. Was ich auch immer erfahre, ein Teil der Geschichte ist immer hinter der nächsten Ecke verborgen. Tolles Spiel. Oder mieses Spiel. Das weiß man noch nicht so richtig.

Wenn wir schon dabei sind, sagte Erik, habe ich hiermit einen neuen Hinweis für dich. Das heißt, nein, ein Erik macht das anders.

Hör mal, sagte er mit gedämpfter Stimme und schloss auch die Tür hinter sich, obwohl außer ihnen niemand da war. Ich habe etwas erfahren.

Er holte tief Luft, atmete seufzend aus: Also. Da gab es doch, wir erinnern uns, diesen fadenscheinigen Moment um ein gewisses ungesichertes *Werk* in einem gestohlenen Laptop. Ich wollte das damals nicht auswalzen, aber in *so einer Situation* (???) stellt man sich doch unweigerlich Fragen: Wie ist das möglich? Was ist das? Pech, Unfähigkeit, Fatalismus, Lüge? Was sagt die Erfahrung? Die Erfahrung sagt, dass es meistens die nicht existenten Werke sind, die ungesichert bleiben, um dann durch Fremdeinwirkung verloren zu gehen. Hat jemals jemand eine einzige Zeile von *diesem* gelesen? Wurde der Laptop wirklich gestohlen? Hatte er überhaupt jemals einen Laptop besessen? Wo hat er ihn gekauft, wie viel hat er gekostet? Kann er überhaupt all diese Sprachen? Wer kann das schon nachprüfen? (Mercedes öffnete den Mund.) Lass mich ausreden! In Ordnung, sage ich, vielleicht ist es nur meine Eifersucht, ja, es ist wahr, ich kann nicht beweisen, dass er nicht eine Dissertation zu was für einem Thema auch immer geschrieben hat. Ein Diplom allerdings scheint er nicht gemacht zu haben.

???

Triumphal, einfach: Universitätsbibliothek, Fremdsprachige Philologien, Katalog der Diplomarbeiten, nichts.

Pause.

Das besagt noch gar nichts, sagte Mercedes. Wieso schnüffelst du ihm überhaupt nach?

Ich schnüffle ihm nicht nach. Ich war interessiert an seiner Arbeit.

Tut mir Leid, sagte Erik. Ich habe es als meine Pflicht als Freund angesehen ...

Ich danke dir aufrichtig, sagte Mercedes.

Zur gleichen Zeit war ein Team aus sieben Experten, Linguisten, Neurologen und einer Radiologin, unterstützt von kompliziertem technischem Gerät von hoher Rechenleistung, damit beschäftigt, das Gehirn von Mercedes' Ehemann zu kartographieren.

Es gibt verschiedene Methoden, CT, MRT, Kontrastmittelverfahren etc. Alle haben gemeinsam, dass man irgendwann in einer sargengen Röhre liegt und den Kopf nicht bewegen kann. Physisch ist das keine besondere Attraktion und inhaltlich, sagte Abel, als man ihn endlich fand (Mein Gott, was haben wir Sie gesucht! Waren Sie verreist?), interessiere es ihn auch nicht sonderlich.

Lassen Sie mich Ihnen jemanden vorstellen, sagte der Teamleiter und griff Abel väterlich am Arm, ein fester Griff. Er ließ ihn erst los, als sie vor einem abgemagerten und wütend dreinblickenden grauhaarigen Mann standen.

Herr N., ich möchte Ihnen Herrn L. vorstellen. Herr L., das ist Herr N.

Guten Tag.

Humtemt. Oder *Gantetu.*

Herr L. kommt aus der Schweiz, ein ehemaliger L5-Sprecher, davon decken sich vier mit von Ihnen gesprochenen Sprachen.

B-b-b-b, sagte Herr L. Seine Augen standen vor Anstrengung weit hervor. B-b-b-b. *B-b-b-bazmeg*, fuck you, mein Sohn. Er nickte, rollte mir den Augen. Verstehst du? B*azzmmm* –

Verstehen Sie jetzt, was ich meine, es ist etwas Gutes, das wir tun können, etwas Geld gibt es außerdem.

An dem Wochenende nach dem Ausflug ans Meer hatte Abel einen Test. Am Montag drauf brachte er eine eingefärbte Aufnahme mit, für Omar. Das ist der Regenbogen in meinem Gehirn.

Manches ist erleuchtet, manches nicht. Die erleuchteten Felder haben jeweils verschiedene Farben. Von L1 bis L10. L wie Lingua. Omar stellte seine gespreizten Fingerspitzen an die Unterseite des glänzenden Stück Papiers, wie unter ein Tablett, auf dem man in einem Traum ungeübt wertvolle Gläser durch eine Schlacht zu balancieren hat, trug es in sein Zimmer und pinnte es über sein Bett.

Mein Enkel schläft in der Betrachtung des Gehirns seines Stiefvaters ein. Ich kann es nicht erklären, aber etwas daran ist unheimlich, sagte Miriam.

Unheimlich? Wirklich? fragte Alegria.

Mercedes studierte die Aufnahme mit gespieltem Ernst. Hm, sagte sie, hm, und sah immer wieder Abel an, als würde sie Innen- und Außenansicht vergleichen, und alle lachten.

Zumindest die Unterstellung, er würde seine Sprachen nicht beherrschen, war zu diesem Zeitpunkt also schon widerlegt.

Ich danke dir aufrichtig, sagte Mercedes zu Erik, Tatjana und allen anderen, die sich äußerten (und die *meisten* fühlten sich dazu berufen). Danke, sagte Mercedes. Und jetzt lasst mich in Ruhe. Ich bin eine alleinerziehende Mutter, und er ist mein Scheinehemann. Ich habe weder die Zeit noch eine Veranlassung, ihn zu observieren.

Aber um ehrlich zu sein, wartete sie schon die ganze Zeit darauf, dass sich etwas *herausstellte*. Leute, die sich jahrelang als Ärzte, Priester, Briefträger ausgeben. Ehemänner. Der Wurm war nicht erst seit der Drachengeschichte und Eriks Fragen drin. Der Wurm war seit *jenem* Lachen drin. Seitdem ist alles ein Zeichen. Eine Verspätung, ein Seufzen, ein Zögern vor einer üblichen, blaubärtigen Antwort. Seine ganze Merkwürdigkeit, sein Nicht-Vorhandensein. Neuerdings fallen auch Spuren obskurer Herkunft an ihm auf. Sagt auch am nächsten Wochenende nein, er könne nicht. Dann kommt er am Montag und, als wäre er ein ganz anderer. Das Aussehen und der Geruch. Destille. Parfum oder Alkohol. Bemerkenswert ist: als würde nicht er selbst danach riechen, sondern, als hätte nur seine Kleidung, sein Haar, in geringerem Maße seine Haut diesen Geruch angenommen. Als trüge er ihn wie einen Mantel. Vor zwei Jahren, sie trug ein schmales, schwarzes Kleid mit einem weißen Kragen und einen Strauß weißer Margeriten in der Hand, roch er schon einmal so. Nach Illegalität und Sex.

Omar, der praktisch das ganze Wochenende im Park verbringen und *die Menschen beobachten* (= auf sein zufälliges Vorbeikommen warten) wollte, hatte einen Schnupfen und konnte sich somit bezüglich des Geruchs nicht äußern, und das zerknitterte Gesicht, das trübe Rot in den Augen schien ihm nicht aufzufallen. Sie tranken Tee.

I ogurezi i vodku! rief Omar, was Mercedes nicht verstand. So blieb dieser Wunsch unerfüllt.

Am Dienstag oder am Mittwoch unterbrach sie abrupt ihre jeweilige Tätigkeit und rief bei der ehemaligen Fakultät ihres Mannes an, derselben, an der auch sie studiert hatte.

Aber ja, meine Liebe, sagte eine freundliche ältere Sekretärin, *die Ellie*, natürlich erinnere ich mich. Ob sie in einer Stunde zurückrufen könnte.

So, meine Liebe, sagte Ellie. Ich habe für Sie nachgeforscht. Geforscht und geforscht, meine Liebe, und mich gewundert, ich kann mich doch deutlich an ihn erinnern, so ein schöner, junger Mann, und dann fiel's mir ein. Die *Gast*hörer, meine Liebe, werden in einer anderen Kartei geführt.

Verstehe, sagte Mercedes.

Ja, so ist es, meine Liebe, sagte Ellie. Geht's Ihnen gut?

Fassen wir zusammen, dachte Mercedes am Donnerstag, während sie so tat, als arbeitete sie. Eins: Erik hatte Recht. Es gibt kein Diplom für Gasthörer. Zwei: All das hätte man schon vor der Eheschließung erfahren können. Ein Telefonanruf. Geben wir, drei, zu: Es war ihr sogar eingefallen. Erkundigungen einziehen, das wäre vernünftig gewesen. Warum also hat sie es damals nicht getan und dafür heute und was folgt daraus? Daraus folgt, dass es offenbar keine Rolle spielt, dass mein Ehemann nie ein ordentlicher Student war, und es spielt auch keine Rolle, dass er das verschwiegen hat, und im Grunde spielt es auch keine Rolle, ob man seine alten Freunde kennt. All das interessiert Mercedes, ehrlich gesagt, nicht die Bohne. Was aber interessiert sie? Was spielt eine Rolle?

Am Nachmittag desselben Tages fand wie immer der Französisch-Unterricht statt. Wenn sie ihn jetzt, da sie etwas mehr über ihn wusste, ansah, was sah sie? Einen, der so unberührt von jedweden Strapazen und mutmaßlichen Ausschweifungen zu sein schien, als wären seit damals vor vier Jahren, als sie ihn das erste Mal *bewusst* wahr nahm, auf der Schwelle zu Tibors Sarong, alle Tage spurlos an ihm vorbei gegangen. Ein glattes, weißes Gesicht, nüchtern, unschuldig, sauber, vierundzwanzigjährig. Keiner Fliege etwas zu Leide tun, keinen Wassereimer umstoßen, nicht bis drei zählen können. Dieses Gesicht war noch irritierender als das andere neulich. Ursprünglich hatte sie vor, ihn zu fragen, ob er bleiben wolle. Jetzt ließ sie ihn gehen.

Kaum war er aus der Tür, klingelte das Telefon.

Ja, sagte sie. Nein. Mein Mann ist gerade aus dem Haus gegangen. Fünf Minuten. Natürlich. Nein, tut mir Leid. Am Wochenende ist mein Mann nicht in der Stadt. Montagnachmittag ginge. Ja, ich warte. Verstehe. Danke. Natürlich. Kein Problem.

Sie legte auf. Blass.

Was ist passiert? fragte Omar.

Der Unterricht am Montag wird wohl ausfallen müssen, sagte sie.

Was ist passiert?

Wir bekommen Besuch.

Von wem?

Sie sah auf die Uhr, überlegte, wählte.

Ruf' bitte, so schnell du kannst, zurück, sagte sie zu seinem Anrufbeantworter. Es ist wichtig.

Sie legte auf. Omar wartete auf seine Antwort.

Vom Amt, sagte Mercedes. Sie kontrollieren, ob wir eine richtige Familie sind.

Oh, sagte Omar. Aha.

Innerhalb der nächsten Stunde sah sie ein Dutzend Mal auf die Uhr. Zu Fuß sind es, zumal bei seinem Tempo, höchstens fünfzehn Minuten. Vorausgesetzt, er ist gleich nach Hause gegangen. Kann man das voraussetzen? Was kann man voraussetzen? Vielleicht kauft er noch ein. Was? Ein Laib Brot, eine Kringel Wurst, eine Tüte Milch, eine Flasche Whisky erscheinen vor Mercedes' geistigem Auge. Das ist gut, weitere zehn Sekunden Ablenkung. Um Mitternacht rief sie wieder an. Anrufbeantworter.

War die Nacht zu durchwachen übertrieben? Faktisch war nicht viel Zeit vergangen, noch war nichts *akut*, aber mir ist, als erkannte ich ein Gefühl wieder. Das war schon einmal so, vor fast elf Jahren, als sie über eine Mauer und durch ein Fenster geklettert war, um sich in ein Bett zu legen, das nach Pot und Schweiß roch, *seinem* Schweiß, und als ob noch nach jemand anderem, einer dritten Person, ein zusätzlicher Schmerz, aber der zählte kaum mehr. Omar schlief tief.

Abel meldete sich weder am Freitag noch am Samstag. Als hätt' ich's geahnt. Nein, kommen Sie nicht am Sonntag, kommen Sie am Montag. Zum Unterricht ist er bisher immer erschienen. Abgesehen natürlich von dem einen Mal, als er ohne jeden Kommentar für Monate verschwunden blieb. Sie hinterließ ihm weitere Nachrichten. Komm bitte sofort nach Hause, *wir bekommen Besuch!*

Bei den relevanten Stellen anrufen, Krankenhäuser, Polizei? Oder gar nichts tun. Bei der Kontrolle irgend eine Geschichte erfinden. Und ab da für immer. Der Ehemann, den es in Wahrheit gar nicht gibt. Vorlage für eine romantische Komödie. Die Schein-Ehe.

Vielleicht doch lieber vorher bei ihm vorbeifahren. In der Sackgasse an der Bahn vor seiner Tür stehen, klingeln. Omar drehte interessiert den Kopf: Wände, Himmel, selten gesehenes, feines Wolkengekröse. Wie ein blühender Baum. Oder Schimmel. Danach roch es auch ein wenig: Schimmel. Nebst anderer schmuddeliger Gerüche. So riecht es also dort, wo mein Mann wohnt. Dazu die taumelnden Geräusche der näheren und ferneren Umgebung, verstärkt und verschluckt in der Sackgasse: Kneipen, Waggons, Straßen, der Wind. Sonst: nichts. Die Wechselsprechanlage – Sieht sie überhaupt so aus, als würde sie funktionieren? – stumm. Mercedes drückte den Knopf mit der Aufschrift FLOER – (vermutlich) der Vormieter, immerhin soviel hatte er verraten – klingelte eine Synkope: Mer-ceee-des, als hätten sie das je so abgesprochen, als gäbe es ein Familienklingelzeichen. Als sie das dachte, Familienklingelzeichen, und dann, dass er einen Schlüssel von ihr hatte, sie aber keinen von ihm, wurde sie das erste Mal wütend. Wegen *all dem*. So kann man doch mit Menschen nicht umgehen. So kann man doch …Was?

Der Nachbar, wiederholte Omar neben ihr. Versuch's beim Nachbarn.

Der einzige andere Personenname auf den Schildern. In den unteren Etagen sonst scheinbar nur Firmen. *Schein*firmen. Der Nachbar heißt Rose. Rose und Floer. Ist das noch normal? Sie sah sich um, sah sich alles noch einmal an: normal? Ja? Nein? Kneif mich.

Jetzt kommt jemand. Vom ehemaligen Firmengelände am geschlossenen Ende der Sackgasse wankten zwei Gestalten auf sie zu. Ein Mann, eine Frau, in kaum vorhandener futuristischer Bekleidung, glitzernd, grell geschminkt, tasteten sich blind durch den hellen Sonntagmittag. Wortwörtlich: die Hände vor sich in die Luft gestreckt, taumelten sie auf die Autoreihe zu. Die Frau und den Jungen auf dem Gehsteig bemerkten sie gar nicht. Stolperten kichernd auf ein Auto zu, fielen hinein, fuhren weg. Ein bekannter Geruch blieb zurück. Mercedes sah in die Richtung, aus der sie gekommen waren. Jetzt ist sie ganz nah dran.

Hingehen, an die Eisentür klopfen, Thanos gegenüberstehen, eingelassen werden, um diese Zeit ist der Laden fast leer, es wird gefegt, nur hier und da einzelne Gestalten, die aus was für Gründen auch immer beschlossen haben, das ganze Wochenende hier zu verbringen, bis es Montag wird und Ruhetag.

Nichts davon. Auch nicht beim Nachbarn klingeln. Von seinem Balkon aus kann man auf Abels Balkon, und von dort aus durch die Glastür ins Innere der Wohnung blicken. Für den Fall, dass er seit Tagen daliegt.

Komm, sagte Mercedes zu Omar. Er wird sich schon melden.

Unter Kontrolle

Bei manchen ist es jahreszeitlich bedingt, bei anderen situativ, und bei manchen weiß man's nicht. Manchmal können sie einfach nicht nach Hause gehen. Dann bleiben sie eben tagelang, unsere Logisgäste, als hätte ich (Thanos) nicht einigen von ihnen Wohnungen vermietet. Selten einmal hat die Klapsmühle zwischen Freitag ab eins und Montagmorgen um neun geschlossen. Man schläft, trinkt, arbeitet, hat Sex in Schichten. Als der Wirt und seine Mitarbeiter schließt man die Augen, wo und wann man eben kann, für eine Stunde, eine halbe, im Lager, im Büro. Die Gnade endet am Montagmorgen um neun, wenn die Letzten vor die Tür gesetzt werden. Sie blinzeln im immer zu hellen Licht. Thanos selbst ist zu müde, um nach Hause zu gehen, er fällt auf das feuchte rote Plüsch in einem Separée und schläft schnarchend. Die Eisentür zum Hof steht offen. Thanos schläft so tief, dass jeder, der nur frech genug wäre, wieder herein kommen und sich an der Bar bedienen könnte. Die Wertsachen klauen. Aber niemand kommt, trinkt oder klaut etwas. Thanos erwacht am frühen Nachmittag. Duscht sich, kleidet sich wie ein *anständiger Mensch*, grauer, gut geschnittener Anzug, nach Maß wegen des Übergewichts, und besucht seine Mutter im nahe gelegenen Pflegeheim.

Grüß dich, sagte Greta A., todkrank, mager, aufrecht in einem Rollbett unter einem Baum am Rande des Parks sitzend, zu ihrem unehelichen Sohn Thanos.
Was ist los? Wieso sitzt du auf der Straße?
Jemand hat mich hierher gerollt.
Wieso?
Um 10 Uhr 50. Wie du siehst, sind wir teilweise noch in Nachthemden.
Ja, aber wieso?
Jemand hat ein verdächtiges Paket im Gemeinschaftsraum gefunden. Wahrscheinlich hat es gestern jemand stehen lassen. M. und E. haben ihre Verlobung gefeiert. Es war sogar Presse da. Mit 81 Jahren endlich die große Liebe gefunden, es besteht also

Hoffnung für uns alle, für dich, und wer weiß, vielleicht sogar für mich.

Ein Bombenalarm?

Der Fotograf wird etwas liegen gelassen haben, oder es ist ein Fresspaket oder ein Pullover, am Sonntag ist immer soviel los, aber neuerdings ist man wegen allem so hysterisch, deswegen sind wir jetzt hier.

Ihr senilen Trottel! (Alter Mann im Fenster des Altenheims, brüllt zur Straße hinunter.)

Alle, bis auf Uljanow. Dem ist das, ich zitiere, scheißegal. Über mir brüten Tauben.

Was?

Im Baum über mir. Irgendwelche Vögel. Vielleicht Tauben. Der ganze Aufruhr macht sie nervös. Lassen ständig was fallen.

Soll ich dich woanders hinrollen?

Nein. Ist egal.

Pause. Die Bäume rauschten. Weiter weg Verkehr. Einige Neugierige, Besucher und Obdachlose, waren zum Kordon herüber gekommen, mal sehen, was passiert. Greta gähnte laut, legte eine zarte, leberfleckige Hand vor den Mund. Eine Frau jenseits des Kordons musterte sie. Greta schaute zurück. Da kommst du auch mal hin, Schätzchen. Unweit stritt sich ein schwarz gekleideter Mann mit einem Polizisten.

Sie können hier nicht durch, sagte der Polizist. Die Straße ist gesperrt. Bombenalarm. Zu Ihrer eigenen Sicherheit.

Aber ich wohne hier, ich wohne dort drüben, in der Straße, bei meiner Frau, ich muss hier durch, einen anderen Weg kenne ich nicht, wenn ich um den Block laufen muss, verlaufe ich mich eventuell, ganz abgesehen davon, dass ich zu spät kommen werde, dass ich jetzt schon zu spät bin …

Etwa zur gleichen Zeit wie sein Wirt und Vermieter war auch Abel Nema erwacht, hörte sich alle neun Nachrichten auf dem Anrufbeantworter an, rief zurück.

Entschuldigung, sagte er. Ich komme sofort.
Eine halbe Stunde vor dem angekündigten Termin war Mercedes nicht mehr in der Lage, irgend etwas zu antworten.

Bedaure, sagte der Polizist jetzt und wendete sich ab. Was mich betrifft, ist das erledigt.
Abel stand eine Weile nur da, sah sich um, dann wandte er sich wieder an den Polizisten. Höflich:
Entschuldigen Sie. Aber dort drüben, auf der anderen Seite der Absperrung, das sind mein Vater und meine Großmutter, unter dem Baum in dem Bett, und der dicke Mann daneben, ich müsste unbedingt ...
Jetzt ist es plötzlich Ihre Großmutter?
Der Polizist sah sich die Sache an.
Das soll Ihr Vater sein?
Wem winkst du? fragte Greta.
Ein Bekannter, sagte Thanos. Da drüben.
Mir kommt es nicht so vor, als kämen sie allein nicht klar, sagte der Polizist.
Das ist das erste Mal, dass ich einen deiner *Bekannten* sehe, sagte Greta und winkte auch.
Tut mir Leid, Sie müssen um den Block gehen.
Er ist hübsch. Eines Tages könntest du ihn mir vorstellen.
Er ist nur ein Kunde, Mutter. Ein Mieter.
Ich werde bald sterben, sagte Greta.
Die Vögel zwitscherten.
Was macht er da? Er versucht, sich durch den Kordon zu stehlen. Unverständlich, sind Sie taub oder was? Lebensmüde? Einmal um den Block, das ist doch nicht so schwer! Zeigen Sie Ihre Papiere, schauen Sie nicht so, als hätten Sie mich nicht verstanden, Sie verstehen mich sehr g---
Was bleibt einem da übrig? Man könnte weglaufen, *erneut*. Abel erwog ernsthaft diese Möglichkeit. Zwar ist das letzte Training ein Weilchen her, dafür wirkt das Gegenüber recht schwerfällig, vielleicht ist es sogar derselbe Bulle wie damals, irgendwie kommt man sich gegenseitig bekannt vor.

Na? Wird's bald?!

Es hilft nichts, nur noch ein Deus ex machina, und hier ist es schon, in Form eines weiteren Polizeibeamten, der jetzt aus dem Altenheim trat, mit den Armen wedelte, nichts, es ist nichts, blinder Alarm.

Abel, eine Hand noch in der Innentasche, machte sofort einen Schritt zur Seite, Verzeihung, und ging eilig am Kollegen vorbei.

Sie denken, das ist so einfach?

Offenbar ja. Schon ist er weg. Und natürlich interessieren ihn *Vater* und *Großmutter* nicht die Bohne. Der gefoppte Beamte schaute böse. Die alten Herrschaften applaudierten den abziehenden Spezialisten. Uljanow spuckte aus dem Fenster auf die Straße, traf aber niemanden.

Endlich! Mercedes riss die Tür auf. Wieso benutzt du nicht deinen Schlüssel?

Das fragte sie nicht mehr, denn es war nicht er, auf den wir alle gewartet haben, statt dessen: ein fremder Mann, eine fremde Frau. Dürfen wir hereinkommen?

Mein Mann, mein Mann, er kommt, wie es scheint, leider zu spät. Hat noch etwas zu erledigen, zu arbeiten, einen Test zu machen, der Verkehr …

Einen Test …?

Ja, es ist, es sind … (Warum nur stammelst du so und wirst rot?) Psycholinguistische Tests zur Untersuchung der Gehirnaktivitäten bei multilingualen Sprechern, sagte jemand aus dem Hintergrund. Schwarzer Junge mit Augenklappe. Ich habe ein Bild davon in meinem Zimmer, wollen Sie es sehen?

Blick in den mitgeführten Hefter: Omar, richtig?

Ja. Soll ich das Bild holen, oder kommen Sie mit?

Mein Mann wurde auf dem Nachhauseweg von der Arbeit oder einem Test von einem Auto (einem Taxi?!) angefahren. Überfallen. Von der Polizei kontrolliert. Hat sich verirrt. Es sich anders überlegt. Er …

… kratzt mit dem Schlüssel am Schloss der Wohnungstür. Die Tür fliegt von innen auf.

Sie fragte nichts, nicht einmal flüsternd, die anderen drei waren noch im Zimmer des Jungen, sie schaute bloß.

Ich weiß, ich weiß, sagte er laut und fröhlich. Ich bin schon wieder zu spät. Entschuldige, Liebling.

Also das hat mir endgültig die Sprache verschlagen. Stumm trottete *Liebling* ihm ins Wohnzimmer hinterher, das er selbstsicher betrat, um unverändert ausgelassen: Omar! Ich bin da! auszurufen. Er entschuldigte sich abermals, diesmal bei den Beamten, wegen einer Bombendrohung sei eine Straße gesperrt gewesen, er habe einen Umweg nehmen müssen. Und schaut sie dabei an, mit diesen unglaublichen blauen Augen, besonders die Frau.

Und so ging es dann weiter. Er war perfekt, Omar nicht minder, sie gaben eine makellose Vorstellung, saßen nebeneinander auf dem Sofa, berührten sich ganz natürlich, gaben sich Stichworte, sorgten dezent dafür, dass auch Mercedes nicht außen vor blieb, was nicht einfach war, steif und still wie sie war.

Hier lassen wir Drachen steigen, wo genau, weiß ich nicht mehr, meine Frau fährt, ich habe keinen Führerschein, leider oder nicht leider, den Kopf mit anderen Dingen voll, er die Theorie und sie die Praxis, jeder tut, was er kann, hier sind wir im Zoo, hier im Museum, das ist unsere Hochzeit, nein, das ist nicht mein Schwiegervater, das ist der verstorbene Mann, Korrektur: Lebensgefährte meiner Frau, nein, nicht der Vater des kleinen Omar, er steht nur im Schatten, was ist das, ein Kastanienbaum, ein unbekannter Hof, ein großartiger Mann, ich kannte ihn gut, er war mein Professor, komparative Linguistik, unerwartet an Krebs, die Toilette ist die zweite Tür rechts, und wenn Sie schon dabei sind, können Sie auch gleich mein extra hier deponiertes Rasierwasser im Spiegelschrank konstatieren, dass ich nicht weiß, wo der Würfelzucker steht, daraus können Sie mir keinen Strick drehen, zeigen Sie mir den Mann, der, wir haben gar keinen Würfelzucker, die Süße des Lebens ist uns Zucker genug, sagt meine Frau, na bitte.

Höflich wie immer, freundlich, ab und zu sogar charmant, nie distanzlos und fast sogar elegant – und an diesem Punkt fängt es an zu hapern. Als wäre etwas nicht *echt* an ihm. Der Authentischste und Unglaubwürdigste. Wie schlecht er zum Beispiel gekleidet ist. Diese Gummisohlen, diese Bundfalten sind doch noch aus den Achtzigern übrig geblieben. Das Sakko hat er sich aus dem ersten Kleidergeld in einem Wohlfahrtsladen gekauft, in dem wir damals alle einkauften. Eine Verkäuferin sah ihn an und senkte den ohnehin schon niedrigen Preis um weitere 25 %. Hinterher träumte sie, sie würde auf einem Trockenboden mit ihm tanzen. Davon zehrte sie jahrelang. Aber heute, hier, passt das einfach nicht zum *Rest*. Die Frau, der Junge sind auf einem ganz anderen *Niveau*.

Mercedes, die die Gedanken der unbekannten Beamtin wie auf einem weißen Blatt in schwarzer Schrift vor sich sah, schaltete sich ein.

Sie spielte, dass er das bewunderte Genie ist und sie seine Bewunderin. Er, entweder, weil er das Spiel begriffen hatte, oder zufällig, schenkte ihr ein gütiges, geschmeicheltes Lächeln. Die unbekannte Beamtin musste zugeben, dass das sehr echt gewirkt hatte. Was im unbekannten Beamten vor sich ging, weiß man nicht. Ehrlich gesagt, wirkte er dumm. Seiner Kollegin sah man das Hin- und Hergerissensein an. Ihm ebenfalls verfallen oder die junge Frau vor ihm warnen?

Seit wann kennen Sie sich?

Sie: Seit sieben Jahren.

Er: Eigentlich (Pause, er wartet, bis er jedermanns Aufmerksamkeit hat, jetzt kommt die Pointe) sahen wir uns das erste Mal vor über zehn Jahren. Es war an meinem ersten Tag in diesem Land.

Ja, das stimmt. Aber nur ganz kurz.

Trotzdem habe er sie gleich wieder erkannt.

Sie lächelte.

Wer hat dieses Rasierwasser ausgewählt: Sie oder Sie?

Er, lächelnd: Um meine Körperpflege kümmere ich mich selbst.

Dementsprechend interessiert er sich auch nicht für die Kosmetika seiner Frau. Über ihre Kindheit, Vater, Mutter, Freundeskreis und ihre Arbeit hingegen weiß er Bescheid.

Welche Kleidergröße hat Ihre Frau?

Mit liebenswürdigem Lächeln: 32/34. Das ist übrigens dieselbe Größe, die auch der Junge trägt.

Verstehst du dich gut mit deinem Stiefvater, hm?

Das Kind, ernst, hochnäsig: Wir sind verwandte Seelen.

Als hätte *sie* bei diesem Satz gefröstelt. Sich nun direkt an sie wenden:

Wie würden Sie Ihre beider Beziehung charakterisieren?

Er (lässt sie nicht zu Worte kommen): Von Anfang an … (Wieder die Pause, alles schaut gespannt, er setzt neu an:) Es war Liebe auf den ersten Blick.

Mit einem Mal könnte ich platzen vor Wut. Die Anspannung der vergangenen Tage. Zum einen. Und dann sagt er so was. Sie standen im Flur, eine kleine Familie, den Jungen in die Mitte genommen, und winkten den Beamten förmlich nach, wie dem hinausziehenden Zug mit den lieben Großeltern, der Mann legte einen Arm um die Schulter der Frau, die andere Hand auf die des Jungen. Dann ging die Tür zu, er nahm beide Hände weg, *schaltete die Lichter aus* und kehrte ohne Übergang in den Sparbetrieb zurück. Oh, dieses wohl bekannte melancholische Schweigen! Wäre das eine echte Beziehung, gäbe es auch nur die allerkleinste Intimität zwischen uns, gäbe es jetzt eine schöne Szene. Was soll das? Hä? Was soll dieses Theater?! Aber sie, Mercedes, war so aufgebracht, dass sie kein Wort herausbrachte.

Ob die unten in einem Auto sitzen und den Eingang beobachten, ob du auch wirklich hier bleibst? fragte Omar.

Klug ausgedacht, Kleiner, lass uns noch ein wenig Ehe spielen, Sandkuchen essen. Nach so einem Erlebnis bleiben die Menschen zusammen, machen Licht, drehen den Wasserhahn auf, decken den Tisch. Lass uns sage und schreibe weitere zwei Stunden zusammen bleiben, die Erwachsenen größtenteils schweigend, bis es dunkel wird.

Jetzt bin ich aber müde, sagte Omar. Zu Abel: Bringst du mich ins Bett?

Er brachte das Kind, das man lange nicht mehr ins Bett bringen muss, ins Bett. Mercedes, im Wohnzimmer, hörte sie etwas reden.

Erzählt er ihm eine Gute-Nacht-Geschichte? Omar ist an Märchen nicht interessiert. Wahre Geschichten!

Was ist wahr? fragte einmal Alegria listig.
Das weiß ich nicht, sagte Omar. Das weiß man dann schon. *Er* erzähle ihm lauter wahre Geschichten, behauptete Omar.
Erzählst du mir eine davon?
Die kann man nicht erzählen. Es sind alltägliche Dinge. Er geht spazieren.
Er geht gerne spazieren?
Ob gerne, weiß ich nicht. Er geht spazieren. Meistens nachts.
Er geht nachts spazieren?
Wenn er nicht schlafen kann.
Kommt das häufig vor?
Das weiß ich nicht.
Er geht also spazieren.
Ja.
Und weiter?
Trifft manchmal Leute.
Was für Leute?
Zum Beispiel welche, die Autos kaufen wollen.
Autos? Nachts?
Ja.
Und das glaubst du?
Ja.

Er brachte das Kind ins Bett, kam zurück ins Wohnzimmer. Eine kleine Lampe leuchtete, sonst war es dunkel. Setzt du dich noch für einen Moment? Die Lampe so drehen, dass sein Gesicht beleuchtet wird, oder nein, einfach so weitermachen mit dem Verhör.
Es ist vielleicht schon zu spät, das zu fragen, sagte sie. Aber gibt es etwas, das ich noch wissen sollte?
Er glaube es nicht.
Pause.
Hast du inzwischen Nachricht von deinem Vater?

Nein.
Pause.
Wie geht es deiner Mutter?
Erträglich, würde ich sagen.
Sagt es ohne jede Regung. Wieso tut *mir* das weh?
Schweigen.
Glaubst du, die beobachten uns wirklich?
Nein, sagte er. Das glaube ich nicht.

Und dann war er verschwunden. Mercedes kann sich nicht erinnern, ihn an die Tür gebracht zu haben. War sie vielleicht kurz im Bad? Hat sie dort die Tür auf- und zugehen gehört? Nicht, dass ich wüsste. Kann er sich einfach in Luft aufgelöst haben? Hält sich vielleicht noch hier versteckt.
Mercedes an diesem seltsamen, es gibt einfach kein besseres Wort, Abend, machte noch einmal sämtliche Lichter in der Wohnung an. Sah vorsichtig im Zimmer des Kindes und dann auch noch, lächerlich, aber Angst ist Angst, in der Besenkammer nach.
Das Ehebett blieb unberührt. Sie schlief auf dem Teppich vor Omars Bett.
Mutter, sagte das Kind am nächsten Morgen. Was tust du da?

Kleine Dinge

Was sagt die Erfahrung? Die Erfahrung sagt: Es wird auch diesmal nicht gut gehen. Warum sollte es ausgerechnet diesmal gut gehen? Beim Lichte des nächsten Tages betrachtet, ist die Konstellation klar. Wenn auch nicht allen Beteiligten im gleichen Maße. Man weiß nicht gleich viel über nicht exakt dieselben Dinge und hat, beispielsweise, was häufig vorkommt, ganz verschiedene und ungeklärte Erwartungen. Da hilft auch die allerehrlichste, beidseitige Bemühung, Kummer zu vermeiden, nicht immer. Ich sage nicht, dass er das absichtlich macht, mich absichtlich *quält*, trotzdem hatte Mercedes jetzt, ehrlich gesagt, ein wenig die Nase voll.

Ehrlich gesagt, habe ich ein wenig die Nase voll, sagte sie zu ihrem Spiegelbild am Morgen danach.

Was hast du gesagt? fragte Omar aus dem Flur.

Ich habe mich gefragt, ob wir wohl den Test bestanden haben.

Das kann man jetzt noch nicht sagen, sagte weise das Kind.

Halten wir einfach eine Weile still und warten. Parlieren wir französisch und erwähnen das Wochenende nicht. Hören wir die Zeit in Form asynchroner Turmuhrschläge und als Hämmern in der Holzkonstruktion eines neuen Dachs vergehen, und hoffen wir und lassen auch die Hoffnung ruhen, je nachdem, was uns gerade möglich ist. Ein Jahr noch, mindestens, müssen wir verheiratet bleiben, geschehe, was wolle. Das ist nur anständig. Mein verletzter Stolz gegen seine Abschiebung, daran gibt es nicht wirklich etwas abzuwägen. Aber etwas *gedämpft* war Mercedes jetzt schon. Natürlich ging man weiter höflich und freundlich miteinander um. Allein die gemeinsamen Freizeitaktivitäten ruhten neuerdings. Es war immer an ihr gewesen, Vorschläge zu machen, und im Moment machte sie keine. Und auf ihn kannst du lange warten.

Was macht *er*?

Wer ist *er*?

Dein Mann.

Danke der Nachfrage. Hauptsache, gesund.

Einige Wochen später gab es ein sogenanntes rauschendes Fest. Mercedes und ihr Vater feiern ihren Geburtstag am selben Tag. Das ist etwas gemogelt, sie ist eine Minute nach Mitternacht, also bereits am nächsten Tag, geboren, aber so genau wollen wir es nicht nehmen, sagte der Arzt und gab seinen Segen für 23:59, Vater und Tochter an demselben Tag, das ist so eine nette Sache. Jetzt wurde er fünfundsechzig, sie sechsunddreißig, im Garten konnte man keinen Schirm aufstellen. Der ewige Wind. Aus sämtlichen seiner Richtungen strömten Weggefährten aller Lebensalter und unvermeidliche Verwandte herbei. Einige unter Letzteren – manche scheinheilig, manche unschuldig – erkundigten sich nach dem noch nie gesehen Ehemann des jüngeren Geburtstagskindes.

Er kommt später. Er hat noch etwas zu tun.

Er hatte, *ausgerechnet heute*!, wieder einen Test. Unser besonderes Interesse gilt den motorischen und auditorischen Sprachfeldern im linken Schläfen- und im Frontallappen, bekannt als Broca- und Wernicke-Areale, doch auch die Organe der Erinnerung und der Emotionssteuerung, Hippocampus etcetera, spielen eine nicht geringe Rolle, erklärte der Stiefsohn des Probanden seinen interessierten Zuhörern.

Wie groß und klug du geworden bist.

Wenn ich etwas nicht leiden kann, dann sind es altkluge Gören.

Das Gehirn des Menschen ist eine ganz erstaunliche Landkarte. Angeblich sieht man alles darauf. Traumata bilden tumorähnlich umgrenzte Bereiche.

Aber dieser Garten ist eine richtige Oase! War sicher viel Arbeit.

Leider haben sich die Krähen sehr vermehrt.

Es soll Dörfer geben, da gibt es mehr Krähen als Menschen.

Hacken den Schafen die Augen aus.

Joggern.

Das ist ja wie in den …

Das fette alte Chauvinistenschwein hat T. H.s Karriere ruiniert.

Wir tragen die tragikomische Bürde, Wesen mit drei Gehirnen zu sein, das Reptil in uns, das kleine Säugetier …

Die meisten religiösen Ekstasen waren wahrscheinlich Epilepsie.

Weißt du, wo der Flaschenöffner ist?

Ja, ja, danke, danke, danke, nur zum Anstoßen!

Von Poesie erwarte ich, dass sie mich in meinem Menschsein erhöht, wenn mir nach Unterhaltung ist, gucke ich …

Ah, da bist du ja! Er ist da!

Er kam als Letzter und ohne Geschenk, entschuldigte sich höflich für das Versäumnis. Nicht mehr dazu gekommen.

Jemand, der sechs Stunden im Tomographen gelegen hat …

Sechs Stunden im Tomographen, wie soll das gehen, meine Liebe? (Alegria, zur Seite:) Wenn das keine versteckten Mordfantasien sind! Doch warum sollte sie ihren Schwiegersohn töten wollen? Noch kennen wir den Grund nicht.

Kann man jemanden töten mit einem Tomographen?

Man kann jemanden mit einem Diaprojektor töten.

Wäre mal was Neues.

In den überwiegenden Fällen tötet mein Vater mit Gift.

Guten Appetit.

Er sah zerschlagen aus, nahm Miriam den Teller ab, den sie ihm anbot, Speisen darauf, die andere Hand wurde von Omar gehalten, er zog ihn zu einem Sofa. Abel rührte das Essen nicht an, hielt nur den Teller eine Weile auf dem Schoß, später stellte er ihn unter das Sofa.

Guten Tag, das war alles, was man von ihm zu hören bekam. Unterhält sich den ganzen Abend mit einem Zehnjährigen.

Elf, sagte Mercedes. Und: Na und? Anscheinend haben sie sich etwas zu sagen.

Worüber habt ihr geredet, fragte sie später Omar.

Über Eskimos.

Ihr habt über Eskimos geredet?

Ja.

Den ganzen Abend?

Nein. Wir sind später abgeschweift.

Abgeschweift? Wohin?

Wir haben uns auf Russisch unterhalten.

Wovon ich rede, schrie Erik, ist, dass die Forderung nach einem Glauben an *einen* abstrakten Gott unser Denken per se überfordert. Seitdem es nicht mehr um praktische Belange wie Wetter, Fruchtbarkeit oder den Triumph über Feinde und Nachbarn geht ...

Seit wann denn das?

In Gruppenexperimenten ist herausgekommen, dass ... nur weil sie zur jeweils anderen Gruppe ... völlig willkürlich ...

Ja, ja, ja, ja.

Tonetidi, hörte Tatjana, die russische Vorfahren hat und auf Abels anderer Seite auf dem Sofa Platz genommen hat, den Jungen sagen.

Sein Lehrer nickte. *Tossise.*

Später war Omar zu Bett gegangen, Mercedes begleitete Gäste hinaus. (Danke für das Essen und das gedämpfte Licht!) Als sie wieder zurückkam, stand Abel in der Mitte des Zimmers, vor ihm Erik, sein vorgestreckter Bauch berührte ihn fast. Erik schwankte. Er war sehr betrunken.

Was soll das werden? fragte Maya früher am Abend ihren Mann. Was? fragte Erik. Er sah sie nicht an. Er saß – nach einer erschöpfenden und lauten Diskussion zum Thema Sprache und Politik – in einem einzelnen Sessel in der Nähe des Getränketisches, behielt das Sofa gegenüber im Auge, zählte die Gläser mit, die Abel leerte, und zog nach.
Maya: Das ist schon das sechste.
Oh, sagte Erik, dann habe ich mich irgendwo verzählt. Ich dachte, es wäre erst das fünfte.
Die vorangegangene Diskussion hatte er, wie immer, im Wesentlichen mit Madmax und Tatjana geführt, nur dass er sich diesmal nach jedem dritten, vierten Satz an Abel wandte und fragte:
Was ist deine Meinung, Abel?
Der Zehnsprachenmann jedes Mal, als tauchte er von ganz tief auf: Pardon, was war die Frage?
Erik wiederholte die Frage, woraufhin Abel – aber wirklich jedes verdammte Mal! – Damit kenne ich mich nicht aus, Ich habe keine Ahnung oder Ich weiß es nicht sagte.
Das ist auch nichts zum Wissen! rief Erik verzweifelt aus. Das ist keine Wissensfrage! Wonach ich dich frage, ist deine *Meinung*!!!
Scht. (Maya).
Warum schreist du so, mein Junge, tut dir was weh? (Alegria im Vorbeigehen.)
Inzwischen hatte Abel sich schon zurück zu Omar gewandt, und damit war die Diskussion gestorben. Als gäbe es mich gar nicht.
Erik setzte sich in den Sessel neben den Getränken und murmelte vor sich hin: Unverschämtheit! ... Unverschämtheit!
Mercedes: fragender Blick.
Maya: winkte ab.
Mercedes sah zu ihrem eigenen Mann. Nichts. Hört dem Jungen

zu. Doch sein Gesicht, jetzt sehen wir sein Gesicht, und Mercedes würde es das erste Mal so beschreiben: traurig. Die Augen sind gerötet. Gesoffen oder geweint? Der Computer? Der Test?

Links von ihm sitzt *unbemerkt* Tatjana und tut so, als würde sie Madmax und nicht den beiden gespannt zuhören. Also, Russisch war das nicht …

Mercedes setzte sich zu Erik auf die Stuhllehne. Als müsste man jetzt über die Arbeit sprechen. Wie dieses oder jenes Telefonat ausgegangen sei.

Erik schwieg. Gesichtsausdruck: trotzig. Oder als ob er Erbrechen zurückhalten wollte. Schaut starr zu Abel und dem Kind.

Als ob es alles gar nicht gäbe …

Bitte? fragte Mercedes höflich. Ich habe nicht verstanden.

Erik (plötzlich laut): Wovon ich rede, ist diese ewige … diese arrogante, ignorante … (murmelt wieder unverständlich) Wie kann man nur so … (kaum hörbar) Nicht von dieser Welt. Ich meine …: man *muss* doch mal was dazulernen!

Mercedes: Hm …

Immer diese Fremdheit vor sich hertragen wie ein … wie ein … Schild. Warum müsst ihr so kompliziert sein? So dunkel? Als wärt ihr permanent beleidigt. WER hat euch beleidigt? War ICH das etwa? NICHT, dass ich wüsste! (Als würde er – verhalten – über eine große Entfernung rufen:) Ich habe mir Mühe gegeben. Wirklich. Ich. Habe. Mir. Mühe. Gegeben.

Mercedes (wollte sagen): Aber ja … Erik ließ sie nicht zu Worte kommen:

Aber ich wette, selbst wenn sie vor ihrem Schöpfer stehen, werden sie noch beleidigt tun.

Wer? Wer steht vor seinem Schöpfer? Wer ist beleidigt?

Erik (schrie): Okay, ICH bin es. Ich bin beleidigt!

Sssssscht, sagte Maya, ist ja gut.

Als er dann sah, dass Abel gehen wollte, rappelte sich Erik aus seinem Sessel hoch und stellte sich ihm in den Weg.

Sein vorgestreckter Bauch berührte fast das Gegenüber, er schwankte, sein großer Stierkopf, als hätte er Schwierigkeiten, ihn auf dem Hals zu halten, das Gesicht feucht. Er legte eine schwere Pranke auf Abels Schulter. Weniger aus Vertraulichkeit, eher, damit er etwas hatte, um sich festzuhalten.

Verrate mir ..., verrate mir noch eins, Kumpel. Verrate mir eins. Er schob sein Gesicht ganz nah heran, flüsterte feucht, die kleinen Nadelstiche seiner Spucke in Abels Gesicht. Wie? flüsterte er. Wie war der Titel ... deiner Diplomarbeit?

Sie sahen sich an, so nah, es hätte sie nicht viel gekostet, sich zu küssen. Eine intime Szene. Abels Augen wach, klar. Verzeihung, flüsterte er zurück, könnten Sie mich bitte nicht berühren?

Sobald man ihn losgelassen hatte, trat er unverzüglich einen Schritt zurück, die nötige Distanz wieder herstellen, oder nein, sich gleich umdrehen und gehen. Erik, als wäre er festgenagelt, rührte sich nicht vom Fleck, lallte nur:

Was bist du denn für ein ... für ein ...? Ha? Aus was für einem Schweinestall bist du entwischt? Kannst du überhaupt ... kannst du überhaupt ... Ein Freak ... Mercedes steht auf Freaks. Sammelt sie wie ... wie ... diese ganzen (fuchtelt) kleinen Dinge ... Die kleinen Dinge, jetzt fällt mir das Wort nicht ein, das beschissene Wort ..., hilf mir, das musst du doch wissen, hä?!, Sprachenmann!, hoppla ...

Er wäre gefallen, wäre Maya nicht plötzlich, wie in einem Stopptrick, hinter ihm gestanden und hätte ihn gestützt. Jetzt reicht es, wir gehen nach Hause.

Was ist eigentlich passiert? fragte Mercedes.

Nichts, hilf mir, ihn hinauszubringen.

Als sie eine Minute oder zwei später zurückkehrte, war Abel nirgends mehr zu sehen.

Wo ist er?

Tatjana zuckte, demonstrativ desinteressiert, die Achseln.

Mercedes ging in den dunklen Garten hinaus, horchte. Abel? Nichts. Die Grillen.

In flagranti

Er hatte seinen Mantel dagelassen, Mercedes bemerkte es erst am nächsten Morgen. Hing im Flur. Ausweis, Geld, Schlüsselring, darauf sein Schlüssel und ihrer. Etwas Taschenschmutz, grüne Fusseln einer ehemaligen, statt eines Taschentuchs benutzten Serviette. Im Ausweis: Name, Vorname, Geburtsname, -ort, -datum. Die Adresse, dieselbe wie ihre. Aber der Schlüssel, sowohl als auch, ist hier. Ebenso das Taxigeld. Ein langer, nächtlicher Spaziergang? Oder vielleicht liegt er hier, ganz in der Nähe, in einem Busch? Blick in den Garten: abgebrannte Fackeln, die üblichen Trümmer eines nächsten Morgens, nichts.

Mercedes und Omar blieben bis zum Nachmittag, halfen beim Aufräumen. Seinen Teller fand Miriam unter dem Sofa, unberührt, der Inhalt wie versteinert, als läge er schon sehr lange da. Sie sagte nichts dazu. Omar fragte auch nicht nach ihm. Sie fuhren in die Stadt zurück.

Anschließend: das Übliche. Tage des Schweigens. Auch Mercedes rief nirgends an. Soviel weiß man schon irgendwann.

Ich bin bereit, mich zu entschuldigen, sagte Erik bei der Arbeit. Wenn du mir seine Nummer gibst.

Unnötig, sagte Mercedes.

Wie du meinst. Erik zuckte mit den Achseln.

Zu Hause stand Omar am Fenster und drehte den Kopf hin und her.

Was tust du da?

Wenn du ein Auge zukneifst, sagte Omar, siehst du ein zweidimensionales, unscharfes Bild deiner Nase am je nach dem rechten oder linken Rand deines Sichtfelds. Wenn du das Auge wieder öffnest, verschwindet deine Nase aus der Welt. Weltbewegend ist das nicht, aber: Ich werde die Welt nie ohne den Schatten meiner Nase sehen. Ich rage in die Welt hinein.

Seitdem ertappe ich mich dabei, dass ich, wenn ich so dasitze und nachdenke, oder nicht nachdenke, nur einfach so dasitze, nachdem ich den Blick vom Text gehoben habe, weil man ab und zu, häufig, den Blick vom Text heben muss, ein Auge zukneife und diese bemerkenswert holprige Linie meiner Nase anschaue. Kurz und gut, dachte Mercedes, es führt kein Weg dran vorbei, es ist wahr, es ist in der Welt, so offenbar, dass es lächerlich wäre, weiter zu leugnen: Ich liebe dich.

Dachte: Ich liebe dich, nahm ihre Tasche, ich arbeite heute zu Hause, und fuhr in die Sackgasse an der Bahn. Nahm den Schlüssel, öffnete die Tür. Die Treppen sind steil, auf halbem Wege geht die selbst an sonnigen Tagen erforderliche Flurbeleuchtung aus. Tapsen durch ein taubstummes Haus. So still, als würde gar keiner hier wohnen. Das übliche Gruseln im Dunkeln, in der Fremde. Ganz oben endlich heimeligere Geräusche. Ein Radio. Etwas außer Atem dastehen, horchen, woher es kommt. Unbestimmt. Vorsichtig das Ohr an die Tür legen. Kühle Farbe. Die Musik kommt woanders her. Durchatmen. Aufschließen. Das erste Mal die Wohnung des Ehemannes betreten.
Und gleich überwältigt stehen bleiben und mit ich weiß nicht was kämpfen angesichts von: all dem. Dem Geruch (bitter-säuerlich), der Temperatur (schwül), der Form des Raumes (zerklüftet), den Geräuschen (dumpfe Musik hinter dem Küchenschrank), der Einrichtung (keine, außer einpaar umherliegenden schwarzen Kleidungsstücken und Wörterbüchern, wie Meteoriten eingeschlagen in den schmutziggrauen Boden), und über allem, durch diesen düstern Burgsaal der heillosen Einsamkeit taumelnd: die Lichtreflexionen eines draußen vorbeiziehenden Zuges.
Wie in Zeitlupe: draußen die unbekannte, haushohe Maschine, eine schwere Fracht, qualvoll langsam über die Schienen gezogen, und hier drin: eine Frau, in der Tür stehend, ein Mann, auf dem einzigen Stuhl am Schreibtisch sitzend, und zwischen ihnen, das Tempo mit gutem Gespür auf das des Zuges abgestimmt, ein nackter Knabe, der sich um seine eigene Achse dreht. Er zeigt sich seinem Betrachter – das heißt: inzwischen zweien – von allen Seiten. Vanillefarbener Rücken, Hintern, Beine, Arme, Seite, Brust, Bauch, Geschlecht …
Oh, sagte der Junge, als er sich soweit herumgedreht hatte, dass er Mercedes sehen konnte. Eine Weile standen sie da. Dann lachte

der Knabe los. Stand da mit seinem schönen Körper und lachte. Was ihr Ehemann für ein Gesicht bei all dem machte, weiß Mercedes nicht, sie konnte nicht hinsehen, an dem Körper vorbei, sie sah nur aus dem Augenwinkel, dass sich das schwarze Kleiderbündel im Sessel nicht einen Deut rührte.

Verzeihung, flüsterte sie, senkte den Kopf, ging. Dabei musste sie noch einmal innehalten, den Schlüssel irgendwo ablegen. Aber es gab nichts, kein übliches Tischchen, nur den Fußboden. Werfen wollte sie ihn nicht, also musste sie sich bücken, mit dem Rücken zu den anderen beiden, ihn hinlegen. Die Türklinke, dann war sie endlich draußen. Hinter ihr rührte sich die ganze Zeit nichts.

Er war wegen des Zweitschlüssels zu Thanos gegangen, blieb dann aber etwas länger, als man dafür braucht, insgesamt zwei Tage, und ging erst mit der Sperrstunde am Montag. Diesen Jungen, den er dort aufgetan hatte, nahm er mit.

So, sagte er, als er annahm, seine Frau habe nun das Treppenhaus verlassen. Und jetzt verpiss dich.

Nicht nötig, so roh zu sein, sagte der Junge. Ich kann für nichts.

Bitte, sagte Abel. Zieh dich an und geh. Oder zieh dich nicht an. Hauptsache, du gehst.

Danach dauerte es einen weiteren Tag, bevor er sich bei Mercedes meldete.

Entschuldigte sich höflich für die Unannehmlichkeiten.

Sie schwieg.

Von außen betrachtet, sieht er wie ein ganz normaler Mann aus, Korrektur: ein ganz normaler *Mensch*, Korrektur: verwerfe den ganzen Satz, weil Mercedes noch rechtzeitig einfiel, dass auch der erste Teil, dieses »von außen betrachtet« bei einem *Menschen* (Mann) überhaupt keinen Sinn machte und somit am Ganzen nichts mehr war, das, ausgesprochen, einigermaßen sicher dagestanden hätte. Nichts stand einigermaßen sicher da. *Manchmal zweifle ich, ob überhaupt ein einziger Gedanke ...* Sie hatte das Gefühl, im Stehen zu schwanken, wollte sie ihm ins Gesicht schauen, musste sie immer wieder scharf stellen, wie in einem

fahrenden Zug, mir taten schon die Augen weh, und plötzlich
schien er überhaupt kein bestimmtes Geschlecht mehr zu haben,
ein Ichweißnichtwas, ein seltsamer Zwitter, der *Mensch* glitt ihr
seitwärts von der Zunge, irgendwo darunter, wo sie im Speichel
rührte. Schließlich brachte sie doch etwas hervor:
Ich finde, du hättest es mir ruhig sagen können. (Schließlich steht
es nicht auf seiner Stirn geschrieben.)
Tut mir Leid.
Ach, hör doch auf mit diesem ewigen Es tut mir Leid!!!
Das war das Lauteste, was sie vermutlich seit Jahren gesagt hat.
Darauf folgte wieder etwas Schweigen.
Dass sie sich an die gemeinsame Vereinbarung halten würde, sagte
Mercedes. Das heißt, noch etwas mehr als ein Jahr mit ihm ver-
heiratet bleiben. Aber es wäre wohl am besten, wenn er sich in
Zukunft von ihrem minder jährigen Sohn fern halten würde.
So fand Omar A.s Sprachunterricht ein zweites Mal ein jähes
Ende.

Jeder hat sein Talent, sagte Mercedes. Meins ist es, das Unmög-
liche zu lieben.
Angenommen, du magst aus offensichtlichen, also äußerlichen
oder verborgenen, also unbekannten Gründen jemanden. Bis zu
einem gewissen Punkt läuft auch alles glatt, obwohl oder gerade
weil er nichts Besonderes macht. Im Grunde macht er gar nichts,
er existiert nur, so oder so. Und plötzlich oder allmählich wird
dieser Mensch zu einer Kette von Irritationen und Ärgernissen.
Diese ganzen Scherereien, die ein höflicher Mensch seiner Schein-
ehefrau nicht zumuten würde. Aber darum geht es gar nicht. Für
das meiste habe ich wirklich Verständnis, wie denn auch nicht, es
ist meine verdammte Haupteigenschaft, Verständnis zu haben.
Und natürlich hat es auch eine Rolle gespielt, dass Omar …, aber
ich will mich nicht auf ihn herausreden. Vor der eigenen Türe
kehren, das ist das Mindeste, und wenn es peinlich ist. Tatsache
ist: Ich habe mich da von Anfang an in etwas hineingesteigert und
mich in jemanden verliebt, von dem ich doch ahnte, dass er nichts
anderes wollte, als um jeden Preis einsam zu sein, eine Randfigur,

in nichts wirklich eintreten. Seine zehn Sprachen hat er auch nur gelernt, um einsamer sein zu können als mit drei, fünf oder sieben. Ich habe es geahnt, selber schuld also, und *deswegen* bin ich ihm auch nicht böse. Aber was sie nicht verstehe, sagte Mercedes, sei, dass er ihr die Hand geküsst und sie nach Hause gebracht und sie gestützt und ihr geholfen hat, die Treppen hochzugehen, und hier, vor der Tür, wäre unter Umständen der nächste Handkuss dran gewesen, oder meinetwegen ein Handschlag, quasi den Vertrag zu besiegeln, aber was hat er getan? Sie wollte gerade losstottern, sich erklären, natürlich, wollte sie sagen, natürlich ginge es um nicht mehr als um *diese gewisse bürokratische Angelegenheit bezüglich seines Statusses …*, als er sich herunterbeugte und sie auf den Mund küsste. Nichts, was man noch nicht gesehen hätte, er machte nichts Spektakuläres, es war einfach nur: gut. Überraschend, vielversprechend. Ein *talentierter* Kuss. Dann ging er, und ich dachte noch, was für ein Gentleman.

Ich will nicht soweit gehen, zu sagen, er hätte das berechnet: Hand, Begleitung, Kuss. Aber es ist ausgeschlossen, dass er nicht wusste, dass er mir Hoffnungen machte, und zwar immer wieder, um sie dann immer wieder zu enttäuschen. Das war nicht nett, ganz und gar nicht, da kannst du noch so freundlich und höflich sein. Irgendwann tat es mir dann gar nicht mehr weh, es war nur sehr anstrengend, vier Jahre lang war es vornehmlich das: anstrengend. Jetzt möchte ich nichts mehr, als es hinter mir haben. Soviel zu dieser Ehe. Ich ruf dich an, wenn was ist, aber es war nichts.

Die am häufigsten anerkannten Scheidungsgründe sind: eins: Untreue, zwei: Unfruchtbarkeit, drei: Kriminalität, vier: Geisteskrankheit. Nur die Besten schaffen alle vier. Tatjana lacht.
Man braucht heutzutage keinen Grund, sagt Mercedes. Sag ja, sag nein, fertig.
Eine Weile sagt jetzt keiner was. Dann, Tatjana:
Du weißt, dass du die Ehe auch annullieren lassen könntest?
Gründe können sein: Inzest, Bigamie, Eheschließungen von Minderjährigen oder Geisteskranken, eine Eheschließung, die mit be-

trügerischen Mitteln veranlasst wurde, sowie sexuelle Impotenz zur Zeit der Eheschließung.

Wenn ich die Ehe annullieren lasse, sagt Mercedes, verliert er seinen Pass.

Achselzucken.

VII. BINDEN UND LÖSEN

Übergang

Was denkst du, dass du

Es ist schief gegangen, wieder einmal. Wesentliche Kleinigkeiten, die sich nicht fügen wollten, oder doch, nach ihrer eigenen schrägen Logik. Mercedes winkte nur noch ab. Sie verließen das Gebäude gemeinsam. Rücksichtsvoll passten sich die Frauen seinem Tempo an. Er ging in den Park, setzte sich auf eine Bank. Rundherum das übliche Gejodel, Gebimmel, Gebell, all das störte ihn nicht, er schlief bald ein. Jetzt wacht er auf, und *dieser Irre* sitzt neben ihm. Du hast mir gerade noch gefehlt.

Der Zeitsprung ist beträchtlich, dennoch, kein Zweifel, er ist es. Im Grunde sieht er noch so aus wie damals. Ich sehe auch aus wie damals. Wir tragen sogar noch dieselben Klamotten. Mehr oder weniger. Vielleicht um eine Spur zerknitterter. Schläft zerknittert auf einer Parkbank, Montag nachmittag, erwacht, blinzelt desorientiert, wo, wann bin ich, und wer bist du? Das letzte Mal haben sie sich vor sieben Jahren gesehen. Seitdem, eine bemerkenswerte Leistung, quasi um die Ecke gewohnt und trotzdem keine einzige Begegnung mehr. Wer hat das so arrangiert? Übertrieben oder nicht, vielleicht ist es sogar das Normalste, Konstantin musste noch jahrelang an ihn denken, manchmal fiel es ihm ein, bewusst Ausschau nach ihm zu halten, aber: nichts. Und jetzt.
Kein anderer hätte sich nach sieben Jahren neben einen Schlafenden auf die Bank gesetzt und trotz rumorenden Magens – das sind die Unwägbarkeiten fremder Küchen – wie lange? ausgeharrt, bis der Andere endlich aufwachte, um dann so zu tun, als würde man einen gerade erst vor Stunden fallen gelassenen Faden wieder aufnehmen: Du bist also auch noch hier.
Aufzuzählen, was Konstantin in der Zwischenzeit alles widerfahren ist, wäre zuviel. Es ging weiter mit ihm, wie es immer ging: eine lange Reihe von Ungeschick- und Ungerechtigkeiten, an deren vorläufigem Ende ein Mittagessen in der Armenspeisung steht.

Ja, Hunger hat auch eine Rolle gespielt, aber im Wesentlichen geht es darum, die Zeit bis zum Abend zu füllen, wenn Konstantin ein Treffen mit einpaar Gestalten hat, die man sich normalerweise wünscht wie einen Buckel, aber was kann man tun. Den Tag mit einer Demütigung beginnen, damit's nicht mehr schlimmer werden kann. Aber dir werde ich nichts davon auf die Nase binden. Auch die Umstände ihrer Trennung erwähnt er nicht, weder den *Vorfall* selbst noch das, was danach kam, kein Wort oder weinerliches Lamento. Sitzt nur da, etwas näher als es angenehm ist, im linken Mundwinkel hat er einen roten Soßenklecks, und fragt:

Was machst du hier (alter Freund)?

Für einen Moment hoffte Konstantin, die Antwort könnte lauten: Ich wohne jetzt hier. Die Wärme der Schadenfreude flutete seinen Körper. Aber gleich darauf folgte auch schon das Mitgefühl, ich bin ein solidarischer Mensch, der doch nur darauf wartet, gerade an einem Tag wie diesem einen zu finden, dem es noch elender geht. Und dann? Ihn mit nach Hause nehmen? Von vorne anfangen? Immer wieder? Warum? Weil die Alternative was wäre?

Aber nur langsam. Sich dieses Gesicht genauer ansehen. Was ist das? Bist du hingefallen? Hat dich jemand verprügelt? Was hast du getan? Oder hast du gar nichts getan, es war einfach, was gar nicht so selten ist, die alltägliche Willkür? Und was ist das hier? Als wäre es Make up. Es gibt Momente der absoluten Klarsicht. In so einem sah nun Konstantin, wie konnte es mir jemals entgehen, absolut klar: Der Mann neben ihm hat ein dunkles Geheimnis der sexuellen Art. Dabei hört man, er sei verheiratet. Wieso hast du, Glückspilz, einen Pass durch Scheinehe und ich nicht?

Abel beantwortete, was hast du erwartet, keine der Fragen. Gestellt oder nicht. Sagte nicht, was er hier macht. Ich sitze auf einer Bank, das sieht man doch.

War wohl eine harte Nacht?

Abel machte eine Kopfbewegung, zwischen Nicken und Schütteln. So, so.

Das Folgende ist verschwommen. Was sie redeten, das heißt, er:

Konstantin, wegen seines sich windenden Magens, nein, das sind die Därme, hin und her rutschend auf der Bank, Abel übrigens ebenso, wenn auch aus anderen Gründen.

Alles OK? fragte Konstantin, als sich Abel nach einpaar rasselnden Atemzügen schließlich nach vorne beugte, die Ellbogen auf die Knie stützte und zwischen seine Füße auf den staubigen Boden voller Zigarettenkippen starrte. Auf seinem Nacken glänzte Schweiß.

Hm, sagte Konstantin und wartete eine Weile still. Bis der Wind ihn getrocknet hat.

Du, sagte Konstantin. Ich will dich jetzt wirklich nicht solange behelligen, aber ... Die Sache sei die, dass sein Konto um achthundert überzogen sei. Man kann es bis tausend überziehen, trotzdem geben mir die Schweine kein Geld mehr. Ob Abel ihm etwas leihen könnte. Einen Hunderter wenigstens, und du siehst mich nie wieder. Hm?

Zuerst nur der Wind, der seine dunklen Locken bewegte, dann nahm er die Ellbogen von den Knien, richtete sich auf, sah Konstantin nicht an, griff sich in die Hosentasche, holte einpaar Münzen und einen Schlüssel hervor. Den Schlüssel klaubte er heraus, die Münzen schüttelte er zu einem kleinen Häufchen zusammen, seine Handfläche in der Sonne, er reichte sie herüber.

Willst du mich verarschen? Konstantin wurde ganz rot im Gesicht.

Tut mir Leid, sagte Abel. Das ist alles.

K. sah aus, als würde sein Kopf gleich an den Schläfen herausplatzen, Aaaaaaaaaaa, unfähig zu artikulieren, wedelte mit den Armen, zielloses Herumplanschen in der Luft, bis er endlich die richtige Bewegung gefunden hatte: Er schlug von unten gegen die aufgehaltene Hand. Die Münzen sprangen heraus, fielen zwischen die Zigarettenkippen. Das machte so gut wie kein Geräusch, die Obdachlosen sahen dennoch herüber.

Denkst du, das ist witzig? Ha? Ha? Was denkst du? Was denkst du, dass du bist?

Abel steckte die leere Hand in die Hosentasche und ging.

Schaut euch den Verräter an! Konstantin schrie, sein Speichel spritzte: Seht das unsolidarische Schwein, das sich in seinem fetten Dreck suhlt und sich nicht mehr kennen will, denkt, was Besseres zu sein, aber du bist nichts Besseres, du bist der, der du bist, der du warst, wie wir alle, du kannst noch soviel davonlaufen, sie werden immer bei dir sein, in deinen eigenen vier Wänden werden sie dich aufspüren --- •

Der Rest war vom Taxi aus nicht mehr zu hören.

Tachykardie: dreiundachtzig Komma fünf, Hitzewallungen: einundachtzig Komma fünf, Beklemmungsgefühle: achtundsiebzig vier, Zittern, Beben: fünfundsiebzig drei, Benommenheit: zweiundsiebzig zwei, Schwitzen: zweiundsechzig neun, Schmerzen in der Brust: fünfundfünfzig sieben, Atemnot: einundfünfzig fünf, Angst zu sterben: neunundvierzig fünf, Angst vor Kontrollverlust: siebenundvierzig, abdominelle Beschwerden: fünfundvierzig vier, Ohnmachtsgefühle: dreiundvierzig drei, Lähmungserscheinungen: zweiundvierzig drei, Depersonalisation: in siebenunddreißig Komma eins Prozent der Fälle.

Wo die Hand den Ledersitz berührt, wird er rutschig. Schweiß strömt. Der Versuch, das Husten zu unterdrücken, mündet in ein lang gezogenes Röhren, das unter dem gesenkten Kinn hervorkommt, gespenstisch, tierisch. Die abergläubischen Augen des Taxifahrers im Rückspiegel. Was für Verwandlungen gehen auf der Rückbank vor sich? Merkwürdig, aber nicht schlecht aussehender Mann, kommt aus dem Park, duckt sich im Fond, knirscht mit den Zähnen, schnauft durch die Nase, wie nach einem Bauchschuss, das gibt's, auf eigenen Füßen vom Schauplatz des Duells gegangen, erst später legt man sich gekrümmt hin zum Sterben. Soll ich Sie lieber gleich ins Krankenhaus fahren? Oder, je nach Temperament: Wenn du vorhast, den Wagen voll zu kotzen, dann steigst du aber gleich wieder aus, Kumpel. Diesmal nichts davon. Nur die ängstlichen, dunklen Augen im Rückspiegel. Ein weichlicher Mann mit Turban, jung oder jung aussehend, mit der schreckhaften Leidensbereitschaft der vor kurzem Angekommenen. Sollte ich hier sterben, würde er die Hände zusammenschlagen und weinen. Sein erstes Weinen hier. Leicht kullernde Kindertränen. Die

Rettung müsste jemand anderes rufen. Eine resolute Rothaarige mit Handy. Aber keine Angst, freundlicher Mann, was Sie hier sehen, ist nur eine mittlere Attacke, gleich ist's besser. Panik ist nicht ---, Panik ist ---.

Beim ersten Mal denkst du noch, es ist ein Herzinfarkt, oder gar nicht, du bist zu jung, um so etwas zu denken, in der Restnacht nach deiner Abiturfeier, ich liebe dich, ich dich aber nicht, vielleicht war es auch nur ein Alptraum, einer, an den man sich nicht erinnert, nur dieses Gefühl ist geblieben, gleich sterbe ich. Verschwitzt kauerst du dich auf den Boden, mit der Stirn im Schmutz wie zum Gebet, wie bist du nackt geworden, keine Erinnerung, Sämtliches vom Leid, Korrektur: Leib gerissen, und immer noch das Gefühl zu ersticken, an nichts, an allem. Drück die Stirn gegen die Rückenlehne des Beifahrersitzes, gleich ist's besser.

Leider entsteht vorne im Sitz eine sichtbare Beule, der Fahrer wagt gar nicht hinzuschauen, was wächst da? Wenn jetzt auch noch das Winzigste passiert, springt er aus dem eigenen Taxi, hinein in den fühllosen Verkehr, vor die Räder seiner Kollegen, ein Kegel mit Turbankopf. Als könnte man vor der Beule, der Angst wegfahren, reißt er das Lenkrad nach links, der Wagen schleudert, in Abels Magen steigt eine Welle Übelkeit auf, aber er hält die Augen weiter fest geschlossen und den Kopf in den Sitz gepresst, bis der knarzende Druck gegen die Trommelfelle nachlässt. Auch so muss es der Fahrer mehrmals wiederholen, bis er ihn hört: Wir sind da. Das ist die Adresse.

Hebt den Kopf, auf der Stirn der Abdruck der Rückenlehne, und als käme er aus dem Schwimmbad, ansonsten ein ganz normales, moderates Gesicht. Fummelt in der Innentasche des Mantels, holt einpaar von seiner Scheidungsanwältin geliehene Scheine hervor – Ausgerechnet dir miesem Schnorrer werde ich was davon geben! –, zahlt, ein bisschen besser als normales Trinkgeld.

Eine Weile bleibt er einfach auf dem Gehsteig stehen, der Wind macht Flügelbewegungen mit seinen schwarzen Mantelschößen, der Fahrer schaut es sich während des Wendemanövers an. Heute habe ich einen Mann gesehen, der muss aus dem Himmel gefallen sein oder aus der Hölle gefahren, als er in das Auto einstieg, war er noch kein ganzer Mensch, er kämpfte auf der Rückbank um seine Form, grunzte und schwitzte sehr dabei, und später, als er auf der Straße stand, konnte man ihm ansehen, dass er fliegen kann, ein schwarzweißer Mann. Die Frau des Fahrers heißt Amina, sie schaut ihn aus großen Augen an, den Schweiß an seinem honigfarbenen Hals.

Beim ersten Mal denkst du noch –. Mit der Zeit bekommt man Übung. Der Wind ist wohltuend wie ein Kampferbonbon, eine Weile darin stehen, das ist gut. Nur einpaar Minuten, dann machte sich Abel auf den Weg nach oben.

Was es ist

Als er das Haus am Morgen verließ, echote der Radiowecker nebenan, der über eine Stunde vorher losgegangen war, immer noch durchs Treppenhaus. Jetzt ist es Nachmittag, still. Was man mit einem Supragehör still nennt. Während er vor seiner Wohnungstür steht und mit dem Schlüssel kramt, kommt es Abel zum Beispiel ganz deutlich so vor, als würde sich etwas oder vermutlich: jemand in der Nachbarwohnung bewegen. Was ungewöhnlich wäre. Normalerweise ist Halldor Rose montags um diese Zeit nicht zu Hause. Jetzt: als ob Schritte, Scharren. Abel registriert es und kümmert sich nicht weiter. Schließt die Tür auf, hinter sich wieder zu, zieht die verschwitzten Klamotten aus und die vor zwei Nächten frisch gewaschenen an. Sie riechen etwas nach Tasche und Waschsalon.

Und jetzt?

Der Computer ist ausgeschaltet, der Bildschirm staubig. Als wäre sehr lange keiner mehr hier gewesen, dabei ist es erst Stunden her. Das letzte unglaubliche Wochenende ist noch nah, ebenso wie alles andere. Alles ist hier, als wäre es Montag, Dienstag, Mittwoch, Donnerstag geschehen und heute wäre Freitag. In Wahrheit ist es immer noch Montag, ein gar nicht so später Nachmittag. Die Schnittwunde am Fuß pocht. Sich hinsetzen. Oder noch besser: legen.

Bevor sie aus den Fugen geraten, sind die Dinge meist unspektakulär. Man lebt, mal so, mal so. Von Abel Nemas bisherigen Versuchen ist das Leben in verschiedenen Gefängnissen und mannigfaltig gewalttätigen Beziehungen erwähnenswert. Zum Beispiel fährt man in die sogenannte Sommerfrische mit einpaar feindseligen Freunden, und dann.

Ja, fangen wir hier wieder an, bei der Tournee, das heißt: bei ihrem abrupten Ende, um das so viel Aufhebens gemacht worden ist; verständlich, wenn man die Umstände bedenkt. Über die Nacht nach ihrer Trennung im Kohlfeld weiß man nichts, später stand er in der Tankstellentoilette vor dem verschmierten Spiegel, sah sein Gesicht, daneben das Foto im Pass, ging hinaus, sah sich um, was sonst noch da war. Nicht viel: Straße, Bäume, weiter weg Häuser. Jetzt: überallhin.

Aber schließlich tat er doch nur das, was er in einem anderen Maßstab schon die ganze Zeit getan hatte. Er fuhr kreuz und quer durchs Land, respektive die angrenzenden, soweit er eben kam, ohne den Pass vorzeigen zu müssen. Ich habe eine neue Identität, benutze sie aber nicht. Kontra hatte auch Geld in der Tasche und sogar eine Bankkarte, aber Abel fuhr lieber per Anhalter. Was heißt: Anhalter. Nicht, dass er ein einziges Mal den Daumen rausgehalten hätte. Er ging vor sich hin, und die Leute hielten an und fragten, ob sie ihn mitnehmen konnten.

Wohin wollen Sie?

Egal.

Im Wagen klebte er mit der Wange an der Seitenscheibe, sah ausschließlich nach draußen: Himmel, Landschaft.

Sind Sie das erste Mal hier?

Mhm.

Wie sieht es dort aus, wo Sie herkommen?

Ganz ähnlich. Es ist dieselbe Klimazone.

Man unterhielt sich über Pflanzen und Tiere. Er, sagte ein schwarzer Mann mittleren Alters, sei hier geboren, dennoch habe er eine *gewisse Zuneigung* zur Vegetation *im Land seiner Ahnen*. In seinem Vorgarten *hege* er eine Bananenstaude. Später fragte er, wie nach ihm noch andere, ob Abel eine Übernachtung brauche. Er stellte ihn seiner Frau und seinen beiden Kindern vor, das Mädchen neun, der Junge fünf, und machte ihm auf einem hässlich gemusterten ausziehbaren Sofa im Hobbykeller, wo er selbst schlief, wenn er betrunken war, eigenhändig ein Bett. Ein Fluglotse bei der Armee.

Dem Nächsten war einfach *fad*, ein Mensch in meinem Alter, abgekauter, kleiner Schnurrbart, er fuhr in der Gegend herum, nur um ihn auflesen zu können. Er sprach einen kaum verständlichen Dialekt, abgesehen davon, hatten sie sich nicht viel zu sagen. Er schob eine Kassette ins Deck, darauf ein Kabarettprogramm, von dem Abel zunächst kein Wort verstand. Später wurde es besser, und irgendwann kam der Punkt, als er sogar lachen musste über einen gar nicht so guten Witz. Schnurrbart lachte dankbar mit.

Das nächste Mal war es eine Taxifahrerin, eine rundliche, blonde Frau, die ihn nach Schichtende mit hinaus aus der Stadt nahm, ich wohne lieber auf dem Dorf. Und Sie? Woher kommen Sie? Nein, ich meine, *vorher*. Sie haben ja überhaupt keinen Akzent. Wieso ich trotzdem gemerkt habe, dass es nicht lange her ist, dass Sie angekommen sind? Ach, doch schon so lange? Wollen Sie bei mir übernachten und mir alles über sich erzählen?

Und so weiter. Er wanderte wie eine Stafette von Hand zu Hand, als wäre es *irgendwo* so abgesprochen gewesen, gut organisiert, es war immer einer da. Der Letzte schließlich, ein trauriger alter Mann, brachte ihn bis zur Küste. Das war jetzt ein anderes Meer. Er saß auf einer Bank an der zugigen Betonpromenade, hinter ihm klatschte eine Reihe Staatsflaggen im Wind, Drahtseile gegen metallene Fahnenstangen schlagend: pling, pling. Die losen Ecken der Plakate auf einer nahen Litfasssäule klapperten trocken. Sie verwiesen auf Veranstaltungen in dem Tagungsgebäude hinter den Flaggen. Ein Zentrum, wie er es kannte, er hätte dort nach einem Job fragen können – Sicherheitshalber sagst du, du kannst nur vier Sprachen, maximal sechs, damit man dich nicht für einen … hält –, und siehe, wieder eine Möglichkeit, ein neues Leben zu beginnen. New, nieuw, nouvelle, nuovo --- Aber er wollte hier keinen Job haben. Das erste Mal, seltsam genug, empfand er so etwas wie Sehnsucht nach der Stadt, in der er die letzten Jahre gelebt hatte. Er kaufte sich ein Bus- oder Bahnticket, fuhr auf dem kürzesten Weg zurück und traf seine spätere Frau wieder.

In der zufälligen Begegnung sahen beide ein Zeichen – auch keine schlechtere Grundlage als andere. Ihre Freunde sind zwar die Pest, aber dafür ist der Junge da, und auch *sie* hat alles, was man braucht, ist knabenhaft und mütterlich, Arm in Arm kann man mit ihr vor offiziellen Organen stehen. Eine Weile lief auch alles gut, die erste Zeit funktionierte es/er fehlerlos. Abgesehen vom Sex, natürlich war ihm das aufgefallen, man müsste blind sein. Ehrlich gesagt, hatte er die Möglichkeit sogar in Betracht gezogen, wirklich voller Goodwill, anfangs mied er sogar die Klapsmühle – ein unnötiges Opfer. Alles in allem ist es nicht daran gescheitert. Irgendwann hatten sich einfach zu viele Merkwürdigkeiten angesammelt, da geht man besser auf Distanz. Aber zu ihrem Geburtstag würde er kommen, natürlich.

Er hatte einen Test an dem Tag, einen unserer bislang *spektakulärsten*, eine Art Simultanschachturnier, nur dass Ihnen hier keine Spielpartner gegenübersitzen, sondern Gesprächspartner. Dies ist Neuland auch für uns, bislang war es nur möglich, statische Bilder zu produzieren, unser Ziel muss es aber sein, den Prozessen auf die Spur zu kommen. Als er eintrat, wurde es still. Der Papst hat den Raum betreten. Überall Menschen, kein Gramm Luft. Könnte man ein Fenster öffnen? Man öffnete ein Fenster. Straßengeräusche. Als führe eine Kolonne Busse über die Brücke der Tische in der Mitte des Zimmers. Wir werden das Fenster wieder schließen müssen. Schließe jemand das Fenster, bitte, danke. Vom Prinzip her ist die Übung einfach, in der Ausführung um so schwieriger, wenn Sie müde werden, sagen Sie es, wobei es auch darum geht, dass Sie müde werden, wie sich die Switchfähigkeit mit wachsender Müdigkeit ändert, Sie verstehen. Er nickte. Heiterkeit im Raum. Der Zehnsprachenmann hat genickt. Studenten an Aufnahmegeräten und EEG, so geht es mehrere Stunden lang, armer Affe, von L1 zu L2 zu L3 zu L1 zu L5 zu L7 zu. Innerhalb von und zwischen Sprachfamilien, von welcher zu welcher ist es einfacher, schwieriger, wo mischen sich Wörter, welche Sprache verabschiedet sich als Erste. Nacheinander verabschieden sich alle Sprachen. Können. Wir. Aufhören. Bitte. Applaus, gratuliere, wirklich ganz, ganz, außergewöhnlich, danke, danke, danke, auf Wiedersehen, danke, soll ich Ihnen ein Taxi rufen?

Sechs Stunden Tests, anschließend zurück ins Bahnhofsviertel, eine schnelle Dusche nehmen, eventuell ein Nickerchen. Er öffnete den Briefkasten. Eine sinnlose Gewohnheit. Die offizielle Post ließ er sich zu Mercedes schicken, privat schrieb ihm außer seiner Mutter niemand, und diese schickte ihre Brief per Land und Wasser, bis sie ankamen, hat sie das meiste schon am Telefon erzählt. Vielleicht war der Kasten auch gerade am Bersten von der Werbung der letzten Tage. Als er ihn öffnete, kam ihm alles entgegen, der ganze bunte Wust und mit ihm der zerknitterte Briefumschlag mit Miras Schrift. Er öffnete ihn mit dem kleinen Finger, während er Treppe um Treppe fünf Etagen hochging, eine kleine Ablenkung. Hinter ihm blieben kleine Papierfetzen liegen.

Ein Blatt Papier, ein Stück Zeitungsseite. Verschwunden an einem Julitag vor sieben Jahren: I. Bor, blutjunger Mediziner, im Dienste seiner Mitmenschen, unter ungeklärten Umständen, um seine unauffindbaren Knochen trauern Freunde und Familie.

Ich schätze, *nun* kann ich wirklich aufhören, dich zu suchen.

Dass er wohl als Nächstes zurückfahren würde, dachte Abel, als er auf der Bank vor dem Kongresszentrum saß. Sah sich noch einmal um, was gebe ich hier auf. Nichts: Fluss, Beton, Fahnen, Plakate. Bis er, jetzt!, endlich realisierte, was auf dem Plakat, auf das er die ganze Zeit gestarrt hatte, stand: Nächster Vormittag, ein Vortrag, Posttraumatische Belastungsstörungen, Referent: Dr. Elias B. R.

Er wachte auf der Bank die Nacht durch. Die Geräusche des Flusses in der Nacht. Das Klocken des Wassers an den Ufersteinen. Schiffe, möglicherweise. Etwas von der Stadt vielleicht, Lichter, Geräusche, eher fern. Das unermüdliche Plingpling der Fahnen. Später ging die Sonne auf. Natürlich. Nebel. Erste Passanten. Manche schauten vielleicht zu ihm herüber. Sitzt da wie ein Ölgötze.

Er war die ganze Zeit wach, und dann, kurz bevor es Zeit gewesen wäre, sich auf den Weg zu machen, eine Toilette suchen, sich ein wenig frisch machen, Gesicht, Hände hauptsächlich, sich erkundigen, wie komme ich zu dem und dem Vortrag: schlief er ein. Er verschlief den gesamten Vortrag. Als er aufwachte, war es schon Nachmittag. Er hatte einen Sonnenbrand und eine Erkältung. Er unternahm einen (fruchtlosen) Versuch, wach und klar zu werden, kippte dabei zur Seite um und blieb liegen in der großen Zugluft, die vom Wasser kam. Passanten kamen und gingen, er lag auf der Bank, konnte sich nicht rühren, nicht nachschauen, ob *er* dabei war. Das erste Mal seit meiner Kindheit, dass ich krank werde. Das erste Mal, dass Abel Nema daran dachte, dass man, er, *wirklich* sterben könnte. Dass das *aus so einer Nähe zu erleben* möglich wäre. Eventuell wünschenswert, weil am einfachsten. Liegen bleiben, bis ich austrockne wie ein zusammengerolltes Blatt und hinuntergeweht werde zwischen die Steine.

Aber nein. Nicht so billig. Das hier, verdammt noch mal, ist noch nicht einmal das Meer. Nur ein Fluss, eine Mündung. Er richtete sich auf, setzte sich hin, wie es sich gehört. Das Gesicht brannte, der Hals kratzte, er schloss die Augen. Er beschloss, gesund zu werden, und wurde innerhalb einer halben Stunde gesund. Ein wenig schwach, allerhöchstens, fühlte er sich noch. Trinken. Trinken ist immer gut. Er ging in das nächstbeste Café, es war ein Internetcafé. Er kaufte sich eine halbe Stunde und gab den Namen auf dem Plakat in die Suchmaschine ein.

Das Ergebnis lag im dreistelligen Bereich. Publikationen, Vorträge, Programmhinweise. Der Mann war seit fünf Jahren aktiv. Könnte gut in meinem Alter sein. Ist er aber nicht. Nach einpaar Versuchen fand sich eine Biographie mit Foto: Mann mittleren Alters, Brille, Vollbart. Da hatte er noch eine Minute. Er zögerte, dann tippte er mit zitternden Fingern – die Eile! – »Andor Nema« ins Feld. Anschließend sah er zu, wie die Uhr sekundenweise rückwärts gegen 0 lief, und auf dem Bildschirm stand dasselbe: 0 Ergebnisse.

In der einen Hand Miras Brief, in der anderen der Schlüssel. Aus der Nachbarwohnung sickerte schmalzige Musik. Er öffnete die Tür, schloss sie hinter sich.

Später fand er sich auf dem Boden kauernd wieder, wie ist er nackt geworden, keine Erinnerung, hinter den Fenstern pockennarbiges Licht, wütende Winde, er krümmte sich um sein rasendes Herz, das war schon einmal so, lange her, ich wohnte noch in einem Schrank. Er schlug mit der Stirn auf den Teppich, Schmutzkrümelchen blieben auf der Haut kleben, rieselten herab. Atemnot, husten, trinken, Wasser aus dem Hahn trotz Schluckbeschwerden, wieder husten oder doch nicht, das macht es nur noch schlimmer. Irgendwann rappelte er sich soweit auf, dass er sich auf den Balkon hinaustasten konnte. Er setzte sich auf den Rost, in den Fahrtwind, atmete durch den Mund und sah zwischen den zugigen Gitterstäben den Waggons zu, die ziehen, ziehen, ziehen, Kohle, Getreide, Abfall, Menschen, jetzt ist gut, jetzt ist gut.

Er ging ins Zimmer zurück, nahm eine Dusche, fuhr zur Party seiner Frau. Der Rest ist bekannt. Zurück ging er zu Fuß. Wenn es schlimmer wurde, blieb er stehen, stützte sich auf, atmete, bis es wieder besser wurde. Einmal drückte er die Stirn gegen eine Telefonzelle. Der Abdruck hatte die Form eines Schmetterlings. Seitdem lebt er zurückgezogen. Die Hälfte der Zeit in der Klapsmühle, die andere Hälfte übersetzt er skurrile Geschichten. Die Welt ist voller Verrückter. Man hält sich über Wasser. Vom Nachbarn ist die meiste Zeit nur die Musik zu hören. Stört sie? Nein. Nichts. Egal.

Noch Fragen

Die Aufgabenstellung für die nächsten Tage war soweit klar. Eins: Papiere ersetzen. Angenehm ist das nicht, allerdings auch nicht unlösbar, wenn man sich ein wenig zusammenreißt. Wieder andererseits ist das nichts, was nicht bis morgen warten könnte. Oder übermorgen. Oder, sagen wir, Donnerstag, wenn ich sowieso wieder hinaus muss (zwei): Omar im Park treffen. Seit einem Jahr der einzige feste Termin der Woche.

Bis Donnerstag, flüsterte Omar auf den Treppen vor dem Gerichtsgebäude in der Deckung von Abels Profil in dessen Ohr. Abel antwortete nicht, drückte nur seine Hand etwas fester.
Also, sagte Omar ein Jahr zuvor zu seiner neuen Französischlehrerin, der Deal geht so: Sie bekommen das Geld, dafür unterrichten Sie mich nicht. Mein Stiefvater unterrichtet mich. Wir bleiben auf dieser Bank dort sitzen, im Park, sofern es das Wetter erlaubt. Sie können uns von Ihrem Fenster aus sehen. Ich bleibe vierzig Minuten bei ihm. Danach komme ich zu Ihnen zurück und erzähle Ihnen in fünf Minuten, was ich heute gelernt habe. Und Sie erzählen es auf Aufforderung meiner Mutter.
Ich weiß nicht, sagte die Lehrerin, ihr Name ist Madeleine, ich weiß nicht, ob ich das ver…
Wir rühren uns nicht von der Bank. Wir reden nur.
Im Winter wird es um diese Zeit schon dunkel, und man kann nichts sehen. Entschuldigen Sie, sagte Madeleine in einen Mantel gehüllt. Aber das geht so nicht. Kommen Sie bitte in die Wohnung.
Einmal war Mercedes zu früh gekommen, um den Jungen abzuholen. Madeleine versteckte den Mann im fensterlosen Bad. Schlechte Idee, was, wenn sie es benutzen will. Will sie nicht. Hinterher entschuldigte er sich für die Unannehmlichkeiten.
Was haben Sie verbrochen? Sie wollte es fragen, fragte es doch nicht. Später wurde es wieder Frühling. Sie saßen wieder auf der Bank.
Kann ich dich was Persönliches fragen? fragte Omar. Respektive: *Darf* ich es?
Abel lächelte: Ja und ja.
Wen hast du am meisten in deinem Leben geliebt?
Wie aus der Pistole geschossen: Ilia. Sag das nicht. Sage, was der Wahrheit am nächsten kommt: Das bist du.
Bei mir ist es Mercedes, sagte Omar.
Abel nickte verständnisvoll. Natürlich. Schließlich ist sie deine Mutter.

Pause.

Warum? fragte Omar.

Was warum?

Warum liebst du mich?

Ich weiß nicht. Es ist einfach so.

Hm, sagte der Junge. Ich habe dasselbe gesagt.

Wie lange wird das noch so gehen? fragte Omar letzte Woche.

Ich weiß es nicht.

Du sagst immer: Ich weiß es nicht.

Weil ich es nicht weiß.

Zuerst dachte ich, das sei ein Zeichen dafür, dass du weise bist.

Und heute?

Heute weiß ich es nicht mehr. Mit der Zeit weiß ich immer weniger. Früher dachte ich, die Klugheit würde eines Tages meinen Kopf sprengen. Mittlerweile denke ich, dass diese Gefahr nicht mehr besteht. Das muss damit zu tun haben, dass ich bald in die Pubertät komme. Wahrscheinlich wird sich auch meine Persönlichkeit verändern. Ich werde vielleicht nicht mehr mit dir hier sitzen wollen. Klar ist jetzt schon, dass du dich mehr auf mich stützt, als ich mich auf dich.

Pause.

Entschuldige, sagte Omar. Ich will dir nicht weh tun.

Tust du nicht.

Doch. Gib es endlich zu.

Es tut mir Leid, sagte Abel. Dass ich dich enttäuscht habe.

Das hast du nicht.

Doch. Gib es zu.

Na schön. Gebe ich es eben zu.

Pause.

Weißt du, das sind schwierige Sachen, sagte Abel. Kompliziert.

Ja, ich weiß, sagte der Junge. Entschuldige.

Nein, sagte Abel. Ich muss mich entschuldigen.

Nein, sagte Omar. Was soll's. So ist das Leben.

Er drehte seine Handfläche, die zwischen ihnen auf der Bank lag, nach oben, Abel legte seine Hand drauf.

Wenn wir schon dabei sind, sagte Omar nach einer Weile: Im Grunde interessiere ich mich nicht für Sprachen. Ich kann sie lernen, aber ich habe keinerlei Gefühl für sie.

Je sais, sagte Abel. Das macht nichts.

Lächeln.

Bis Donnerstag waren es noch drei Tage. Abel blieb liegen.

Jedes Mal, wenn ein neuer Versuch in der Sackgasse landete, gab es diese Zeit des Nichts. Das ist weder angenehm noch effizient, andererseits steht einem offensichtlich nichts anderes zur Verfügung. Üblicherweise schloss er die Augen, wie man es tut, um besser nachdenken zu können. Einen Gedanken fassen, der etwas anderes ist als Tod, oder meinetwegen auch nichts anderes, dann eben das, irgendwas, wenn schon keine endgültige, dann bitte wenigstens eine erträgliche Lösung. Später verlor er meist das Bewusstsein oder schlief ein, der Unterschied ist für jemanden, der niemals träumt, schwer festzustellen. Als er wieder zu sich kam (aufwachte), hatte er meist eine neue Idee: für einen neuen Job oder etwas anderes, einen neuen Menschen.

Diesmal: nichts davon. Er blieb wach. Hinter dem Küchenschrank ging es immer noch auf und ab. Manchmal hob Musik an, brach wieder ab. Als suchte jemand nach etwas und fand es nicht. Wenn ich schon nicht schlafen kann und die Klapsmühle auch geschlossen hat, könnte man wenigstens ein wenig draußen herumlaufen. Block um Block, bis man nicht mehr weiter weiß. In der eigenen Stadt nach dem Weg fragen. In knapp einem Dutzend lebender Sprachen. Oder nicht nach dem Weg fragen. Es in Gottes (?) Hand legen, bis sich genügend Ruhe oder Erschöpfung gesammelt hat, und die Sache wäre für heute gelöst. Doch diesmal war das aus objektiven Gründen, einem aufgeschnittenen Fuß, nicht möglich. Die Ränder der Wunde unter dem rechten Fußballen hatten sich mit dem Stoff des Taschentuchs verbunden, das er drum herum gewickelt hatte, und durch dieses hindurch mit der Socke. Darum müsste man sich auch kümmern, ein neues Tuch auflegen, wenigstens. Oder sehen, ob man's nicht heilen kann. Einmal ist es schon gelungen, wenn es auch nur eine Erkältung war. Vielleicht öffnen sich an diesem Punkt ganz neue, wenn auch etwas okkulte Perspektiven? Aber schließlich tat er nichts. Er blieb einfach wach und wartete.

Später war wieder Sonnenuntergang, und er bewegte sich wenigstens bis zum Balkon.

Der Balkon besteht eigentlich aus zwei Balkonen, zwei winzige Kästen, durch eine löchrige Trennwand geteilt. Manchmal, wenn der Nachbar herauskommt, um zu rauchen, begegnet man sich.

Was machen Sie?

Übersetzungen. Sie?

Chaosforschung.

Was rauchen Sie da?

Heiligen Salbei.

Was macht er?

Das letzte Mal eine Kanufahrt über den Amazonas. Wenn Sie so was mögen.

Ich kann nicht berauscht werden.

Sie haben nur noch nicht das richtige Mittel gefunden.

Kann sein.

Wollen Sie probieren?

Ich kann auch nicht rauchen.

Na, wenn das so ist. Entschuldigen Sie, ich glaube, es geht los, ich gehe besser rein.

Das war im Grunde alles.

(Verzeihen Sie. Ich will Sie nicht ... Aber Sie knien jetzt schon eine ganze Weile nackt auf dem Balkon und röcheln. Geht es Ihnen nicht gut?

Dochdoch, sagte A.)

Entschuldigen Sie, sagte es jetzt wieder aus dem Dunkel hinter der Trennwand. Eine Frauenstimme. Hat sich Halldor Rose in eine Frau verwandelt? Nein. Ich bin seine Schwester Wanda. Könnten Sie vielleicht kurz herüberkommen? Es sei denn, Sie sind gerade beschäftigt.

Nein, eigentlich nicht.

Der Himmel über unserer Sackgasse

Als er zur Tür gehinkt kam, stand sie schon auf der Schwelle. Frappierende Ähnlichkeit. Blonde Haare, rote Wangen, Hakennase, kräftige Augenbrauen, grüne Vogelaugen knapp darunter. Schaut mich streng an.

Mein Bruder Halldor, Ihr Nachbar, ist seit drei Tagen verschollen. Ich weiß nicht, ob Ihnen das aufgefallen ist. Das heißt, sagte sie, er ist verschollen *gewesen*. Jetzt ist er wieder da. Ist wieder da und behauptet ... Behauptet, die letzten drei Tage leibhaftig im Himmel gewesen zu sein. Himmel wie Himmelreich. Verstehen Sie?

Wegen des Fußes stand er praktisch auf einem Bein da, sie musterte ihn. Ob ihm, dem Nachbarn, etwas aufgefallen sei an H. R.

Abel dachte gewissenhaft nach und sagte: Nein.

Ich dachte, Sie wären befreundet gewesen.

???

Kommen Sie, sagte Wanda, ich möchte Ihnen etwas zeigen.

Kein Gedanke zu widersprechen.

Das erste Mal, dass er die Nachbarwohnung sah. Ein Bett, ein Tisch, auf dem Tisch ein Monitor.

Das lief schon, als ich kam, sagte Wanda. Zuerst dachte ich, es wäre der Fernseher, aber es ist der Bildschirmschoner. Dahinter stecken lauter Dateien mit wissenschaftlichem Zeug, das ich nicht verstehe, sowie Bilder nackter, vollbusiger Frauen. Nun gut, daran gibt es nichts nicht zu verstehen, wenn es mich auch immer wieder überrascht, wie sehr sich der Geschmack von Bauerntölpeln und Genies, sofern es Männer sind, auf diesem Gebiet gleicht, was soll's, das wolle sie gar nicht wissen. Sie habe nach etwas Persönlichem gesucht, mögen Sie das nun verurteilen oder nicht, kaum kommt man in die Irrenanstalt, schon wühlt einer in den persönlichen Sachen, ob vielleicht eine Erklärung, ein ... Brief. Aber da ist nichts, kein Wort, nur Formeln und Fleisch und das hier. Sie schaue es sich nun seit mehreren Stunden an, in dieser Zeit habe es sich Dutzende Male wiederholt, und ebenso drehten sich ihre Gedanken im Kreis, kurz: Ich verstehe es einfach nicht. Ich verstehe es nicht. Können Sie es mir vielleicht erklären?

Einmal, Wochen her, musste Abel die Arbeit unterbrechen, weil etwas gegen sein Fenster geflogen war. Ein Vogel. Eine Vogelleiche auf dem Balkon. Wohin damit? Oder nur benommen. Wohin damit?
Aber nein. Es war ein Irgendwas. Ein Flugroboter mit orangefarbenen Tischtennisbällen an den Enden von so was wie Beinen. Vorne war mit Isolierband eine kleine Kamera befestigt.
Verzeihung, sagte Halldor Rose über die Trennwand hinweg. Abel beugte sich vor und reichte das Etwas hinüber.
Danke, sagte H. R. Die Steuerung funktioniert nicht richtig.
Abel schaute sich an, was vor ihnen lag, und fragte, was er denn hier damit aufnehmen wolle.
Den wackeligen Flug Richtung Mauer, Schienen, hauptsächlich aber Himmel. Wollen Sie ihn sehen?

Er hat Aufnahmen vom Himmel gemacht, sagte Abel zu Wanda. Auf den wenige Sekunden langen, in viereckige Pixel zerfallenden Aufnahmen ist der Himmel grün und die Erde orange. Ab und zu geraten die Schienen dazwischen. Die Aufnahmen sind teilweise so wackelig und zerstückelt, dass es aussieht, als würden die Waggons über den Himmel fahren. Sie hopsen zwischen den Wolken
Da! Wanda zeigte triumphierend auf den Bildschirm. Abels Kopf und Hand blitzten für Augenblicke an der Unterkante des Bildes auf.
Ja, sagte Abel. Das.
Hören Sie, ich verstehe, dass Sie sich Sorgen machen, aber Sie müssen auch mich verstehen, ich habe unzählige harte Nächte und Tage sowie eine frische Panikattacke hinter mir, ehrlich gesagt würde ich jetzt lieber gehen und mich schlafen legen, sagen wir, für die nächsten zehn Jahre ...
Natürlich war mitnichten die Zeit dazu, so etwas zu sagen. Wanda führte das Verhör unbeirrt streng weiter:

Und was ist das?

Plastiksäckchen, sie hatte sie in der Küche gefunden, mit was drin? Gewürze? Samen? Sie las von kleinen weißen Aufklebern ab: Acorus, calamus, lophphora williamsii, salvia divinorum, psilocybe cyanescens, amanita muscaria, atropa belladonna. Hä?

Ich nehme an, es sind psychoaktive Pflanzen, sagte der Befragte brav.

Das weiß ich auch, sagte sie. Belladonna. Jeder Bauer kennt es. Von den anderen weiß ich nichts. Die Tüte mit dem mexikanischen Kaktus ist leer. Nichts, als ein bisschen Schmutz. Wenn er das alles genommen hat ... Kann man davon sterben?

Abel weiß es wirklich nicht.

Wanda warf die Säckchen auf den Schreibtisch, kreuzte die Arme vor der Brust, sah sich in der Wohnung um: Wie könnt *ihr* nur so leben?

Wie auch immer, sagte sie schließlich. Er ist nicht tot. Sondern lebt und wirkt völlig normal, bis auf den Umstand, dass er daran festhält, im Himmel gewesen zu sein. Wir sind nicht einmal religiös.

Sie sah durchs Fenster. Diesen Himmel an. In Abels Wohnung klingelte das Telefon. Man weiß nicht, ob sie es auch hören konnte, sie zeigte es durch nichts an. Eines der Säckchen rutschte vom Tisch. Abel hob es auf.

Wir sind sechs Geschwister, sagte Wanda zum Fensterglas. Ich bin die Älteste, Halldor ist der Jüngste. Wir sind alle miteinander Kartoffelbauern. Wir reden von morgens bis abends über Kartoffelanbau oder über unsere Kinder und, natürlich, über die Krise, in der wir stecken. Unser einziger Abnehmer, ein Pommes-frites-Hersteller, nimmt uns nicht genug Ware ab. Die Hangars sind voll. Zum Glück hat man die Familie, seit acht Monaten verzichten wir aufs Gehalt und essen Kartoffeln. Wie lange kann eine Familie von zwanzig Personen von viertausendfünfhundert Tonnen Kartoffeln leben? Bis sie verrotten. Wir klagen nicht, wenn es gut läuft, werden wir Millionäre, aber wir können eben über nichts anderes reden. Und Halldor? Halldor kann über nichts anderes reden als über sein Chaos, und keiner von uns versteht auch nur ein einziges, beschissenes, Entschuldigung, Wort. So sieht es aus. Wir lieben ihn. Er ist unser ... Gott. Verstehen Sie. Dabei sind wir gar nicht gläubig. Er ist das, was wir nicht begreifen. Die Worte, die wir an ihn richten, kommen uns wie Gestammel vor. Er ist unser Idol, wir lieben ihn, wir verwöhnen ihn, seitdem er auf der Welt ist, aber gleichzeitig fürchten wir uns und würden uns am liebsten vor ihm verstecken. Wenn wir in die Stadt kommen, besuchen wir ihn immer seltener. Ich war noch nie in dieser Wohnung. Und er besucht uns nicht. Seit wann kennen Sie ihn?

Drei Jahre.

Haben Sie in dieser Zeit irgend jemanden hier gesehen?

Nein. Aber er hatte auch nicht darauf geachtet.

Mein Herz bricht, sagte Wanda und sah wieder zur Balkontür hinaus. Die Himmelstücke flimmerten hinter ihrem Profil.

Später ging Abel in seine eigene Wohnung zurück. Der Anrufbeantworter zeigte einen Anruf an.

Insgesamt sieben, nein: sechs Personen kennen diese Nummer. Will ich im Moment von wenigstens einer davon eine Nachricht bekommen? Was sagt die Erfahrung? Die Erfahrung sagt, man weiß besser gleich, was es zu wissen gibt. Er drückte den Knopf.

Freitag, sagte die Stimme. Der und der Zug.

Als Ilia *endgültig* starb, hatte ihn das mit einer Wucht getroffen, dass er aus seiner Umlaufbahn flog, mit einem Knall auf dem harten, grauen Fußboden aufkam und praktisch nicht mehr aufstand. Als man ihn vor kurzem anrief, um ihm dasselbe über Kinga mitzuteilen, war es quasi wie nichts. Es schmerzt mich selbst, aber es ist die Wahrheit.

Man hatte sich schon seit einer ganzen Weile aus den Augen verloren. Seit der Drachengeschichte hatte sie sich nicht mehr gemeldet. Er dachte manchmal an sie, rührte sich dann aber doch nicht. An dem Tag, als Ilias Todesnachricht kam, war sie die Erste, die ihm einfiel. Nachdem der Anfall vorbei war: die Erste. Hinfahren. Den Kopf in ihren Schoß legen. Sämtliche Drogen im Haushalt konsumieren. Zungenküssen. Aber dann schien für den Moment die Geburtstagsparty die weniger schmerzvolle Alternative zu sein. Später, als er sich von den *Skandalen*, die diese Entscheidung nach sich zog, erholt hatte, ging er nach Kingania, aber sie wohnten nicht mehr da. Er presste das Ohr an die Tür und hörte, dass dort seit einiger Zeit niemand mehr wohnte. Nur ein Berg aus Gegenständen, den sie zurückgelassen hatten. Im Internet kam ihr Name nicht vor, auch über die Musiker fand er nur Hinweise auf alte Auftritte. Vielleicht hatten sie die Stadt inzwischen verlassen. Das war's also. Damit hatte er im Grunde keine Kontakte mehr. Ab jetzt wechselte er ein Jahr lang außer gelegentlich mit dem Nachbarn und dem Wirt Thanos praktisch mit niemandem mehr ein Wort.

Später klingelte das Telefon.

Ist dort Abel N.?

Er hätte nicht sofort sagen können, welcher der Dreien es war.

Sie ist aus dem Fenster gesprungen, sagte die Stimme. Nur für den Fall, dass es dich interessiert. (Das hörte sich nach Janda an. Herzklopfen.)

Das interessiert mich allerdings.

Wann?

Gestern vor einer Woche.

Pause.

Wann ist die Beerdigung?

Es gibt keine Beerdigung.

Schweigen. Was habt ihr vor? Sie in den Fluss zu schmeißen?

Wir schicken die Asche nach Hause. (Das ist jetzt wieder eher Andre.) Sie wollte verstreut werden.

Verstehe. Wann?

Weiß noch nicht. Wir haben das Geld noch nicht zusammen.

Aus keinem anderen Grund haben sie angerufen.

Wie viel?

Weiß nicht. Fünfhundert?

Pause.

Wenn ihr mir sagt, wann. Mit welchem Zug.

Pause. Nur ein Hauch. Aber doch: Pause.

Wir wissen es noch nicht. Wir rufen an.

Er glaubte ihnen nicht, aber er sagte: In Ordnung.

Mein Beileid, sagte Thanos. Wie viel brauchst du?

Da schuldete er ihm schon zwei Monatsmieten. Diese seltsamen Storys bringen weniger ein, als man denkt.

Nicht dünn mit Vogelkopf und auch nicht untersetzt mit einer viereckigen Stirn, weder Janda noch Andre, Kontra war es, der kam, um das Geld zu holen. Sie trafen sich auf der Straße, Geldübergabe auf neutralem Terrain. So alleine, aus seinen Zusammenhängen gerissen, machte er einen seltsamen Eindruck. Abel schaute zur Straßenecke, ob die anderen vielleicht hinterher kamen, aber niemand kam mehr.

Sie habe seine Kanne aus dem Fenster geschmissen, erzählte Kontra. Sie haben sich über irgend etwas gestritten, das Übliche, sie brüllte: Ich bin also verrückt, ja? Ich werde dir zeigen, wie verrückt ich bin! Und paff, die Kanne durchs offene Fenster auf den Hof der Stromgesellschaft. Während es noch scheppterte, packte Janda sie am Kragen und fing an, sie zu ohrfeigen: Vorhand, Rückhand, Vorhand, Rückhand. Und dann waren wieder alle vier ineinander verknäult, wälzten sich auf dem Boden. Am Ende nur noch sie drei, Kinga hatte sich freigestrampelt, saß mit dem Rücken zur Wand unter dem Fenster, schluchzte, ihr Zahnfleisch blutete. Janda riss sich los, Andre, auf dem Boden liegend, griff noch einmal nach seinem Fuß, erwischte ihn aber nicht mehr, lag zwischen Gerümpel auf dem Boden und brüllte schluchzend: Ihr seid völlig wahnsinnig! Nicht normal! Klinische Fälle! Er blutete aus einem Kratzer neben dem Auge. Er wischte darüber. Noch einmal, sagte er nur noch zu Kinga, die ihr Blut schluckte, gehe ich nicht dazwischen. Meinetwegen bringt ihr euch um. Und jetzt gehe ich nach Hause zu meiner Familie! Kontra blieb. Später ging er in den Hof hinunter, kletterte über die mit Glasscherben bewehrte Mauer in den Nachbarhof und holte die Kanne zurück. Setzte sich in die Küche, versuchte, sie geduldig gerade zu klopfen. Daraus wird kein Instrument mehr, trotzdem, er hörte nicht auf zu klopfen. Sie saßen in der zunehmenden Dunkelheit. Klopf, klopf, klopf. Er blieb über Nacht, aber am nächsten Morgen ging auch er.

Eine stürmische Liebe von zwanzig Jahren, sagte Kontra. Ich glaube nicht, dass sie sich noch einmal sahen. Kurz darauf heiratete sie einen feinen, älteren homosexuellen Herrn, bei dem sie putzen ging und der ihr das schon früher angeboten hatte. Bekleider in einem großen Kaufhaus, Sammler hässlicher Möbel mit Holzschnitzereien. Er habe ein Zimmer bei sich für sie eingerichtet, sie könne da wohnen, wenn sie wolle, sie müsse es aber nicht. Ich muss gar nichts, sagte sie zu Andre, der sie einmal durch Zufall auf der Straße traf. Das war das letzte Mal, dass man sie sah. Sie habe jetzt auch eine Versicherung, sagte sie, ein Arzt habe ihr Medikamente verschrieben, in wenigen Wochen wird sich ein entsprechendes Depot im Körper gebildet haben. Bevor es soweit war, sprang sie aus der Küche, auf die abgewandte Seite des Hauses, in den Hof.

Pause.

Wie es den anderen beiden ginge, fragte Abel.

Den Umständen entsprechend, sagte Kontra. Andre hat immerhin seine Familie. Seine Tochter ist schon zwei Jahre alt. Abel wusste gar nicht, dass er jemanden hatte.

Woher auch, sagte Kontra.

Jetzt war der Moment, das Geld zu übergeben. Kontra steckte sich die Scheine in die Hosentasche, behielt die Hand gleich drin. Sagte auf Wiedersehen und ging.

Wie soll ich das erklären, sagte Kinga früher einmal, was das ist, diese Kehrseite unserer Tapferkeit. Wer das nicht selbst erlebt hat. Manchmal ist es zum Verzweifeln, wie mit Blinden über Farben, andererseits kann man es auch nicht ändern, entweder hat man das, oder man hat es nicht, und dann versteht man's oder versteht es nicht, aber im Grunde ist es auch egal, schau, ich habe es verstanden und was hat es mir genützt? ---

Abel saß einige Minuten neben dem Telefon und holte dann erst das Säckchen aus seiner Tasche, das er aufgehoben, aber dann nicht wieder auf H. R.s Tisch gelegt hatte. Amanita muscaria. Gewöhnlicher Fliegenpilz. Hinter dem Küchenschrank immer noch Wandas Geräusche. Eins: Papiere, zwei: Omar, drei: Asche. Aber dann entschied er sich doch, nicht mehr so lange zu warten.

ZENTRUM

Delirium

Und ich – also: Ich – kniete mich nicht zwischen Kloschüssel und Wanne auf das klamme Linoleum, und ich flehte nicht zum einen Gott, er möge mir helfen und verzeihen oder verzeihen und helfen, aber ich nahm die Milch, gab sie in ein Gefäß, meinen einzigen tiefen Teller, vermischte sie mit dem gesamten Inhalt der kleinen Tüte und wartete. Nachdem ich eine gewisse Zeit gewartet hatte, nahm ich die braun marmorierte Milch, trank sie und sprach: --- nein, fiel wie dokumentiert nach Zuckungen, Schummrigkeit, Übelkeit und Taubheitsgefühl in den Füßen in einen Halbschlaf. Als ich wieder aufwachte, lag ich über die Erde verstreut.

Was und wo bin ich? Unter freiem Himmel nicht, dieser Plafond ist kein Sternenzelt nicht. Es ist dunkel wie in einem Souterrain, aber der Wind hört sich an wie in oberen Etagen. Das hört hier niemals auf, das Haus steht im Windkanal oder auf einer Anhöhe, die übrigens nicht natürlichen Ursprungs ist. Die Prunkbauten der Vergangenheit sind die Steinbrüche für die nächstfolgende unterprivilegierte, Korrektur: unkultivierte, Korrektur: … Gesellschaft. Wer auf Schutt baut. Kann aber auch sein, dass dieses Pfeifen nur in meinen Ohren ist, wo sie jetzt auch immer sein mögen. Sibirische Schamanen beschreiben es: als läge man in Brocken zerteilt. Wo ist mein Bein, mein Kopf, meine Hand. Ist dieses versteinerte Glied meins? Dieser archaische Torso? Gefallen sind die Helden des Parthenon und die heidnischen Götzen, nichts als ein paar Krümel, in alle Winde geraubt, Regale voller Füße, links, rechts, Nasenlöcher, Ellenbogen. Gott allein weiß um das Ganze. Das ist nicht meine Wade, das sind nicht meine Hoden, diese Brüste nehme ich gern. Wenngleich die meisten Teile mit Styropor ergänzt worden sind. Überall Risse. I'm puzzled. Habe ich immer schon in einem Magazin alter Funde gehaust?

Einmal, wenigstens, war ich hier schon gewesen. Würde mich wundern, wenn nicht. Meine Mutter war Lehrerin, sie legte großen

Wert darauf, mir den Barbaren auszutreiben. Rokokokoko, sage ich, und streiche mir durchs stilisierte Haar. Vorausgesetzt, die Umstände lassen das zu. Indem zum Beispiel eine Hand da ist und Haar. Steinerne Löckchen, dazwischen kurvt lockerer Taubendreck, läuft in die immer offenen Augen. Trotzdem kann ich nicht bis zu meinen Füßen sehen. Steif wie nach einem Genickschuss. Das kommt vom vielen Sitzen. Im Grunde brauche ich die Füße nicht. Ich verteile meine überflüssigen Organe an die Bedürftigen der Welt. Aber die Hände, wenn ich die wiederbekommen könnte. Ich muss arbeiten. Ich arbeite sehr viel. Das allein macht mich, ich weiß, noch (lange) nicht zu einem rechtschaffenen Menschen. Ich bin es einfach gewöhnt, es zu erwähnen. Wobei ich annehme, dass das wohl hier, jetzt keine Rolle spielt. Was spielt eine Rolle?

Es gibt Fenster, aber man kann durch sie nicht sehen. Sie klemmen zu weit oben unter der Decke, außerdem ist die untere Hälfte immer aus Milchglas. Natürlich fehlen die Klinken. Es gehört zu den Pflichten des Hausmeisters, sie abzumontieren. Jeden Morgen montiert er als Erstes die Fensterklinken ab. Seine Hosentaschen sind schwer, die Klinken klappern, bohren sich ihm in die Schenkel, er kann kaum die Beine heben, trotzdem ist er in nullkommanichts hinter einer Tür verschwunden, bevor man ihn was auch immer fragen kann. Zurück bleiben die zirpenden Neonröhren an der Decke und wir. Mein direkter Nachbar ist ein sich die Sandale bindender Hermes. Na, immerhin.

Hier vergeht etwas Zeit. In dieser passiert und bewegt sich nichts. Es ist nicht ausgeschlossen, dass wir Jahrhunderte so ausharren müssen, während man uns betrachtet. Süße Knaben auf Klassenfahrt, sie kauen am Ende ihrer Stifte, machen kleine Zeichnungen in große Notizblöcke und knappe Notizen, die sie später nicht mehr verstehen. Und schon ziehen sie weiter in ihren zu großen Kleidern, rascheln hinaus. Sehnsuchtsvoll schaue ich ihnen nach. Weg, sie sind weg. Wieder nur Styropor und Stein.

Später wird es Nacht, und ich werde lebendig wie in den Märchen, gehe durch das Spalier apollonischer Jünglinge und Mädchen. Ich verwende »gehen« im weitesten Sinne. *Es* geht. Immer dunkler und kälter. Meine Zähne klappern. Sie liegen überall verstreut, kleine gelbliche Steine mit schwarzen Punkten, und klappern. Magere alte Frauen spielen Würfeln mit ihnen. Diese hier ist meine Mutter. Lange nicht mehr gesehen. Bist älter geworden. Du auch.

Ihr Kopf ist rund, sie trägt die Haare toupiert, wie es Mode war, als sie jung war. Hereingefallen auf den füchsigen Magyaren ist sie, sein hoher Gang war's, der mich verführt hat, und die Stimme. Er konnte sie verstellen wie keiner, er konnte mit der Stimme eines kleinen Mädchens dem Mann von den Gaswerken durch die geschlossene Tür sagen, meine Eltern wollen nicht, dass ich Fremden die Tür öffne. Nicht, dass wir die Rechnung nicht hätten bezahlen können, aber was haben wir gelacht, verstehst du, so war er in allem, es war auch gerade die Zeit dafür, aber dann, aber dann.

Die anderen beiden heißen Oma und Vesna. Sie sind alle gleich alt, sie tragen dieselben weißen Kleider, darüber weiße Frisuren aus der Zeit des Rokoko. Gelbe Plastikkämme halten sie in Form. Sie sitzen in einem weißen Flur, an einem weißen Tisch, zwei würfeln, eine strickt. Die Wolle ist gelblich.

Das wird ein Jüppchen für dich.

Sie wärmen ihre Seelen mit ähnlichen Gebilden. Verständlich, arktisch kalt, wie es hier ist.

Vielen Dank, sage ich. Aber das ist zu klein für mich. Das ist doch keine Spanne breit.

Mach dir keine Sorgen, mein Kleiner.

Sie lachen: Mach dir keine Sorgen.

Die Wolle, mit der Mutter strickt, ist schmutzig. Schwarze, ölige Fladen kleben darin. Als hätte sie sie aus dem Fluss geklaubt. Dort treibt alles Mögliche vorbei, bleibt in den Steinen unter der Brücke hängen und stinkt. Ich möchte nicht in Abfall gekleidet werden. Am Ende wird mir natürlich nichts anderes übrig bleiben. Ein höfliches Kind sein. Ein Hemd aus Brennnesseln tragen den ganzen Weihnachtsabend lang. Darunter wachsen Pusteln. Nachts in einem Dornenbett liegen. Kratz dich nicht soviel, und das bei Tisch, das ist ekelerregend.

Alles, was ich höre, sind Klagen! Du, mein Lieber, scheinst dir nicht im Klaren zu sein über die Situation. Wir dürfen froh sein, dass das Gebäude nicht über uns zusammenfällt. Die Waschbären gehen ein und aus. Der Wind sowieso. Die Löcher in den Wänden stopfen wir mit Öldosen von der humanitären Hilfe. Später, wenn sie leer sind, züchten wir Tomaten darin und heben das Wasser auf, das es nur zwischen sieben und neun Uhr morgens gibt. So sieht es aus. Wir leben hier wie im Lager.

Das kommt daher, dass es wirklich eins ist. Für Witwen wie wir. Ich mache keinem einen Vorwurf. Ich bin am Leben, in meinem Alter ist das genug.

Man kann sich auch an kleinen Dingen erfreuen.

So ist es. Wir erfreuen uns an den kleinen Dingen.

Manchmal setzen wir uns mit dem Gesicht zum Meer.

Es gibt hier kein Meer, sage ich.

Sie schweigen. Mutter strickt. Die beiden anderen schütteln den Würfelbecher.

Ich mag diese Frauen nicht besonders. Hoffentlich merken sie es nicht. Sie werden bald sterben. Hoffentlich sterben sie bald. Man ist immer schuld, auch wenn man nicht schuld ist.

Sie lächeln verzeihend, obwohl etwas steif. Das ist, weil sie so tun müssen, als hätten sie diese Gedanken nicht gehört. Aber sie haben sie gehört. Sie wissen alles. Du kannst noch so brav sein. Sie kippen deine Zähne auf den Tisch.

Anstatt, dass du dreimal am Tag die Hand derer küsstest, die soviel für dich getan haben.

Da sieht man wieder, dass es nicht stimmt. Kinder sind nicht unschuldig.

Ich bin kein Kind.

Nein, ein ziemlich großer Mann.

Das ist und bleibt unvorstellbar für eine Mutter. Dieser Körper, der geworden ist. Vierundzwanzig Stunden habe ich in den Wehen gelegen. Oder waren es fünf Tage? Starb ich am Ende vor Erschöpfung? Ich erinnere mich nicht. Es ist so lange her. Mein Sohn ist auch schon ein alter Mann.

Ich bin dreiunddreißig.

Darauf sagt keiner was. Weder ja noch nein. Vielleicht stimmt es, und ich bin alt geworden, ohne es zu merken. Ein Spiegel wäre jetzt gut, und wenn's eine Scherbe wäre. Aber: nichts. Schon möglich, dass mich das Gift alt gemacht hat. Bedeutet das, dass ich jetzt ein Recht habe, hier zu bleiben? Ist es das, was ich erkennen sollte? Hallo?! Darf ich jetzt hier bleiben?

Ehrlich gesagt, will ich das gar nicht. Allerdings weiß man nicht, was draußen ist. Das Milchglas. Liegen draußen schwarze Trümmer oder im Gegenteil: blinken Majolikamonumente in der Sonne? Was bedeutet die Stille? Dass der Mensch die Erde verlassen hat oder dass er sich, im Gegenteil, soweit entwickelt hat, dass sein Leben in den Städten so leise wie Flüstern ist. Vielleicht vergiftet einen draußen der Rauch oder das geruchlose Atom, oder aber es riecht wie es seit sehr langer Zeit nicht oder noch nie gerochen hat: nach reinem Äther. Vielleicht ist draußen auch der große Ozean, wie alle sagen, an dessen Ufer wir auf einer unendlichen Bankreihe als alte Menschen sitzen, das Gesicht der Sonne zugewendet, dem Rauschen. Vielleicht ist dort die Ewigkeit, nur hier drin geht die Zeit noch ihren alten Kettengang. Vielleicht ist dort aber auch das Garnichts. Bevor man sich nicht sicher sein kann, ist es ein zu hohes Risiko. Das ich vielleicht doch eines Tages eingehen werde. Ich werde das Fenster öffnen und nach einem unendlich kurzen Blick, den ich auf das Nichts geworfen habe, selbst Teil dessen werden. Jemand wird vorsichtig das Fenster hinter mir schließen. Mit einem Besenstiel zudrücken.

Ich rücke unauffällig in die Nähe der Fenster, um die Lage zu prüfen. Keine Überraschung ist, dass es keine Klinken gibt. Es ist nicht so einfach, das Fenster zum Nichts zu öffnen. Oder zum Etwas. Das weiß man eben nicht. Die Fenster nach draußen sind lückenlos und fest geschlossen, dafür hängen die Türen im Inneren schief in den Angeln. Hier sehen Sie die Desolation der zweiten Welt. Anstatt sich zu bemühen, das Kaputte herzustellen, haben sie alles noch mehr kaputt gemacht. Es stinkt zum Himmel. Als wäre die Luft voller giftiger Sporen. Ich habe Angst zu atmen.

Die Greisinnen schnuppern vergnügt in die Luft: Bald gibt's Mittagessen. Wir essen kein Mittagessen wegen der Linie. Oder weil es keins gibt. Na gut, es gibt kein Mittagessen. Aber Frühstück immer. Und am Abend essen wir Kekse und trinken Tee. Süßen Zitronentee, kleine gelbe Würmchen in Gläsern, der Keller steht voll damit. Den Zähnen schadet's zum Glück nicht mehr. Schlimm sind die Nachmittage. Zwischen vier und zehn habe ich den meisten Hunger. Ich schlafe lächelnd ein, weil ich weiß, morgen früh wird er ganz klein geworden sein. Morgens ist der Tod ein Säugling.

Schön und gut, sagt Großmutter, aber die Frage ist doch: Was machen wir mit ihm? Jetzt, da er schon mal da ist? Kommt unangemeldet, höflich ist das nicht gerade.

Dafür sieht man ihn nach langer Zeit wieder, das wiegt es auf.

Trotzdem. Es wäre gut zu wissen, wie lange er zu bleiben gedenkt. Ich weiß nicht, ob wir uns das leisten können. So ein Mann isst eine Menge. Ich an seiner Stelle würde schauen, wie ich meine Familie entlasten kann. Vielleicht findet sich in den Trümmern der Kantine neben dem Telegrafenamt noch etwas zu essen. Gebratene Äpfel aus der Asche sind eine Delikatesse.

Nicht, dass ich das nicht liebend gerne täte, aber ich weiß einfach nicht, wie man hinauskommt und wo das Telegrafenamt und wo die Kantine ist, also tue ich so, als hätte ich das nicht gehört.

Wir können ihn uns nicht leisten, sagt Großmutter. So einen großen Mann. Wir sind bisher gut zurecht gekommen ohne Männer. Wie unter Schwestern. Es ist besser, keine Männer hier zu haben.

Aber wenn wir ihn ablehnen, könnte das sein Tod sein. (Die gute alte Vesna.)

Jetzt schweigen wir alle ein bisschen. Ich versuche, mich so klein zu machen, wie es nur geht. Sitze mit krummem Rücken auf einem kleinen Holzstuhl. Hartes Holz, harte Knochen. Für die Dauer der Besuchszeit ein netter, solider Mensch sein, der Senioren respektiert und unaufdringlich Zuneigung zu seiner eigenen Frau erkennen lässt, ohne jedoch sexuell ein- oder zweideutig zu werden, weder Vorgenannter, aber ganz besonders nicht vorpubertären Stiefkindern gegenüber. Das muss einen vollintegrierten Eindruck erwecken. Unsere Werte sind nicht nur oberflächlich angenommen worden, sondern sind in Fleisch und Blut übergegangen. Zum Glück beschäftigen sie keine Gedankenleser.

Überhaupt, er ist nicht untersucht worden.

Von Neuankömmlingen muss ein vollständiges Register erstellt werden. Ohne das geht es nicht. Typische Krankheiten sind: Impotenz, Dehydrierung, Depression, Herz- und Magenbeschwerden. Wenn du unterwegs Krebs bekommst, hast du's erlebt. Heilung ist so eine Sache. Aber für eine Untersuchung ist es nie zu spät.

Fragt sich nur, wer das schon wieder machen soll?

Am Ende bleibt es wie immer an uns hängen.

Wie denn auch nicht, es gibt hier nur uns.

Er ist dein Sohn.

Wenn ich mir den milchigen Geruch seines Bauches oberhalb der Schamhaargrenze vorstelle, wenn ich mir den Geruch zwischen seinen Schulterblättern, wenn ich mir den Geruch seines Nackens, den Geruch seiner Brustwarze, seiner Ellenbeuge und seiner Handfläche vorstelle, wird mir schwindlig, und mein Mund läuft voller Wasser.

Das ist eine normale Reaktion. Sie kann sogar als angenehm empfunden werden.

Das ist es auch: angenehm. Sorgen macht mir aber, dass ich, egal, was ich anstelle, meine Finger nicht warm bekomme. Ich reibe an meinen Fingerspitzen, bis sie fast abbrechen, aber es nützt nichts. Ich will nicht, dass er unter jeder meiner Berührungen zusammenzucken muss wie unter Strom.

Es ist ja nur ganz schwacher Strom.

Dennoch.

Es könnte sogar sein, dass es ihm hilft. Schwacher Strom soll zur Desensibilisierung führen.

Ja, aber nur, wenn man ihn über Infusion kriegt. Schocks sind überholt.

Gibt es überhaupt wieder Strom?

Ich würde dem generell nicht vertrauen, sagt Vesna. Am Ende gilt er vielleicht als geheilt, ist aber jemand ganz anderes geworden.

Das muss nicht das Schlechteste sein. Ich wäre froh gewesen, so eine Möglichkeit zu bekommen. (Oma)

Ich habe getan, was ich konnte. Ich habe immer versucht, ihn von schädlichen Einflüssen fernzuhalten.

Dann hättest du konsequent sein müssen und ihn als Mädchen erziehen, angefangen bei der sehr angenehm zu tragenden Damenunterwäsche. So ist er weder Fisch noch Fleisch.

Ein Grund mehr, sich die äußerliche Untersuchung ganz zu sparen. Gleich zum EEG und dann zur Obduktion. Das Gehirn vermessen und die Organe. Das ist sehr interessant. Das Gewicht der Körpersäfte wird einzeln gewogen. Wie viel Gramm Galle, Anzahl der Zellen. Bei seiner Geburt wog er nicht mehr als 1375 Gramm.

Das stimmt doch gar nicht.

Woher willst du das wissen? fragt Oma grob. Was bleibt mir anderes übrig, als zu verstummen.

Erzählt dem Kind doch nicht so was, sagt Vesna. Es bekommt nur Angst.

Es ist weniger eine Angst, sage ich. Eher eine Lähmung. Ich bin die ganze Zeit paralysiert, als wäre ich nur noch ein Kopf, ein Gehirn, ein Gehirn mit einer Stirn, über die der Schweiß läuft. So muss ich herumwandern, obwohl ich es gar nicht will.

Der Arme, er hat Fieber.

In ein nasses Laken wickeln und den Hintern versohlen. Hilft garantiert. Das Laken aber nicht vergessen, später wegzunehmen. Sonst verkühlt er sich und stirbt. Was sollen die Leute sagen.

Vielleicht wäre das jetzt die Gelegenheit, der Oma zu sagen, dass sie ihre verdammte Sadistenfresse halten soll.

Den Nacken mit Eiswasser übergießen, bis er eine Gehirnhautentzündung bekommt.

Halt gefälligst deine verdammte Sadistenfresseeeeeee!

Das Gehirn schwillt an und drückt gegen den Schädel.

Naaaaaaaaaaaaaaaaaaaaaaaaaaaaaaaaaaaaaaaiiiiiiiiiiiiiiiiiiiiiiiiiiiiiiiiiiiiiiiiiiii…!

Der Schub des Schreis drückt mich endlich von ihnen weg, ich lege noch einen Zahn zu, ich brülle, wie ich noch nie gebrüllt habe, ich schreie, so lange ich kann. Die Augen halte ich dabei geschlossen, so kann ich sie auch nicht mehr sehen. Ich höre noch das Klappern der Würfel im Becher, aber es wird schon schwächer, irgendwann hört es ganz auf, ich höre auch auf, lasse mich treiben, so weit der Schwung noch reicht.

Viel später öffne ich vorsichtig die Augen. Es ist wieder dunkel, das ist gut. Ich gleite durch einen fensterlosen Flur. Ich weiß immer noch nicht, ob ich einen Körper habe und wie er beschaffen ist. Der Untersuchung sind wir ja zum Glück entgangen. Ich weiß gar nicht mehr, wann mich das letzte Mal ein Arzt untersucht hat. Habe ich Angst vor Spritzen? Kann ich Blut sehen? Wenn ich ehrlich bin, ist es gar nicht schlecht so. Das erste Mal seit längerem tut mir nichts weh.

Das Schweben wird nicht langsamer, dafür der Flur immer enger, und dort vorne, wo die Eisentür ist, scheint er ganz zu Ende zu sein. Ich versuche, so etwas wie Arme auszustrecken, um mich an den Wänden zu bremsen, aber da bin ich schon durch die Tür gerauscht in ein noch größeres Dunkel.

Als wäre es Wasser, aber es ist kein Wasser. Nacheinander tauchen weiße Dinge darin auf. Steine, Metalle, Knochen. Ein Teil von einer Egge. Ich weiß nicht, woher ich das weiß. Habe ich je zuvor eine Egge gesehen? Das Halsband eines Hundes. Ein roter Topf mit abgeplatztem Emaille. Und wieder: Statuen. Hauptsächlich Füße und Knie. Ein Knie geht um die Welt. Ein verstümmeltes Geschlecht.

Jetzt weiß ich, was das ist: es ist die Erde unterhalb der Stadt. Jetzt keine Panik, Houdini. Das macht nur die Materie um dich herum porös und verstopft dir den Mund. Wie von den eingeatmeten Teilchen einer Lawine, stirbst du davon. Wir werden das ganz diszipliniert angehen. Nicht hastig werden, nicht husten, nicht sprechen. Jedes Geräusch spielt dem Feind in die Hand. Versuche herauszufinden, wo es nach oben geht. Dann gehe dort hin. Vorher nehme diese Münzen an dich, die hier so locker auf Armlänge zwischen die Krumen gebettet liegen, kratze sie mit den Fingernägeln – da, wenn du sie brauchst, hast du welche! – heraus. Es wird sich noch als günstig erweisen, sie eingesteckt zu haben. Nicht einmal längst wertloses Geld darf man liegen lassen. Mein Vater konnte kein Geld zusammenhalten. Zu mir kommt es freiwillig. Es ist gut aufgehoben bei mir. Pleite zumindest war ich nie.

Jetzt sehe ich auch, wo ich hin muss. Vorne leuchtet die alte Kellerkneipe. Wir haben dort unsere Reifeprüfung gefeiert, weißt du noch? Immer zwei Ecken weiter haben sie fremde Scheiben eingeschlagen, aber davon wusste ich damals noch nichts. Werde ich euch jetzt alle wieder sehen? Herzklopfend trete ich ein.

Es ist anders, als ich es erwartet hätte. Kein rustikales mittelalterliches Gewölbe, stattdessen ein üblicher Kulturklub, die Wände ganz in Postern und Ölfarbe. Unter der Discokugel sitzt mein Vater in seinem weißen Hochzeitsanzug, die Weste spannt sich appetitlich auf seinem schlanken Rumpf. Er ist der Alleinunterhalter, trägt eine weiße Nelke im Knopfloch und spielt Synthesizer. Das war es also, was du all die Jahre gemacht hast.

Dein Vater, mein Junge, sagte meine Mutter, ist eine zwielichtige Persönlichkeit. Als wäre er immer noch Junggeselle, zieht er nachts durch die Orte und kennt zwielichtige Leute, mit denen er vermutlich Geheimnisse teilt, von denen wir nie eine Ahnung haben werden. Er ist beliebt bei ihnen, sie wissen alles über ihn, sie rufen ihm kumpelhaft zu: Schau mal, Andor, ist das nicht dein Sohn?

Tatsächlich. Mein Sohn ist hier. Mein Sohn ist gekommen. Meine Frau hat alle Fotos weggeworfen, ich hatte sowieso keine dabei, dennoch erkenne ich ihn. Er ist mir frappierend ähnlich, er sieht nur ein wenig älter aus als ich im Alter von vierzig Jahren, als wir uns das letzte Mal sahen. Er kleidet sich in schwarze Salatblätter, der Kopf lugt oben heraus wie ein trauriges Radieschen. Das Gesicht verzehrt in Wollust, brüchig vor Verzweiflung, in die Furchen auf der Stirn hat sich aschgraue Erde gesetzt. Seine Augen sind ein einziges blutiges Netz und die Tränensäcke! Wie der Bauch einer Eidechse, ganz genauso. Und diese zitternde Kinnlade, das wird ja immer schlimmer, gleich fällt sie ihm heraus und schlittert davon wie ein alter Rollschuh. Hallo, mein Sohn, bevor du mir hier noch in Tränen ausbrichst, wie geht es dir? Willst du was trinken?

Darauf antworte ich nicht. Ich bin noch ganz verstört ob der Leichtigkeit, mit der er zu finden war. Mir ist ganz schwindlig, gleich erbreche ich modrige Milch. Etwas zu trinken wäre tatsächlich gut.

368

Aber mein Vater kann mich nicht bedienen, er muss den Synthesizer spielen, leuchtend weiß in seinem Spot, alles um ihn herum funkelt. Es ist sehr heiß dort, wo mein Vater ist.

Und? fragt er im Plauderton. Wie ist es dir ergangen? Bist du verheiratet? Habe ich Enkelkinder? Oder bist du, wie ich, ein einsamer Wolf? Hm?

Um ehrlich zu sein, bin ich schwul, sage ich zu meinem Vater, als ich ihn nach zwanzig Jahren wieder sehe. Ich lerne die Knaben in einem gewissen Etablissement kennen oder auf der Straße. Einmal habe ich einen gebeten, vierundzwanzig Stunden bei mir zu bleiben. Er blieb vierundzwanzig Stunden bei mir. Er legte seinen Kopf auf meine Schulter, so blieben wir. Die Sonne ging herum. Ich wusste nicht einmal, ob er wacht oder schläft. Als der Tag abgelaufen war, auf die Minute genau, erhob er sich, durchsuchte meine Sachen, nahm sich, was er wollte. Mein ganzes Geld, sogar die Münzen. Er sah in meinem Pass das Bild und meinen Namen und blickte mich amüsiert an. Dann ging er. Das habe ich noch niemandem erzählt.

Verstehe, sagt mein Vater. Impotenz ist ja neuerdings eine Volkskrankheit. Ich verstehe dich, mein Junge, ich verstehe dich sehr gut. Mir ging es wie den meisten Männern, zumal denen, die sich überhaupt Gedanken machen: Ich habe geheiratet, um Kinder zu haben. Einen Sohn. Dich.

Gemessen daran, hast du dich nicht gerade verausgabt vor Fürsorge.

Ich konnte es nur nicht so zeigen. Und was hätt' ich auch tun sollen, mein Junge, was? Man konnte nicht vernünftig mit ihnen reden. Der ganze alte Hass und der ganze neue, sie waren bereit, förmlich auf jeden loszugehen. Jeden Mann über achtzehn, der über diese Brücke kommt, werde ich töten, das waren ihre Worte.

Soweit ich mich erinnere, war das erst so, nachdem du gegangen warst.

Darauf weiß er jetzt nichts zu sagen. Er weiß, dass ich Recht habe. Aber er ist keiner, der sich rechtfertigt. Er hofft, dass die Zeit die Unterschiede verwischt. Was das anbelangt, reichen oft schon fünf

Minuten und nichts ist mehr zu beweisen. Wenn du also zu mir gekommen bist, mein Junge, um mir Vorwürfe zu machen, spar sie dir.

Erstens bin ich nicht *zu dir gekommen*, zweitens bin ich durstig. Ist das eine Toilettentür hinter dir? Wenn ich nur dahin gelangen könnte. Wasser aus dem Hahn trinken, jemanden kennen lernen.

Eins, mein Sohn, spricht der Vater jetzt wie ein Vater, eins muss ich dir lassen: Du hast dich wacker geschlagen all die Jahre, und das ohne die Unterstützung eines Klans. Dafür bewundere ich dich. Für mich war das keine große Kunst. Niemals verzweifelt zu sein, ist keine Kunst für einen, der keine Vorstellung davon hat. Und eine Vorstellung davon hat nur, wer es schon einmal war. Entweder, man ist es oder man ist es nicht, und dann weiß man es, oder man weiß es eben nicht. Wer, eins, behauptet zu wissen, was es ist, und dann, zwei, behauptet, es niemals gewesen zu sein: lügt. So wie ich eben gelogen habe. Ich war zumindest schon einmal im Vorhof von diesem Etwas, und ich werde es nie vergessen, auf den Tag genau am elften Juni neunzehnhundertiks.

Ja, sage ich. Ich erinnere mich gut. Die Ferien fingen an. Du verließest uns ohne ein Wort. Seitdem bist du der, über den man nicht spricht. Du hast Klavier gespielt. Songs. Oh, wie rutschig ist die Bananenschale. Einmal kamst du zur Vertretung. Bis dahin wusste ich gar nicht, dass du Klavier spielen kannst. Vielleicht hast du auch nur so getan als ob. Später satteltest du auf Synthesizer um. Als Alleinunterhalter zogst du durch die Klubs des Westens, wo die Radniks noch zusammen waren. Du trugst einen weißen Anzug, drehtest im Sitzen ein Knie nach außen zwischen den mageren X-Beinen des Synthesizers und zittertest mit dem Fuß. Du trugst weiße Slipper und senffarbene Socken. Die Socken ringelten sich über den Knöcheln. Du hast den Fotoapparat im Bus liegen gelassen, unsere gemeinsamen Fotos vom Ausflug in den Steinbruch sind verloren gegangen, wir beide in riesigen, grauen Hallen, hinter uns die Dunkelheit. Den Rest hat Mira weggeworfen. Nach einer Weile konnte ich mich kaum mehr an dein Gesicht erinnern, aber diesen Knöchel vergesse ich nie. Der Knöchel meines Vaters von den Ausmaßen monumentaler Statuen zittert vor meinen Augen.

Er lächelt und spielt seine Schnulzen. Gute Musik erzieht gute Menschen. Die Songs meines Vaters haben meinen Vater erzogen. Er spielt und spielt, es interessiert ihn kein bisschen, was ich ihm hier erzähle. Sieht nach zwanzig Jahren seinen Sohn wieder, den er, nebenbei bemerkt, in einer Stadt zurückgelassen hat, in der später ein Krieg ausbrach, und er brachte es fertig, sich die ganzen Jahre nicht einmal zu erkundigen, ob wir noch leben. Wäre ich ein guter Sohn, würde ich dir jetzt die Fresse polieren. Keine Vorwürfe. Einfach nur mit der Faust dorthin schlagen, wo die Nase, meine Nase, anfängt zwischen meinen lilahimmelfarbenen Augen. Dir das Nasenbein in dein feiges Gehirn jagen. Das könnte ich machen, obwohl ich dich, und das sei auch mal gesagt, nicht hasse. Irgendwann, zur Halbzeit, nach der fünften oder sechsten Frau, merkte ich, wie ich anfing, dir die Daumen zu drücken. Aus dem hinteren Zimmer eines Lokals klang Synthesizermusik, jemand übte, verspielte sich ständig, und ich bekam Herzklopfen, weil ich dachte, wir hätten dich gefunden. Da wurde mir klar: Ich drückte dir die Daumen, wir mögen dich nicht finden. So gerecht und ungerecht ist man als Kind.

Vater lächelt, spielt die Rosamunde. Das ist nett von dir, mein Sohn. Abgesehen davon, sagt er, kann jemand, dessen Hände aus Kreide sind, keine Nasen brechen.

???

Es sind hübsche Hände, wenn ich das so als Mann sagen darf, Pianistenfinger, daran hat's nicht gemangelt, am Fleiß vielleicht auch nicht, nun ja.

Was murmelst du da?

Murmeln, mein Sohn, damit würde ich auch vorsichtig sein. Dass du mir nirgends dazwischengerätst. Du darfst nur ganz zarte Spiele mit deinen Händen aus Kreide spielen, sonst bröckeln sie dir weg. Untern Klavierstuhl, auf den Katheder, in den Straßenstaub. Seinen Vater damit schlagen, geht natürlich schon gar nicht. Deine Schläge wären doch nur wie Schminke in meinem Gesicht. Hält bis zum nächsten Waschbecken.

Oh, sage ich. So ist das.

Ja, sagt er, so ist es.

Hier schweigen wir. Klaviermusik.

Verstehe ich es also richtig, sage ich. Es gibt hier nichts für mich zu tun?

Nein, mein Sohn, gar nichts. Aber bleib doch noch, hör ein wenig Musik, trink was.

Er spielt ein bisschen, ich höre zu. Vater und Sohn.

Ich gehe dann jetzt.

Er lächelt und spielt. Ich wende den Blick von ihm.

Entweder das, oder die Drehbühne, auf der er sitzt, dreht sich von mir weg, und siehe, der Blick öffnet sich weit, und ich sehe, dass diese Spelunke nur ein kleiner Ort unter vielen war, eine winzige Einzelzelle. Daneben, rundherum, öffnen sich in einem verzerrten 360-Grad-Panoramabild zahllose Wege. Du hast die Wahl. Wenn ich hier lang ginge, käme ich durch eine immer dunklere Gasse in Schweineställe. Hier in ein Bordell. Das wäre überlegenswert. Der kluge Mann geht den Weg des leichtesten Widerstandes. Schon wäre eine schnelle Lösung gefunden an diesem Scheideweg. Obwohl ich nicht weiß, ob Schnelligkeit jetzt und hier eine Bedeutung hat. Ist meine Zeit begrenzter als sonst oder im Gegenteil: Bin ich hier schon in der Vor-Ewigkeit? Manche der Pfade sind auf den ersten Blick ganz schmal, unmöglich, dass ein ganzer Mensch durchpasst, eine Magnetkarte höchstens, leider habe ich keine, mir wurde vor kurzem das Portemonnaie geklaut, inklusive Bibliotheksausweis, aber das spielt jetzt keine Rolle mehr. Sobald man näher getreten ist, öffnen sich die relevanten Schlitze sowieso von allein, das ist gut eingerichtet. Meistens verbergen sich zwielichtige und als gefährlich verschrieene Gegenden dahinter, seit Ur und Babylon die gleichen Viertel, ich für meinen Teil fühle mich dort am wohlsten. Mein Vater hat mir die Augen und die Schlaflosigkeit vererbt, so dass ich, wie er, immer zwei Leben gelebt habe. Tags arbeitete ich, nachts ging ich spazieren, besuchte Etablissements. Dabei komme ich aus ganz anderen Kreisen. Provinzbürgertum, jawohl. Ein Wunder, dass ich weiß, dass es zweierlei Leute gibt. Es strebten, den Himmel zu erstürmen, die Mannweiber etcetera. Zur Strafe sind wir nun wie die Scholle gespalten. Ich hatte anfangs Glück, traf meine andere Hälfte bereits im Alter von zwölf. Leider, wie das so häufig der Fall ist mit Kinderstars, ließ sich das Erfolgsrezept nicht ins Erwachsenenalter hinüberretten, aber dort, wo der rote Plüsch bis zu den Knöcheln reicht, ist es fast wieder so gut wie damals, als der salzige Schneematsch unsere schlecht gearbeiteten Schuhe, unsere billigen Socken und die Zehen zerfraß, aber wir gingen nur und gingen. Wenn irgendwo, dann möchte ich dort sterben, ein bisschen Erholung könnte ich jetzt gut gebrauchen, aber mir ist, als müsste ich vorher noch etwas erledigen. Wahrscheinlich muss ich meine Frau treffen. Ab und zu, regelmäßig oder nicht, muss man seine Ehefrau treffen. Das Gesetz verlangt es. Meistens *zu Hause* zum Abendessen, damit mein Geruch bleibt, seltener im Café. Dann erzählen wir uns, dann erzählt unser nichtgemeinsamer Sohn, was wir die Woche über erlebt haben. Geographie, Biologie, Mathematik, humane Wissenschaften. Was mich anbelangt, sage ich nicht so viel. Das hängt damit zusammen, dass bei mir nicht so viel los ist. Dagegen habe ich nichts. Das ist mitunter das Anständigste, was man tun kann. Das ist meine Meinung. Nichts. Das heißt, ganz nichts ist es nicht, nichts ist nichts, man ernährt mich, aber ich ernähre mich auch selbst und organisiere den Takt meiner Tage und Nächte.

Jetzt red' nicht so viel, sagt Bora. Sie steht barfuß auf einer Schwelle, der Reißverschluss ihres rohseidenen Kleids ist unter der Achsel gerissen. Mit ihren kräftigen weißen Armen macht sie eintreibende Bewegungen. Komm endlich. Wir warten alle auf dich.

Wer ist *wir*?

Sie zeigt auf eine mit Silber und Damast gedeckte riesige Tafel. Das sind wir: Anna, Olga, Marica, Katharina, Elsbeth, Tímea, Natalia, Beatrix, Nikolett, Daphne, Aida und ich selbst. Zwölf Frauen in verschiedenen Stadien des Alterns. Am jüngsten natürlich die, die sich das Leben genommen hat. Ihr Name ist Esther. Der Dreizehnte bist du.

Ist das gut? Der Dreizehnte zu sein?

Im Paradies ist alles gut, sagt Aida. Schwarze Haare, weiße Haut, wulstige, rote Lippen, verlockend anzusehen, gut zu essen. In diesem Fall sieht das Paradies wie ein schwülwarmes Palmenhaus aus. Dass die Scheiben auch hier beschlagen sind, ist klar. Das sind die Pflanzen, die Menschen, die Speisen, die dampfen. Es gibt viele Speisen. Die Frauen hören nicht auf, sie aufzutragen. Sie wechseln sich ab im Sitzen und Auftragen. Ein Schälchen Kaviar, ein Zuckerdöschen. Die Nächste nimmt es wieder mit, bringt statt dessen ein Körbchen Obst. Frisch aus dem Refridscherator, mit Tau benetzt, sehr pittoresk.

Dies ist die Nacht vollkommener Fülle, sagt Bora, die als Dienstälteste den Vorsitz führt. Du bist unser Ehrengast und kannst alles essen, was du willst.

Danke, sage ich, aber ich habe gar keinen Hunger. Ehrlich gesagt, bin ich mir nicht einmal sicher, ob ich Verdauungsorgane habe.

Sei kein Arschloch, sagt Natalia. Setzt dich, das gehört sich so.

Sie drückt mich mit kräftiger Hand auf den leeren Stuhl neben sich. Es stehen noch andere leere Stühle am Tisch, immer einer zwischen zwei Frauen.

Du wirst in jedem dieser Stühle wenigstens einmal gesessen haben.

Ach, sage ich. Ist das so im Paradies?

Genau so ist es.

Wenn das hier das Paradies ist, sage ich. Wo sind dann, bitte schön, die vier Flüsse Nosip, Nohig, Sirgit und Tarphue? Wo sind die Mauern, die Türme, der Garten, der Thron, das gläserne Meer? Statt dessen versucht man, mir mit einpaar Palmen in Kübeln die Augen auszustechen! Ich will nicht undankbar sein, ich bin nicht undankbar, aber könnte es nicht wenigstens im Paradies Räume unter freiem Himmel geben? Andere fliegen in ihren Träumen über unendliche Wiesen, ich geistere selbst jetzt noch durch die dunklen Winkel meines Zimmers. Könnte man nicht wenigstens die Decke öffnen? Mit einer raffinierten Hydraulik? Ganz im Gegensatz zum äußeren Anschein und dem Hörensagen wäre ich nämlich gegenüber ein wenig Schönheit der Schöpfung, sagen wir, in Form von Natur, nicht abgeneigt. Mir mangelt es an nichts, außer an einer grünen Aue. Manchmal bin ich in den Park gegangen.

Aber das ist aus verschiedenen Gründen vorbei. Außerdem: Was ist schon ein Park? Die Abwesenheit einer wirklichen Landschaft. So wie ein Palmenhaus die Abwesenheit wirklicher Palmen ist. Das ist die Krux am Paradies. Die zahmen Tiere, von denen man so viel hört, lagern auf Tellern und Tabletten. Und das Obst, unverändert, wie es seit Stunden ist, ich glaube, es ist aus Wachs.

Koste es, sagt Marica, dann weißt du's.

Will ich es denn wissen? Ich habe längst keinen Geschmackssinn mehr. Hart, weich, feucht, trocken: das ist alles. Außerdem, sage ich laut, weil ich mich bei diesem Thema in Sicherheit fühle, braucht mir keiner zu erklären, wie es im Paradies ist. Ich bin seit Jahren Stammkunde dort. Eros, irdisch oder himmlisch, kann niederschmetternd sein, und das Fleisch allein erst recht. Aber ich kenne einen Ort, er heißt: Klapsmühle, der ist es nicht. Die höflichsten und aufrichtigsten Menschen der Welt feiern dort den Dämon, der zwischen Gott und Mensch vermittelt. Sie sind schön und hässlich, weise und unwissend wie wir alle, sie geben sich nur etwas mehr Mühe. Ich bin die Ausnahme. Ich versuche immer, heruntergekommener zu erscheinen, als ich bin. Dafür sollte ich mich schämen, aber, ehrlich gesagt, tue ich es nicht. Ich entschuldige mich höflich für eventuelle Unannehmlichkeiten, aber alles in allem gibt es nichts zu verzeihen.

Die Frauen schweigen, schauen mich traurig an, schließlich sagt die süße Nikolett mit den Kulleraugen: Dass er keinerlei Liebe in sich haben soll, glaube ich nicht. Woran es ihm mangelt, ist einfach die Demut.

So ist es, sagen die Frauen.

Genau so, sage ich.

Dafür gebührt ihm allerdings eine saftige Strafe. (Das war Anna. Ihre Stimme ist tief und derb. Sie ist die Dickste von allen.)

Ehrlich gesagt, glaube ich nicht, dass jemand bereit wäre, sie an ihm auszuführen. (Beatrix. Eine Nicht-auf-den-Mund-Gefallene, kleine Hamsterbacken.)

Leider ist sein Vater verschwunden. (Katharina, eine dünne, verhärmte, macht nicht viele Worte.)

Der hat mir sowieso nichts zu sagen!

Sie nicken in Einverständnis: Gott segne ihn, er war ein Bastard.

Es wird dir also nichts anderes übrig bleiben, als selbst für dich zu sorgen. (Die erbarmungslos kluge Olga.)

Überwinde dich, werde anständig. Bring dich ein wenig in Form und benimm dich für einpaar Stunden wie ein Gentleman. (Die strenge Tímea.)

Das kannst du doch. (Die sanfte Elsbeth.)

Ja, irgendwie hat er das, obwohl er sich's nirgends hat abgucken können, diese mit Tollpatschigkeit gemischte Eleganz, die allgemein so beliebt ist. (Die verspielte Daphne.)

Also, bitte, tu diene, Korrektur: deine Pflicht.

Ja, was tue ich denn die ganze Zeit? Nur weil ich jetzt gerne in den Klub gehen würde?

Ach, wer interessiert sich schon für dein schwülstiges kleines Geheimnis!

Entschuldige, dass ich das sage, aber daran sieht man, wie provinziell du im Grunde bist.

Selbst deine Art und Weise, an der Welt zu leiden, ist provinziell. Eine von uns ist im Irrenhaus und eine tot. Ich an deiner Stelle würde darüber mal nachdenken.

Der Zweck des Leidens ist die Überwindung, also die Erlösung. Aber aus deinem Leiden entsteht nichts weiter als weiteres Leiden. Geh ins Kloster, Abelard!

Wer hat das gesagt? Ich schaue sie mir näher an. Aber sie ist es nicht.

Ich muss zugeben, sage ich, ich habe schon daran gedacht. Ich meine: an ein Kloster. Gerne ein auch touristisch wertvolles in den Bergen. Interessierte können sich Führungen in zehn Sprachen anhören. In den Fresken der Hauptkirche mischen sich byzantinischer und westlicher Stil. Die Gesichter, als wären es Geschwister, oder hundertmal derselbe in verschiedenen Gewändern. Ein wunderbares Gesicht, mit Zügen des Weiblichen, Männlichen und Kindlichen. Ehrlich gesagt, ist es jedes Mal *sein* Gesicht. In so einer Umgebung fällt es nicht schwer, niemals zu vergessen, weshalb man gekommen ist. Als würde ich permanent Liebe mit ihm machen, dabei betrachte ich nur Hunderte Male sein Gesicht.

Manchmal dicht beieinander wie Reben an der Traube, manchmal einzeln in die Ecke gedrängt, durch die Nase läuft ein Knick, die eine Wange auf der einen Wand, die andere auf der anderen. Beten werde ich leider nie können. Aber ich kann meine Tage in Liebe verbringen in Betrachtung seines Gesichts.

Hier schweigen sie ein bisschen. Ist es mir endlich gelungen, sie zu beeindrucken?

Dein Vater, sagt schließlich Bora, war ein bemerkenswerter Frauenliebhaber. Keine von uns hatte viel Erfahrung, es fehlt also der Vergleich, aber für die damalige Zeit war es eine bemerkenswerte Sache.

Alle, murmelnd: Oh ja.

Bist du nicht auch verheiratet?

Doch, das ist er.

Aber er schläft nicht mit seiner Frau.

Das ist nicht so eine Ehe.

Na ja, was soll man dazu sagen. Heutzutage ist doch jeder schwul.

Also, das stimmt so nicht ganz, sage ich, aber sie lassen mich schon wieder nicht ausreden, sprudeln durcheinander. Ich erhebe, was sonst nicht meine Art ist, die Stimme:

Wann werdet ihr endlich aufhören, ihr Tratschtanten?

Daraufhin verstummen sie. Na also, geht doch. Vor mir steht der Obstkorb. Zeit, dass ich ein Exempel statuiere.

Also, sage ich vorsichtig, wenn das hier das Paradies ist, dann ist es auch möglich, dass Wachs wie reife Früchte schmeckt. Ich wähle nicht den Apfel, sondern die Feige. Unter den aufmerksamen Blicken der Paradieswächterinnen führe ich sie an meine Lippen. Anfangs fühlt es sich an den Zähnen noch wie Wachs an, aber noch bevor ich Zeit hätte, mich zu erschrecken, zu echauffieren, hab ich's doch gewusst, in die Ecke damit, meinetwegen könnt ihr mich verprügeln, wir werden dir die Hysterie schon noch austreiben!, explodiert der Geschmack des Paradieses in meinem Mund. Applaus ertönt. Schließe die Augen. Lass dich fallen. Ja, so. Hab' keine Angst. Ein Netz aus Frauenarmen fängt dich auf. Hände streicheln über deinen Scheitel. Sie riechen wie Schoß und Seife, eine nach der anderen streichelt dein glänzendes, kompaktes Haar.

Oh, wäre es möglich? Könnten wir zurück gehen? Anders anfangen, also anders fortsetzen? Bora? Warum nicht das verdammte Bad nehmen, den Geruch wechseln. Ein Handtuch für den Gast hat sie vergessen, ihres nehmen, es ist alt, beige, etwas feucht. Die Reisekleidung zerknüllt gegen den Bauch drücken, die Blöße ein letztes Mal bedeckt, barfuß durch die Küche, die Tür, über den Teppich. Sich zu ihr legen. In Sichtweite von Zuhause. Vierzig Jahre Altersunterschied. Glück ist ein lockerer Schoß. Was ist das für ein Satz? Ich weiß nicht, lass mich näher. Aber sie zieht mich auch schon, sie ist erfahren, leicht gleite ich in den innersten Bezirk der Wärme. Ihr Bauch erinnert mich an Mutter, aber der hier ist dunkler, härter, sehr hart sogar, als würde ich gegen eine Holzwanne drücken, eine Scheide wie ein Kern, das ist nicht fair, wenn ich es schon mal versuche. Schau nach unten und siehe: es ist tatsächlich Holz, ein geschnitzter Körper, poliert, das Y einer stilisierten Joni hineingekerbt, ebenso der Nabel. Ich klopfe gegen das, was man Bauchdecke nennt, um zu sehen, ob sie hohl ist, was sie ist, ein Sarkophag? Die Mumie lacht, dieses Lachen kenne ich, ich schaue hoch und sehe: Tatjanas Gesicht. In der Position des liegenden Buddhas liegt sie da, dass sie sich nicht schämt, nur ihr Kopf ist beweglich, sie hat ihn in ihre Hand gelegt, lacht. Besteht ihr Haar aus Schlangen? Holzfotze! Wo ist mein Paradies?

Du glaubst wohl auch an den Nikolaus.

Warum auch nicht, blöde F…!

Sie lacht: Ich würde die Achseln zucken, wenn das ginge. Ich falle nicht auf dich herein, deswegen hasst du mich. Von mir bekommst du kein Obdach, ich lebe nicht die Hälfte deines Lebens für dich. Du musst alles alleine besorgen, von Anfang bis Ende, und das mag unser Kleiner nicht. Was nicht bedeutet, dass ich nicht bereit wäre, mit dir zu ficken. Nicht, um dir einen Gefallen zu tun, sondern weil ich es will. Wobei ich dir natürlich gleichzeitig einen Gefallen tun würde. Du würdest – vielleicht – zu einem Menschen. Garantieren kann natürlich keiner was. Andererseits wäre es, und sei es für den Moment, sicher angenehmer, als seinen Schwanz in gespaltenes Holz zu stecken und nicht wieder loszukommen. Hör auf, das Becken so zu verrenken, Abelard, du reißt ihn noch ab.

Nenn mich gefälligst nicht so!

Deine Frau denkt, sagt die Statue ungerührt, sie sei deine Frau. Außerdem denkt sie, du hättest ein Geheimnis. Aber du hast kein Geheimnis. Du bist eine tote Person, das ist alles.

Ich bin hier nicht derjenige aus Holz!

Nein. Aber woraus bist du, kannst du mir das sagen?

Irgendwo, als sängen Sirenen: *In heaven everything is fine. In heaven everything is fine. In heaven …*

Das gruselt mich, das gruselt mich, das gruselt mich! Wer befreit mich aus dieser unwürdigen Situation?

Sie sind wirklich gruselig schlechte Sängerinnen, sagt jemand.

Omar?

Oder wieder nur der Wind. Wieder erwacht. Sonst ist nichts mehr zu hören oder zu sehen. Die hölzerne Jungfrau ist fort, ebenso die Palmen. Das erste Mal seit Stunden ein wenig Ruhe. Im Zug durch die Berge ans Meer fuhr man manchmal durch solche weißen Nebelwände. *Zwischen*zeit. Das tut gut. Aber insgesamt kommen mir, ehrlich gesagt, erste Zweifel, ob ich dem hier gewachsen sein werde. Was habe ich mir dabei nur gedacht? Vielleicht nichts. Wie Millionen andere der Legende über die positiven Aspekte der Enthemmung durch Drogen, Tanz, sexuelle Ekstase aufgesessen. Und jetzt muss ich mich mit *all diesen Figuren* herumschlagen. Wie viele werden es noch sein? Nur die, die es zu treffen mein Willen oder meine Pflicht wäre, sind nirgends.

Dabei sieht das hier schon ziemlich so aus wie das Lieblingscafé meiner Frau. Ging einfacher, als ich dachte. So ist das. Man muss bloß eine Weile rastlos, Korrektur: ratlos herumstehen und irgendwann erledigt sich die Sache von selbst. Normalerweise wartet sie schon auf mich, setzt sich so, dass sie mich beim Eintreten gleich sehen kann. Zusätzlich winkt sie mir freundlich zu. Diesmal nicht. *Nirgends bist du.*

Überhaupt finde ich diesen Ort merkwürdig. Viele Details sind gut gelungen, aber am Ende passen sie doch nicht richtig zusammen. Als wäre der Raum aus der Zeit geraten. Ist er älter als jetzt oder ist es früher als jetzt? Warm oder eher kalt? Riecht es nach Kohlenöfen oder riecht es nach gar nichts? Das gibt's doch nicht, dass so viele Leute so gar nicht riechen. Denn Leute gibt es viele, überall sitzen welche, auf dem Boden, man weiß gar nicht, wo man hintreten soll. Das passiert mir häufiger, als mir lieb wäre. Plötzlich ist man in Massenhaft.

Du kannst ruhig auf sie treten, sagt jemand. Sie sind wie die Gänseblümchen, sie richten sich wieder auf. Man weiß schließlich nicht, wie lange wir Verspätung haben werden, wie lange wir hier sozusagen auf dem Abstellgleis werden stehen müssen. Hoffentlich fährt uns nicht einer hinten drauf. In der Nacht, mit großer Geschwindigkeit. Das gäbe eine schöne Sauerei. Solange kann man es sich ebenso gut auch bequem machen.

Was? Beziehungsweise: Was hast du hier verloren?

Sein Name ist Erik. Ausgerechnet er muss es sein. Thront am Kopfende seines lächerlichen Stammtisches zwischen Eingangstür und Fenster. Die anderen sind sicher auch da, wenn ich sie auch nicht erkennen kann. Etwas Grobes sagen und sie stehen lassen wie einen Furz. Oder gar nichts sagen. Nur stehen lassen. Wie einen.

Ich sehe mich um, soweit es mir über die Köpfe der Sitzenden hinweg eben möglich ist. Wieder, als wären da Korridore, Wege, Möglichkeiten. Jetzt sei aber klug und wähle richtig. Weitweit weg, wo modrig riechendes Gras wächst, betten sich in einem schwarzweißen Film die Penner. Betten sich und betten und betten sich. Etwas hakt. Betten und betten sich. Da muss ich hin. Wo die sich betten. Schade nur, dass ich über das Konzept des körperlichen Vorwärtskommens im Raum unter den gegenwärtigen Umständen immer noch nichts weiß. Aber es darf nichts unversucht gelassen werden. Der Mensch muss kämpfen. Das ist nur anständig. Manchmal hat man Angst, aber das ist unnötig. Habe keine Angst vor Schwarzweiß. Dort wird es gut sein. Ärmer als arm, hässlich, stinkend, aber gut. Beruhigend ist, dass scheinbar keine Eile besteht. Die Zeit dort drüben wartet auf mich. Betten und betten sich. Kann nicht. Kann mich nicht von der Stelle rühren. Als hätte man mich festgeklebt. Dummerjungenstreich. Die Penner betten sich in Ewigkeit, dennoch kann ich nicht zu ihnen kommen. Das ist mir nicht bestimmt. Was ist mir bestimmt? Kann man dagegen nichts tun?

Warum suchst du dir nicht hier ein schönes Plätzchen? sagt gütig Eriks Frau, ihren Namen habe ich vergessen. Schau, dort drüben auf der roten Plüschbank sind noch etwa zwanzig Zentimeter Platz!

Da sitze ich bereits eingezwängt zwischen unbekannten Schenkeln. Zwanzig Zentimeter sind weniger, als man denkt. Wenn ich mich bewege, wird mein Becken zertrümmert. Und auch sonst befinde ich mich in einer unmöglichen Lage. Kann nicht einmal den Kopf bewegen. Stecke hier fest – mit ihnen. Wie üblich reden sie, aber diesmal ist es noch weniger zu verstehen als sonst. Murmelteppich. Ein Kellertribunal wäre mir, ehrlich gesagt, lieber. Khrm, khrm. Könnte man Störungen ausschließen? (Räuspern, das Rascheln von Papieren.) Danke. Haben es alle bequem? Danke. Geht es den Knaben gut? Danke. Fangen wir an? Fangen wir an. Danke.

Ich verdrehe die Augen nach den erwähnten Knaben. Stehen sie in Nischen entlang der Wand, zwischen Krügen und ausgestopften Füchsen stundenlang regungslos? Legen den Kopf so oder so? Die schönen Füße in den Sandalen leger gekreuzt, eine Flöte locker in der Hand, vor dem Schenkel? Oh, wenn es nur möglich wäre, dass sie einen liebten!

Ist der Götze bereit? Dann könnten wir vielleicht anfangen. Danke. Wer seid ihr? Drei riesige Köpfe, alle auf dieselbe Art gemeißelt, dieselben Züge, keine Züge. Woraus seid ihr? Stein? Seife? Kameldung? Im Übrigen: egal. Ich erkenne dieses Gericht nicht an. Ich dolmetsche mich selbst. Es ist niemandem zu vertrauen. Abgesehen davon weiß ich nichts. Ich werde die Zeugen nicht durch geschickte Fragen in die Enge treiben können, weil ich absolut nichts weiß. Ich könnte mich nur verteidigen, wenn ich schuldig wäre. Aber so? Könnte ich bitte trotzdem eine kugelsichere Glasbox und ein Mikrophon bekommen? Bis zuletzt habe ich ein Recht auf eine gute Gesundheit. Wahrscheinlich geht es den meisten besser, als sie es verdienten. Ganz abgesehen davon, war das nur ein Scherz, Leute, nur ein …

Name?

Celin des Prados.

Wer antwortet statt meiner? Das ist nicht mein ...

Alter?

Dreiunddreißig.

Wer ...?

Haar- und Augenfarbe?

Schwarz, blau.

Hallo! Das war nur ein ... Ich will nur meine Frau ... Einen Kaffee, einen Cognac viell...

In Ordnung, fangen wir an.

Rascheln, Hüsteln. Es ist sehr hell hier. Die Augen tränen. Plus das ständige Verdrehen, um (irgend) etwas zu sehen. Denn den Kopf kann ich schon wieder nicht bewegen. Wer rumort da? Presse? Interessiertes Publikum? Betroffene?

Hkhrm. Krm. Rascheln. Entschuldigung. Danke. Wir fangen an. Ist die Person anwesend, die die Vorwürfe formuliert?

Das bin ich.

Erik.

Hätte ich mir denken können. Dagegen lege ich Einspruch ein! Dieser Mann ist befangen! Er ist in meine Frau verliebt, und ganz abgesehen davon, hasst er mich. Ich habe ihn einmal gedemütigt, aber dafür kann ich nichts. Was kann ich dafür, dass er so ein ahnungsloser Idiot auf der Höhe seiner Zeit ist?! Er weiß überhaupt nichts, schon gar nicht über mich! Sie haben nichts gegen mich in der Hand!

Angeklagter, halten Sie den Mund! Verbale Attacken gegen den Zeugen sind keine angemessene Form der Verteidigung! So darf man sich bei uns nicht benehmen! Ein erwachsener Mann! Wir sind hier nicht bei den Hottentotten! --- Fahren Sie fort, bitte.

Danke.

Danke, Frau Vorsitzende. Ich zitiere die Aussage der Zeugin W. Wortwörtlich heißt es da: Ich bezichtige A. N., ein Händler von Substanzen zu sein. Als ich nicht hingesehen habe, hat er ein Säckchen mit Giftpilzen eingesteckt. Er wollte seine Spuren verwischen. Er ist ein balkanischer Substanzhändler. Er sieht schon so aus.

Das ist eine Lüge! Ich beschäftige mich ausschließlich mit dem Handel von Artefakten und Epheben. In den Ruinen gefallener Städte siebe ich den Sand. Die Zähne werfe ich weg, die Münzen klaube ich heraus. Abgesehen davon geht meine sexuelle Orientierung niemanden etwas an.

Nun, unter Umständen kann der Umstand, dass der Delinquent ein Kinderficker ist, durchaus von vorentscheidender Relevanz sein, egal, ob in Wort, Tat oder Versäumnis.

Wenn man's so betrachtet, wäre jeder schuldig. (Ich lache.) Das ist doch lächerlich!

Wollen Sie etwa leugnen, an Massenvergewaltigungen teilgenommen zu haben?

Das leugne ich allerdings! Bei uns sind alle freiwillig dabei! Mehr noch, ich war sogar freiwillig nicht dabei! Ich war nur der Zuschauer! Nur der Zuschauer!

Das spielt keine Rolle. Mitgegangen, mitgehangen. Häufig lässt sich die Einzelschuld hinterher nicht mehr klären, dann sind es eben alle gewesen, oder wenn das nicht geht, weil es einfach zu viele waren, bleibt es eben am Einzelnen hängen. Dieser kann auch willkürlich gewählt sein, siehe das Beispiel des Sündenbocks.

Wir werden dich in die Wüste jagen. Na, wie gefällt dir das, Schlappschwanz?

Der das sagt, sitzt rechts von der Mitte. Ein schlanker Körper in einer Uniform. Über seiner wulstigen Oberlippe erster Bartwuchs. Ich verabscheue dich, gleichzeitig bin ich auch froh. Dass du noch lebst und es offenbar einen Platz für dich gibt, wenn du dafür auch den Verrohten geben musst. Der Mittlere spielt dafür den mutmaßlich weisen, auf alle Fälle höflichen alten Protestanten, übertreibt es auch ein wenig, bedankt sich für jeden Scheiß, der Linke ist der sarkastische, selbstgerechte Hund. Keine sehr originelle Aufstellung, aber was kann man machen. Das unsichtbare Publikum lacht natürlich.

Gratuliere, sage ich vornehm. Auf die Fortpflanzungsorgane zu zielen, ist immer eine sichere Bank. Schade, dass es nicht besonders elegant ist.

Einzelne Buh-Rufe, Pfiffe aus dem Publikum.

»Und sie sagten, ich solle ihm die Hoden abbeißen, und ich biss ihm die Hoden ab.« Das ist also nicht von Ihnen?

Nein.

Wie fühlen sich Hoden an, wenn sie einem im Mund herumschwimmen?

Sie schwimmen nicht. Dafür sind sie zu groß. Durch die Haare ist es so, als würde man ein Stück aus einem Hund herausbeißen. Haben Sie schon mal einen Hund gebissen?

Nein. Umgekehrt auch nicht.

Haben Sie Angst vor Hunden?

Ist das relevant?

Bitte, zu Protokoll zu nehmen, dass der Befragte, genannt: der Götze, die Frage nicht beantwortet hat. Danke.

Die Wahrheit ist …

Ja? Wir hören Ihnen zu. Fahren Sie fort. Danke.

Die Wahrheit ist …

Ja?

Die …

Ja?

Sie müssen es anders formulieren, flüstert mir mein Wärter zu. Es ist mein ehemaliger Professor, Mentor und Vorgänger in einer Postuniform. Du bist also auch da.

Danke, flüstere ich zurück.

Bitte?

Ich habe nur danke gesagt.

Können wir fortfahren? Danke.

Also, was ich sagen wollte, war: Ich habe nicht gefoltert, ich *wurde* gefoltert.

Gemurmel vorne. Fahren Sie fort. Danke.

Zuerst haben sie nur geredet, aber dann sind sie zu mehreren gekommen und haben mich zusammengeschlagen. Sie haben mir gegen das Schienbein getreten wie das letzte Mal meine Mutter, als sie schon zu klein war, um mich im Gesicht zu treffen. Aber egal. Ich hinke nicht mehr, ich bin nur noch prinzipiell empört.

Wohnten Sie häufiger solchen sadomasochistischen Handlungen bei?

Manchmal.

Brachte es Ihnen Lustgewinn? Mehr als anderes?

Es war das, was da war.

Sie haben also nur genommen, was da war.

So könnte man es auch sagen.

Wie denn noch?

Bitte?

Sie haben gesagt: So könnte man es *auch* sagen. Wie denn noch?

Ich bitte darum, *auch* zu streichen.

Einverstanden. Danke.

Vielleicht könnten wir hier eine kleine Pause einlegen und dann einen größeren Sprung machen? Danke.

Entschuldigung? Könnte ich mich vielleicht, solange die Pause dauert, wie lange dauert die Pause?, könnte ich etwas zu trinken bekommen? Mein Mund ist so trocken. Hinzu kommt, dass ich zwar nicht weiß, wo mein Kreuz ist, aber es tut höllisch weh. Das Steißbein in den Nacken gesessen. Hallo? ... Hallo?

Keine Antwort.

Zigarette?

Nein, danke, mein väterlicher Freund und jovialer Wärter. Jetzt sieht er wieder eher aus wie mein Schweiger ... Korrektur: Schwiegervater. Ich will keine Zigarette. Wasser wäre gut. Schnaps. Heroin. Ein Pilzragout.

Seltsam, sagt mein Wärter, wie häufig das vorkommt.

Ich will's nicht fragen, frage es doch: Was?

Dass Kapitelverbrecher so wenig kleine Laster haben.

Dazu kann ich nichts sagen.

Abgesehen natürlich vom Sex. Dafür sind sie meist sehr zu haben.

Das ist mir auch aufgefallen. Wie sehr dieser ganze Prozess sexualisiert ist.

Was hast du erwartet? Von Paarung und Krieg handelt alles.

Dagegen ist nicht viel zu sagen. Wir schweigen eine Weile. Um uns herum das übliche Rascheln und Räuspern. Schließlich sage ich: Es wäre gut, wenn meine Frau hier sein könnte.

Sie haben keine Frau.

Doch, ich bin verheiratet.

Das zählt nicht. *Ich* bin verheiratet. Fast vierzig Jahre jetzt. Ideal ist es nicht. Aber es zählt.

Ich sage: Ich hätte Lust, lange zungenzuküssen mit meiner Frau. Es wird anders sein als der kräftige Zungenschlag junger Burschen, dafür habe ich den Vorteil, um soviel größer zu sein. Ich kann sie praktisch in den Mund nehmen. Sie in meiner Backentasche aufbewahren wie einen gestohlenen Krokodilzahn.

Eine Weile sagt er jetzt nichts. Bin ich zu weit gegangen? Schließlich ist sie seine Tochter.

Also gut, sagt er. Wie ist ihr Name?

Das weiß ich leider momentan nicht. Ich habe sogar meinen eigenen vergessen.

Das stimmt nicht. Sie kennen ihn sehr wohl.

Nein.

Doch. Sie wissen auch, was draußen ist.

Was das wieder soll. Ich tue so, als hätte ich das Letzte nicht gehört. Zum Glück geht es schon wieder weiter.

Könnte jemand die Aschenbecher auswechseln? Danke.

Verzeihung, dürfte ich, bevor wir weitermachen, etwas sagen? Bitte.

Also, was ich sagen möchte, ist, dass ich ein kleiner Mann bin. Ich bin ein kleiner Mann. Ich habe die letzten zehn Jahre nichts anderes gemacht, als zu arbeiten. Wie am Fließband die Panels zogen die Worte an mir vorbei. Ich habe meine Arbeit getan. Um nichts anderes ging es mir: so effektiv wie möglich zu arbeiten sowie nicht zu sterben. Das ist alles.

Könnten wir dieses »das ist alles« in Zukunft beiseite lassen? Danke.

Ich habe meine Arbeit getan.

Sie haben *was* getan?

Ich habe meine Arbeit ...

Schon gut. Die Frage bezieht sich auf die Details. Woraus bestand diese Arbeit?

Ich habe Sprachen unterrichtet sowie aus und in verschiedene Sprachen übersetzt und gedolmetscht.

Geschah das regelmäßig?

Ziemlich. Ja. Praktisch jeden Tag.

Man könnte also sagen, es war Ihr Beruf.

Ja.

Waren Sie angestellt?

Nein, Zeit meines Lebens war ich frei.

Gehe ich recht in der Annahme, dass Sie nie eine gültige Arbeitserlaubnis hatten? Sie haben doch nicht einen Pfifferling Steuern gezahlt, richtig?

Das Einkommen war zu niedrig.

Darauf wette ich.

Eine Krankenversicherung hatte ich auch nicht!

Haben Sie gesundheitliche Probleme?

Nein. Ja. Ich weiß nicht.

Wurde jemals Schizophrenie, Paranoia, manische Depression oder Demenz bei Ihnen diagnostiziert?

Bitte?

Wurde jemals Schizophrenie, Paranoia, manische Depression oder Demenz bei Ihnen diagnostiziert?

Das ist meine Privatangelegenheit.

JA oder NEIN?!

Nein. Nicht diagnostiziert.

Was ist mit gelegentlichen Schwindelgefühlen? Geschlechtskrankheiten? Aids?

Ich wüsste nicht, was das zur Sache …

Tropenkrankheiten?

Nein, verdammt. Ich war in meinem ganzen Leben in nicht mehr als einem Dutzend Orte. Alle in der gemäßigten Zone. Wiesen, furchtbare Auen.

Haben Sie *furchtbare* Auen gesagt?

Oder fruchtbar. Eins von beiden wird es sein.

Leiden Sie an Legasthenie? Verschreiben Sie sich häufig?

(Lachend:) Oh ja. Praktisch jeden Tag.

Bitte zu Protokoll zu nehmen, dass der Götze …

Das ist nicht mein …!

… eine bisher nicht berichtete Denk- und Verhaltensweise an den Tag gelegt hat, die man gemeinhin Sarkasmus nennt.

(Kichernd:) Meingehin Kamsarkus?

Das Lachen wird dir schon noch vergehen, Furzgehirn!

Also, das, bitte, kann ich von mehreren Seiten widerlegen! Mit mir beschäftigt sich eine Reihe im Aktenschrank des Forschungsinstituts, die ist so lang, wie ich groß bin!

Na, wenn das nicht beeindruckend ist!

Lachen im Saal.

Jetzt weiß ich nicht mehr, wo ich war.

Ihre Arbeit.

Ja, danke. Ich übertrage Geschichten. Herzzerreißende und komische, ergreifende und skurrile, sentimentale und skeptische. Menschliches, Kindliches, Tierisches. Glaube, Hoffnung, Liebe. Sowas.

Jetzt ist es rundherum still. Ich habe das Gefühl, sehr gut zu sein. Ich lege nach. Meine Stimme schwingt sanft und sonor, melodiös und männlich:

Da sind zwei, die lieben einander, aber bevor sie ein einziges Wort des anderen verstehen, vergehen oft Stunden. Sie ist taubstumm, er Spastiker. Ihre Namen sind Ling und Bo, sie leben gemeinsam in einem Heim ...

Kichern von den Rändern. Die Knaben?

Blablablabla, sagt der Linke. Ein wahrhaft targisches Schicksal! Und so relaistisch beschrieben! Sterzergreifend! Ich kann's nicht mehr hören, scheiß neue Lust am Erzählen! Du glaubst doch nicht, dass dich das retten wird?

Schreie aus dem Publikum: Nieder mit den Anekdoten! Nieder mit der Lüge und dem Kitsch! Nieder!

Mein Gesicht hinter Glas, sehr weiß. Die Stimme verzerrt, ich bin aufgebracht:

Die Welt als Vokabel! Das ist mein Trost! Warum kann man das nicht verstehen? (Weinerlich:) Das ist nicht gerecht.

Der Linke, gelangweilt: Ist das nicht etwas übertrieben? Was denkst du, dass du bist?

Taugenixe! Trübsalblase! (Zwischenrufe aus dem Publikum.)

Der Linke, höhnisch: Emsig wie die kleine Ameise sind wir. So ein unauffälliges, harmloses Tierchen. Was kann ich Ihnen sagen, ich habe nichts anderes getan all die Jahre, als gearbeitet. Kannst keiner Fliege was. Umsonst in deiner Handfläche das Spinnengewebe. Ein mickriges Haarnetz, in dem dein Leben hängt. Am besten, du ballst es zusammen und tust damit etwas Effektiveres. Applaus aus dem Auditorium.

Auch ich würde mich verbeugen, wenn es mir körperlich möglich wäre. Eins muss der Neid dir lassen, sage ich zu Erik. Ich dämpfe meine Stimme und richte meine Worte direkt an ihn, das ist eine Sache zwischen ihm und mir. Eins muss der Neid dir lassen. Für jemanden, der so brotdumm ist, waren das einpaar gute Vergleiche. Was nichts daran ändert, dass es eine wahre Qual ist, in deiner Nähe zu sein. Als würde die Scheiße in einem feststecken. Und das ausgerechnet jetzt. Das habe ich nicht verdient.

Der Applaus verebbt.

In Ordnung, sagt der Mittlere. Machen wir eine kleine Pause. Danke.

Hören Sie, sage ich, könnte man das Ganze nicht beschleunigen? Ich will nicht über meinen Körper sprechen, so was gehört sich nicht, obwohl ich, zugegeben, Angst vor den Folgen tagelangen Schlafentzugs habe. Außerdem könnte ich verdursten sowie mir in die Hosen machen. Schließlich und endlich übt dein Körper Verrat an dir. Verständlich, dass ich das vermeiden möchte. Doch abgesehen von solchen persönlichen Dingen, sehe ich es als meine Pflicht an, Sie darauf aufmerksam zu machen, dass dieses System prinzipiell ein Selbstläufer ist. Wir könnten ohne Zweifel bis in alle Ewigkeit so weitermachen, was, abgesehen davon, dass es sterbenslangweilig ist, zu einem ganz und gar absehbaren und immer demselben Ergebnis führen würde: zu nichts. Das hier, meine großkopferten Herren, führt zu absolut NICHTS, denn Sie sind nicht und werden niemals in der Lage sein, sich ein Urteil zu bilden. Weil Sie nicht den Mumm haben oder weil es nicht möglich ist.

Sie irren. Es ist möglich, und wir haben den Mumm. Dies hier ist eine der Sachen, die funktionieren, unabhängig davon, ob man an sie glaubt. Bei allen Zweifeln an der Legitimität und den Methoden dieses Gerichts sollte der tiefere, menschliche Zweck nicht vergessen werden: dass wir nämlich einen wertvollen Präzedenzfall liefern werden. Aber was die Langeweile anbelangt, geben wir Ihnen Recht. Sie langweilen uns. Entwickeln sich keinen Deut weiter. Laufen im Kreis, immer haarscharf am Wesentlichen vorbei – Wobei ich mich, diese persönliche Bemerkung sei mir erlaubt, nicht des Eindrucks erwehren kann, dass Sie sich dabei vorsätzlich dümmer stellen, als Sie sind, allein dafür verdienten Sie einpaar hinter die Löffel, aber sei's drum, ich bin nicht Ihre Großmutter, gottseidank, kann ich nur sagen –, wie in einer Zentrifuge kleben Ihre Einzelteile an den Rändern, während Ihre Mitte leer bleibt. Sie haben Recht, davon ist jetzt genug, und kommen Sie mir nicht damit, irgend etwas *da draußen* hätte Sie so zerteilt, das zählt nur in den ersten drei Jahren als Entschuldigung, so lange ist auch Heimweh erlaubt, danach ist statt selbstquälerischem Festkleben an der weißgott nicht ruhmreichen Vergangenheit eine in die Zukunft weisende Integration angesagt. In Ihrem Fall sind also sämtliche Entschuldigungen längst verjährt, es ist Zeit, dass wir zu einem Ende kommen mit Ihnen, ob es Ihnen gefällt oder nicht. Hat jemand aus dem Publikum der Anklage noch etwas hinzuzufügen?

Eine hohe, entgleisende Männerstimme, Konstantins Kopf ist nur so groß wie ein Apfel: Er hat aus purer Lust und Laune seine Münzen verweigert!

Das ist ein wichtiger Punkt, danke!

Erstens stimmt das nicht, und zweitens brauche ich die Münzen selber. Frau Vorsitzende, bestünde vielleicht die Möglichkeit, diesen Herrn mitsamt seiner demagogen Rhetorik aus dem Saal zu entfernen?

Buh-Rufe aus dem Publikum.

Sagen wir: bevor ich ihm den Hals umdrehe?

Raunen, Klatschen, Pfiffe aus dem Publikum.

Aha! Langsam kommen wir der Sache näher!

Ich weiß nicht, wovon Sie sprechen, sage ich grob.

Und ob!

Nein, sage ich. Keinen Schimmer. Ich bin ein höflicher Mensch. Ich lege es, weißgott, nicht darauf an, mich mit den Behörden anzulegen. Ich bin folgsam bis zur Unterwürfigkeit. Mit einem

Handgriff habe ich meine Papiere parat. Wenn man mich fragt, antworte ich: höflich, knapp und allem Anschein nach absolut aufrichtig.

Blablabla. Das wissen wir alles. Unbescholten bis hinein in die Sexualmoral.

Schon wieder. Ich lache gequält. Das ist doch Nonsens! Sie versuchen, durch absurde Kausalitätsketten meinen Verstand zu verwirren, und verletzten routinemäßig juristische Standards. Ich weiß vielleicht zu wenig über die meisten Dinge, aber mit Sprache kenne ich mich aus und merke, wenn man mich verarschen will. Normalerweise würde ich jetzt gehen. Einfach gehen, elegant, verschwiegen. Leider ist das momentan aus physischen Gründen nicht möglich, obwohl ich mittlerweile einen Körper zu haben scheine, nur die Macht über ihn hat jemand anderes. Als würde ich in einem Block stecken wie die gefährlichen Tiere. Leider kann ich mich auch nicht auf andere Weise wehren. Das ist nicht fair. Ich betone: nicht fair. Das ist nicht das, was uns versprochen worden ist! Das ist nicht das, was uns versprochen worden ist!!

Khrm. Na ja, nun. (Rascheln.) Ich denke ... khrm.

Wieso, rufe ich dazwischen, wieso sollte es nicht auch welche geben, die *für* mich sprechen? Ich verlange nach eigenen Zeugen! Auch ich habe, so unwahrscheinlich das auch sein mag, Freunde! Teilweise sind es echte Männer. Ich sehe ihnen gerne zu, wenn sie Sachen tun. Wenn sich die Adern an ihren Unterarmen spannen, wird mein Mund ganz trocken. Leider hassen sie mich. Oder wer weiß. Liebe ist es jedenfalls nicht. Spielt das jetzt noch oder jemals eine Rolle? Aber die Frau, die bei ihnen ist oder bei der sie sind, meine Patin, sie würde bestimmt für mich sprechen. Nicht, weil ich es verdiene, sondern weil es ihre Rolle ist, mir ausschließlich Gutes zu tun. Dasselbe gilt auch für meine Frau und meinen Stiefsohn. Leider habe ich allen Genannten gegenüber ein schlechtes Gewissen. Teilweise habe ich vergessen, wieso. Aber es gibt doch auch so was wie Verzeihen oder nicht?

Stille. Wir warten.

Oder nicht? sage ich.

Nichts.

Tja, sagt Erik.

Nun, sagt der Mittlere, Ist es meine Schwiegermutter?, ich denke, damit wäre alles gesagt. Wir kommen zur Verkündigung. Diese wurde vor Beginn des Prozesses in einem verschlossenen Umschlag hinterlegt. Könnte ich den Umschlag haben? Danke.

Aufgeregtes Nesteln im unsichtbaren Raum. Eine mit Spannung erwartete Zeremonie steht bevor. Komisch. Jetzt, wo es zu Ende geht, bekomme ich doch Herzklopfen, würde gerne noch um einpaar Stunden flehen. Nur noch einpaar Stunden dieser Quälerei! Verzeihung, aber ich … Hallo? … Ich möchte etwas sagen! Ich werde etwas sagen. Notfalls drehen Sie mir das Mikro ab, aber das können Sie nicht, alles ist eine Attrappe, der Glaskasten, das Mikro, in Wahrheit gibt es keine Möglichkeit, meine Stimme auszuschließen, wenn ich einmal spreche. Ich will, ich will …

Na?

Alle Anschuldigungen gegen mich sind falsch! Ich habe nichts getan!

Das wissen wir.

Was wollt ihr dann von mir?

Nun gut. Vergessen wir alles andere. Beantworte mir nur die vier Fragen: Warst du klug? Warst du gerecht? Warst du mutig? Hast du das richtige Maß gehalten?

Nein.

Nein.

Nein.

Nein.

Wer antwortet statt meiner?

Also, was willst du dann?

Großes Schweigen.

Würdevoll: *Weil du weder kalt bist noch warm, sondern lau, werden wir dich ausspeien aus unserem Munde.* Bevor wir das Urteil verkünden, sei noch soviel gesagt: Verbrechen beginnt mit der Vorstellungskraft und ist als solches grundlegend mit unserem Menschsein verknüpft. Das entschuldigt aber nicht … Ich verbitte mir das diabolische Grinsen des Angeklagten! Was gibt es da zu lachen?

Man kann mich nicht hinrichten.

Ach nein? Und wieso nicht?

Ich bin noch unberührt! (Johlend:) Ich habe mich *aufbewahrt* für den einen und einzigen *Bräutigam*!

Die Großkopferten besprechen sich. Ich lache. Schließlich der Mittlere:

Die Meinungen gehen auseinander, was die Relevanz dieser Tatsache, welche wir nicht nachprüfen können, anbelangt. Zugegeben, es gab eine Zeit, in der man annahm, der Teufel könnte nicht in Jungfrauen fahren, was zum wunden Punkt der ganzen Jeanne-d'Arc-Geschichte wurde, deswegen, und um sicher zu gehen, lautet das Urteil: Massenvergewaltigung.

Rumoren, Stühlerücken, vereinzeltes Klatschen, Zungenschnalzen. Die Stimme eines Ordners über Lautsprecher: Bitte, in einer Reihe aufstellen. Die Knaben zuerst!

Es ist mir etwas bange, aber es ist auch eine gewisse frohe Erwartung in mir. Was werden die Knaben mit mir anfangen? Werde ich irgend etwas davon spüren, oder ist mein Hintern wie alles andere an mir aus Kreide und Gips?

Schnauze! sagt ein fetter Rothaariger. Den habe ich auch schon mal gesehen. Zuerst verlesen wir die Foltermethoden. Wir haben sie nach Ländern beziehungsweise Kulturkreisen geordnet, aber natürlich gibt es viele Überschneidungen. Die Chinesen schneiden die Nase ab, die Mongolen häuten mehr. In Spanien heißen die Übungen Badewanne, Beutel, Rad, Operationssaal. Außerdem kennen wir weltumspannend den Grill, das Telefon-B und den Stachelstock. Strom, Wasser, Plastikbeutel, Schlagstöcke, Exkremente und Motoröl spielen eine eminente Rolle, ebenso die Wirkung erzwungener Körperhaltungen und verschiedener Fesselungen. Mit dem Kopf nach unten zu hängen, führt im Glauben der meisten Völker zur Erleuchtung. In Einzelfällen kann auch das Abtrennen von Körperteilen praktikabel sein. Nichts Lebenswichtiges: einen Finger, ein Ohr, eine Zunge, du mittelalterlicher Dieb, du falscher Prediger, du Majestätsbeleidiger. Die Lippen mit Drähten zu vernähen ist eine andere überlieferte Möglichkeit. Würde das nicht einen beträchtlichen Teil deiner Probleme lösen?

Sei ehrlich. Bei ausbleibender Nahrungsaufnahme minimiert sich auch die Gefahr, sich mit Verdauungsprodukten zu besudeln. Obwohl du dir um die Kleidung keine Sorgen machen musst, denn die meiste Zeit wirst du nackt sein. Schau dir diesen verschrumpelten kleinen Schwanz an!

Schon gut, sage ich. Ich wähle die Knaben.

Schnauze! Wir sind noch nicht fertig! Während wir lesen, werden neue Methoden erfunden, wir hecheln unserer Zeit praktisch immer hinterher. Man kann nicht hinter den Punkt zurück, den man einmal passiert hat, das müsstest du doch wissen, also schlag dir die süßen Jungen aus dem Kopf. Aber es ist immer möglich, noch einen Schritt weiter zu gehen. Wann, wenn nicht jetzt. Du warst sowieso nie als Opfer vorgesehen. Du wirst der sein, der all das ausführt. Zehn Prozent der Menschheit, das ist wissenschaftlich erwiesen, empfindet Freude dabei, andere zu quälen. Schau, hier sind alle, Bekannte und Unbekannte, sie gehören dir, nach Lust und Laune.

Jandas Gesicht ist wie ein Nadelkissen, er hockt zusammengekrümmt in der Ecke, sein Zahnfleisch blutet.

Du kannst ihn ficken, wenn du willst. Nur komm nicht in die Nähe seines Mundes. Seine Zähne sind wie die Zacken einer verrosteten Säge, und seine Knochen stehen hervor, aber sein Darm ist weich, der trocknet als Letztes aus, er kann noch bis zu zehn Tage am Leben bleiben.

Wisst ihr was, sage ich (meine Stimme, was ich nicht will, zittert), fickt euch doch selbst!

Du willst und willst also nicht Farbe bekennen, dich deiner Ohnmacht entledigen und die großartige Macht dessen spüren, der über sich hinausgewachsen ist?

Nein!

Wozu wärst du sonst zu gebrauchen, mickriges Aas? Deserteur! Jungfrau! Verräter!

Jawohl, sage ich. Jawohl! Und noch einmal, diesmal brüllend, ich muss Jahrhunderte aus mir hinausschreien: JawOOOOOO-OOOOOOOOOOOOOOOOOOOOOOOOOOOOOOOOOOO-OOOOOOOOOOOOOOOOOOOOOOOOOOOOOOOO---

Was bist du nur für ein lächerlicher und dummer Popanz! Hier gehört Schreien zum Konzept!

Ist mir egal, ich schreie weiter, OOOOOOOOOOOOOOOO-OOOOOOOOOOOOOOOOOOOOOOO, kommt doch und bringt mich zum Schweigen, stopft mir das Maul, tötet mich!

Kaum habe ich das Letzte gedacht, sind sie weg, und ich liege auf der Erde. Das heißt: ich glaube, ich liege, und es ist die Erde. Keiner – weil ich nicht – sagt mehr etwas. Wieder bin ich allein im leeren Sandfeld von Agirmoru Put. Die Ruhe tut gut. Mehr denn je verlangt es mich nach Einsamkeit. Ich verhülle mein Gesicht. Hier vergeht sehr viel Zeit.

Später öffne ich die Augen oder hatte sie die ganze Zeit geöffnet. Wie es scheint, lebe ich immer noch. Welches Recht habe ich mir dadurch erworben? Ich habe mir das Recht erworben, allein in grauen Ruinen zu verharren. Sie sehen aus, als hätten sie die Pocken. Schwalbennester. Ich könnte sie zerkrümeln mit einer Hand. Es sieht nicht aus, wie es aussehen müsste, dennoch weiß ich, was es ist. Gibt es das Reiterstandbild noch, die Tauben, das Theater, die märkierten Wanderwege? Ja, nein, ich weiß nicht. Außer dem aussätzigen Gemäuer ist nichts zu sehen und auch nichts zu hören. Niemand außer mir ist hier.

Doch. Du bist da. Da bist du also.

Hast du eine Vorstellung, was ich alles durchgemacht habe, um dich zu finden? Wo habe ich dich überall, wie lange gesucht! Unter wie vielen Namen! Ich habe alles ausprobiert. Alles, wozu du hättest werden können. Priester, Arzt, der das Feindliche miteinander versöhnt, oder im Gegenteil: Feldherr. Nirgends warst du. Und jetzt. Sitzt einfach da, auf einem Kantstein, einem alten Meilenstein, einem Mülleimer aus Beton. Bist du jung, wie du damals warst oder heute wärst, oder alt, wie du noch nicht sein könntest? Ich kann es nicht sagen. Alles an dir ist perfekt. Deine Kleidung von kühler Eleganz. Dein Körper darin. Pass auf, lehn dich nicht an die Wand, dein edler Mantel wird voller Asche.

Wie geht es dir? Mir geht es den Umständen entsprechend gut, ich klage nicht.

Du sitzt nur da, sagst nichts. Im Traum ist mein Vater zu mir gekommen, sagte Großmutter, aber er hat nichts gesprochen. Tote in Träumen sprechen nicht. Früher hast du immer geredet. Jetzt, als wären deine Lippen nur aufgemalt. Vielleicht bist du gar nicht du, nur eine dir sehr ähnliche Puppe, scherzeshalber auf die Straße gesetzt. Eine dieser Schaufensterpuppen, die sie massenhaft aus den Läden geworfen haben, damals. Später sah man die Puppen überall wieder, in Mülltonnen, auf Balkonen, in jeder möglichen Haltung. Manchen fehlten Arme, Beine, die lebten schon ihr eigenes Leben. Hände griffen aus Kellerlöchern. Aufgespießte Köpfe statt Verkehrsschildern. Torsi trieben bäuchlings im Fluss.

Jetzt, endlich, blinzelst du. Behutsam, uneitel wie ein Tier. Stehst auf, gehst. Ich folge dir.

Das ist jetzt fast wie damals. Nur, dass ich nicht zu dir aufschließen kann, aber das will ich gar nicht. Besser so. Ich sehe mehr von dir als jemals. Die ganze Figur, von Kopf bis Fuß, wenn auch von hinten. Aber so ist es auch leichter. Das ist jetzt wie ein klassischer Traum. Wir gehen durch Gassen, ich weiß, es ist unsere Heimatstadt, wenn es auch nicht so aussieht. Gibt es außer uns noch Menschen? Ich sehe niemanden. Allein durch eine leere Heimat. Sie zu lieben ist unsere Pflicht. Ich sage: Zur Hölle damit! Ich fürchte mich etwas, es auszusprechen, aber es hört mich ja niemand außer dir. Dieser schöne Grusel, wenn plötzlich alle verschwunden sind. Nur du und ich.

Das ist eine merkwürdige Rolle. Normalerweise bin nicht ich derjenige, der spricht. Obwohl ich mich sehr entwickelt habe seit damals, wenn man das auf den ersten Blick auch nicht sieht. Ich habe einiges gelesen in meiner freien Zeit, wenn es draußen kalt war. Ich könnte dir über vieles, was man eine Allgemeinbildung nennt, Auskunft geben, du müsstest mich nur fragen. Natürlich fragst du nicht. Du gehst, lässt die Kreuzungen links und rechts liegen. Hast Recht, es gibt keine Wahlmöglichkeit. Man muss den einen Weg zu Ende gehen. Ich hoffe, es gibt tatsächlich eins. Denn, ehrlich gesagt, mag ich diese langen Märsche nicht besonders. Warum nimmst du mich nicht lieber mit nach Hause? Lass uns im Schatten des Ölofens ins warme Bett schlüpfen und Raumfahrerromane lesen! Erzähle ich Blödsinn? Bin ich ein Kind? Ja und ja. Nimm mich bei dir auf!

Ich weiß, du bist keiner, der mit sich handeln lässt. Du gehst und gehst. Das ist schon die alte Brücke über dem Fluss. Manchmal bringt er roten Sand aus den Bergen. Das habe ich ganz vergessen zu erwähnen. Unsere Stadt hat viele Brücken. Wir sind über sie hin und her gelaufen wie ein Weberschiffchen. Jetzt gibt es nur noch diese eine. Im Flussbett liegt der alte Müll. Haushaltsgeräte. Ein Synthesizer. Einige von den Puppen auch. Ölkanister, Busse. Ein Schwein. Ich verstehe nicht, wie man sich immer wieder beklagen kann, es ginge einem nicht gut genug, und dabei doch so verschwenderisch sein. Verstehst du das? ---

Aus der Nähe betrachtet, sind deine Bewegungen etwas steif. Hängt das mit deiner Vergangenheit als Schaufensterpuppe zusammen oder warst du immer schon so? Du hattest ein schwaches Herz, warst vom Sport befreit. Bei mir zeigen die Apparate, selbst wenn ich im Sterben liege, noch Normalwerte an. Es ist mir etwas peinlich, über mich zu sprechen, andererseits wünschte ich mir, du würdest endlich aufmerksam auf mich. Nicht, dass ich sonst keine Möglichkeiten hätte. Es gibt sogar Leute, die mich anziehend finden. Na ja, bei den Knaben weiß man's leider am wenigsten. Ich habe zuviel Macht über sie. Das Alter und überhaupt. Obwohl, in Wahrheit hat der die Macht, der sich unterwirft. Hiermit unterwerfe ich mich.

So weit draußen waren wir noch nie. Siehst du den verkohlten Baum da drüben? Ist er nicht schön? Die Hütte daneben ist auch putzig, sie ist aus Öldosen und Mehlsäcken gebaut, oder ist es eine Barrikade? Das war nicht besonders geistreich? Tut mir Leid. Ich möchte dich unbedingt beeindrucken, das bringt mich immer wieder in Gefahr, übers Ziel hinauszuschießen. Wobei ich noch nie eine Waffe in der Hand gehalten habe. In der Schule hatte man die Handgranaten durch Metallstücke mit Holzgriff ersetzt, und die Toiletten stanken wie jetzt diese Lagerlatrinen zu beiden Seiten des Wegs. Schön würde ich das nicht mehr nennen. Glücklicherweise habe ich seit längerem nichts mehr gegessen. Irgendwann unterwegs ist mir der Appetit vergangen. Obwohl die Ersten, denen man verzeiht, für gewöhnlich die heimischen Speisen sind.

Jetzt verstehe ich. Du bist der, der durch die Trümmerlandschaften zwischen den vier Flüssen wandert, wo die Straßen übersät sind mit Schlaglöchern. Unter dem gebrochenen Asphalt lugt rötlicher Wüstensand hervor. Wie gerne würde ich zum Sternenhimmel hinaufsehen! Aber du zwingst mich dazu, nur vor meine Füße zu sehen. Die Knöchel schmerzen. Meine Schuhe sind abgelaufen. Überall wird vor Minen gewarnt. Wir können die Straße nicht verlassen, nicht in die verlockenden Obsthaine gelangen, komm, wir legen uns unter einen Baum. Wir müssen hier bleiben, wo zerlumpte Kinder, sind sie schwarz oder nur sehr braun gebrannt?, am Wegesrand stehen und mit den Händen Staub in die Löcher schaufeln: Seht, wie wir sie reparieren! Der Wind hebt ihn sofort wieder heraus. Der Fahrtwind eines vorbeibrausenden Jeeps. Das praktischste Fahrzeug bei unsicheren Straßenverhältnissen, wie sie nach kriegerischen Auseinandersetzungen und fortgesetzter Misswirtschaft häufig vorherrschen. In die Seitenfenster kann man kleine Schlitze kurbeln, durch die man zerfledderte Geldscheine nach außen schiebt. Der Fahrtwind reißt sie davon, das ist von Vorteil, solange sie ihnen übers Feld nachjagen, ist die Gefahr, dass sie unter die Räder geraten, geringer. Was sie auch immer tun, sie hören nicht auf, pao, pao zu schreien. Ein anderes Wort kennen sie gar nicht. Sie nennen alles pao: das Brot, den Baum, den Stein, ihren Vater, ihre Mütter und Schwestern. Uns natürlich auch. Ist das mein wahrer Name? Pao? Stehen am Straßenrand, pao, pao, ihre Arme sind so lang, dass sie bis zu uns in die Mitte der Straße reichen.

Hier, ich habe einpaar alte Münzen gefunden. Vielleicht sind sie noch gültig. Was anderes habe ich sowieso nicht. Du gehst vor mir, drehst dich nicht um, siehst meine gute Tat nicht. Ich verteile mein antikes Erbe an die Armen der Welt. Ein wenig sorge ich mich, dass es nicht reichen könnte, wie viele Münzen habe ich überhaupt, in meinen Taschen haben sie kein Gewicht. Ich verteile und verteile, streue rostige Münzen in kleine Hände wie Samen in die Erde. Meine Augen sind tränenverschleiert. Ich bin nicht gerührt. Ich habe Angst.

Dann ist es vorbei, die Kinder sind verschwunden, ebenso die Straße, wir stehen wieder in der Stadt. Die Sonne geht unter. Der Muezzin schreit. Seit damals habe ich das nicht mehr gehört. Du stehst vor mir, hast dich doch umgewandt, hebst die leere Hand. Ich weiß, was du willst. Du kriegst sie nicht, bevor du nicht mit mir gesprochen hast. --- Ein Wort. Sag nur ein Wort. --- Ich liebe dich. Ich hasse dich. Aber ich liebe dich. Könntest du nicht wenigstens einmal, leise, hier hört uns keiner, mit nicht genau diesen Worten sagen: Ich dich auch?

Stehst nur da, hältst die Hand auf. Wenn ich jetzt hier einfach stehen bleibe mit dir, in alle Ewigkeit, was tust du dann?

Ich weiß, hörst du?, ich *weiß*, dass du mich auch geliebt hast. Du hast nur mich geliebt. Statt Gott – mich. So sehr, dass du mich ganz und gar aus deinem Herzen verbannen musstest. Da hast du die Wahrheit, ungläubiger Hund!

Du wartest geduldig. Man kann dich nicht mehr beleidigen, noch ist es nötig, sich zu entschuldigen. Du weißt alles über mich. Du hast Recht, ich werde nicht weinen. Ich hole die letzten zwei Münzen aus meiner Tasche. Eine davon gehört dir.

À chacun sa part, sage ich und lege sie in deine Hand.

Du öffnest den Mund. Ist dahinter eine schwarze Höhle? Ich schaue hin, ganz so, als gruselte es mich nicht. Ich weine nicht, obwohl du ab jetzt nie mehr zu mir oder zu irgend jemandem sprechen wirst. Du nimmst die eiserne Hostie und für einen kurzen Augenblick der Glückseligkeit sehe ich deine Zunge. Die höchste Freude, die ich je empfunden habe, durchflutet meinen Körper. Eli! Eli! Eli! Ich habe ihm meine Blume geschenkt, kurz darauf ist mein Geliebter gestorben. Ich weiß nicht, wie es geschah, ich war nicht dabei, ich war es nicht, er schlief friedlich ein, denn wenn das Herz stillsteht, ist man tot, doch vorher hat er mich noch entjungfert. Mehr kann ich nicht verlangen.

Also schön, sage ich schließlich, nachdem ich lange allein war. Also gut. Ich werde mich erkenntlich zeigen und sprechen. Lange, fundiert und hymnisch werde ich über die Sprache sprechen, welche die Ordnung der Welt ist, musikalisch, mathematisch, kosmisch, ethisch, sozial, die grandioseste Täuschung, dies ist mein Fach. Ein Mensch kann zweihundert verschiedene Gesichtsausdrücke produzieren, um seinen Befindlichkeiten Ausdruck zu verleihen. Etwa gleichviel Töne kann ein Säugling hervorbringen. Später lernt er seine Muttersprache und vergisst den unnützen Rest. Das nennt man Ökonomie. Er lernt durch richtige Beispiele ebenso wie durch Fehler, aus denen er die richtige Regel ableitet. Das nennt man: universeller Sprachinstinkt. *Gefallen aus von der bratenden Pfanne in das Feuer wir sind.* Hiermit definieren wir Translation als Aspekt von Kommunikation, Kommunikation von Interaktion, Interaktion von Handeln. Somit ist Übersetzen, sofern ihm eine Absicht zugrunde liegt: Handeln. All das habe ich einst in einer längeren Arbeit auseinander gesetzt, das Volumen schätze ich auf vierzig Bände, doch leider ist mir alles abhanden gekommen, noch bevor ich den ersten vollendet oder angefangen hätte. So kann's gehen. Streng genommen war es nicht schade darum. Bei Bedarf kann alles in zahlreichen anderen Werken nachgelesen werden. Zum Beispiel eines Winters, wenn die Heizung ausgefallen ist oder lärmende Fremde die Wohnung belagern. In Bibliotheken ist es meist still und manchmal sogar warm. In der Theorie habe ich dem nichts hinzuzufügen, in der Praxis sieht es so aus, dass ich offiziell zehn Sprachen beherrsche, in Wahrheit sind es unendlich viele. Allein schon meine Muttersprache befähigt mich dazu, zirka zwei Dutzend verschiedene Dialekte zu unterscheiden, manche davon definieren sich als eigenständige Sprache, weil oft schon eine einzige Nuance in einem einzigen Ausdruck eine gänzlich andere Welt ergibt. Mir kann es egal sein, ich mache daraus keine Staatsaffäre. Ich spreche Kajkavisch so gut wie Cavakisch, Stovakisch oder Ijekawisch und sie sind mir alle gleich wert. Ich könnte den Dialekt eines jeden Dorfes dieser Welt lernen. Die noch bestehen und die nicht mehr bestehen. (Was haben die letzten drei Liwen miteinander gesprochen? Was sollen drei, die übrig geblieben sind, schon miteinander reden? Im Übrigen waren es Liwinnen. Die Frauen bleiben immer bis zum Schluss. Sind sie dafür zu beneiden oder nicht? Mal sage ich ja, mal sage ich nein.) Jeder auf der Welt könnte zu mir kommen und zu mir sprechen, ich würde es verstehen. Und wenn es absoluter Nonsens wäre. Gerade erfundenes Kauderwelsch. *Kerekökökokex.* Diese Fähigkeit ist mir eines Tages ohne weitere Erklärung verliehen worden, ich dachte, ich sterbe, aber ich starb nicht, sondern. Leider – Hüte dich vor den Geschenken der Götter! – hat das einige Nebeneffekte mit sich gebracht. Da gibt es zum Beispiel dieses Hörproblem. Wo ich auch immer bin, an einem öffentlichen Ort, höre ich alle gleich laut sprechen. Ich höre die anderen Dolmetscher in ihren Kabinen, sämtliche Leute im Café, im Park. Deswegen ist es mir oft unmöglich, auf ihre Fragen zu antworten. Es ist einfach zu viel. Nicht immer ist es so, aber häufig, und bedauerlicherweise erwischt es einen meist unangekündigt. Ich sage das nicht, um mich zu verteidigen. Es noch länger zu verschweigen, hat jetzt allerdings auch keinen Sinn mehr. Zu einem Halsnasenohrenarzt zu gehen, fiel mir auch schon ein, aber zum einen habe ich keine Versicherung und zum anderen weiß ich, dass das nichts bringen würde. Körperlich ist alles in Ordnung bei mir, ich habe einen stabilen Brustkorb, in dem ich einen stabilen Brustton produziere: ein gesunder, zeugungsfähiger Mann. Ich erwähne das nicht, um zu prahlen. Nur weil es allerlei Gerüchte über mich sowie Zweifel an mir gibt. Ob ich bin, der ich bin, ob ich kann, was ich zu können behaupte. Behaupte ich es überhaupt selbst, oder hat es jemand über mich behauptet, und ich habe es nur nicht widerlegt? Aber wie sollte ich wen auch immer überzeugen? Wenn man der Kompetenteste in einer Sache ist, ist man ganz auf sich allein gestellt. Natürlich könnte ich den lieben Gott anrufen, dem man nachsagt, er würde alle Sprachen verstehen, was bleibt ihm auch anderes übrig. Bei ihm ist alles, Vergangenes, Gegenwärtiges, Zukünftiges, das ist der Grund dafür, warum er schweigt, während ich hier durch mein Nichtwissen voran getrieben werde. Oder je nach dem. Ökumenische, Korrektur: ökonomische sowie biologische Zwänge. Sagen wir, ich bin einfach überdurchschnittlich verfolgt vom Glück undoder Pech. Kann einem einzelnen Menschen soviel widerfahren? Und sei es in zehn Jahren? Manchen Menschen widerfährt gar nichts. Manche legen es genau darauf an. Ich bin nicht aus lauter Übermut Wale fangen gegangen. Auf achteinhalb Kilometern Höhe zu ersticken reizt mich nicht. In mir ist nichts vom Abenteuergeist meines Vaters, kein umtriebig fragender Geist bin ich wie mein Freund und Idol. Nicht alle sind wir dafür geschaffen. Ich hätte mein Leben lang in derselben von Kastanienbäumen gesäumten Straße leben können, ein heimlich schwuler Lehrer in der Provinz, mehr habe ich nie gewollt. Mehr als zehn Jahre hat man kaum einen Mucks von mir gehört. Ich klage und ich fordere nicht, wie es sonst die Art von Leuten in meiner Situation ist. Ich habe mich darauf verlegt zu lernen. Von der begrenzten Unveränderlichkeit einer Kindheit in den Provinzen der Diktatur in die allumfassende Vorläufigkeit der absoluten Freiheit eines Lebens ohne gültige Dokumente geraten und somit auf mich selbst und dem, was sich daraus ableiten lässt, zurückgeworfen, schien es mir der einzig gangbare Weg zu sein: sich auf nichts anderes als auf die Kultivierung und Ausweitung meines Talents zu konzentrieren und für den obskuren Rest nicht verantwortlich zu sein. Heute weiß ich nahezu alles über die Bereiche, in denen sich Sprachen berühren, und auch über die, wo sie sich niemals berühren. Etwas bleibt immer im Dunkeln. Mehr zu wissen heißt, auch mehr um die Existenz der dunklen Bereiche zu wissen. Daher die Vorsicht, sich zu äußern. Fünftausend allgemeinsprachliche Wörter pro Sprache hin oder her. Später bekam ich im Rahmen von Untersuchungen die Möglichkeit, vieles, was man als Laie wissen kann, über mein Gehirn zu erfahren. Mir standen Quellen in sämtlichen Sprachen zur Verfügung, außerdem bin ich fleißig und Hausaufgaben machen macht mir Spaß, so war es mir ein Leichtes, mein eigener Sachverständiger zu werden. Wussten Sie, dass die Schläfenlappen, wo die Sprache wohnt und nebenbei auch die Gotteserfahrungen gemacht werden, genauso aufgebaut sind wie die Gehirnregionen, die mit aggressivem Verhalten in Verbindung stehen? Oder dass die sogenannte Berserkerwut ein von halluzinogenen Pilzen ausgelöster Wahnzustand war? Ja, so ist es. Ekstatische und gewalttätige Vorstellungen gehen Hand in Hand. Zum Glück haben wir hier, auf der Vorderseite des Gehirns, auch noch eine schöne Zivilisation. Eine zehn- oder beliebigfache Sprachbarriere. Ich habe mich unter Kontrolle, das gibt's gar nicht. Leider führt das zu einem stark asymmetrischen Linkshirn, ich kann mit Links nicht einmal eine Tasse länger als einpaar Sekunden halten, eine Brötchenhälfte, andererseits bin ich sowieso Rechtshänder. Als Kind machte ich mir Gedanken um Großes wie das Weltall und die Liebe, heute denke ich praktisch über nichts mehr nach. Ich lebe wie die Amöbe, eine widerstandsfähige, ökonomische Lebensform, der Platz, den ich auf der Erde einnehme, ist nicht größer als meine Fußsohlen, der Abdruck meines Körpers auf einer Matratze, liegend, sitzend, eine Hüftbreite Metallkäfig in fünf Etagen Höhe, und ich praktiziere alle Tage den Frieden. Meinen Lebensunterhalt verdiene ich mit schlecht bezahlter, aber anständiger Arbeit. Ich wiederhole, was mir in der einen Sprache vorgesagt wird, in einer beliebigen anderen. Dazu steckt mein Kopf meist zwischen zwei anderen Köpfen, diese Figur ist als die Straußhaltung bekannt, aber viele sagen auch Stereo. Die Zeichen der Zeit sind Kommunikation. Jeder, der sich äußert, ist willkommen, wir sprechen, also sind wir, bilden Laute, die sich zu Gruppen zusammenfügen, zu kleinen Sträußchen, die hier ein Wort sind und dort gar nichts, aber macht nichts, dafür haben wir ja mich. Bei Tischformen ist das Rund zu bevorzugen, wahlweise das Oval, weil raumsparender, das ist nicht unwichtig, denn dem allumfassenden Zusammensein sind nicht zuletzt physische Grenzen gesetzt. Materie braucht nun einmal Platz, das kann zu nicht unerheblichen Konflikten führen. Der Dolmetscher hat auch die Speisekarte zu übersetzen, die Suppe heißt Royal, davor gibt's Ansprachen, später reden alle durcheinander, wie es ihre Art ist. Was sie auch immer sagen, und wenn es Mord ist, ich muss es wiederholen, und die Galgenfrist dauert exakt solange, bis ich noch spreche. Habe ich nicht manchmal daran gedacht, dass ich, in dem ich die eine Nuance der anderen vorziehe, nachhaltigen oder kurzzeitigen Einfluss auf den Gang der Welt nehmen könnte? Zum Beispiel, in dem ich den Satz nie beende. Einen UNENDLICHEN SATZ sprechen, das wäre gut, aber ist das nicht zu viel für einen einzelnen Menschen?

Alles in allem: ich klage nicht. Wenn ich mir auch keinen Begriff davon gemacht habe, die meiste Zeit war ich: glücklich. Abgesehen von den Rissen – ich weiß nicht, kann man sagen: in der Zeit? –, wenn es plötzlich unerträglich wurde, weder Leben noch Tod, sondern etwas Drittes, wofür der Mensch nicht gemacht ist, wenn die Flutwelle des Ekels, der Furcht sich über einen ergießt und einen fortreißt, noch nicht einmal in den Schmerz, noch nicht einmal das, sondern ins Nichts, Nichts, Nichts, bis es irgendwann, wie Wasser, langsamer wird und mit einem *idyllischen* Plätschern vergeht, und ich, Treibgut, auf dem Ufer übrig bleibe.

Kleine Pause, damit ich die nächsten Worte, die mir, nicht einzeln, doch in ihrer Abfolge, aus gewissen, persönlichen Gründen *heilig* sind, mit dem entsprechenden Raum sprechen kann:

Manchmal, sage ich, bin ich von Liebe und Hingabe ganz erfüllt. So ganz und gar, dass ich fast aufhöre, ich zu sein. Meine Sehn-

sucht, sie zu sehen und zu verstehen, ist so groß, dass ich mir wün-
sche, die Luft zwischen ihnen zu sein, dass sie mich einatmen und
ich eins mit ihnen werde bis hinunter in die letzte Zelle. Ein anderes Mal bin ich wiederum so überschwemmt von Ekel, wenn
ich sie vor mir sehe, diese Kadavermünder, wie sie essen und trinken und reden, und alles in ihnen wird zu Morast und Lüge, und
ich fühle, wenn ich mir das noch einen Augenblick länger ansehen
und anhören muss, werde ich auf das nächstbeste Gesicht so lange
einprügeln, bis nichts mehr davon übrig ist.

So. Jetzt ist es raus. Ja, verdammt, ich weiß, was draußen ist. Draußen ist, dass ich nicht weiterfahre, sondern den Zug zurück nehme
und bereits unterwegs jeden kille, der das Pech hat, meinen Weg
zu kreuzen. Plündern, vergewaltigen, das ist nicht meine Sache.
Auch die Folter befriedigt mich nicht. Aber ich könnte wortlos
und ohne nennenswerte Verzögerung, distanziert und präzise:
töten. Freund, Feind, egal. Ich wäre ganz unparteiisch. Rassismus
und andere Vorurteile spielen für mich keine Rolle. Mann, Frau,
Kind, Greis sind mir gleich wert. Ich bin eine faire Maschine. Es
ist keine Gnade in mir.

Ich sitze zwischen grauen Mauern, nicke wie ein alter Mann:
So, so, so ist es. Ich sehne mich zurück. Vierundzwanzig Stunden
am Tag. Gleichzeitig weiß ich genau, wenn ich je in meine Stadt
zurückkehren würde und sie sehen: die Straßen, die Häuser, die
Kastanien, und wenn ich die Spuren der Zerstörung sehen würde,
oder wenn es überhaupt keine Spuren mehr zu sehen gäbe, denn
es würde alles schon wieder so märchenhaft schön sein wie einst
unter dem unvergleichlich blauen Himmel der Heimat, wenn ich
sehen würde, was zu sehen ist oder nicht zu sehen ist, würden auf
der Stelle sämtliche Barrieren in mir fallen, als hätte ich giftige
Pilze gegessen, und ich würde unter himmelfahrenden Flüchen
alles kurz und klein schlagen. In diesem Zustand bin ich zu größeren Kraftanstrengungen fähig als normalerweise! Ich kann die
Stadt mit der Faust zermalmen, dieses Labyrinth vaporisieren, ich
finde anders nicht heraus, ich bin zu schwach dafür, aber ich bin
stark genug, es bis auf die Grundmauern niederzureißen. Das kann
gut und gerne Jahrhunderte dauern, aber vielleicht ist es auch nur

ein Tageswerk. Dabei brülle ich: Blut und Boden! Hundegeruch, Flussgeruch! Der Pestgeruch der Wasserleichen, aneinander gepresst wie die Schweinerücken im Transport, verflucht, verflucht! Ich schlage zu, verflucht, verflucht!, aber nach jedem Schlag erneuert sich die Haut auf meinen Fingerknöcheln, um sich jedes Mal neu abschürfen zu können. Ich muss schneller schlagen, damit sich die Haut nicht mehr erneuern kann, vielleicht wird mir der Blutverlust helfen aufzuhören. Oder vielleicht saugt der Sandstein mich auf, bis die ganze Stadt voll gesogen ist und zitternd dasteht wie ein Blutpudding, eine Speise für Götter.

Ich weiß auch nicht, warum ich jetzt schluchze. Eine Rolle Klopapier wäre gut. Erstens die Kosten und zweitens erinnert mich so eine Rolle an die Unendlichkeit. AN DIE SCHEISSUNENDLICHKEIT! Ein erwachsener Mann ohne Taschentuch. Ohne Hände! Ohne Nase, verdammt! Das ist nur der Duft der Erinnerung. Der Scheißduft der Scheißerinnerung!

Bis ich hierher gekommen bin, bin ich doch traurig geworden. Oder nicht traurig. Nostalgisch war ich nie, auch Illusionen habe ich mir nie gemacht. Doch, einmal. Kinderliebe. Egal jetzt. Darum geht es lange nicht mehr. Wovon ich rede … Wovon ich rede, sage ich nun, nicht zu leise, klar, ist mein neues Vaterland: die Scham. Jetzt und hier habe ich den Frieden praktiziert, alle Tage, ja. Weil es möglich war. Und wenn der Preis dafür war, meine Geschichte, also meine Herkunft, also mich zu verleugnen, dann war ich mehr als bereit, diesen zu zahlen. Aber in Wahrheit war ich doch allzu oft ein Barbar. Guten und nicht so Guten gegenüber. Die Liebe war nur noch als Sehnsucht in mir. Ich hatte Glück, Fähigkeiten und Möglichkeiten, man kann nicht einmal sagen, ich hätte sie gänzlich vergeudet, trotzdem bin ich heute verloren. Ich habe mich einfach zu sehr geschämt. Nicht am richtigen Ort, oder am richtigen Ort, nicht der richtige Mensch zu sein. All meine Kraft ging für die Scham drauf, von morgens bis abends und auch in der Nacht. Erniedrigende, verzweifelte Scham. Dass ich herkomme, wo ich herkomme. Dass passiert ist, was passiert ist. Pause, dann kaum hörbar:

Eines Tages ist der talentierte Mensch, der ich bin, einfach verzweifelt. In dem Moment, Stunden oder Jahre später, als ich begriff, dass der Augenblick in meinem Leben, in dem ich am meisten bei mir war, der reinste und befriedigendste, jener war, in dem ich das Fenster hinter dem Theater eintrat. So und nicht anders ist es.

Sehr lange Pause. Dann, leise:

Ich lege die Münze hierhin. Wenn du sie noch haben willst und gerade vorbeikommst, kannst du sie dir nehmen. Ich verspreche, dir nichts zu tun. Was anderes kann ich zu meiner Entlastung nicht vorbringen.

Kaum habe ich die Münze aus der Hand gelassen, hebt ein Glockengeläut an, oh, mein Gott, muss das sein, so ein schmerzlich peinliches Brimborium. Introitus, Kyrie, Graduale, Tractatus, Sequenz, Offertorium, Sanctus, Sanctus, Sanctus, Sanctus, Gott ist mit uns, mit uns, mit uns, mit uns. Es treibt sie mir zu, alle kommen jetzt, meine Succubae, sie tanzen um mich herum. Sie tragen typische Gegenstände bei sich, damit ich sie erkenne, eine Kettensäge, einen Wanderstock. Wanda, die zur Hälfte ihr Bruder ist, der apfelköpfige Konstantin, Eka mit dem Baby. Die blonde Elsa trägt einen Engelskopf aus Gips unter dem Kleid, umarmt fest den Kugelbauch, damit er nicht hinausplumpst unter alle Leute, einen halben Stadtteil zermalmt und den Papststuhl kostet. Und hier, meine Frau, ihr Name ist Gnade, sie tanzt – Wie freue ich mich! – Wange an Wange mit meiner goldbehelmten Patin. Sie singen:

Min bánat engele for
Ki häret sillalla tur
On vér quio vivír
Mu kor arga kun tier

Und über allem, pausenlos, das Glockengeläut. Es treibt uns vor sich her, hinaus aus diesem bizarr geschnittenen Universum, leicht wie die Samen des Löwenzahns fliegen wir. Ist das der schließliche Tod? Wie weit kann es uns treiben? Werden wir in den luftleeren Raum hinausfallen? Wäre das möglich? Nein, das ist nicht möglich. Das ist nicht möglich. Das ist nicht … Ich werde nicht sterben. Verdammt. Oder nicht verdammt. Nach und nach überholen sie mich. Irgendwann bin ich wieder allein. Schwebe ohne Gewicht. Hier könnte ich auch bleiben. Indem ich zum Beispiel die Augen nicht öffne. Sagen wir, für die nächsten dreitausend Jahre. Dann sehen wir weiter. Ein Besucher aus der Vergangenheit sein, über so was habe ich viel gelesen als Kind. Beim Gedanken daran treten nun doch Tränen unter meinen geschlossenen Lidern hervor. Vor dreizehn Jahren ist ein Weinen in mir stecken geblieben. Jetzt ist es, als würde es alles aus mir herausspülen. Friede, Friede, Friede, Friede.

Jetzt: nur noch Warten. In embryonaler Bange. Soll ich dir eine Geschichte erzählen, eine letzte, damit du schlafen oder erwachen kannst?

Diese Stimme kenne ich. Sie gehört meinem Sohn. Der Wunsch, ihn zu sehen, ist stärker als Scham und Angst. Aber noch halte ich die Augen geschlossen. Ich will ihn nicht verschrecken.

Ja, sage ich ganz leise, ja.

Die Geschichte heißt: Die drei Versuchungen des Ilia B.

Ilia B. war ein frommer Junge, von Geburt an hatte er keinen anderen Gedanken als Gott. Er nahm sein Leben nur in der Beziehung zu Gott wahr, betrachtete einzig und allein Ihn, seine Geschöpfe aber nahm er nicht wahr. Er liebte weder die Himmelskörper noch die Erde, noch die Lebewesen, die sie bevölkerten, andere Menschen existierten nicht für ihn. Kurz: Ilia B. war ein kalter Bastard von einem liebesunfähigen Egoisten. Die natürliche und historische Katastrophe, die über sein Heimatland hereinbrach, tangierte ihn allgemein, aber nicht speziell. Der Gottsucher hat kein Heimatland. Allein das Wohnen im göttlichen Haus ist von Bedeutung.

Später wurde er Arzt. Als Mitglied einer religiösen Hilfsorganisation wurde er in Gebieten natürlicher und historischer Katastrophen gesehen, wo er vereiterte Finger aufstach, Kaiserschnitte ohne Betäubung durchführte und Lungenentzündungen mit Aspirin zu heilen versuchte. Eines Tages wurde die Zelle seiner Organisation unter dem Vorwurf der Missionierung verhaftet. Eine

Nonne wurde zu Tode vergewaltigt und Ilia B. zu Füßen geworfen, doch auch er konnte sie nicht mehr zum Leben erwecken. Einem Priester wurde die Zunge abgeschnitten. Er musste ihn knebeln, um ihn am Leben zu erhalten. Er hatte sich gegen das Messer gewehrt, auf seinem Kinn und seinem Hals waren Schnittwunden. Dr. B. stillte die Blutung mit Spinnweben und Kalk. Nach Wochen der Gefangenschaft, in der die noch lebenden Mitglieder der Organisation täglich beteten, ohne allerdings ein äußeres Anzeichen davon zu geben, sonst hätte ihnen der Tod gedroht, wurden sie freigelassen und kehrten in ihre Heimat zurück. Sie wurden gründlich untersucht und sowohl körperlich als auch sonst für gesund befunden.

Einige Zeit später wurde Ilia B. von Freunden seiner Verlobten zu einer Party eingeladen. Dutzende Menschen, Frauen, Männer, sprachen ihm ihr Mitgefühl für das Erlittene und ihre Bewunderung für seine Tapferkeit aus. Er gab höflich und knapp Antwort. Was er gedacht habe. Ob er Todesangst gehabt habe. Was er gefühlt habe, als der Körper der Nonne vor seinen Füßen und der Kopf des Priesters in seinem Schoß gelegen habe. Nichts. Nein. Nichts, nichts. Er hatte die ganze Zeit nichts gefühlt oder gedacht. Er hatte keine Angst um sein Leben. Er betete. Herr, der du im Himmel bist. Ich bin nicht würdig, dass du einkehrst unter mein Dach, doch sag nur ein Wort. Als Nächstes wollte er eine Assistenzstelle antreten, heiraten, bald war Nachwuchs geplant.

Auf dem Nachhauseweg von dieser Party, in der letzten Nacht seines Lebens, waren keine Taxis zu bekommen. Ilia B. und seine Verlobte schlenderten Arm in Arm durch die Straßen, um vielleicht auf gut Glück ein Taxi zu erwischen. Sie erwischten mit Glück ein Taxi. Später allerdings kam es zum Streit mit dem Fahrer. I. B.s Verlobte behauptete zu Recht, der Fahrer hätte absichtlich einen Umweg gefahren, woraufhin er sie in einer dunklen, abgelegenen Straße aussetzte. Die Verlobte trat, ganz untypisch für sie, aber sie hatte an diesem Abend einiges getrunken, gegen den startenden Wagen. Der Wagen hielt, der Fahrer stieg aus, trat zur jungen Frau, stach ihr mit einem Messer in den Bauch, stieg wieder ein und fuhr davon. Ilia B. hielt mit einer

Hand die verletzte Ader im Bauch seiner Verlobten zu, mit der anderen Hand alarmierte er die Rettung. Er fuhr mit ihr ins Krankenhaus, wo sie sofort operiert wurde. Ihm bot man an, er könne im Krankenhaus etwas schlafen, aber er sagte, er ginge lieber nach Hause und komme später wieder. Als er sich nach zwei Tagen immer noch nicht gemeldet hatte, beauftragte die Verlobte ihre Mutter, nach ihm zu sehen. Man fand ihn im Bett liegend. Er war noch in derselben Nacht im Schlaf gestorben. Wenige Stunden nach Eintritt des Todes setzten Fliegen ihre Eier in seine Augenwinkel.

Ja, sage ich, so leise es geht. So war es.

Schau mich an, sagt mein Sohn.

Ich öffne die Augen. Er schwebt mit untergeschlagenen Beinen unter der Decke, sein Name ist Ausweg.

Dein Name ist, sagt er, während er schon ausbleicht wie alte Filmaufnahmen, dein Name ist: Jitoi.

Abel Nema alias El-Kantarah alias Varga alias Alegre alias Floer alias des Prados alias ich: nicke.

Jawohl, sage ich. Amen leba.

Angekommen bin ich nun in der vollkommenen Windstille. Ich seufze, um sie zu spüren: die Leichtigkeit im Rippenkorb. Alles ist leicht jetzt. Nicht mehr in Gips gegossen, auch nicht in Beton, kein Gehirnklumpen geistert mehr in den Ecken, ich spüre und sage es: Nun wird mein Leiden bald ein Ende haben. Mein Jahrzehnt in der Hölle ist um. Wem habe ich das geschuldet? Vielleicht niemandem.

Und taumelte los, ein schwankender, schmerzender Körper, Gehen oder Kriechen, irgendwas in der Art, auf die Schienen zu.

0. AUSGANG

Verwandlungen

Erwachen

Von irgend welchen Lichtern gefaselt und im Vollrausch vom Balkon spaziert, fünf Etagen, plumps, auf den Gehsteig, so ein hoffnungsvolles Talent. Alle anderen waren auch schon völlig hinüber oder mit anderem beschäftigt, oder wie kam es, dass es keinem einfiel, ihn davon abzuhalten, auf dem Balkongeländer zu balancieren, was hat ihn dazu getrieben, mancher glaubte sogar an eine Halluzination, nanu, da steht einer auf dem Balkongeländer, und plumps ist er wieder weg. Da waren keine Lichter, er hat gar nichts gesagt, zu wem auch, da war niemand, er war allein, und gegangen ist er auch nicht, er war froh, kriechen zu können, obwohl er keine Schmerzen hatte, es war eine Frage des Gleichgewichts. Weil ihm so schwindlig war, setzte er sich in den kleinen Gitterkasten, den er seinen Balkon nennt, und blieb einfach sitzen, man konnte ihn von unten sehen, von der Sonne gegerbt, vom Wind getrocknet, eine Statue, jahrelang, die Wohnung gehörte niemandem, man hat sich höchstens gewundert, wie geschmacklos, da zieht jemand seinem Skelett Kleider an und setzt es auf den Balkon, aber es kommen nicht viele vorbei in einer Sackgasse mit Blick zur Bahn, und so wunderten sich auch nur wenige. Saß da oben und schaute den Zügen zu, wie sie hin und her geschoben wurden. Anfangs schwankten die Entfernungen noch, zur Klinke musste er sich strecken, als wäre er drei oder unter Riesen, das Balkongeländer dafür war winzig wie für Däumlinge, darüber zu geraten war keine Kunst. Er nutzte die Gunst des Moments, als die Entfernung zur Mauer gerade klein und sein Bein lang war und trat einfach *hinüber*. Das war gut, das war wie Kindheit oder manchmal auch heute noch, dieses Gefühl, es wäre nur ein Schritt zu der Küstenlinie dort drüben. Vorsichtig den Fuß zwischen die Schienen gesetzt, um nicht umzuknicken und womöglich das Haus mit sich zu reißen, in dem der andere, der kleinere Fuß noch steckte. Woher er auch immer gekommen war, ob über die Mauer geklettert, sich durch die Stacheldrahtrolle gezerrt, vielleicht war er einfach auf der falschen Seite aus einem Zug gestiegen, jetzt jedenfalls stand er zwischen den Gleisen, links und rechts neben ihm bewegten sich die Wagen hin und her, so dass er später das Gefühl hatte, rückwärts zu gehen, obwohl er vorwärts schritt. Manchmal hörte er auch auf, Schritte zu tun, dennoch ging es weiter, mal rückwärts, mal vorwärts. Wie in einer großen, grunzenden, quietschenden Herde, wenn er nicht ging, trugen sie ihn. Zuerst gefiel es ihm gut, das gibt so ein Gefühl von Gemeinschaft und Dynamik, ich gehe nicht, etwas trägt mich trotzdem, und zwischen den Körpern der anderen ist oben der Himmel mit den Wolken. Später fiel ihm auf, dass es immer dieselben Wolken waren, da erkannte er: der Himmel ist eine Endlosschleife und das bedeutet nichts anderes, als dass er vermutlich nie hier herauskommen würde. Das ist so ein Moment, in dem die Verzweiflung in einem hochfährt, als wäre die Wirbelsäule, die Speiseröhre ein Lift, speziell dafür, aber dann sagte er sich, damit sind wir doch durch, und beruhigte sich wieder. Er fügte sich, ging manchmal, dann ließ er sich wieder tragen, und von da an ward er nicht mehr gesehen ---

Die toxische Wirkung bei einer etwas weniger als tödlichen Dosis Amanita muscaria hält etwa sechsunddreißig Stunden vor. Anschließend verfällt man in einen nicht selten ebenso langen Schlaf. Anfangs hatte er allerhand Träume, später nur noch einen, in dem er versuchte, auf den Balkon und von da aus zu den Schienen zu gelangen. Die Versuche misslangen der Reihe nach, die Geschichte nahm eine nicht vorhergesehene Wendung, und er starb jedes Mal, doch er blieb hartnäckig. Irgendwann gelang ihm schließlich der Sprung über die Mauer, und dann waren stundenlang nur noch die Züge da, die Züge, die Züge, und dann gar nichts.
Eines Freitag morgens erwachte Abel Nema, weil er das Läuten von Glocken hörte. Etwa dreißig Glocken läuteten etwa dreißig Jahre lang. Er hielt die Augen geschlossen. Die Sonne schien auf ihn. Da ist dieser Mensch. In den Augen schmerzte es ein wenig, Folge der zeitweise extremen Verdrehung der Augäpfel, aber das

war schon alles. Abgesehen davon war es, als wäre gar nichts gewesen. Als wäre nie etwas gewesen. Saß auf dem Balkon, ging mit geschlossenen Augen seinen Körper durch: nichts. Irgendwann hörte das Geläut auf und die Züge waren wieder da. Ihr Quietschen und Brummen. Ihr Geruch im hauchfeinen Wind, der sein Gesicht berührte. Er öffnete die Augen.

Und verlor unter dem Druck der unerwarteten Helligkeit und Weite des Himmels vor ihm fast das Gleichgewicht, obwohl er saß und obwohl der Ausblick in der unteren Hälfte vergittert war. Die obere Querstange verlief etwa in Stirnhöhe. Zwischen den Gitterstäben die Backsteinmauer. Sie kam ihm gealtert vor. Dahinter erkannte er dreizehn Schienenpaare. Sehr alte und sehr neue Waggons fuhren auf ihnen hin und her. Kugeln auf einem Abakus. Er dachte es, und sein Nachbar fiel ihm ein, der Physiker, dem es nicht gelungen war, auszurechnen, was da gerechnet wurde. Oder dem es, im Gegenteil, gelungen ist.

Hallo, sagte in diesem Moment Halldor Rose hinter der Balkontrennwand. Ich bin wieder da.

Denn, worum geht es hier eigentlich?, sagte Halldor Rose einige Tage zuvor zu seiner Schwester Wanda. Doch darum, dass ich eine Gotteserfahrung gemacht habe.

Mein Gott, sagte Wanda.

Lass mich ausreden! Eine Gotteserfahrung gemacht, ich verstehe, dass man dafür jederzeit ins Irrenhaus kommt, es war sehr freundlich von dir, mich wieder herauszuholen. Aber was ich nicht verstehe, ist, wieso ich seitdem mit kurzen Unterbrechungen für Nahrungsaufnahme und Schlaf quasi ununterbrochen durch Kartoffeläcker und Silos geführt werden muss. Was sollen sie bedeuten, diese Berge von Kartoffeln, die man mir verschwörerisch zeigt, junge, keimende und runzlige, eine Metapher auf das Leben, oder was? Hier ist auch eine grobe Waage, auch das passt, mit einpaar leeren Säcken daneben, soll das ein Zeichen sein? Soll ich aus der Anordnung der Flecken auf den Schalen irgendwelche Schlüsse ziehen oder aus dem Flug des Staubes über den Feldern? Soll ich aus der Krümmung oder den Linealgeraden der Reihen irgend etwas ersehen oder aus den Essensresten an der Familientafel, wo ich am Kopfende sitze, Wanda genau gegenüber, damit ich sie gut sehen kann und sie mich gut sehen kann. Soll ich aus dem Kaffeesatz auf dem Schwamm im Spülbecken lesen und etwas, was?, einsehen? Im Grunde geht es doch um nichts anderes, als dass man mich in dieser öden Idylle festgesetzt und zur tödlichen Langeweile verurteilt hat, aus keinem anderen Grund, als dass ich mich weigere, diese Erfahrung, Gott, zu leugnen. Wenn Wanda der Meinung ist, das sei alles ein von Drogen ausgelöster Wahnzustand ...

Vorübergehend, nur vorübergehend, sagte sein schnurrbärtiger Schwager und bot ihm Schnaps an.

Nein, danke, ich trinke nicht. Wenn es also so ist, wieso gibt sie sich nicht damit zufrieden, wieso besteht sie darauf, dass ich auf diese, ich zitiere: *Himmelfahrtsgeschichte* verzichte?

Ich verstehe nicht so viel davon, sagte der Schwager, aber hast du nicht selbst gesagt, du willst eigentlich gar nichts mehr damit zu tun haben?

Nein, sagte Halldor Rose finster. Das war es nicht, was ich gesagt habe.

Und hier fiel ihm ein, wie das Ganze überhaupt angefangen hatte, worum es am Anfang ging, und am nächsten Tag organisierte er mit einer ihm kaum zuzutrauenden Pfiffigkeit und Ökonomie seine Flucht aus der Kartoffelwüste. Der Pommes-frites-Fahrer setzte ihn auf derselben Brücke ab, auf der er schon vor einer Woche gestanden war. Er ging gar nicht erst nach Hause, er ging geradewegs zu seinem Arbeitsplatz, einem Forschungsinstitut für theoretische Physik, wo man sich weder wunderte noch sonderlich freute, man sagte ihm, es bestünde kein Grund zur Eile, es sei sowieso schon so gut wie Wochenende, wieso gönne er sich nicht noch ein wenig Zeit und erhole sich von seinen Strapazen, am Montag sehe man weiter. Auch gut, sagte Halldor Rose und ging. Jetzt saß er also auf dem Balkon. Hallo.

Abel schaute hin, erblickte durch einen Spalt einpaar Lippen, umgeben von einem Siebentagebart, eine Strähne des langen, struppigen Haupthaars wehte quer über sie, während sie sagten: Ist das nicht ein herrlicher Tag?

Ein Schwarm Vögel flog von links nach rechts.

Abel versuchte, die Zunge zu bewegen, aber sie fühlte sich zu trocken an, er nickte nur: Ja, herrlicher Tag.

Gott sei Dank, sagte H.R. durch den Spalt. Ich bin wieder da. Das war vielleicht eine Woche.

Wem sagst du das.

Saß auf dem Balkon, und da er nichts fand, was dem widersprochen hätte, stand er, nachdem er einpaar Worte mit seinem Nachbarn über die Abgrenzung hinweg gewechselt hatte, ohne große Mühe auf und ging in die Wohnung zurück.

Ging in die Wohnung zurück und erkannte sie kaum. Er erinnerte sich dunkel: an die zeitweiligen Anstrengungen der letzten Jahre, Ordnung und Sauberkeit in das Chaos zu bringen, ohne, wie man jetzt sehen konnte, jeden Erfolg. Obwohl sich die Form des Raumes als weniger zerklüftet erwies, als er es in Erinnerung hatte – er zählte die Ecken durch: es waren nur fünf, eine mehr als normal –, war das, was er sah, ein weites Feld nahezu vollständiger Verwahrlosung. Es half auch nichts, dass es nur wenige Gegenstände gab, schäbig und sichtbar schmutzig. Es roch auch. Er ging zwischen den schwarzen Haufen, mehrheitlich Kleidungsstücken, hindurch, und er wusste schon, dass all das nicht in Folge des Deliriums dort hingekommen war, wo es jetzt lag, sondern schon vorher dort gewesen sein muss, wahrscheinlich seit sehr langer Zeit. Er war barfuß – den einen Fuß ganz aufgesetzt, den anderen, den verletzten, nur mit dem Haken –, es war, als ginge er über Scherben, dabei waren es nur Krümel. Auf, im, unter dem Teppich unendlicher Schmutz. Auch das nie benutzte Küchenradio seines Vormieters war ganz verkrustet vor Fett und Staub. Er stellte es an. Der Ton kam knarzend unter der Kruste hervor. Nachrichten. Wegen einer Grippeerkrankung des Angeklagten S.M. musste die Verhandlung im Prozess von H. erneut verschoben werden. Amtierende Staatschefs genießen nach dem neuen, entschärften Gesetz gegen Völkermord Immunität undsoweiter. Er schaltete das Radio wieder aus und setzte sich in die Badewanne mit dem Überzug aus goldenem und schwarzem Fett. Er wusch seinen Körper sehr sorgfältig, und horchte dabei weiter in sich hinein, aber das Ergebnis blieb das Gleiche, nennen wir es ein Wunder: Kein Tropfen Gift war mehr in keiner einzigen Zelle seines Körpers, die Droge hatte sich verflüchtigt, und mit ihr auch alles andere. Seine gesamte Wahrnehmung, Sinne, Bewusstsein waren absolut klar, und zwar seit etwas mehr als dreizehn Jahren das erste Mal. Ich sehe, rieche, taste jetzt so wie die anderen Menschen. Und wie jeder andere in so einer Situation, fühlte er über diese Entdeckung das Zittern einer kleinen Freude und eines großen Fürchtens aufsteigen, aber dieses Fürchten hatte nichts mehr zu tun mit jenem anderen. Das war weg. Es war weg.

Aber nur sachte. Sich vorsichtig durch das Minenfeld bewegen. Allzu brüchig ist noch dieser Frieden, eine unbedachte Bewegung, ein falsches Geräusch, und alles könnte wieder vorbei oder zurück sein. Der einzige Sinn, der anscheinend gelitten hatte, war das Gehör. Er konnte Halldor Roses Bewegungen in der Wohnung nebenan nicht hören, und auch die Walgesänge der Waggons nur ganz fern, obwohl die Tür zum Balkon, wie sonst selten, offen stand. Statt dessen hatte er ein Summen in den Ohren, wie das Summen eines Computers in einem leeren Raum oder eines gleichmäßigen, fernen Windes, der Sssssssssch macht. Sssssssssssssssch. Der Computer konnte es jedenfalls nicht sein, den hatte er seit Tagen nicht mehr eingeschaltet.

Dafür konnte Mercedes die Waggons sogar sehr deutlich hören, sie waren fast so laut wie seine Stimme, als wären sie aufeinander abgestimmt wie in einem atonalen Musikstück, aber das war nicht das Entscheidende. Das Entscheidende war, dass sie etwas hörte, was sie zunächst nicht zuordnen konnte, erst nach einer ganzen Weile, nachdem sie schon aufgelegt hatte und aus Küche, Bad, Schlafzimmer, wohin sie in ihrer Aufregung gelaufen war – Das Telefon klingelt, ich gehe nichts ahnend ran, und wer ist es? –, zurück ins Wohnzimmer gekehrt war, wo sie zwischen dem gesprungenen Marmortisch und der alten Kommode stehen blieb, so dass ihr Blick auf das Hochzeitsfoto fallen konnte, das immer noch da stand, und sie sah in dieses Gesicht und wusste es. Er hatte einen kaum vorhandenen, kaum hörbaren, nur spürbaren: Akzent.

Er hatte es selbst schon bemerkt. Schüttelte den Kopf, schnitt einpaar Grimassen, um die Sprechorgane zu lockern. H-khrm, sagte er, und es hörte sich an, als käme er in einen verspäteten Stimmbruch. Mag sein, es lag nur an der Trockenheit, er hatte seit Tagen nichts getrunken, jede meiner Zellen eine kleine Wüste. Er trank nach Rost schmeckendes, lauwarmes Wasser aus dem Hahn, aber auch das half nicht viel. *Es* lag *darunter*. Etwas, das man nicht abwaschen kann. Im Grunde wusste er, dass es egal war, was er tat, trinken, Sprechübungen, die Veränderung vollzog sich ganz ohne sein Zutun und kaum spürbar: ein leises Kribbeln in der Gegend der Stimmbänder, das war alles. Er traute sich nicht, in den Spiegel zu schauen. Wenn es so ist, wenn ich mich gerade verwandle, dann will ich mich dabei nicht sehen. Diese beiden Sachen traute er sich nicht: zu sprechen und in den Spiegel zu schauen. Später überwand er Ersteres, indem er Mercedes anrief. Wobei nicht nur sie etwas Neues an ihm zu hören glaubte, sondern auch er an ihr: auch er glaubte, einen Akzent bei ihr wahrzunehmen, aber das konnte nicht sein, sie sprach ihre Muttersprache, es war nur sein verändertes Gehör: Er nahm das erste Mal die ihr eigene Heiserkeit, die Färbung ihrer Stimme wahr.

Was gibt es? fragte sie. Hast du die Papiere?

H-khrm, sagte er. Nein, noch nicht, ich …

Sie wartete.

Könnte ich mit Omar sprechen?

Er ist nicht da. Kann ich etwas ausrichten?

Pause.

Sag ihm, es tut mir Leid wegen Do… Nein. Sag ihm, ich rufe wieder an.

Gut, sagte sie und legte auf.

Meine Hände sind ganz feucht.

Letzte Wendung

Den Tag vorher hatte sich Mercedes mit Tatjana getroffen.
Es ist einiges zusammengekommen und wenigstens einen Bruchteil davon muss ich erzählen.
Gut, sagte die Freundin.
Zuerst die Sache mit Erik.
Aha, sagte Tatjana und klopfte geräuschvoll den Löffel an der Tasse ab. Störrischer Milchschaum. Was ist mit ihm?

Wie war sein Tag, wahrscheinlich wie immer. Als die Familie erwachte, stand er schon im Garten, die stattlichen Hosenbeine hochgekrempelt, barfuß im holprigen Naturgras, und studierte den Verlauf der Maulwurfshügel. Anschließend trocknete er sich auf der holzgezimmerten Terrasse in einem alten Korbstuhl sitzend mit einem kleinen, harten, nur für diesen Zweck benutzten Handtuch den Tau von den Füßen und unterhielt sich mit seinen Töchtern. In der Küche küsste er seine Frau aufs Haar, sie ließ sich gegen seinen weichen Bauch fallen, rieb ihre Nase an seiner Schulter, nahm seinen Geruch auf und an: Hinter Seife und neuem Schweiß eine Ahnung vom einige Stunden zurückliegenden Geschlechtsverkehr, und über allem der Duft der ehemals tiefgekühlten, jetzt aufgebackenen Brötchen, die er für alle vorbereitet hatte.
(Ach ja! Tatjana seufzt.)
Auf seinem Weg in die Stadt überfuhr Erik einen Igel. Die Gedärme des Tiers lagen auf der Straße, eine kleine, blaue Niere. Schön ist das nicht, aber für den weiteren Verlauf des Tages spielte es vielleicht wirklich keine Rolle. Das Entscheidende, wie er immer sagt, ist erstens, den Moment zu erkennen und ihn, zweitens, im Lichte der Ewigkeit zu betrachten. Ich bin das Tier, das (im Prinzip) Autos bauen kann, während das Tier, das Stacheln auf dem Rücken hat, sterbend am Straßenrand liegt, und aus.
(Hm, sagt Tatjana.)
Um zehn Uhr dreißig traf er sich mit einem Autor in diesem Café, in dem wir jetzt auch sitzen. Das Manuskript, um das es

ging, trug den Titel: »Der Narr als König. Geistig behinderte Könige und ihre Regierungen«. Oder, sagte Erik, um es mit meinen eigenen Worten zu sagen: Ist es besser oder schlechter für uns, wenn der oberste Machthaber ein Idiot ist?

Hm, sagte der Autor.

Eine Minute, nachdem sie sich an den Tisch gesetzt hatten, war klar, dass das Treffen umsonst sein würde: Auf gegenseitige persönliche Abneigung folgte prompt fachliches Desinteresse. Mit der heißen Nadel gestricktes, eitles, sprachlich schluderiges, pseudowissenschaftliches Gerede, das könnte ich auch. Wortkarges Warten auf ein leider schon bestelltes Frühstück. Hier, deus ex machina, erschien Tatjana im Café. Tat so, als hätte sie ihn nicht gesehen, setzte sich an die Bar. Ihre Haare, ihr Rücken, ihr Hintern, ihre Beine, gemustert vom fremden Autor. Gemustert auch von Erik. Objektives körperliches Gefallen gemischt mit aus Erfahrung resultierender subjektiver Abneigung.

Entschuldigung, sagte Erik zu seinem stierenden Nebenmann. Da ist jemand, mit dem ich einpaar Worte wechseln muss.

Zu Tatjana: Ich bin mit einem langweiligen und arroganten Idioten hier. Unterhalte dich wenigstens einige Minuten mit mir.

Tatjana wandte sich auf dem Barhocker um und winkte dem Autor freundlich zu. Der Autor winkte zurück.

Also schön, sagte Tatjana. Worüber wollen wir reden.

Was bietet sich in solchen Fällen an? Gemeinsame Bekannte. Man (Erik) könnte zum Beispiel fragen, wie es Mercedes gehe, ob es ihr wirklich, wie sie behaupte, gut gehe, man konnte neulich so einen seltsamen Eindruck haben.

Woraufhin Tatjana, genau wie jetzt auch, den Milchschaum von ihrer sehr roten Oberlippe leckte und sagte: Nun ja, man fragt sich wirklich, wieso sie nicht lieber erleichtert ist, den Typen los zu sein, also ich wäre es.

So erfuhr Erik, dass Mercedes' sich vom Schwarzen Mann getrennt hatte.

Oh, sagte Tatjana und steckte den Zeigefinger in die Tasse, um mit der Spitze einen Rest Zucker aufzunehmen. Ich wusste nicht, dass du's nicht weißt.

(Ja, sagt Tatjana, genauso war's.)

Anschließend tat Erik so, als müsste er leider ganz schnell weg. Im Büro angekommen, starrte er durch eine offene Tür längere Zeit auf Mercedes' Rücken, bis sie es bemerkte. Sie winkte ihm zu, er winkte zurück und ging in sein Büro. Nachdem er dort den Großteil des Tages auf und ab gegangen war, kam er zu Mercedes zurück.

Ich habe dir zwei Sachen zu sagen, sagte Erik kurz vor Büroschluss.

Ist es wichtig? fragte Mercedes. Ich muss gleich gehen. Omar.

Erstens. Erik blieb vor der Tür stehen, seine Fäuste in den Taschen zogen Falten in den Hosenstoff. Erstens bin ich als dein Freund gekränkt und enttäuscht, dass du mir nichts von deiner Scheidung gesagt hast. Zweitens habe ich gerade die schlimmsten sechs Stunden meines Lebens durchgemacht, und das Ergebnis ist: Ich liebe dich. Heirate mich.

(Tatjana lacht von Herzen.

Warte! ruft Mercedes.)

Sie sah sich den schwitzenden Mann in ihrer Tür an. Dann sagte sie wieder, dass sie gehen müsse.

Hast du nicht gehört, was ich gesagt habe?

Doch.

Und?!?

Er kreischte fast.

Ich bin bereit, alles für dich aufzugeben, meinen Rettungsring aus Weißgold um den Ehefinger, das ganze bodenständige Leben, das mich bislang vor der Verzweiflung bewahrt hat, zwei bezaubernde, mich vergötternde Mädchen, eine kluge, solidarische Frau, ein gesundes Haus mit Garten, um mit dir in deiner beengten Wohnung zu leben, die vollgestopft ist mit kitschigem Kleinkram, deiner korrekten vegetarischen Küche und deinem seltsamen Jungen, der mich verachtet, plus Diners mit deinem eitlen, schrulligen Vater von einem mediokren Pausenclown und deiner versnobten, vertrockneten Mutter ohne eigenes Talent, und unter ständiger Beobachtung dieser Schreckschraube von bester Freundin. Ich bin bereit, mich dir ganz zu geben, langsam wäre es auch für dich an der Zeit für einen normalen, gesunden Mann, und du sagst, verstört und etwas angewidert …

Entschuldige, sagte Mercedes leise und rückte an ihm vorbei, durch die Tür.

(Tatjana lacht.

Warte, sagt Mercedes.)

Omar war schon zu Hause. Was ist los? fragte er.

Nichts. Erik hat mir einen Heiratsantrag gemacht. Wahrscheinlich war er betrunken.

Sie lachte. Das Kind sah ernst drein.

Erik ist ein Idiot, sagte Omar. Heirate ihn nicht. Ich würde leiden.

Mercedes lachte.

Warum weinst du? fragte Omar.

Ja, sagte Tatjana *jetzt*. Warum?

Mercedes, nachdenklich: Ich weine gar nicht. Aber ich werde mir wohl einen neuen Job suchen müssen.

So ist das Leben, sagte Tatjana. Ein Kommen und Gehen.

Hm, sagte Mercedes. Sie sah hinaus auf die Straße. Vielleicht wäre das der richtige Zeitpunkt, noch ein Kind zu bekommen.

Vielleicht, sagte Tatjana.

Eine Tochter.

Aha.

Omar würde es auch gut tun. Jemanden zu haben. Obwohl er zum Glück aufgehört hat, zu behaupten, er sei der klügste Mensch auf Erden.

Pause.

Ich habe in meinem Leben nicht mehr als drei Männer geliebt, sagte Mercedes. Und auch, wenn es so ausgesehen haben mag, dass ich nichts aus diesen Beziehungen mitgenommen habe, in Wahrheit habe immer das mitgenommen, was am Wertvollsten war. Zuerst ein Kind, dann ein Manuskript.

Tut mir Leid, sagte Tatjana. Ich fürchte, ich verstehe nicht, worauf du hinaus willst. Beziehungsweise: Ich verstehe es nur allzu gut, und soll ich dir was sagen, das, also *das* schlägt dem Fass endgültig den Boden aus!

Warte, sagte Mercedes. Aber die andere machte das nicht mehr mit. Ich bin fertig mit dir, dämliches Weibchen, du gehst mir schon die ganze Zeit auf die Nerven, in Wahrheit konnte ich dich noch nie besonders leiden! Sagte Tatjana, nicht ganz mit diesen Worten, und stürmte aus dem Café.

Alles in Ordnung? fragte der Kellner.

Alles in Ordnung, sagte Mercedes und zahlte für beide.

Danach passierte nicht mehr so viel. Ein Arbeiter aus G. fand das Portemonnaie mit dem Foto seiner Geliebten wieder, das er vor zweiundzwanzig Jahren verloren hatte, unter den Dielen eines Büros, beim Abriss einer Fabrik, in der er damals gearbeitet hatte. Ein Mann und eine Frau, die sich über Jahre als Kontrolleure der Einwanderungsbehörde, wahlweise als Mitarbeiter der Jugendfürsorge ausgegeben hatten, wurden verhaftet. Bei einem Fußballspiel in einem kleinen Dorf in V. stahlen zwei Männer mitten im Spiel den Ball. Rannten mit ihm durch die schattenlosen Straßen ihres Dorfes, warfen sich lachend den Ball zu, sich den Ball zuwerfend und lachend, rannten sie bis zu sich nach Hause, wo sie von der wütenden Menge eingeholt und totgeschlagen wurden. Ein Radio-DJ in S. wurde erschossen, weil er sich weigerte, einen Musikwunsch zu erfüllen, ein Achtzehnjähriger schnitt sich im Engelstrompetenrausch Penis und Zunge ab und Konstantin T. wurde beim Versuch, sich einen gefälschten Ausweis zu kaufen, ertappt. Die letzte Nacht vor seiner Abschiebung verbrachte er auf einem Küchenstuhl in Handschellen: Man hatte ihm den Mund zugeklebt, weil er nicht aufhören wollte zu klagen, er weinte erstickt, der Rotz füllte langsam seine Nase aus.

Am Morgen darauf, einem Freitag, nahm Abel seinen Mantel und ging hinaus. Die Tür der Klapsmühle stand offen, aber es hing immer noch der Zettel dran: Bis auf weiteres geschlossen.

Wie lange noch?

Thanos zuckte mit den Achseln. Willst du was trinken? Klar wie Wasser, sagte er, während er einschenkte.

Abel nahm einen Schluck, merkte, dass er sofort betrunken wurde, und ließ den Rest stehen.

Soso, sagte Thanos. Soso. Kann ich vielleicht sonst was für dich tun?

Abel ging zu Thanos, meinem väterlichen Freund und Gönner, um ihn ein letztes Mal um Geld zu bitten. Ich habe letzte Woche versäumt, die Wunde an meinem Fuß zu heilen, und jetzt ist mir zusammen mit den anderen, um die es mir nicht sonderlich Leid tut, auch diese Fähigkeit abhanden gekommen, sag das nicht, sag einfach, du müsstest zum Arzt und hättest leider keine Versicherung. Notfalls könnte man, auch wenn es etwas billig ist, erwähnen, dass man sich die Verletzung hier eingehandelt und das Geld hier verloren habe, aber das zu sagen wurde schließlich nicht nötig.

Reicht das? Gute Besserung.

Kein anderer wäre, aber er ist nach so einer Behandlung, immerhin neun Stiche, zu Fuß gegangen. Zum einen wirkte die Betäubung, und zwar so, als hätte er keinen rechten Fuß, sondern eine Wolke an der Stelle. Und zum anderen wollte er einfach sehen, ob er es schaffen konnte. Ob er es, wie er annahm, ohne sich zu verirren, zu der nur wenige Straßen entfernten Meldestelle schaffen konnte, sich endlich die Ersatzpapiere besorgen, und anschließend zur Bank. Zu beidem kam es nicht mehr.

Sie waren die Einzigen auf dem kleinen Spielplatz, kein Park, nur ein wüstes Stück Dreieck sogenannte Grünfläche, wo was übrig geblieben war am spitzwinkligen Zusammentreffen zweier Gassen. Einer saß am verrotteten Rand des Sandkastens, zeichnete in den Sand, drei hockten auf der sich quietschend drehenden Holzscheibe, zwei hingen am Klettergerüst, Bimm, Bamm, wie zwei Klöppel. Sie spielten stumm und ernsthaft, drehten sich, zeichneten, baumelten und behielten *ihn* im Auge. Im Grunde konnte man schon wissen, früher hätte er es gewusst, dass das nicht gut ausgehen würde. Er machte nichts, sie machten nichts, trotzdem war es klar. Sie hatten sich von kleinen Autoradiodieben zu schweren Jungs entwickelt, im letzten Winter haben sie einen Penner angezündet. Der Mann in Schwarz zog an den beiden Schaukelnden vorbei, quer über die Grünfläche auf die Scheibe zu. Die auf ihr saßen, pressten die Sohlen auf den Beton, die Scheibe blieb quietschend stehen. Er trat einen Schritt beiseite, um vielleicht doch noch an ihnen vorbeizugehen, verlagerte damit das Gewicht auf den verletzten Fuß, von wegen Wolke, er knickte ein vor Schmerz. Die frische Naht riss auf, Feuchtes begann in seinen Schuh zu sickern.

Hoppla, sagte einer von denen, die vor ihm standen. Die hinter ihm waren lautlos vom Klettergerüst gesprungen, jetzt packten sie ihn unter den Achseln, als würden sie ihn stützen wollen.

Hoppla, sagte Kosma. Klatschte sich den Sand von den Händen. Er war größer und noch fetter geworden, Augen, Nase, Mund winzig in seinem großen, roten Gesicht. Hoppla, sagte der winzige Mund.

Abel signalisierte mit seinem Körper, dass er nun auf eigenen Beinen stand, danke für die Hilfe, aber sie ließen ihn nicht los, sie hielten ihn von beiden Seiten, ihre Finger bohrten sich in seine Achselhöhle.

Tut mir leid, ich habe einen Großteil meines geliehenen Geldes vor kurzem ausgegeben, ein kleiner Rest ist in der linken Innentasche, mehr habe ich nicht. Dann fügte er noch hinzu, dass er es eilig habe.

Sie rührten sich nicht, starrten ihn nur an.

Scheiße, verdammte, sagte Kosma. Dich kenn ich doch.

Jetzt wusste er es auch wieder. Es waren die Furchtbaren Sieben, nur dass sie seit einer Weile nur noch zu sechst waren.

Kurz bevor es losging, kam Abel noch der Gedanke, ob er denn wirklich schon bereit sei *dafür*. War er so weit, klaglos zu sterben, denn, dass er sterben würde, schien sonnenklar. Bereit oder nicht, jetzt wirst du vollendet.

Kosma machte einen Schritt nach vorne und trat ihm in die Genitalien. Er wäre gefallen, aber die beiden Leibwächter hielten ihn. Später baten sie darum, abgelöst zu werden, nicht immer nur halten zu müssen. Egal, sagte Kosma, lasst ihn los. Sie ließen ihn los. Er stürzte langsam, wie große Statuen. Ab dem Moment, als er auf der Erde aufkam, weiß man nichts mehr.

Später am Tag erhielt Mercedes einen Anruf vom Krankenhaus.

Ausgang

Es war nicht einfach, ihn abzuschneiden, das Klebeband war widerspenstig. Die burschikose Junge hatte ein zu kleines Taschenmesser dabei, eine Große, Hagere hielt ihn am Schienbein fest, und die Dicke trug seinen Kopf in den Händen. Sie legten ihn auf den Asphalt, hoben ihn gleich wieder hoch, trugen ihn einpaar Schritte weiter, legten ihn ins Gras. Vorsichtig den Hinterkopf aus den gepolsterten Handflächen kullern lassen. Für einen Moment gingen ihm die Augen auf: blauer Himmel, dann eine zunächst rote, dann schwarze Dunkelheit. Ist das gut so? Ja, das ist gut. Es ist gut.

Er könnte ebenso gut tot sein. Ein unwahrscheinliches Glück. Die Klinge drang zwischen der vierten und der fünften Rippe ein, zwei Zentimeter tief, und brach dann ab, ohne lebenswichtige Organe verletzt zu haben. Den eigentlichen Schaden hat, wie gesagt, das Hängen bewirkt.
Das ist gut!
Das Zimmer ist voll: Ärzte, Logopäden, mindestens zehn, für jede Sprache einer. Sobald man kapiert hatte, wer er ist, jemand hatte ihn wieder erkannt, der ehemalige Assistent am MRT, wurde er in dieses Einzelzimmer gebracht. Mittlerweile ist auch die Familie verständigt und anwesend. Mercedes' Augen.
Das ist gut!
Das scheint das Einzige zu sein, was er noch sagen kann. Eine kleinere Blutung im Vorderhirn und eine ausgedehnte im rechten Schläfenlappen. Wie viel er versteht, ist ungewiss. Als Folge der Gehirnblutungen leidet Ihr Mann an einer Aphasie.
Was ist eine …?
Das ist ggggg…
Aphasie, sagt Omar. Von griechisch: phanai, sprechen. Verlust des Sprech- aber auch, im übertragenen Sinne, des Urteilsvermögens.
Kurz: Er hat seine Sprache verloren. Einen klugen Jungen haben Sie übrigens. Im unwahrscheinlichen Porzellanweiß seines rechten Auges ist das gesamte Krankenzimmer eingefasst.

Was meinen Sie mit: Er hat seine Sprache verloren? Alle?

Das ist gut!

Häufig ist das leider auch mit einer Amnesie verbunden. Das ist im Moment schwer festzustellen. Herr N., wie geht es Ihnen?! Ihre Familie ist hier!

Mercedes wagt nicht, sich zu rühren. Omar legt eine Hand auf Abels rechten Arm. Leider ist es der gelähmte. Das Gesicht lässt sich auch nur schwer bewegen. Als wäre ich immer noch in Stücken. Gepresste Laute aus einem halbseitigen Mund: Gut, gut, gut!

Ein Teil des Sprachvermögens lässt sich mit der Zeit meist wieder herstellen. Allerdings, so etwas wie das hier, eine Zehn-Sprachen-Aphasie, hatten wir noch nie. Das ist eine große Herausforderung für uns.

(Fuck you!) Das ist gut!

Dreizehnte expedition zur suche nach der arche noah gestartet aller bosheit wird das maul gestopft psalm hundertsieben vierzehn aufschrift x. y. leiter des instituts für kreationistische wissenschaft und initiator der expedition die evolutionstheorie vermittelt ein trostloses bild unseres lebens und zersetzt die gesellschaft wenn ich nur ein zufallsprodukt aus der ursuppe bin was hat dann das ganze überhaupt für einen ---

Ja, lassen Sie den Fernsehen laufen. Zu ihm sprechen. Das ist gut. Wir haben auch ausländische Sender. Sie ahnen nicht, was das für uns bedeutet. Das wissenschaftliche Interesse an diesem Fall ist für Laien vielleicht gar nicht richtig erfassbar. Ohne Zweifel ist das einer der interessantesten neurolinguistischen Fälle.

Das ist gut!

Mit den Kenntnissen, die man bereits über sein Gehirn gesammelt hat. Das ist einmalig. Verzeihen Sie meine Begeisterung. Für Sie ist das natürlich in erster Linie tragisch.

Das ist gut!

Doch wir sind voller Hoffnung. Sehen Sie, das könnte ein ganzes Programm wert sein. Das Abel-Nema-Programm, kurz: ANP.

Guuuuuuuut!

Abhängig von Geldern, natürlich, aber in so einem Fall …

Guuuuuuuuuuu!

Das ist eine gute Spritze, sie wirkt sofort. Manchmal weiß man nicht, was in gehirngeschädigten Patienten vor sich geht, aus heiterem Himmel bekommen sie Wutanfälle,

Gut!

werfen sich wie in Panik herum, harmloseste Umstände können plötzlich bedrohlich auf sie wirken, davon dürfen Sie sich nicht erschrecken lassen. Suizidgedanken sind leider auch keine Seltenheit, ich gebe Ihnen mein Versprechen, dass wir ihn von Treppen und Fenstern fern halten werden. Sie werden vielleicht bemerkt haben, dass ohnehin überall die Klinken fehlen, das ist Sicherheitsstandard. Wir haben einen langen und mühsamen Weg des Lernens vor uns, aber gleichzeitig ist das auch einer der schönsten Wege,

Gggg!

ein Weg der Hoffnung,

Gg!

jeder Tag, jeder noch so kleine Schritt ist ein Sieg.

Gggggrrrr…

Ja, leg deine Hand auf seine Stirn, mein Kleiner.

Omar nimmt seine Hand von der kalten, verschwitzten Stirn seines immer noch Stiefvaters und nimmt das warme, klebrige Händchen seiner Schwester. Er passt sich ihren Schritten an. Gemeinsam taumeln sie durch das feuchte Gras des Parks. Er spricht zu ihr wie zu einer Erwachsenen. Sie sagt noch nichts, nickt nur, schüttelt den Kopf oder stellt ihn schräg und hebt eine Augenbraue, je nachdem, was richtig ist. Was sie auch immer tut: sie lächelt. Sie hat die spiegelnden Augen und die langen Glieder ihres Vaters geerbt und die freundlichen Wangen und den vertrauensseligen Mund der Mutter. Ihr Bruder ist größer und schlanker geworden, die Schönheit, die aus seinem perfekten Gesicht und seinem gesamten Körper, auch aus den unsichtbaren, von Kleidung verdeckten Teilen strahlt, ist so überwältigend, dass geschlossene Räume, Metrowagen, kleine Geschäfte vollständig verstummen können, wenn er in ihnen anwesend ist, aber auch unter freiem

Himmel verdrehen Frauen und empfängliche Männer schmerzhaft die Augen, um ihn verstohlen zu mustern. Er scheint davon nichts zu bemerken, denn sein linkes Gesichtsfeld ist nicht vorhanden und rechts von ihm trippelt das kleine Mädchen, dem er seine gesamte Aufmerksamkeit schenkt. Außer, wenn er einen Blick zurück wirft, zu einer gewissen Bank, ob er noch dasitzt, mit etwas schief gehaltenem Kopf, sanft lächelnd, wie früher manchmal auch, Abel Nema, und ihnen zuschaut. Die Amnesie hat sich bestätigt, er erinnert sich an nichts mehr, wenn man ihm sagt, was man über ihn weiß, sein Name sei Abel Nema, er sei aus dem und dem Land gekommen und habe einst ein Dutzend Sprachen gesprochen, übersetzt, gedolmetscht, schüttelt er höflich-verzeihend-ungläubig lächelnd den Kopf. Er versteht alles, was man ihm sagt, er kann sich normal, wenn auch etwas langsamer als die meisten, bewegen und auch etwas sprechen. Entgegen der Erwartungen hat sich nur eine einzige Sprache, die Landessprache, soweit regeneriert, dass er einfache Sätze sprechen kann. Er kann sagen, ob er etwas zu essen haben will vom nahen Kiosk, und kann auch die Kinder fragen, ob sie etwas möchten. Er kann auch anderes sagen, aber es ist ihm anzusehen, dass das sehr anstrengend ist. Am liebsten sagt er immer noch: Das ist gut. Die Erleichterung, ja, das Glück, diesen Satz aussprechen zu können, ist ihm so deutlich anzusehen, dass ihm die, die ihn lieben, jede Gelegenheit dazu bieten. Er spricht es dankbar aus: Das ist gut. Ein letztes Wort. Es ist gut.